CW00919810

Februar 1943: Bei einer Flugblatt-Aktion gegen die Nazi-Diktatur wird die junge Studentin Sophie Scholl zusammen mit ihrem Bruder Hans in der Münchner Universität verhaftet.

Tagelange Verhöre bei der Gestapo entwickeln sich zu Psycho-Duellen zwischen der Widerstandskämpferin und dem Vernehmungsbeamten Robert Mohr.

Sophie kämpft zunächst um ihre Freiheit und um die ihres Bruders, stellt sich schließlich durch ihr Geständnis schützend vor die anderen Mitglieder der *Weißen Rose* und schwört ihren Überzeugungen auch dann nicht ab, als sie dadurch ihr Leben retten könnte.

Dieser Band ist mehr als ein Buch zum Film. Er beschreibt Hintergründe, das historische Umfeld und die Bedingungen für die Bildung der *Weißen Rose*. Belegt mit zahlreichen bisher unveröffentlichten Dokumenten – u. a. den Vernehmungsprotokollen der Gestapo, die lange Zeit nicht zugänglich waren – sowie zahlreichen historischen Abbildungen.

Der Herausgeber *Fred Breinersdorfer*, geboren 1946, ist promovierter Jurist und Rechtsanwalt in Berlin. Er ist Autor und Verfasser von Drehbüchern. Seine Filme wurden u. a. mit dem begehrten Adolf-Grimme-Preis und der Goldenen Kamera ausgezeichnet.

Ulrich Chaussy, geboren 1952, Publizist, produziert Kulturprogramme und historische Features im Radio, Filme sowie zahlreiche Veröffentlichungen u. a. zur »Weißen Rose« (u. a. »schuldig, schuldig, schuldig« Originaltonhörspiel; »Die Weiße Rose« – multimediale Dokumentation des deutschen Widerstandes); Mitarbeit an der von Otl Aicher für die »Weiße Rose-Stiftung« konzipierten Ausstellung die »Weiße Rose«.

Gerd R. Ueberschär, geboren 1943, Dr. Phil., Historiker und Archivar beim Bundesarchiv-Militärarchiv Freiburg sowie Lehrbeauftragter an der Universität Freiburg. Er veröffentlichte zahlreiche Monographien und Aufsätze und gab u. a. die beiden im Fischer Taschenbuch Verlag erschienenen Bände »Das Nationalkomitee ›Freies Deutschland‹ und der Bund Deutscher Offiziere« und »Der deutsche Überfall auf die Sowjetunion« (gemeinsam mit Wolfgang Wette) heraus. Zuletzt erschien im S. Fischer Verlag sein Buch »Stauffenberg. Der 20. Juli 1944«.

Marc Rothemund, geboren 1969, war als Regieassistent unter anderem bei Helmut Dietl, Bernd Eichinger und Dominik Graf tätig. Für das ZDF realisierte er mehrere Fernsehfilme, für das Kino inszenierte er »Das merkwürdige Verhalten geschlechtsreifer Großstädter zur Paarungszeit« (1998, Bayrischer Filmpreis für die beste Regie) und »Harte Jungs« (2000) sowie »Sophie Scholl – die letzten Tage« (2005).

Unsere Adresse im Internet: www.fischerverlage.de

Sophie Scholl – Die letzten Tage

Mit Beiträgen von
Fred Breinersdorfer (Hg.), Ulrich Chaussy,
Marc Rothemund und Gerd R. Ueberschär

Fischer Taschenbuch Verlag

In Zusammenarbeit mit ARTE Deutschland TV GmbH

3. Auflage: März 2005

Originalausgabe
Veröffentlicht im Fischer Taschenbuch Verlag,
einem Unternehmen der S. Fischer Verlag GmbH,
Frankfurt am Main, Februar 2005

Gesamtherstellung: Clausen & Bosse, Leck
Printed in Germany
ISBN 3-596-16609-8

Inhalt

Vorwort

Sophie Scholl wäre 2005, zum Erscheinungstermin dieses Buches, 83 Jahre alt. Sie könnte noch leben, wenn sie ein »normales« Studentenleben im Krieg geführt hätte. Sie hatte wie alle damals die Wahl. Sophie hat nicht weggesehen und weggehört, sondern hingeschaut. Sehr genau. Krieg, Terror gegen die eigene Bevölkerung, Euthanasie und Holocaust waren nicht zu übersehen, wohl aber zu verdrängen. Sophie dagegen hat mit ihren Freunden gehandelt und den aussichtslosen und tödlichen Kampf gegen ein Terrorregime ohnegleichen aufgenommen.

Wir wissen heute, dass Sophie Scholl trotzdem vielleicht noch leben könnte, wenn sie sich am Ende der quälenden Verhöre von ihrem Bruder und dem gemeinsamen Widerstand distanziert hätte. Möglicherweise hätte es eine winzige Chance für sie gegeben, dem Todesbefehl zu entkommen. Wer würde ihr jemals einen Vorwurf daraus gemacht haben? Gab es nicht gute Gründe zu überleben? Der Idee wegen, wegen der Eltern und Geschwister, weil wir Menschen wie sie so dringend brauchen? Niemand hätte ihr einen Vorwurf gemacht, am wenigsten ihr Bruder Hans und die gemeinsamen Freunde, zumal Sophie schon ihren Beitrag zum Widerstand geleistet hatte. Und dennoch hat sie dieses letzte Angebot des Systems abgelehnt, weil es auf Verrat hinauslief. Sie wollte keine andere Strafe als ihr Bruder erhalten.

Wer von uns hätte so viel Mut und Kraft gehabt wie jene schüchterne, hoch begabte Studentin? Zu Recht gebührt ihr Ruhm. Doch Ruhm entrückt, und die Frage, wer der Mensch Sophie Scholl wirklich war, bewegte uns alle, die wir an dem Film gearbeitet haben. Wir haben es deswegen nicht beim Studium des bekannten Materials über Sophie Scholl und *Die*

Weiße Rose belassen, sondern mit eigenen Recherchen die vielen offenen Fragen zu beantworten versucht, die mit Sophies Persönlichkeit und der Kulmination ihres Widerstands gegen das Hitlerregime in ihren fünf letzten Tagen zusammenhängen.

Nun, am Ende unserer Arbeit, ist ein Film entstanden, der rational, aber vor allem auch emotional die Heldenfigur Sophie Scholl »menschlich« und damit verstehbar machen will. Doch die Filmerzählung folgt eigenen Gesetzen, auch wenn sie auf Fakten basiert, denn sie zaubert auf der Leinwand eine eigene Realität.

Deswegen war es reizvoll, in einem Buch zum Film nicht wie oft üblich die Handlung nachzuerzählen, sondern Hintergrundmaterial zum Verständnis des Widerstands der *Weißen Rose* und des Menschen Sophie Scholl anzubieten. Sophie war ja keine Einzelkämpferin. Wer ihre Beweggründe verstehen will, muss ihre Beziehung zu ihren Freunden, namentlich denen des Freundes- und Widerstandskreises *Weiße Rose*, und die Prägung durch ihre protestantische, bürgerliche Familie kennen. Besonders wichtig für ein vertieftes Verständnis ihres Weges in den letzten Tagen und ihres Lebens sind die Vernehmungsprotokolle der Gestapo, die hier, nach unserer Kenntnis zum ersten Mal, in Auszügen publiziert werden. Und vielleicht helfen der ungekürzte Text des Drehbuchs und die Anmerkungen von Autor und Regisseur zum Filmkonzept dabei, dem Film zusätzliche Aspekte abzugewinnen.

Berlin, im November 2004 Fred Breinersdorfer

I. Die Flugblätter der *Weißen Rose*

I

Nichts ist eines Kulturvolkes unwürdiger, als sich ohne Widerstand von einer verantwortungslosen und dunklen Trieben ergebenen Herrscherclique ›regieren‹ zu lassen. Ist es nicht so, daß sich jeder ehrliche Deutsche heute seiner Regierung schämt, und wer von uns ahnt das Ausmaß der Schmach, die über uns und unsere Kinder kommen wird, wenn einst der Schleier von unseren Augen gefallen ist und die grauenvollsten und jegliches Maß unendlich überschreitenden Verbrechen ans Tageslicht treten? Wenn das deutsche Volk schon so in seinem tiefsten Wesen korrumpiert und zerfallen ist, daß es, ohne eine Hand zu regen, im leichtsinnigen Vertrauen auf eine fragwürdige Gesetzmäßigkeit der Geschichte das Höchste, das ein Mensch besitzt und das ihn über jede andere Kreatur erhöht, nämlich den freien Willen, preisgibt, die Freiheit des Menschen preisgibt, selbst mit einzugreifen in das Rad der Geschichte und es seiner vernünftigen Entscheidung unterzuordnen – wenn die Deutschen, so jeder Individualität bar, schon so sehr zur geistlosen und feigen Masse geworden sind, dann, ja dann verdienen sie den Untergang. Goethe spricht von den Deutschen als einem tragischen Volke, gleich dem der Juden und Griechen, aber heute hat es eher den Anschein, als sei es eine seichte, willenlose Herde von Mitläufern, denen das Mark aus dem Innersten gesogen und die nun ihres Kerns beraubt, bereit sind, sich in den Untergang hetzen zu lassen. Es scheint so – aber es ist nicht so; vielmehr hat man in langsamer, trügerischer, systematischer Vergewaltigung jeden einzelnen in ein geistiges Gefängnis gesteckt, und erst als er darin gefesselt lag, wurde er sich des Verhängnisses bewußt. Wenige nur erkannten das drohende Verderben, und der Lohn für ihr heroisches Mahnen war der Tod. Über das Schicksal dieser Menschen wird noch zu reden sein. Wenn jeder wartet, bis der andere anfängt, werden die Boten der rächenden Nemesis unaufhaltsam näher und näher rücken, dann wird auch das letzte Opfer sinnlos in den Rachen des unersättlichen Dämons geworfen sein. Daher muß jeder einzelne seiner Verantwortung als Mitglied der christlichen und abendländischen Kultur bewußt in dieser letzten Stunde sich wehren, soviel er kann, arbeiten wider die Geißel der Menschheit, wider den Faschismus und jedes ihm ähnliche System des absoluten Staates. Leistet passiven Widerstand – *Widerstand* –, wo immer Ihr auch seid, verhindert das Weiterlaufen dieser atheistischen Kriegsmaschine, ehe es zu spät ist, ehe die letzten Städte ein Trümmerhaufen sind, gleich Köln, und ehe die letzte Jugend des Volkes irgendwo für die Hybris eines Untermenschen verblutet ist. Vergeßt nicht, daß ein jedes Volk diejenige Regierung verdient, die es erträgt!

Aus Friedrich Schiller, ›Die Gesetzgebung des Lykurgus und Solon‹: »... Gegen seinen eigenen Zweck gehalten, ist die Gesetzgebung des Lykurgus ein Meisterstück der Staats- und Menschenkunde. Er wollte einen mächtigen, in sich selbst gegründeten, unzerstörbaren Staat; politische Stärke und Dauerhaftigkeit waren das Ziel, wonach er strebte, und dieses Ziel hat er so weit erreicht, als unter seinen Umständen möglich war. Aber hält man den Zweck, welchen Lykurgus sich vorsetzte, gegen den Zweck der Menschheit, so muß eine tiefe Mißbilligung an die Stelle der Bewunderung treten, die uns der erste flüchtige Blick abgewonnen hat. Alles darf dem Besten des Staats zum Opfer gebracht werden, nur dasjenige nicht, dem der Staat selbst nur als ein Mittel dient. Der Staat selbst ist niemals Zweck, er ist nur wichtig als eine Bedingung, unter welcher der Zweck der Menschheit erfüllt werden kann, und dieser Zweck der Menschheit ist kein anderer, als Ausbildung aller Kräfte des Menschen, Fortschreitung. Hindert eine Staatsverfassung, daß alle Kräfte, die im Menschen liegen, sich entwickeln; hindert sie die Fortschreitung des Geistes, so ist sie verwerflich und schädlich, sie mag übrigens noch so durchdacht und in ihrer Art noch so vollkommen sein. Ihre Dauerhaftigkeit selbst gereicht ihr alsdann viel mehr zum Vorwurf als zum Ruhme – sie ist dann nur ein verlängertes Übel; je länger sie Bestand hat, um so schädlicher ist sie.

... Auf Unkosten aller sittlichen Gefühle wurde das politische Verdienst errungen und die Fähigkeit dazu ausgebildet. In Sparta gab es keine eheliche Liebe, keine Mutterliebe, keine kindliche Liebe, keine Freundschaft – es gab nichts als Bürger, nichts als bürgerliche Tugend.

... Ein Staatsgesetz machte den Spartanern die Unmenschlichkeit gegen ihre Sklaven zur Pflicht; in diesen unglücklichen Schlachtopfern wurde die Menschheit beschimpft und mißhandelt. In dem spartanischen Gesetzbuche selbst wurde der gefährliche Grundsatz gepredigt, Menschen als Mittel und nicht als Zwecke zu betrachten – dadurch wurden die Grundfesten des Naturrechts und der Sittlichkeit gesetzmäßig eingerissen.

... Welch schöneres Schauspiel gibt der rauhe Krieger Gaius Marcius in seinem Lager vor Rom, der Rache und Sieg aufopfert, weil er die Tränen der Mutter nicht fließen sehen kann!

... Der Staat (des Lykurgus) könnte nur unter der einzigen Bedingung fortdauern, wenn der Geist des Volks stillstünde; er könnte sich also nur dadurch erhalten, daß er den höchsten und einzigen Zweck eines Staates verfehlte.«

Aus Goethes ›Des Epimenides Erwachen‹, zweiter Aufzug, vierter Auftritt:

»Genien:
Doch was dem Abgrund kühn entstiegen,
Kann durch ein ehernes Geschick
Den halben Weltkreis übersiegen,
Zum Abgrund muß es doch zurück.
Schon droht ein ungeheures Bangen,

Vergebens wird er widerstehn!
Und alle, die noch an ihm hangen,
Sie müssen mit zu Grunde gehn.

Hoffnung:
Nun begegn' ich meinen Braven,
Die sich in der Nacht versammelt,
Um zu schweigen, nicht zu schlafen,
Und das schöne Wort der Freiheit
Wird gelispelt und gestammelt,
Bis in ungewohnter Neuheit
Wir an unsrer Tempel Stufen
Wieder neu entzückt es rufen:

Freiheit! Freiheit!«

Wir bitten Sie, dieses Blatt mit möglichst vielen Durchschlägen abzuschreiben und weiterzuverteilen!

II

Man kann sich mit dem Nationalsozialismus geistig nicht auseinandersetzen, weil er ungeistig ist. Es ist falsch, wenn man von einer nationalsozialistischen Weltanschauung spricht, denn wenn es diese gäbe, müßte man versuchen, sie mit geistigen Mitteln zu beweisen oder zu bekämpfen – die Wirklichkeit aber bietet uns ein völlig anderes Bild: schon in ihrem ersten Keim war diese Bewegung auf den Betrug des Mitmenschen angewiesen, schon damals war sie im Innersten verfault und konnte sich nur durch die stete Lüge retten. Schreibt doch Hitler selbst in einer frühen Auflage ›seines‹ Buches (ein Buch, das in dem übelsten Deutsch geschrieben worden ist, das ich je gelesen habe; dennoch ist es von dem Volke der Dichter und Denker zur Bibel erhoben worden): »Man glaubt nicht, wie man ein Volk betrügen muß, um es zu regieren.« Wenn sich nun am Anfang dieses Krebsgeschwür des deutschen Volkes noch nicht allzusehr bemerkbar gemacht hatte, so nur deshalb, weil noch gute Kräfte genug am Werk waren, es zurückzuhalten. Wie es aber größer und größer wurde und schließlich mittels einer letzten gemeinen Korruption zur Macht kam, das Geschwür gleichsam aufbrach und den ganzen Körper besudelte, versteckte sich die Mehrzahl der früheren Gegner, flüchtete die deutsche Intelligenz in ein Kellerloch, um dort als Nachtschattengewächs, dem Licht und der Sonne verborgen, allmählich zu ersticken. Jetzt stehen wir vor dem Ende. Jetzt kommt es darauf an, sich gegenseitig wiederzufinden, aufzuklären von Mensch zu Mensch, immer daran zu denken und sich keine Ruhe zu geben, bis auch der Letzte von der äußersten Notwendigkeit seines Kämpfens wider dieses System überzeugt ist. Wenn so eine Welle des Aufruhrs durch das Land geht, wenn ›es in der Luft liegt‹, wenn viele mitmachen, dann kann in einer letzten, gewaltigen Anstrengung dieses System abgeschüttelt werden. Ein Ende mit Schrecken ist immer noch besser als ein Schrecken ohne Ende.

Es ist uns nicht gegeben, ein endgültiges Urteil über den Sinn unserer Geschichte zu fällen. Aber wenn diese Katastrophe uns zum Heile dienen soll, so doch nur dadurch: durch das Leid gereinigt zu werden, aus der tiefsten Nacht heraus das Licht zu ersehnen, sich aufzuraffen und endlich mitzuhelfen, das Joch abzuschütteln, das die Welt bedrückt.

Nicht über die Judenfrage wollen wir in diesem Blatte schreiben, keine Verteidigungsrede verfassen – nein, nur als Beispiel wollen wir die Tatsache kurz anführen, die Tatsache, daß seit der Eroberung Polens *dreihunderttausend* Juden in diesem Land auf bestialischste Art ermordet worden sind. Hier sehen wir das fürchterlichste Verbrechen an der Würde des Menschen, ein Verbrechen, dem sich kein ähnliches in der ganzen Menschengeschichte an die Seite stellen kann. Auch die Juden sind doch Menschen – man mag sich zur Judenfrage stellen wie man will –, und an Menschen wurde solches verübt. Vielleicht sagt jemand, die Juden hätten ein solches Schicksal verdient; diese Behauptung wäre eine ungeheure Anmaßung; aber angenommen, es sagte jemand dies, wie stellt er sich dann zu der Tatsache, daß die gesamte polnische adelige Jugend vernichtet worden ist (gebe Gott, daß sie es noch nicht ist!)? Auf welche Art, fragen Sie, ist solches geschehen? Alle männlichen Sprößlinge aus adeligen Geschlechtern zwischen 15 und 20 Jahren wurden in Konzentrationslager nach Deutschland zur Zwangsarbeit, alle Mädchen gleichen Alters nach Norwegen in die Bordelle der SS verschleppt! Wozu wir dies Ihnen alles erzählen, da Sie es schon selber wissen, wenn nicht diese, so andere gleich schwere Verbrechen des fürchterlichen Untermenschentums? Weil hier eine Frage berührt wird, die uns alle zutiefst angeht und allen zu denken geben *muß*. Warum verhält sich das deutsche Volk angesichts all dieser scheußlichsten menschenunwürdigsten Verbrechen so apathisch? Kaum irgend jemand macht sich Gedanken darüber. Die Tatsache wird als solche hingenommen und ad acta gelegt. Und wieder schläft das deutsche Volk in seinem stumpfen, blöden Schlaf weiter und gibt diesen faschistischen Verbrechern Mut und Gelegenheit, weiterzuwüten –, und diese tun es. Sollte dies ein Zeichen dafür sein, daß die Deutschen in ihren primitivsten menschlichen Gefühlen verroht sind, daß keine Saite in ihnen schrill aufschreit im Angesicht solcher Taten, daß sie in einen tödlichen Schlaf versunken sind, aus dem es kein Erwachen mehr gibt, nie, niemals? Es scheint so und ist es bestimmt, wenn der Deutsche nicht endlich aus dieser Dumpfheit auffährt; wenn er nicht protestiert, wo immer er nur kann, gegen diese Verbrecherclique, wenn er mit diesen Hunderttausenden von Opfern nicht mitleidet. Und nicht nur Mitleid muß er empfinden, nein, noch viel mehr: *Mitschuld.* Denn er gibt durch sein apathisches Verhalten diesen dunklen Menschen erst die Möglichkeit, so zu handeln, er leidet diese ›Regierung‹, die eine so unendliche Schuld auf sich geladen hat, ja, er ist doch selbst schuld daran, daß sie überhaupt entstehen konnte! Ein jeder will sich von einer solchen Mitschuld freisprechen, ein jeder tut es und schläft dann wieder mit ruhigstem, bestem Gewissen. Aber er kann sich nicht freisprechen, ein jeder ist *schuldig, schuldig, schuldig!* Doch ist es noch nicht zu spät, diese abscheulichste aller Mißgeburten von Regierungen aus der Welt zu schaffen, um nicht noch mehr Schuld auf sich zu laden. Jetzt, da uns in den letzten Jahren die Augen vollkommen geöffnet worden sind, da wir wissen, mit wem wir es zu tun haben, jetzt ist es allerhöchste Zeit, diese braune Horde auszurotten. Bis zum Ausbruch des Krieges war der größte Teil des deutschen Volkes geblendet, die Nationalsozialisten zeigten sich nicht in ihrer wahren Gestalt, doch jetzt, da man sie erkannt hat, muß es die einzige und höchste Pflicht, ja heiligste Pflicht eines jeden Deutschen sein, diese Bestien zu vertilgen.

»Der, des Verwaltung unauffällig ist, des Volk ist froh. Der, des Verwaltung aufdringlich ist, des Volk ist gebrochen.

Elend, ach, ist es, worauf Glück sich aufbaut. Glück, ach, verschleiert nur Elend. Wo soll das hinaus? Das Ende ist nicht abzusehen. Das Geordnete verkehrt sich in Unordnung, das Gute verkehrt sich in Schlechtes. Das Volk gerät in Verwirrung. Ist es nicht so, täglich, seit langem?

Daher ist der Hohe Mensch rechteckig, aber er stößt nicht an, er ist kantig, aber verletzt nicht, er ist aufrecht, aber nicht schroff. Er ist klar, aber will nicht glänzen.« Lao-tse

»Wer unternimmt, das Reich zu beherrschen und es nach seiner Willkür zu gestalten; ich sehe ihn sein Ziel nicht erreichen; das ist alles.«

»Das Reich ist ein lebendiger Organismus; es kann nicht gemacht werden, wahrlich! Wer daran machen will, verdirbt es, wer sich seiner bemächtigen will, verliert es.«

Daher: »Von den Wesen gehen manche vorauf, andere folgen ihnen, manche atmen warm, manche kalt, manche sind stark, manche schwach, manche erlangen Fülle, andere unterliegen.«

»Der Hohe Mensch daher läßt ab von Übertriebenheit, läßt ab von Überhebung, läßt ab von Übergriffen.« Lao-tse

Wir bitten, diese Schrift mit möglichst vielen Durchschlägen abzuschreiben und weiterzuverteilen.

III

»Salus publica suprema lex«

Alle idealen Staatsformen sind Utopien. Ein Staat kann nicht rein theoretisch konstruiert werden, sondern er muß ebenso wachsen, reifen wie der einzelne Mensch. Aber es ist nicht zu vergessen, daß am Anfang einer jeden Kultur die Vorform des Staates vorhanden war. Die Familie ist so alt wie die Menschen selbst, und aus diesem anfänglichen Zusammensein hat sich der vernunftbegabte Mensch einen Staat geschaffen, dessen Grund die Gerechtigkeit und dessen höchstes Gesetz das Wohl Aller sein soll. Der Staat soll eine Analogie der göttlichen Ordnung darstellen, und die höchste aller Utopien, die civitas Dei, ist das Vorbild, dem er sich letzten Endes nähern soll. Wir wollen hier nicht urteilen über die verschiedenen möglichen Staatsformen, die Demokratie, die konstitutionelle Monarchie, das Königtum usw. Nur eines will eindeutig und klar herausgehoben werden: jeder einzelne Mensch hat einen Anspruch auf einen brauchbaren und gerechten Staat, der die Freiheit des einzelnen als auch das Wohl der Gesamtheit sichert. Denn der Mensch soll nach Gottes Willen frei und unabhängig im Zusammenleben und Zusammenwirken der staatlichen Gemeinschaft sein natürliches Ziel, sein irdisches Glück in Selbständigkeit und Selbsttätigkeit zu erreichen suchen.

Unser heutiger ›Staat‹ aber ist die Diktatur des Bösen. »Das wissen wir schon lange«, höre ich Dich einwenden, »und wir haben es nicht nötig, daß uns dies hier noch einmal vorgehalten wird.« Aber, frage ich Dich; wenn Ihr das wißt, warum regt Ihr Euch nicht, warum duldet Ihr, daß diese Gewalthaber Schritt für Schritt offen und im verborgenen eine Domäne Eures Rechts nach der anderen rauben, bis eines Tages nichts, aber auch gar nichts übrigbleiben wird als ein mechanisiertes Staatsgetriebe, kommandiert von Verbrechern und Säufern? Ist Euer Geist schon so sehr der Vergewaltigung unterlegen, daß Ihr vergeßt, daß es nicht nur Euer Recht, sondern Eure *sittliche Pflicht* ist, dieses System zu beseitigen? Wenn aber ein Mensch nicht mehr die Kraft aufbringt, sein Recht zu fordern, dann muß er mit absoluter Notwendigkeit untergehen. Wir würden es verdienen, in alle Welt verstreut zu werden wie der Staub vor dem Winde, wenn wir uns in dieser zwölften Stunde nicht aufrafften und endlich den Mut aufbrächten, der uns seither gefehlt hat. Verbergt nicht Eure Feigheit unter dem Mantel der Klugheit. Denn mit jedem Tag, da Ihr noch zögert, da Ihr dieser Ausgeburt der Hölle nicht widersteht, wächst Eure Schuld gleich einer parabolischen Kurve höher und immer höher.

Viele, vielleicht die meisten Leser dieser Blätter sind sich darüber nicht klar, wie sie einen Widerstand ausüben sollen. Sie sehen keine Möglichkeiten. Wir wollen versuchen, ihnen zu zeigen, daß ein jeder in der Lage ist, etwas beizutragen zum Sturz dieses Systems. Nicht durch individualistische Gegnerschaft, in der Art verbitterter Einsiedler, wird es möglich werden, den Boden für einen Sturz dieser ›Regierung‹ reif zu machen oder gar den Umsturz möglichst bald herbeizuführen, sondern nur durch die Zusammenarbeit vieler überzeugter, tatkräftiger Menschen, Menschen, die sich einig sind, mit welchen Mitteln sie ihr Ziel erreichen können. Wir haben keine reiche Auswahl an solchen Mitteln, nur ein einziges steht uns zur Verfügung – der *passive Widerstand.*

Der Sinn und das Ziel des passiven Widerstandes ist, den Nationalsozialismus zu Fall zu bringen, und in diesem Kampf ist vor keinem Weg, vor keiner Tat zurückzuschrecken, mögen sie auf Gebieten liegen, auf welchen sie auch wollen. An *allen* Stellen muß der Nationalsozialismus angegriffen werden, an denen er nur angreifbar ist. Ein Ende muß diesem Unstaat möglichst bald bereitet werden – ein Sieg des faschistischen

Deutschland in diesem Kriege hätte unabsehbare, fürchterliche Folgen. Nicht der militärische Sieg über den Bolschewismus darf die erste Sorge für jeden Deutschen sein, sondern die Niederlage der Nationalsozialisten. Dies muß *unbedingt* an erster Stelle stehen. Die größere Notwendigkeit dieser letzten Forderung werden wir Ihnen in einem unserer nächsten Blätter beweisen.

Und jetzt muß sich ein jeder entschiedene Gegner des Nationalsozialismus die Frage vorlegen: Wie kann er gegen den gegenwärtigen ›Staat‹ am wirksamsten ankämpfen, wie ihm die empfindlichsten Schläge beibringen? Durch den passiven Widerstand zweifellos. Es ist klar, daß wir unmöglich für jeden einzelnen Richtlinien für sein Verhalten geben können, nur allgemein andeuten können wir, den Weg zur Verwirklichung muß jeder selber finden.

Sabotage in Rüstungs- und kriegswichtigen Betrieben, Sabotage in allen Versammlungen, Kundgebungen, Festlichkeiten, Organisationen, die durch die nationalsozialistische Partei ins Leben gerufen werden. Verhinderung des reibungslosen Ablaufs der Kriegsmaschine (einer Maschine, die nur für einen Krieg arbeitet, der *allein* um die Rettung und Erhaltung der nationalsozialistischen Partei und ihrer Diktatur geht). *Sabotage* auf allen wissenschaftlichen und geistigen Gebieten, die für eine Fortführung des gegenwärtigen Krieges tätig sind – sei es in Universitäten, Hochschulen, Laboratorien, Forschungsanstalten, technischen Büros. *Sabotage* in allen Veranstaltungen kultureller Art, die das ›Ansehen‹ der Faschisten im Volke heben könnten. *Sabotage* in allen Zweigen der bildenden Künste, die nur im geringsten im Zusammenhang mit dem Nationalsozialismus stehen und ihm dienen. *Sabotage* in allem Schrifttum, allen Zeitungen, die im Solde der ›Regierung‹ stehen, für ihre Ideen, für die Verbreitung der braunen Lüge kämpfen. Opfert nicht einen Pfennig bei Straßensammlungen (auch wenn sie unter dem Deckmantel wohltätiger Zwecke durchgeführt werden). Denn dies ist nur eine Tarnung. In

Wirklichkeit kommt das Ergebnis weder dem Roten Kreuz noch den Notleidenden zugute. Die Regierung braucht dies Geld nicht, ist auf diese Sammlungen finanziell nicht angewiesen – die Druckmaschinen laufen ja ununterbrochen und stellen jede beliebige Menge Papiergeld her. Das Volk muß aber dauernd in Spannung gehalten werden, nie darf der Druck der Kandare nachlassen! Gebt nichts für die Metall-, Spinnstoff- und andere Sammlungen. Sucht alle Bekannten auch aus den unteren Volksschichten von der Sinnlosigkeit einer Fortführung, von der Aussichtslosigkeit dieses Krieges, von der geistigen und wirtschaftlichen Versklavung durch den Nationalsozialismus, von der Zerstörung aller sittlichen und religiösen Werte zu überzeugen und zum *passiven Widerstand zu* veranlassen!

Aristoteles, ›Über die Politik‹: »... ferner gehört es« (zum Wesen der Tyrannis), »dahin zu streben, daß ja nichts verborgen bleibe, was irgendein Untertan spricht oder tut, sondern überall Späher ihn belauschen, ... ferner alle Welt miteinander zu verhetzen und Freunde mit Freunden zu verfeinden und das Volk mit den Vornehmen und die Reichen unter sich. Sodann gehört es zu solchen tyrannischen Maßregeln, die Untertanen arm zu machen, damit die Leibwache besoldet werden kann, und sie, mit der Sorge um ihren täglichen Erwerb beschäftigt, keine Zeit und Muße haben, Verschwörungen anzustiften ... Ferner aber auch solche hohe Einkommensteuern, wie die in Syrakus auferlegten, denn unter Dionysios hatten die Bürger dieses Staates in fünf Jahren glücklich ihr ganzes Vermögen in Steuern ausgegeben. Und auch beständig Kriege zu erregen, ist der Tyrann geneigt ...«

Bitte vervielfältigen und weitergeben!

IV

Es ist eine alte Weisheit, die man Kindern immer wieder aufs neue predigt, daß, wer nicht hören will, fühlen muß. Ein kluges Kind wird sich aber die Finger nur einmal am heißen Ofen verbrennen. In den vergangenen Wochen hatte Hitler sowohl in Afrika, als auch in Rußland Erfolge zu verzeichnen. Die Folge davon war, daß der Optimismus auf der einen, die Bestürzung und der Pessimismus auf der anderen Seite des Volkes mit einer der deutschen Trägheit unvergleichlichen Schnelligkeit anstieg. Allenthalben hörte man unter den Gegnern Hitlers, also unter dem besseren Teil des Volkes, Klagerufe, Worte der Enttäuschung und der Entmutigung, die nicht selten in dem Ausruf endigten: »Sollte nun Hitler doch …?«

Indessen ist der deutsche Angriff auf Ägypten zum Stillstand gekommen, Rommel muß in einer gefährlich exponierten Lage verharren – aber noch geht der Vormarsch im Osten weiter. Dieser scheinbare Erfolg ist unter den grauenhaftesten Opfern erkauft worden, so daß er schon nicht mehr als vorteilhaft bezeichnet werden kann. Wir warnen daher vor *jedem* Optimismus.

Wer hat die Toten gezählt, Hitler oder Goebbels – wohl keiner von beiden. Täglich fallen in Rußland Tausende. Es ist die Zeit der Ernte, und der Schnitter fährt mit vollem Zug in die reife Saat. Die Trauer kehrt ein in die Hütten der Heimat und niemand ist da, der die Tränen der Mütter trocknet, Hitler aber belügt die, deren teuerstes Gut er geraubt und in den sinnlosen Tod getrieben hat.

Jedes Wort, das aus Hitlers Munde kommt, ist Lüge. Wenn er Frieden sagt, meint er den Krieg, und wenn er in frevelhaftester Weise den Namen des Allmächtigen nennt, meint er die Macht des Bösen, den gefallenen Engel, den Satan. Sein Mund ist der stinkende Rachen der Hölle, und seine Macht ist im Grunde verworfen. Wohl muß man mit rationalen Mitteln den Kampf wider den nationalsozialistischen Terrorstaat führen; wer aber heute noch an der realen Existenz der dämonischen Mächte zweifelt, hat den metaphysischen Hintergrund dieses Krieges bei weitem nicht begriffen. Hinter dem Konkreten, hinter dem sinnlich Wahrnehmbaren, hinter allen sachlichen, logischen Überlegungen steht das Irrationale, d. i. der Kampf wider den Dämon, wider den Boten des Antichrists. Überall und zu allen Zeiten haben die Dämonen im Dunkeln gelauert auf die Stunde, da der Mensch schwach wird, da er seine ihm von Gott auf Freiheit gegründete Stellung im ordo eigenmächtig verläßt, da er dem Druck des Bösen nachgibt, sich von den Mächten höherer Ordnung loslöst und so, nachdem er den ersten Schritt freiwillig getan, zum zweiten und dritten und immer mehr getrieben wird mit rasend steigender Geschwindigkeit – überall und zu allen Zeiten der höchsten Not sind Menschen aufgestanden, Propheten, Heilige, die ihre Freiheit gewahrt hatten, die auf den Einzigen Gott hinwiesen und mit seiner Hilfe das Volk zur Umkehr mahnten. Wohl ist der Mensch frei, aber er ist wehrlos wider das Böse ohne den wahren Gott, er ist wie ein Schiff ohne Ruder, dem Sturme preisgegeben, wie ein Säugling ohne Mutter, wie eine Wolke, die sich auflöst.

Gibt es, so frage ich Dich, der Du ein Christ bist, gibt es in diesem Ringen um die Erhaltung Deiner höchsten Güter ein Zögern, ein Spiel mit Intrigen, ein Hinausschieben der Entscheidung in der Hoffnung, daß ein anderer die Waffen erhebt, um Dich zu verteidigen? Hat Dir nicht Gott selbst die Kraft und den Mut gegeben zu kämpfen? Wir *müssen* das Böse dort angreifen, wo es am mächtigsten ist, und es ist am mächtigsten in der Macht Hitlers.

»Ich wandte mich und sah an alles Unrecht, das geschah unter der Sonne; und siehe, da waren Tränen derer, so Unrecht litten und hatten keinen Tröster; und die ihnen Unrecht taten, waren so mächtig, daß sie keinen Tröster haben konnten.

Da lobte ich die Toten, die schon gestorben waren, mehr denn die Lebendigen, die noch das Leben hatten ...« (Sprüche)

Novalis: »Wahrhafte Anarchie ist das Zeugungselement der Religion. Aus der Vernichtung alles Positiven hebt sie ihr glorreiches Haupt als neue Weltstifterin empor ... Wenn Europa wieder erwachen wollte, wenn ein Staat der Staaten, eine politische Wissenschaftslehre bevorstände! Sollte etwa die Hierarchie ... das Prinzip des Staatenvereins sein? ... Es wird so lange Blut über Europa strömen, bis die Nationen ihren fürchterlichen Wahnsinn gewahr werden, der sie im Kreis herumtreibt, und von heiliger Musik getroffen und besänftigt zu ehemaligen Altären in bunter Vermischung treten, Werke des Friedens vornehmen und ein großes Friedensfest auf den rauchenden Walstätten mit heißen Tränen gefeiert wird. Nur die Religion kann Europa wieder aufwecken und das Völkerrecht sichern und die Christenheit mit neuer Herrlichkeit sichtbar auf Erden in ihr friedenstiftendes Amt installieren.«

Wir weisen ausdrücklich darauf hin, daß die Weiße Rose nicht im Solde einer ausländischen Macht steht. Obgleich wir wissen, daß die nationalsozialistische Macht militärisch gebrochen werden muß, suchen wir eine Erneuerung des schwerverwundeten deutschen Geistes von innen her zu erreichen. Dieser Wiedergeburt muß aber die klare Erkenntnis aller Schuld, die das deutsche Volk auf sich geladen hat, und ein rücksichtsloser Kampf gegen Hitler und seine allzuvielen Helfershelfer, Parteimitglieder, Quislinge usw. vorausgehen. Mit aller Brutalität muß die Kluft zwischen dem besseren Teil des Volkes und allem, was mit dem Nationalsozialismus zusammenhängt, aufgerissen werden. Für Hitler und seine Anhänger gibt es auf dieser Erde keine Strafe, die ihren Taten gerecht wäre. Aber aus Liebe zu kommenden Generationen muß nach Beendigung des Krieges ein Exempel statuiert werden, daß niemand auch nur die geringste Lust je verspüren sollte, Ähnliches aufs neue zu versuchen. Vergeßt auch nicht die kleinen Schurken dieses Systems, merkt Euch die Namen, auf daß keiner entkomme!

Es soll ihnen nicht gelingen, in letzter Minute noch nach diesen Scheußlichkeiten die Fahne zu wechseln und so zu tun, als ob nichts gewesen wäre!

Zu Ihrer Beruhigung möchten wir noch hinzufügen, daß die Adressen der Leser der Weißen Rose nirgendwo schriftlich niedergelegt sind. Die Adressen sind willkürlich Adreßbüchern entnommen.

Wir schweigen nicht, wir sind Euer böses Gewissen; die Weiße Rose läßt Euch keine Ruhe!

Bitte vervielfältigen und weitersenden!

Flugblätter der Widerstandsbewegung in Deutschland

Aufruf an alle Deutsche!

Der Krieg geht seinem sicheren Ende entgegen. Wie im Jahre 1918 versucht die deutsche Regierung alle Aufmerksamkeit auf die wachsende U-Boot-Gefahr zu lenken, während im Osten die Armeen unaufhörlich zurückströmen, im Westen die Invasion erwartet wird. Die Rüstung Amerikas hat ihren Höhepunkt noch nicht erreicht, aber heute schon übertrifft sie alles in der Geschichte seither Dagewesene. Mit mathematischer Sicherheit führt Hitler das deutsche Volk in den Abgrund. *Hitler kann den Krieg nicht gewinnen, nur noch verlängern!* Seine und seiner Helfer Schuld hat jedes Maß unendlich überschritten. Die gerechte Strafe rückt näher und näher!

Was aber tut das deutsche Volk? Es sieht nicht und es hört nicht. Blindlings folgt es seinen Verführern ins Verderben. Sieg um jeden Preis! haben sie auf ihre Fahne geschrieben. Ich kämpfe bis zum letzten Mann, sagt Hitler – indes ist der Krieg bereits verloren.

Deutsche! Wollt Ihr und Eure Kinder dasselbe Schicksal erleiden, das den Juden widerfahren ist? Wollt Ihr mit dem gleichen Maße gemessen werden wie Eure Verführer? Sollen wir auf ewig das von aller Welt gehaßte und ausgestoßene Volk sein? Nein! Darum trennt Euch von dem nationalsozialistischen Untermenschentum! Beweist durch die Tat, daß Ihr anders denkt! Ein neuer Befreiungskrieg bricht an. Der bessere Teil des Volkes kämpft auf unserer Seite. Zerreißt den Mantel der Gleichgültigkeit, den Ihr um Euer Herz gelegt! Entscheidet Euch, *ehe es zu spät ist!* Glaubt nicht der nationalsozialistischen Propaganda, die Euch den Bolschewistenschreck in die Glieder gejagt hat! Glaubt nicht, daß Deutschlands Heil mit dem Sieg des Nationalsozialismus auf Gedeih und Verderben verbunden sei! Ein Verbrechertum kann keinen deutschen Sieg erringen. Trennt Euch *rechtzeitig* von allem, was mit dem Nationalsozialismus zusammenhängt! Nachher wird ein schreckliches, aber gerechtes Gericht kommen über die, so sich feig und unentschlossen verborgen hielten.

Was lehrt uns der Ausgang dieses Krieges, der nie ein nationaler war?

Der imperialistische Machtgedanke muß, von welcher Seite er auch kommen möge, für alle Zeit unschädlich gemacht werden. Ein einseitiger preußischer Militarismus darf nie mehr zur Macht gelangen. Nur in großzügiger Zusammenarbeit der europäischen Völker kann der Boden geschaffen werden, auf welchem ein neuer Aufbau möglich sein wird. Jede zentralistische Gewalt, wie sie der preußische Staat in Deutschland und Europa auszuüben versucht hat, muß im Keime erstickt werden. Das kommende Deutschland kann nur föderalistisch sein. Nur eine gesunde föderalistische Staatenordnung vermag heute noch das geschwächte Europa mit neuem Leben zu erfüllen. Die Arbeiterschaft muß durch einen vernünftigen Sozialismus aus ihrem Zustand niedrigster Sklaverei befreit werden. Das Truggebilde der autarken Wirtschaft muß in Europa verschwinden. Jedes Volk, jeder einzelne hat ein Recht auf die Güter der Welt!

Freiheit der Rede, Freiheit des Bekenntnisses, Schutz des einzelnen Bürgers vor der Willkür verbrecherischer Gewaltstaaten, das sind die Grundlagen des neuen Europa.

Unterstützt die Widerstandsbewegung, verbreitet die Flugblätter!

Das letzte Flugblatt
Kommilitoninnen! Kommilitonen!

Erschüttert steht unser Volk vor dem Untergang der Männer von Stalingrad. Dreihundertdreißigtausend deutsche Männer hat die geniale Strategie des Weltkriegsgefreiten sinn- und verantwortungslos in Tod und Verderben gehetzt. Führer, wir danken dir!

Es gärt im deutschen Volk: Wollen wir weiter einem Dilettanten das Schicksal unserer Armeen anvertrauen? Wollen wir den niedrigsten Machtinstinkten einer Parteiclique den Rest unserer deutschen Jugend opfern? Nimmermehr! Der Tag der Abrechnung ist gekommen, der Abrechnung der deutschen Jugend mit der verabscheuungswürdigsten Tyrannis, die unser Volk je erduldet hat. Im Namen des ganzen deutschen Volkes fordern wir vom Staat Adolf Hitlers die persönliche Freiheit, das kostbarste Gut der Deutschen zurück, um das er uns in der erbärmlichsten Weise betrogen.

In einem Staat rücksichtsloser Knebelung jeder freien Meinungsäußerung sind wir aufgewachsen. HJ, SA und SS haben uns in den fruchtbarsten Bildungsjahren unseres Lebens zu uniformieren, zu revolutionieren, zu narkotisieren versucht. ›Weltanschauliche Schulung‹ hieß die verächtliche Methode, das aufkeimende Selbstdenken und Selbstwerten in einem Nebel leerer Phrasen zu ersticken. Eine Führerauslese, wie sie teuflischer und zugleich bornierter nicht gedacht werden kann, zieht ihre künftigen Parteibonzen auf Ordensburgen zu gottlosen, schamlosen und gewissenlosen Ausbeutern und Mordbuben heran, zur blinden, stupiden Führergefolgschaft. Wir ›Arbeiter des Geistes‹ wären gerade recht, dieser neuen Herrenschicht den Knüppel zu machen. Frontkämpfer werden von Studentenführern und Gauleiteraspiranten wie Schulbuben gemaßregelt, Gauleiter greifen mit geilen Späßen den Studentinnen an die Ehre. Deutsche Studentinnen haben an der Münchner Hochschule auf die Besudelung ihrer Ehre eine würdige Antwort gegeben, deutsche Studenten haben sich für ihre Kameradinnen eingesetzt und standgehalten ... Das ist ein Anfang zur Erkämpfung unserer freien Selbstbestimmung, ohne die geistige Werte nicht geschaffen werden können. Unser Dank gilt den tapferen Kameradinnen und Kameraden, die mit leuchtendem Beispiel vorangegangen sind!

Es gibt für uns nur eine Parole: Kampf gegen die Partei! Heraus aus den Parteigliederungen, in denen man uns politisch weiter mundtot halten will! Heraus aus den Hörsälen der SS-Unter- und -Oberführer und Parteikriecher! Es geht uns um wahre Wissenschaft und echte Geistesfreiheit! Kein Drohmittel kann uns schrecken, auch nicht die Schließung unserer Hochschulen. Es gilt den Kampf jedes einzelnen von uns um unsere Zukunft, unsere Freiheit und Ehre in einem seiner sittlichen Verantwortung bewußten Staatswesen.

Freiheit und Ehre! Zehn lange Jahre haben Hitler und seine Genossen die beiden herrlichen deutschen Worte bis zum Ekel ausgequetscht, abgedroschen, verdreht, wie es nur Dilettanten vermögen, die die höchsten Werte einer Nation vor die Säue werfen. Was ihnen Freiheit und Ehre gilt, das haben sie in zehn Jahren der Zerstörung aller materiellen und geistigen Freiheit, aller sittlichen Substanz im deutschen Volk genugsam gezeigt. Auch dem dümmsten Deutschen hat das furchtbare Blutbad die Augen geöffnet, das sie im Namen von Freiheit und Ehre der deutschen Nation in ganz Europa angerichtet haben und täglich neu anrichten. Der deutsche Name bleibt für immer geschändet, wenn nicht die deutsche Jugend endlich aufsteht, rächt und sühnt zugleich, ihre Peiniger zerschmettert und ein neues geistiges Europa aufrichtet. Studentinnen! Studenten! Auf uns sieht das deutsche Volk! Von uns erwartet es, wie 1813 die Brechung des Napoleonischen, so 1943 die Brechung des nationalsozialistischen Terrors aus der Macht des Geistes.

Beresina und Stalingrad flammen im Osten auf, die Toten von Stalingrad beschwören uns!

»Frisch auf mein Volk, die Flammenzeichen rauchen!«

Unser Volk steht im Aufbruch gegen die Verknechtung Europas durch den Nationalsozialismus, im neuen gläubigen Durchbruch von Freiheit und Ehre.

Flugblattentwurf Christoph Probst, 28./29. Januar 1943

Stalingrad!

200000 deutsche Brüder wurden geopfert für das Prestige eines militärischen Hochstaplers. Die menschlichen Kapitulationsbedingungen der Russen wurden den geopferten Soldaten verheimlicht. General Paulus erhielt für diesen Massenmord das Eichenlaub. Hohe Offiziere haben sich im Flugzeug aus der Schlacht von Stalingrad gerettet.

Hitler verbot den Eingekesselten sich zu den rückwärtigen Truppen zurückzuziehen. Nun klagt das Blut von 200000 dem Tod geweihten Soldaten den Mörder Hitler an.

Tripolis! Es ergab sich bedingunglos der 8. englischen Armee. Und was taten die Engländer, sie ließen das Leben der Bürger in ihren gewohnten Geleisen weiter laufen. Belassen sogar die Polizei und Beamte in ihren Stellen. Nur eines machten sie gründlich, sie säuberten die größte italienische Kolonialstadt von allen falschen Rädelsführern und Untermenschen. Mit tödlicher Sicherheit kommt die vernichtende, erdrückende Übermacht von allen Seiten herein. Viel weniger als Paulus kapitulierte, wird Hitler kapitulieren. Gäbe es doch für ihn dann kein Entkommen mehr. Und wollt ihr Euch genau so belügen lassen wie die 200000 Mann, die Stalingrad auf verlorenem Posten verteidigten? Daß ihr massakriert, sterilisiert oder Eurer Kinder beraubt werdet? Roosevelt, der mächtigste Mann der Welt, sagt am 26. Januar 1943 in Casablanca: Unser Vernichtungskampf richtet sich nicht gegen die Völker, sondern gegen die politischen Systeme. Wir kämpfen bis zur bedingunglosen Kapitulation. Bedarf es da noch eines Nachdenkens, um die Entscheidung zu fällen?

Es handelt sich nunmehr um Millionen Menschenleben. Soll Deutschland das Schicksal von Tripolis erfahren?

Heute ist ganz Deutschland eingekesselt wie es Stalingrad war. Sollen dem Sendboten des Hasses und des Vernichtungswillens alle Deutschen geopfert werden! Ihm, der die Juden zu Tode marterte, die Hälfte der Polen ausrottete, Rußland vernichten wollte, ihm, der Euch Freiheit, Frieden, Familienglück, Hoffnung und Frohsinn nahm und dafür Inflationsgeld gab. Das soll, das darf nicht sein! Hitler und sein Regime muß fallen, damit Deutschland weiter lebt. Entscheidet Euch, Stalingrad oder Untergang, oder Tripolis und die hoffnungsvolle Zukunft. Und wenn ihr Euch entschieden habt, dann handelt.

II. »Freiheit!« – Eine kurze Geschichte der *Weißen Rose,* erzählt von ihrem Ende her

Von Ulrich Chaussy

Die hochgestellten Ziffern verweisen auf die Anmerkungen, die am Ende des jeweiligen Kapitels stehen.
Für Kapitel II. auf den Seiten 78–82.

Stalingrad und »Totaler Krieg« – Unmut im Reich, Tumult in München

Noch nie in den dreieinhalb Jahren seit Kriegsbeginn hatte der Großdeutsche Rundfunk in seinem Wehrmachtsbericht eine Niederlage eingestanden, bis zu dieser Meldung, die am Abend des 3. Februar 1943 über alle Sender im Deutschen Reich ging: »Der Kampf um Stalingrad ist zu Ende. Ihrem Fahneneid bis zum letzten Atemzug getreu, ist die 6. Armee unter der vorbildlichen Führung des Generalfeldmarschalls Paulus der Übermacht des Feindes und der Ungunst des Feindes erlegen.«[1]

Die Niederlage wird gemeldet, weil kein noch so gut geölter Propagandaapparat der Welt, auch nicht der des deutschen Propagandaministers Dr. Joseph Goebbels, eine solche Katastrophe verschweigen und beschönigen kann, denn ihre Auswirkungen sind seit Wochen überall spürbar: Seit dem 22. November 1942 sind 260 000 Soldaten der 6. Armee in Stalingrad eingekesselt. In der Folge warten Tausende von Familien in Deutschland vergeblich auf Nachricht über das Schicksal ihrer Männer, Freunde und Söhne.

In dieser Sorge lebt auch Sophie Scholl. Seit 1937 ist sie mit dem Offizier Fritz Hartnagel eng befreundet, er bezeichnet sie gegenüber Dritten gelegentlich als seine Braut oder Verlobte. Sie weiß seit Dezember 1942, dass seine Einheit in Stalingrad liegt. Sie schreibt ihm Briefe ins Ungewisse, die wochenlang ohne Antwort bleiben, Briefe voller Sehnsucht, Hoffnung und dunkler Andeutungen: »In Gedanken bin ich jetzt so viel bei Dir, daß ich oft meine, wir müßten uns begegnen. Doch frage ich mich immer wieder mit Sorge, wie es Dir jetzt ergehen mag. Du weißt, wie schwer ein Menschenleben wiegt, und man muß wissen, wofür man es in die Waagschale wirft.«[2]

Sophie Scholl aus Ulm studiert seit Mai 1942 Biologie und Philosophie in München. Seit Anfang Dezember wohnt sie gemeinsam mit ihrem älteren Bruder Hans in einer Wohnung in der Franz-Joseph-Straße 13. Hans studiert als Mitglied einer Sanitätskompanie des Heeres Medizin in München. Innerhalb der Kompanie bildet sich ein weitläufiger Kreis musisch und philosophisch interessierter Mediziner, die Studium und Freizeit gemeinsam verbringen. Sophie hat Hans' engen Freund Alexander Schmorell und Willi Graf kennen gelernt, auch Christoph Probst, der einer Sanitätskompanie der Luftwaffe angehört, schon verheiratet und Vater von drei Kindern ist. Die Wohnung der beiden Scholl-Geschwister nahe der Universität ist einer der regelmäßigen Treffpunkte des Freundeskreises; das einige Gehminuten entfernte, meist leer stehende Atelier des Architekten Manfred Eickemeyer ein weiterer, geeignet für größere, gesellige Zusammenkünfte. Auch die Freundinnen Traute Lafrenz und Gisela Schertling sind oft zu Besuch bei den Geschwistern Scholl.

Die Niederlage von Stalingrad zeichnet sich bereits seit Ende 1942 ab. Das aber melden nur die so genannten »Feindsender«. Wer sie hört, riskiert die Todesstrafe. Doch dieses Risiko nehmen immer mehr Deutsche auf sich, denn auf anderem Weg ist nicht an Informationen zu kommen. Die deutschen Zeitungen und Sender werden auffällig still. Vor ihrem Verstummen hatten sie zuletzt im September 1942 großspurig prophezeit, die Stunde sei nahe, »in der die Stadt Stalins mit ihren eingeschlossenen großen Sowjetarmeen und der Unmenge von Kriegsmaterial dem Untergang geweiht sein wird«. Niemand glaubt Anfang 1943 solchen Ankündigungen noch. In den geheimen Lageberichten des Sicherheitsdienstes SD notieren die Spitzel, »dass zur Zeit ein Tiefstand in diesem Kriege erreicht sei. [...] Ähnlich verhält es sich mit Stalingrad, welches von vielen Volksgenossen bereits als verloren angesehen wird. Abgesehen von der seinerzeit stark herausgestellten strategischen Bedeutung dieser Stadt wurde seine Eroberung von vielen

Volksgenossen als Prestigefrage angesehen, teilweise glaubte man hiervon den entscheidenden Wendepunkt des Krieges erwarten zu können.«[3]

Hitler beruft Mitte Januar 1943 einen Dreier-Ausschuss ein. Ihm gehören Wilhelm Keitel, der Chef des Oberkommandos der Wehrmacht, Reichskanzleichef Hans Heinrich Lammers und der Chef der Parteikanzlei, Reichsleiter Martin Bormann, an. Sie sollen weitere Soldaten ausheben, die Rüstungsproduktion auf Kosten der zivilen Wirtschaft steigern und Mehrarbeit anordnen.

Für psychologische Durchhalteappelle, die über bürokratische Anordnungen hinausgehen, fühlt sich Propagandaminister Joseph Goebbels berufen wie kein anderer. »Wir dürfen jetzt gar keine Rücksicht mehr auf die Heimat nehmen. Die Heimat hat kein Recht, in Frieden zu leben, wenn die Front ungeheure Lasten und Gefahren auf sich nehmen muß. Sie muß in einem Umfange aktiviert werden, von dem wir im Augenblick noch keine Vorstellung haben«,[4] redet Goebbels Mitte Januar 1943 bei seinem Besuch im Führerhauptquartier Rastenburg auf Hitler ein, während Adjutanten ständig neue katastrophale Nachrichten vom Armee-Oberkommando 6 in Stalingrad hereinreichen. »Ich bezeichne das zusammenfassend als ein Reorganisationsprogramm der Heimat, das unter der Überschrift ›Totale Kriegsführung‹ steht. Es beinhaltet die Frauenarbeitspflicht, die Auflösung aller nicht kriegswichtigen oder kriegsnotwendigen Institute und Unternehmungen und die restlose Einstellung der ganzen Heimatorganisation des zivilen Lebens auf die Bedingungen des Krieges selbst. Der Führer genehmigt von vornherein alles das, was ich vorgeschlagen habe.«[5] Zu Goebbels Plänen gehört neben der Schließung von Luxusrestaurants und dem Verbot von Tanz- und Vergnügungsveranstaltungen eine reichsweit im Rundfunk zu übertragene Kundgebung. Durch sie will er den spürbaren Fatalismus der Bevölkerung in Fanatismus für den Kampf um den »Endsieg« verwandeln. Die Provinzfürsten der NSDAP, die

Gauleiter, sollen mit lokalen Kundgebungen und Appellen dieser Propagandaoffensive den Boden bereiten.

Noch erreicht die Dramatik des Krieges Bayern vor allem nachrichtlich, weniger im Alltag. Zwar wird in München, der »Hauptstadt der Bewegung« der Nationalsozialisten, jeden Abend der Stadt verdunkelt, aber der Luftkrieg hat München lange nicht so hart in Mitleidenschaft gezogen wie die Städte Westdeutschlands. Doch auch in Bayern üben sich jetzt die örtlichen NS-Funktionäre in Durchhalteparolen.

Für den 13. Januar 1943 hat der Gauleiter von Oberbayern, Paul Giesler, die Münchner Studentinnen und Studenten zu einer Kundgebung in den Kongresssaal des deutschen Museums bestellt. Dabei geschieht Ungewöhnliches, für Nazi-Verhältnisse Ungeheuerliches. Eigentlich herrscht Anwesenheitspflicht für die in München eingeschriebenen Studenten. Gleichwohl ziehen es Alexander Schmorell, Willi Graf und Hans Scholl vor, gar nicht erst zu erscheinen. Eine breite Unzufriedenheit, weit über den Freundeskreis der *Weißen Rose* hinaus, muss schon vorab in der Luft gelegen haben. Der Ulmer Maler Wilhelm Geyer arbeitete im Januar 1943 im Architektenatelier Eickemeyer, sein Essen bereitete er sich in der Küche der Scholls. Als er sie am Abend der Kundgebung zu Hause antrifft und verwundert fragt, warum sie nicht im Deutschen Museum seien, erhält er zur Antwort, sie würden nicht hingehen, denn »im Falle von Unstimmigkeiten (würden) sie in erster Linie als Urheber bezeichnet werden, da sie innerhalb der Studentenschaft oder der Studentenkompanie politisch verdächtig seien«[6].

Es kommt dann auch zu den von Hans Scholl vermuteten »Unstimmigkeiten«. Denn anstatt der Rede des mächtigen NS-Funktionärs ergeben zu lauschen, begehrt das Publikum auf. Es kommt zu Protesten und schließlich zu handgreiflichen Auseinandersetzungen zwischen Studenten auf der einen Seite, viele von ihnen Soldaten in Uniform und verletzte Kriegsteilnehmer, Braunhemden, SS und Polizei auf der anderen. Der genaue Ablauf der Ereignisse ist schwierig zu rekonstruieren: Der einzige Pressebericht im ›Völkischen Beobachter‹[7] zwei Tage später gibt Gieslers Rede nur auszugsweise wieder – ohne seine beleidigenden Ausfälle – und verschweigt den nachfolgenden Aufruhr.

Gieslers Redemanuskript ist nicht überliefert, und die Erinnerungen der Zeitzeugen[8] ergeben kein einheitliches Bild im Detail, wohl aber, was die Atmosphäre anlangt: Als Giesler von Studentinnen sprach, die sich nicht an den Universitäten herumdrücken, sondern »lieber dem Führer ein Kind schenken« sollten, etwa in Gestalt eines Sohnes als alljährliches Universitätszeugnis, standen die ersten Studentinnen auf und strebten dem Ausgang zu. Wahrscheinlich als Reaktion und in Abweichung vom Redemanuskript schwadronierte Giesler weiter: »Wenn einige Mädels nicht hübsch genug sind, einen Freund zu finden, werde ich gern jeder einen von meinen Adjutanten zuweisen, und ich kann ihr ein erfreuliches Erlebnis versprechen.«[9] Darauf steigerte sich die Unruhe zum Tumult, zumal die Studentinnen am Verlassen des Saales gehindert wurden und nun gemeinsam mit den männlichen Kommilitonen Giesler so lautstark störten, dass er seine Rede unterbrechen musste. Mitglieder der NS-Studentenschaft schwärmten aus, um die protestierenden Studentinnen für die alarmierte Polizei festzuhalten. Ihre männlichen Kommilitonen sprangen den Frauen bei. Sie verwickelten die NS-Studenten und die anrückende Polizei in Prügeleien. Es ist ihnen wohl auch gelungen, einen nicht unbeträchtlichen Teil ihrer Kommilitoninnen nach über einer Stunde freizubekommen.[10] Diese Befreiung wurde, wie nicht nur Annemarie Farkasch schilderte, als Triumph empfunden, »da fanden sich auf einmal Juristen, Mediziner und Philosophen zusammen. Wildfremde Kollegen und Kolleginnen gingen mit uns Arm in Arm die Ludwigstraße hinunter und allen war die offene Empörung gegen das Geschehene und die Angst um die Festgenommenen gemeinsam.«[11]

Was am Abend des 13. Januar im Deutschen Museum geschehen war, wirkte sich auch auf die Stimmung in der Universität in den kommenden Tagen aus. »Ich habe nie vorher und niemals mehr nachher eine solche Stimmung an der Universität erlebt, wie am folgenden Tage. Gruppen bildeten sich auf den Gängen, Angehörige der verschiedensten Fakultäten, die sich vorher überhaupt nicht beachtet hatten, standen einträchtig beisammen und jeder war des anderen Freund.« [12]

Welchen weitreichenden Eindruck die spontane Revolte gegen Giesler über die Studentenschaft hinaus hinterließ, verdeutlicht der Bericht von Philomena Sauermann. Sie gehörte zu den verhafteten Studentinnen, die trotz der Proteste ihrer Kommilitonen nicht freikamen. Erst am späten Abend wurden die 22 jungen Frauen zu Verhören in die Gestapo-Leitstelle im Wittelsbacher Palais gebracht. Dort mussten sie unter Bewachung und striktem Redeverbot untereinander in einem großen Saal warten. Philomena Sauermann berichtet, dass die mitten in der Nacht herbeitelefonierten Beamten den Vorgang sehr ernst nahmen. »Sie haben gemeint, es sei eine geplante Revolution von uns gewesen. Man wollte herausbringen, dass das organisiert, und wer der Anführer war. Aber so war es ja nicht. Wir waren eben empört über die Ausführungen des Gauleiters.« [13] Philomena Sauermann gewann den Eindruck, dass die Gestapo von einer schlagkräftigen Widerstandsgruppe ausging, der sie einen Umsturz zutraute. Als sie nachts um halb drei gemeinsam mit einigen Kommilitoninnen aus dem Wittelsbacher Palais in das verdunkelte München entlassen wurde, verabschiedete sie ein Gestapo-Beamter mit den Worten: »Sie haften jetzt mit Ihren Köpfen, wenn hier die Revolution ausbricht.« [14] Philomena Sauermann wurde einige Tage später zum Gaustudentenführer und ein weiteres Mal zur Gestapo bestellt. Sie erhielt wie alle bei der Gestapo erfassten Studentinnen am 12. Februar im Rektorat der Universität einen schriftlichen Verweis, in dem ihr bei der geringsten weiteren Verfehlung der Verweis von der Universität angedroht wurde.

»Ich erkenne Anneliese kaum wieder, da sie am Abend aus

der Studentenkundgebung im Deutschen Museum wiederkommt«, notiert Willi Graf an diesem Abend in seinem Tagebuch die merkwürdige Wandlung seiner Schwester, die in die verschwörerischen Aktivitäten ihres Bruders nicht eingeweiht ist und daher nicht ahnt, worauf Willi nur einen Satz zuvor im selben Tagebucheintrag anspielt: »Besuch bei Hans, auch am Abend bin ich noch dort, wir beginnen mit der Arbeit, der Stein kommt ins Rollen.«[15] Gemeint ist damit die Herstellung des fünften Flugblattes mit der Überschrift »Aufruf an alle Deutschen!«.

Professor Kurt Huber, seit einer Woche vor Weihnachten in die Flugblattaktivitäten seiner Studenten eingeweiht, war am Nachmittag des 13. Januar mit Alexander Schmorell, Willi Graf und Hans Scholl in dessen Wohnung zusammengetroffen und diskutierte deren Textentwürfe[16], die wahrscheinlich schon vor Gieslers Ansprache verfasst worden waren.[17] Der Text wurde jedenfalls nach dem 13. Januar nicht mehr verändert, wohl auch, weil die Verbreitung dieses Flugblattes über München hinaus mit erheblichem logistischen Aufwand vorbereitet werden musste. Anders ist kaum zu erklären, dass die Revolte gegen Giesler keine Erwähnung findet, die *Die Weiße Rose* als eindrucksvolle Bestätigung des studentischen Unmuts anführen hätte können.

Wie aus dem Nichts tauchen dann am Monatsende, abgesendet, fast gleichzeitig in Salzburg, Linz und Wien, in Stuttgart, Augsburg und in München, bei Empfängern in all diesen Städten jene »Aufruf an alle Deutsche!« überschriebenen Flugblätter in den Briefkästen auf. Schon die ersten Sätze treffen im angespannten Warten auf die Entscheidung in Stalingrad die Stimmung im Lande ganz genau:

»Der Krieg geht seinem sicheren Ende entgegen. Wie im Jahr 1918 versucht die deutsche Regierung alle Aufmerksamkeit auf die wachsende U-Boot-Gefahr zu lenken, während im Osten die Armeen unaufhörlich zurückströmen, im Westen die Invasion erwartet wird. Die Rüstung Amerikas hat ihren Höhepunkt noch nicht erreicht, aber heute schon übertrifft sie alles in der Geschichte seither Dagewesene. Mit mathematischer Sicherheit führt Hitler das deutsche Volk in den Abgrund. Hitler kann den Krieg nicht gewinnen, nur noch verlängern! Seine und seiner Helfer Schuld hat jedes Maß unendlich überschritten. Die gerechte Strafe rückt näher und näher!«[18]

Von diesem Flugblatt druckt *Die Weiße Rose* mindestens 9000 Stück, und sie werden planvoll verteilt: Mit 1500 in Kuverts gepackten Flugblättern im Gepäck reist Alexander Schmorell über Salzburg und Linz nach Wien und gibt sie dort für Adressaten in diesen Städten und in Frankfurt am Main zur Post. Beinahe gleichzeitig übergibt Sophie Scholl in Ulm dem Gymnasiasten Hans Hirzel etwa 2500 Flugblätter, unterbricht dann ihre Rückfahrt in Augsburg und wirft dort adressierte Umschläge in die Briefkästen. Hirzel und sein Schulfreund Franz Müller beschaffen Kuverts und Adressen und beschriften die Umschläge. Hirzel schafft einen Teil nach Stuttgart. Dort hilft seine Schwester Susanne, die Flugblattbriefe aufzugeben.

Kaum ist Alexander Schmorell in München zurück, legen er und Hans Scholl in einer nächtlichen Streuaktion in den Straßen der Innenstadt etwa 5000 Flugblätter aus.

Ermittlungen und Mutmaßungen – Die Gestapo auf der Suche

Als das Flugblatt »Aufruf an alle Deutschen!« der »Widerstandsbewegung in Deutschland« in großer Zahl Ende Januar 1943 per Post in sieben Städten und gleichzeitig nach einer nächtlichen Verteilaktion in Münchens Innenstadt auftaucht, tappt die gefürchtete Geheime Staatspolizei in München völlig im Dunkeln. Dazu trägt besonders die ausgeklügelte Postversandaktion bei. Sie stiftet Verwirrung bei der Sonderkommission der Gestapo, die unter dem Eindruck der nunmehr deutlich intensivierten Widerstandstätigkeit eingesetzt wurde. Zwar waren schon einmal Ende Juni 1942 in kurzer Folge vier Folgen der »Flugblätter der *Weißen Rose*« erschienen. Sie waren jedoch in weit geringerer Auflage gedruckt und von München aus vornehmlich an Münchner Adressen gesandt worden. Alle Begleitumstände deuteten damals auf eine ausschließlich lokale Gruppierung. Nun aber rätseln die Gestapo-Beamten in einem internen Papier nicht nur, wer ihr Gegner ist, sondern auch, wo er zu finden sei:

»Die Zahl der hier aus der Streuaktion vom 28./29.1.43 erfaßten Flugblätter beläuft sich nunmehr auf rund 1300 Stück. Um einen Überblick über die gebietsmäßige Ausdehnung innerhalb des Stadtgebietes zu gewinnen, wurde ein Übersichtsplan erstellt. Daraus ergibt sich, daß sich der Hauptbahnhof München ziemlich genau im Mittelpunkt der Aktion befindet, bzw. daß sich die Streuaktion von hier etwa in gleicher Ausdehnung in nördlicher und südlicher Richtung erstreckt. Aus dieser Tatsache könnte gefolgert werden, daß der oder die Täter mit der Eisenbahn von auswärts kamen und hier vom Bahnhofe aus mit der Verbreitung der Flugblätter begannen – am 27.1.43 traten sie in Wien in Erscheinung.«[19]

Schon im Juni 1942 war Kriminalsekretär Robert Mohr mit dem Fall *Weiße Rose* befasst worden. Im Sommer 1942 verebbte die Aktivität der Gruppe nach nur zwei Wochen, nachdem in kurzer Folge vier Flugblätter verschickt worden waren.[20] Die Ermittlungen verliefen im Sande.

Am 29. Januar 1943 wurde Mohr vom Münchner Gestapo-Chef Oswald Schäfer in dessen Büro gerufen. »Als ich wenig später nichtsahnend dort eintraf, fand ich Herrn Schäfer an seinem Schreibtisch, hinter einem Berg der vorerwähnten Flugblätter, die inzwischen in der Stadt eingesammelt wurden und hier aufgestapelt waren«, schreibt Robert Mohr in dem Bericht über seine Rolle bei den Ermittlungen gegen die an der *Weißen Rose* Beteiligten und fährt fort: »Nach kurzer Information erhielt ich den Auftrag, alle anderen Arbeiten zu übergeben oder, wenn nicht dringlich, liegen zu lassen, um sogleich mit mehreren Beamten die Fahndungstätigkeit nach den Urhebern dieser Flugblätter aufzunehmen. Zugleich wurde mir mitgeteilt, daß diese Flugblatt-Aktion größte Beunruhigung hervorgerufen habe und demgemäss die höchsten Stellen von Partei und Staat an einer möglichst baldigen Aufklärung interessiert seien.«[21] Handfeste Erkenntnisse liefern nach einer Woche verstärkter Ermittlungen aber nicht die Fahnder und Spitzel, sondern das Polizeilabor: »Die Kriminaltechnische Untersuchungsstelle bei der Kriminalpolizeileitstelle München hat festgestellt, dass die Flugblätter der sogenannten ›Widerstandsbewegung‹ nur auf einer Maschine geschrieben wurden. Nach diesem Gutachten ist mit ziemlicher Sicherheit anzunehmen, dass die Matrizen dieser Flugblätter auf der gleichen Maschine gefertigt wurden wie diejenigen der bekannten Flugblätter der sogenannten *Weißen Rose*«, schreiben die Kriminaltechniker. Sie finden auch heraus, dass das Druckpapier in München gekauft und die verwendeten Kuverts in einer Münchner Fabrik produziert worden sind, und resümieren: »Mit dieser Feststellung wird die Ansicht gefestigt, daß der oder die Täter in München oder Umgebung zu suchen sein dürften.«[22]

Diese Vermutung verdichtet sich nach dem 3. Februar, dem Tag, an dem die Niederlage von Stalingrad im Radio gemeldet und getragene Musik gesendet wird, zur Gewissheit. »Unter der Hakenkreuzfahne, die auf der höchsten Ruine von Stalingrad weithin sichtbar gehißt wurde, vollzog sich der letzte Kampf. Generale, Offiziere, Unteroffiziere und Mannschaften fochten Schulter an Schulter bis zur letzten Patrone. Sie starben, damit Deutschland lebe. [...] Eines aber kann schon jetzt gesagt werden: Das Opfer der Armee war nicht umsonst.«[23]

Was in der Nacht darauf in Münchens verdunkelter Innenstadt geschieht und im Morgenlicht für die Münchner Bürger sichtbar wurde, veranlasst die Gestapo, den Ring noch enger zu ziehen. Die Oberstaatsanwaltschaft beim Landgericht München I meldete mit dem Betreff: »Staatsfeindliche Umtriebe in München« dem Reichsjustizministerium nach Berlin: »I. In der Nacht vom 3. auf 4. Februar wurden an mindestens 20 Stellen der Stadt München mit Blechschablone und Teerfarbe Inschriften angebracht, die lauten: ›Freiheit‹ oder ›Nieder mit Hitler‹; daneben ist ein durchstrichenes Hakenkreuz angebracht. Inschriften dieser Art wurden festgestellt an Anschlagsäulen in der Ludwigstraße, an der Universität, in der Amalienstraße, in der Gegend der Salvatorstraße und am Altheimereck. Die Täter sind unbekannt. Die Hauseigentümer wurden angewiesen, die Inschriften zu entfernen.«[24]

Gestapo-Chef Oswald Schäfer löst eine Großfahndung mit allen verfügbaren Polizeibeamten aus, lässt die Meldezettel in den Hotels überprüfen und verspricht per Zeitungsanzeige 1000.– Reichsmark Belohnung für Hinweise auf die »Gewaltverbrecher«, die die Parolen gemalt und die Flugblätter verteilt haben. Schließlich lässt er mit dem ehemaligen, als Nazi-Gegner bekannten Bibliothekar Dr. Max Stefl einen »üblichen Verdächtigen« unter Überwachung stellen, weil ihm aufgrund seiner Bildung die Autorenschaft der Flugblätter zugetraut wird. »Die Großfahndung [...] nach dem Flugzettelverteiler ist ergebnislos verlaufen«, muss Schäfer am 11. Februar an das

Reichssicherheitshauptamt vermelden, und eine erneute nächtliche Malaktion: »Die Schmierereien ›Nieder mit Hitler‹ und ›Freiheit‹ sind neuerdings am 8./9.2.1943 angebracht worden. [...] Da es der oder die Täter offensichtlich gerade auf das Universitätsgebäude abgesehen haben, wurde dieses unter die entsprechende Überwachung gestellt.«[25]

Noch einmal tauchen Wandinschriften auf, in der Nacht vom 15. auf den 16. Februar: »Nieder mit Hitler« und in ein Meter hohen schwarzen Lettern an der Buchhandlung Hugendubel »Massenmörder Hitler«. Außerdem ist in dieser Nacht ein neues Flugblatt per Post aufgegeben worden, das die Empfänger am nächsten Tag aus ihren Briefkästen ziehen: »Kommilitonen, Kommilitoninnen! Erschüttert steht unser Volk vor dem Untergang der Männer von Stalingrad. Dreihundertdreißigtausend Männer hat die geniale Strategie des Weltkriegsgefreiten sinn- und verantwortungslos in Tod und Verderben gehetzt. Führer, wir danken Dir!

Es gärt im deutschen Volk: Wollen wir weiter einem Dilettanten das Schicksal unserer Armeen anvertrauen? Wollen wir den niedrigen Machtinstinkten einer Parteiclique den Rest unserer deutschen Jugend opfern? Nimmermehr!«[26]

Nur so viel ist klar aus Sicht der Gestapo bis zur Verhaftung von Hans und Sophie Scholl: Die für die Ermittler nicht fassbare Widerstandsgruppe sucht die Nähe zur Münchner Universität, zu den Studenten, auch sprachlich. So setzen sie darauf, dass eine Analyse der Flugblätter ihnen hilft, den oder die Verfasser zu identifizieren. Universitätsprofessor Richard Harder, ein Altphilologe, der das Vertrauen der Gestapo besitzt, beugt sich am 17. und 18. Februar in deren Auftrag für ein Eilgutachten über das Material – das »Flugblatt der Widerstandsbewegung in Deutschland« und das frisch erschienene »Kommilitoninnen! Kommilitonen!«[27]. Harder schreibt:

»Die beiden Machwerke zeigen ein außergewöhnlich hohes Niveau. Es spricht ein Mensch, der die deutsche Sprache vollendet meistert, der seinen Gegenstand bis zur letzten Klarheit durchdacht hat. Der Mann weiß genau, was er will, er verfügt über detaillierte Kenntnisse. Er ist Deutscher. Und zwar nicht Emigrant, sondern ein Deutscher, der seit Jahren bis heute die politischen Ereignisse hier im Land miterlebt.«[28] Harder kommt zu dem Schluss, es bei beiden Blättern mit nur einem Autor zu tun zu haben. In seiner Analyse bezeugt er ihm Respekt, doch ebenso kühl kritisiert er auch die Texte: »Zusammenfassend stellt sich der Verfasser als ein begabter Intellektueller dar, der seine Propaganda auf akademische Kreise, insbesondere die Studentenschaft abstellt. Trotz eines gewissen Schwungs der Sprache und der Entschlossenheit des politischen Wollens sind seine geistigen Erzeugnisse aber letzten Endes Schreibtischprodukte; wenn sie auch nicht den Ton eines verbitterten Einsamen haben, hinter ihnen also eine gewisse Clique steht, so sind sie doch nicht der Ausfluß einer machtpolitisch aktiven Gruppe: dazu ist ihre Sprache zu abstrakt; sie will (und kann) in breiteren Kreisen der Soldaten oder Arbeiter keinen Widerhall finden.«[29]

»Die Nacht ist des Freien Freund« – *Die Weiße Rose* in Aktion

Die wohl wirksamste Tarnung der Aktivisten der *Weißen Rose* war gar keine angelegte Maske, sondern die Normalität ihres Lebenswandels. Sie lernten und studierten, sie besuchten Konzerte, sie feierten Feste, fuhren in die Berge zum Skifahren oder Wandern, sie hatten Freunde und Liebschaften. Sie waren keine isolierten Einzelgänger, die den Kontakt zu anderen scheuten, um ausschließlich und unbeobachtet einer ominösen, nach außen abgeschirmten Tätigkeit nachzugehen. Diese Normalität als Tarnung funktionierte mehr als leidlich nach verschiedenen Seiten hin: der Gestapo gegenüber, die sich solche Verschwörer nicht vorstellte, aber auch all denjenigen nahe stehenden Personen und den Familienmitgliedern gegenüber, die nicht miteinbezogen und gefährdet werden sollten. Anschaulich machen dies die Erlebnisse von Elisabeth Hartnagel, der Schwester von Hans und Sophie Scholl. Sie sah die Geschwister und deren Freunde zum letzten Mal, als sie sie Ende Januar bis zum 5. Februar für zehn Tage lang in München besuchte – mitten in der intensivsten Phase ihrer Widerstandsaktivitäten. Elisabeth war nicht eingeweiht und bekam in den Tagen ihres Besuches mit Spaziergängen, Restaurant- und Konzertbesuchen keinen Anlass zu der Vermutung, dass ihre Geschwister und ihr Freundeskreis zu dieser Zeit auch mit so etwas wie Widerstandsarbeit befasst waren. Elisabeth Hartnagel erinnert sich an den Abend des 3. Februar, des Tages, an dem die Niederlage von Stalingrad gemeldet wurde: »Das war nach zehn oder kurz vor Mitternacht. Der Alexander Schmorell kam. Und zu mir sagen sie dann. ›Wir gehen jetzt in die Frauenklinik.‹ Und dann sind sie verschwunden. Dann kam der Willi Graf. Haben wir gesagt: Sie sind in der Frauenklinik.

Hat er gelacht und gesagt: ›Ohne mich gehen die nicht in die Frauenklinik!‹ – Also gut, sie waren tatsächlich noch da und gingen dann zusammen weg. Sophie und ich haben im Englischen Garten einen Spaziergang gemacht. Sagt die Sophie: ›Jetzt müßte man Maueranschriften machen.‹ Sage ich: ›Ich hab' einen Bleistift dabei‹ – Hat sie gesagt: ›Das genügt nicht, da braucht man Teerfarbe.‹ Hab' ich gesagt: ›Das ist aber gefährlich!‹ Und da hat sie darauf geantwortet: ›Die Nacht ist des Freien Freund.‹ – Danach kamen wir heim, und Hans rief an, er hätte in seiner Tasche noch 50 Mark gefunden, wir sollten bei dem Hausmeister, das war ein Schwarzhändler, noch eine Flasche Wein besorgen. Das haben wir gemacht, wir haben sogar zwei Flaschen besorgt. Dann kamen die drei so richtig aufgedreht, und wir haben miteinander den Wein getrunken. Hinterher, wie sie dann tot waren, hab' ich mir gedacht: Der Anruf war sicher für die Sophie das Zeichen, daß alles geklappt hat. Deshalb hat Hans angerufen. Denn ich kann mir nicht vorstellen, daß es bei der Flasche Wein auf zehn Minuten angekommen wäre.«[30]

Am nächsten Morgen nehmen Hans und Sophie ihre Schwester Elisabeth und den befreundeten Ulmer Maler Wilhelm Geyer mit in die Universität zu Professor Hubers Vorlesung über Leibniz, treffen dort Alexander Schmorell und Willi Graf. Sie gehen an den Mauerinschriften »Freiheit« und »Nieder mit Hitler« vorbei. Sie lassen sich nicht dazu hinreißen, der Schwester oder Geyer gegenüber zu erwähnen, dass sie die Urheber der Inschriften sind. Wieder nimmt Sophie ihre Schwester Elisabeth diskret zur Seite, als Alexander Schmorell, Willi Graf und Hans Scholl nach dem Ende der Vorlesung sich kurz mit Professor Huber besprechen. Mit dem Satz »Die Zeit der Phrasen ist vorbei« hatte Huber an diesem Tag seine Vorlesung begonnen, eine für seine Hörer unmissverständliche Anspielung auf das als Zynismus verstandene Pathos der Meldungen über den Untergang der 6. Armee in Stalingrad, der ihr Oberster Befehlshaber Hitler wochenlang kategorisch jeden Ausbruch und Entsatz verweigerte hatte, als es für solch eine Rettung noch Chancen gab.

Hubers Anspielung vor den Studenten belegt, wie sehr ihn das Thema Stalingrad umtreibt; Alexander, Hans und Willi dürften ihren Professor auch an die Lesung des Schriftstellers Theodor Haecker erinnert haben, die sie für ihren Freundeskreis arrangiert haben, nachmittags im Atelier Eickemeyer. Theodor Haecker liest aus seinem Buch *Schöpfer und Schöpfung*. Nur Stunden nach der gefährlichen nächtlichen Malaktion bedeutet die Zeit mit Haeckers philosophisch-theologischen Texten nun wieder ein meditatives Innehalten. »Seine Worte fallen langsam wie Tropfen, die man schon vorher sich ansammeln sieht, und die in diese Erwartung hinein mit ganz besonderem Gewicht fallen«, notiert Sophie Scholl. »Er hat ein sehr stilles Gesicht, einen Blick, als sähe er nach innen. Es hat mich noch niemand so mit seinem Antlitz überzeugt wie er.«[31] Nach Elisabeth Hartnagels Erinnerung wurde auch nach der Lesung zwar über die allgemeine Lage nach Stalingrad, jedoch nicht über die Aktionen der Gruppe gesprochen – jedenfalls nicht in Gegenwart von Personen, die wie sie nicht eingeweiht waren.

Ständige Übermüdung und nervliche Anspannung waren der Preis dafür, die Nacht zum Tag zu machen, um die illegale Widerstandstätigkeit in einen keineswegs reduzierten Studentenalltag, in ein scheinbar ganz durchschnittliches Studentenleben einzuflechten. Traute Lafrenz beobachtete am Morgen nach der ersten nächtlichen Malaktion die ersten nervösen Spuren dieses Lebens im Ausnahmezustand an ihrem ehemaligen Geliebten Hans Scholl, als auch sie auf dem Weg in Hubers Vorlesung am Morgen des 4. Februar an den Maueraufschriften vorbeikam. »Ich ging zur Universität und sah Hans von der anderen Seite mir entgegenkommen [...] mit großen Schritten, ein wenig vornüber geneigt (er hielt sich schlecht in der letzten Zeit), ging er an den sich anstoßenden, hindeuteln den Menschen vorbei – nur ein kleines, fast übermütiges Lächeln lag über den sehr wachen Zügen. Als wir dann in die Universität hineingingen, vorbei an Scharen von Reinemachefrauen, die mit Eimern und Besen und Bürsten die Schrift von der Steinmauer abkratzen wollten, da verstärkte sich dieses Lächeln – und als dann ein aufgeregter Student auf uns zugelaufen kam: »Habt Ihr das schon gesehen?‹, da lachte Hans laut heraus und sagte: ›Nein, was ist denn?‹ Und von dem Moment fing ich an, wahnsinnige Angst um ihn zu haben.«[32]

Fast jeder Schritt in der Widerstandsarbeit war unvermeidlich mit Gefahr verbunden. Gewerbliche Druckereien wurden streng überwacht und kamen nicht für die Herstellung illegaler Flugblätter in Frage. Alle Nazi-kritischen Organisationen mit eigenen Druckmöglichkeiten waren 1933 zerschlagen worden. Die unbemerkte Beschaffung von Schreibmaschinen, Druckmaschinenfarbe und Matrizen, von Kuverts und Druckpapier und Briefmarken in Mengen, die den privaten Bedarf überschritten, war äußerst schwierig. Soldaten durften Reisen über fünfzig Kilometer nicht ohne Marschbefehl oder Genehmigung der militärischen Vorgesetzten antreten. Oft gab es Personen- und Gepäckkontrollen in den Zügen. Trotzdem reiste Willi Graf zweimal in Uniform und ohne Fahrerlaubnis mit Exemplaren der Flugblätter und einmal sogar einem Vervielfältigungsapparat im Gepäck im Zug quer durch Deutschland, um Mitstreiter für *Die Weiße Rose* im Kreis seiner alten Freunde aus der bündischen Jugend zu gewinnen. Er erhielt mehr Absagen als Zusagen, nur Willi Bollinger in Saarbrücken und sein Bruder Heinz in Freiburg sowie Helmut Bauer und Rudi Alt waren zur Mitarbeit bereit. Traute Lafrenz, von Hans Scholl aus dem Kern der Verschwörung herausgehalten, aber mit Sophie gelegentlich unterwegs, um Papier und Umschläge zu besorgen, brachte Flugblätter der *Weißen Rose* nach Hamburg und regte in einem oppositionellen Kreis von Absolventen ihres Gymnasiums, der Lichtwark-Schule, an, die Blätter in Hamburg nachzudrucken und zu verteilen. Alexander Schmorell hatte über seine Bekannte Lilo Fürst-Ramdohr Kontakt zu dem jungen Theaterdramaturgen Dr. Falk Harnack aufgenommen und besuchte ihn mit Hans Scholl in Chemnitz, wo Harnack stationiert war. Auch für diese Zugreise hatten sie keine Fahrerlaubnis. Harnacks Bruder Arvid und seine Schwägerin Mildred waren kurz zuvor vom Volksgerichtshof als führende Mitglieder der Widerstandsgruppe *Rote Kapelle* wegen Hochverrats zum Tode verurteilt worden. Alexander und Hans nahmen daher an, dass Falk Harnack über Verbindungen zu Widerstandskreisen in Berlin verfügte, mit denen die *Weiße Rose* Kontakt herstellen wollte. Harnack war zur Mitarbeit bereit. Sein Gegenbesuch in München stand in den ersten Februartagen an; er platzte mitten in die Hochphase der Widerstandsaktivitäten hinein.

Es gab also Versuche, die *Weiße Rose* auch in anderen Städten zu verankern und eine überregionale, weniger fassbare, schlagkräftige Organisation zu entwickeln. Sie scheiterten an der fehlenden Bereitschaft der Mehrheit der Angesprochenen, eine Tragödie angesichts der mutigen und riskanten Rundreisen Willi Grafs zu seinen einst engen Gefährten aus der bündischen Jugend. Dass sich die Akteure der *Weißen Rose* bei ihren letzten Aktionen durch die Beschränkung auf München und das engere Umfeld der Universität zunehmend in die Gefahr der Entdeckung brachten, geschah nicht freiwillig und war schon gar keine programmatische Entscheidung. Sie fanden einfach zu wenige Helfer.

Falk Harnack kommt am 8. Februar nach München. Er besucht seine enge Freundin Lilo Fürst-Ramdohr – und kann später auch das Gericht davon überzeugen, dass er die Verschwörer der *Weißen Rose* nur zufällig getroffen habe. Alexander Schmorell bringt ihn an diesem Tag zunächst zu einem Gespräch zu Hans Scholl. Für den kommenden Tag arrangieren die beiden ein gemeinsames Gespräch mit Prof. Huber, wiederum in der Wohnung der Scholls. Man tastet sich ab, und neben Gemeinsamkeiten werden auch Differenzen über ein Deutschland nach Hitler deutlich, vor allem zwischen Huber und Harnack. Huber nimmt nicht bis zum Ende an dem Gespräch teil; er verlässt die Wohnung der Scholls, die Studenten und Harnack sind einige Zeit unter sich. Seine wichtigste Nachricht an Schmorell und Hans Scholl lautet, die Brüder Dietrich und Klaus Bonhoeffer seien bereit, die Münchner in Berlin zu treffen, um den Kontakt des Münchner Studentenwiderstandes mit Kreisen des militärischen Widerstands herzustellen.[33]

Etwas später – Harnack ist mittlerweile gegangen – taucht Professor Kurt Huber erneut in Hans Scholls Wohnung auf. Der Fall von Stalingrad und die entwürdigende Behandlung der Studenten durch Gauleiter Giesler hatten ihm einen Stoß versetzt, und er bestimmte seine Rolle neu. Bisher war Kurt Huber als intellektuelle Autorität und sympathisierender Berater für die Studenten der *Weißen Rose* wichtig gewesen. Er mahnte zur Vorsicht und stand der Flugblattpropaganda skeptisch gegenüber.

Jetzt ist er unter höchstem Risiko selbst aktiv geworden. Er präsentierte Hans Scholl und Alexander Schmorell den Entwurf für ein Flugblatt, das er, wie seine Frau Clara berichtete, eines Morgens vor dem Frühstück, wenige Tage nur nach der Nachricht vom Fall Stalingrads, zu Hause auf seiner Schreibmaschine verfasst hatte. »Um Gotteswillen, was fällt Dir denn ein! So was sollst Du nicht einmal denken«, habe sie ausgerufen, als sie ihrem Mann beim Schreiben über die Schulter sah. »Dann kam er bald zum Frühstück und dann ging er fort. Hab ich gefragt: ›Hast Du das jetzt eingesteckt?‹ – Da sagt er: ›Ja natürlich! Das kommt jetzt raus!‹ – Ich hatte Angst. Ich hab' mir gedacht, wie kann er nur? Aber er musste.«[34]

In Hubers Flugblattentwurf geht es um die »sinn- und verantwortungslose« Opferung der Soldaten in Stalingrad, herauszuhören sind aber auch die Wut und Frustrationen eines Hochschullehrers, der nicht mehr frei lehren und keine freien Geister mehr erziehen kann. Auf Wunsch des Studenten Hans Scholl schreibt der Professor wie ein Student[35]:

»In einem Staat rücksichtslosester Knebelung jeder freien Meinungsäußerung sind wir aufgewachsen. HJ, SA, SS haben uns in den fruchtbarsten Bildungsjahren unseres Lebens zu uniformieren, zu revolutionieren, zu narkotisieren versucht. ›Weltanschauliche Schulung‹ hieß die verächtliche Methode, das aufkeimende Selbstdenken und Selbstwerten in einem Nebel leerer Phrasen zu ersticken. Eine Führerauslese, wie sie teuflischer und bornierter zugleich nicht gedacht werden kann, zieht ihre künftigen Parteibonzen auf Ordensburgen zu gottlosen, schamlosen und gewissenslosen Ausbeutern und Mordbuben heran, zu blinder, stupider Führergefolgschaft.«[36]

Hatte Kurt Huber den Entwurf der Studenten für das vorangegangene Flugblatt »Aufruf an alle Deutsche!« korrigiert, so haben jetzt Hans Scholl und Alexander Schmorell einen für sie wichtigen Einwand gegen eine Passage im Text des Professors. Kurt Huber hatte im Entwurf seinen Aufruf, die NSDAP zu bekämpfen und aus allen Parteigliederungen auszutreten, mit der Forderung beschlossen: »Stellt Euch weiterhin geschlossen in die Reihen unserer herrlichen Wehrmacht.«[37]

Kurt Huber sah die Verantwortung für die Grausamkeiten des Krieges, die von Deutschen begangen wurden, ausschließlich bei der SS. Den fronterfahrenen Studenten der *Weißen Rose* bot sich ein anderes Bild. Sie hatten die Wehrmacht gerade nicht als den von Huber erhofften Hort des soldatischen Anstands erlebt. Zumindest ließ sie die Mordaktionen im Hinterland zu, schaute weg, fiel Hitler nicht in den Arm. Die Wehrmacht war sein willfähriges Werkzeug. Bis zum Beweis des Gegenteils – einem Militärputsch gegen Hitler – konnte nur die militärische Niederlage Deutschlands das Ende der nationalsozialistischen Herrschaft herbeiführen.

Als Kurt Huber Alexander Schmorell und Hans Scholl seinen Flugblattentwurf brachte, flackerte dieser Streit wieder auf. Er war in der Kürze nicht beizulegen.[38] Huber verließ Hans Scholls Wohnung – und die Studenten verwendeten seinen Entwurf, jedoch ohne den letzten Satz. Sie hatten die

Druckmaschine. Und tippten wieder Matrizen, zogen Blatt um Blatt ab, tagsüber oder die Nacht hindurch bis morgens um halb sechs, immer wenn Zeit blieb. Etwa 3000 Exemplare stellten sie her. An der Oberfläche ging das normale Studentenleben weiter, so wie dies Willi Graf in seinem Tagebuch am 12. Februar notiert: »Eine Stunde Fechten, es macht Freude, nur müßte man es öfter tun. Für einige Stunden bei Hans. Anneliese fährt am Nachmittag schon weg. Ich treffe Vorbereitungen, um 20.15 Uhr fahre ich mit Walter nach Gaißach. Allein schon die Luft dort erfrischt mich, tut mir gut. Langes Palaver bis in die Nacht hinein. Otto Gmelin: *Die Gralsburg.*«[39] Willi Graf treibt erst Sport, dann druckt er mit Alexander Schmorell und Hans Scholl in dessen Wohnung Hubers Flugblatt, dann fährt er über das Wochenende zum Bergwandern und Skifahren aufs Land hinaus, im Gepäck als Lektüre Otto Gmelins *Gralsburg,* die Erzählung von einem Soldaten, der an der Front verletzt wird, das Bewusstsein verliert und sich in einer friedlichen Welt wiederfindet, an einem idyllischen Traumort, den er nach der Genesung und dem Ende des Krieges in der wirklichen Welt sucht.

Letzte Flugblätter im Lichthof – Die Verhaftung

Warum Hans und Sophie Scholl am Donnerstagmorgen des 18. Februar 1943 die Universität mit einem Koffer voller Flugblätter betraten und diese am helllichten Tag wenige Minuten vor Vorlesungsende um 11 Uhr auf den Fluren, vor den Türen, auf Fenstersimsen und Treppenbrüstungen auslegten, wird nie vollständig geklärt werden. Eine merkwürdige Mischung aus Kaltblütigkeit und Leichtsinn, aus Euphorie und Depression muss diese Aktion bestimmt haben. Über drei Wochen waren sie trotz der massiven Steigerung ihrer Aktivitäten nicht entdeckt worden. Die Universität war seit der zweiten Parolen-Malaktion am 9. Februar für die Studenten wahrnehmbar unter Überwachung gestellt, und doch war es Willi Graf, Alexander Schmorell und Hans Scholl in der Nacht vom 15. auf den 16. Februar gelungen, die mittlerweile versandfertigen etwa 800 bis 1200 Exemplare des sechsten Flugblattes in verschiedenen Briefkästen der Innenstadt einzuwerfen. Sie waren dabei gleichzeitig mit Farbeimer und Pinsel unterwegs und schafften es, auf ihrem Weg erneut zahlreiche Parolen an die Hauswände zu malen. »Hitler Massenmörder« prangte am nächsten Morgen gar in ein Meter hohen Buchstaben an der Fassade der Buchhandlung Hugendubel in der Salvatorstraße. Die Restauflage der Flugblätter, etwa 1800, waren nach dieser Verteilaktion noch in der Wohnung der Scholls.

Dicht an der Stimmung der Euphorie lag Enttäuschung. Das bezeugen Passagen von Hans Scholls späterer Vernehmung bei der Gestapo: Zu den äußerst riskanten nächtlichen Wandanschriften habe er sich nur deshalb entschlossen und damit die bisherige Vorsicht aufgegeben, weil er auf die mehreren Tausend verteilten Aufrufe der »Widerstandsbewegung in

Deutschland« keinerlei Reaktion habe feststellen können.[40] Um das normale tägliche Studentenpensum und die nächtliche Widerstandsarbeit körperlich durchhalten zu können, benutzte Hans Scholl Aufputschmittel. Auch dies könnte eine Ursache sein, die bislang übliche Vorsicht, Konzentration und Konsequenz nicht mehr gewissenhaft durchzuhalten.

Vermutlich platzte in diese Situation am 17. Februar spätabends eine verschlüsselte Warnung. Der mit Inge Scholl befreundete Ulmer Otl Aicher ist gerade in München, er besucht den Publizisten Carl Muth. Von dort ruft Aicher am späten Abend Hans Scholl an und verabredet sich mit ihm für den Morgen des 18. Februar.[41] In Ulm war der Schüler Hans Hirzel von der dortigen Gestapo am 17. Februar verhört, jedoch wieder freigelassen worden.[42] Er ging zu Inge Scholl und bat sie, dringend eine Nachricht nach München zu übermitteln. Hirzel war, im Unterschied zu den Mitgliedern der Familie Scholl und dem Ulmer Freundeskreis, durch Alexander Schmorell und Hans Scholl in die Flugblattaktionen eingeweiht und an der Verteilung der Flugblätter in Süddeutschland aktiv beteiligt. Mit ihm hatten Scholl und Schmorell im Falle von Schwierigkeiten als warnende Code-Nachricht den Satz vereinbart: »Das Buch *Machtstaat und Utopie* ist vergriffen.« Es besteht die Möglichkeit, dass Aicher diesen unverfänglichen Satz schon bei dem abendlichen Telefonat mit Hans Scholl ausgerichtet hat. Als er am nächsten Morgen wie vereinbart um 11 Uhr in der Franz-Joseph-Straße eintrifft, sind Hans und Sophie Scholl jedoch mit dem Koffer voller Flugblätter bereits in Richtung Universität unterwegs.

Zwischen Willi Graf, Alexander Schmorell, Hans und Sophie Scholl war in den Tagen vor dem 18. Februar eine Flugblattaktion in der Universität im Gespräch. Zu einem gemeinsamen Beschluss, sie zu wagen oder zu verwerfen, waren die Freunde aber wohl noch nicht gekommen. Alexander Schmorell ist von der Aktion zu diesem Zeitpunkt und in dieser Form von den beiden Geschwistern überrascht worden – folgt man dem Bericht von Traute Lafrenz – wie wohl auch Willi Graf: »Zum letzten Mal hab ich Hans und Sophie am 18. Februar gesehen. Willi Graf und ich hatten 10 Minuten vor Beendigung der Vorlesung von Professor Huber den Vorlesungssaal verlassen, um einigermaßen rechtzeitig in die Nervenklinik zu kommen. An der Glastür kommen Hans und Sophie uns mit einem Koffer entgegen. Wir haben es eilig, sprechen nicht viel, verabreden uns für den Nachmittag. In der Straßenbahn wird mir unheimlich: was tun die zwei 5 Minuten vor Schluß der Vorlesung in der Uni? Willi zuckt mit den Schultern, ist aber auch unruhig.«[43]

Die Aktion schien zu gelingen. Fast alle Flugblätter waren schon vor den Hörsälen ausgelegt und Hans und Sophie unentdeckt mit ihrem Koffer wieder draußen vor dem Hintereingang der Universität in der Amalienstraße, da machten die beiden mit dem verbliebenen Rest der Flugblätter kehrt, gingen noch einmal die Treppen hoch zur Balustrade des Lichthofs und ließen von dort – beabsichtigt oder versehentlich – einen ganzen Stapel Flugblätter in die Tiefe fallen. Der Hausmeister Josef Schmied sah die herabwirbelnden Flugblätter, hastete die Treppen hoch und entdeckte im zweiten Stockwerk nur zwei ihm nicht bekannte Studenten: Hans und Sophie Scholl. Er erklärte sie für verhaftet. Sie liefen nicht weg und folgten ihm zum Syndikus der Universität. Alle Türen der Universität wurden verschlossen, die Gestapo gerufen. Noch bevor sie eintraf, hatte Hans Scholl versucht, einen Zettel aus seinem Sakko in winzige Schnipsel zu zerreißen und sie unauffällig zu beseitigen. Auch dies beobachtete und vereitelte der Hausmeister Josef Schmied.

Als Hans Scholl von der Gestapo durch die Universität abgeführt wurde, erkannte er in der Nähe des Ausgangs in der Menge der festgehaltenen Studenten zufällig seine Freundin Gisela Schertling. Ohne sie anzusehen, sagte er: »Geh' nach Haus und sag Alex, wenn er da ist, er soll nicht auf mich warten.« Die Gestapo verhaftete den Studenten, der Hans Scholl am nächsten stand, Gisela Schertling konnte später unbehelligt gehen. Hans Scholl konnte hoffen, dass Alexander Schmorell seine schon einige Zeit erwogene Flucht würde antreten können.

Protokolle und Bekenntnisse – Die Verhöre bei der Gestapo

Am 17. Februar hatte die Gestapo-Sonderkommission dem Gräcisten Professor Richard Harder das fünfte und sechste Flugblatt übergeben. Der liefert noch am gleichen Tag sein Gutachten. Harders scharfsinnige Analyse ging nur in einem Punkt fehl: Er nahm an, dass beide Flugblätter von einem Verfasser stammten. Zwar konnte er nicht angeben, wer dieser Verfasser war, aber der Kreis konnte noch enger gezogen werden. Die kriminaltechnischen Untersuchungen des Papiers der Flugblätter und der Kuverts hatten schon auf einen Täterkreis in München hingedeutet. Diejenigen, die die Mauerinschriften in der Innenstadt und an der Universität angebracht hatten, wollten offenbar vor allem Studenten ansprechen. Und nun ergab Harders Stil- und Inhaltsanalyse, dass der Verfasser der Flugblätter »nicht nur Akademiker ist, sondern zu der Universität in näherer Beziehung steht[44].«

Der Leiter der Sonderkommission Kriminalsekretär Robert Mohr weiß also am Ende seines Arbeitstages am 17. Februar, dass er besondere Aufmerksamkeit auf das Umfeld der Universität richten muss. Mehr nicht. Die Entdeckung und Verhaftung von Hans und Sophie Scholl geschah ganz ohne sein Zutun: »Mitten in diese Ermittlungstätigkeit kam am Vormittag des 18.2.43, etwa um 11 Uhr, von der Universität die telefonische Mitteilung, daß dort kurz vorher von der Balustrade des Lichthofes eine große Zahl von Flugblättern heruntergeworfen worden sei und daß 2 Personen festgehalten werden würden, die vermutlich als die Verbreiter in Frage kämen.«[45]

Mohr fuhr selbst in die Universität. Er ist von diesem Zeitpunkt an der einzige Gewährsmann, durch den man Details über die Ermittlungen im Wittelsbacher Palais erfahren hat.

Er führte vom 18. bis 20. Februar 1943 die Verhöre mit Sophie Scholl und formulierte die Protokolle, durch die uns ihre Aussagen überliefert sind. Nach dem Krieg schließlich, genau acht Jahre nach seinen Ermittlungen, verfasst Mohr »auf Ersuchen des Herrn Robert Scholl, Ob a. D. in Ulm [...] aus dem Gedächtnis nachstehende Niederschrift, die meine Erfahrungen mit seinen Kindern Sophie und Hans Scholl in den kritischen Tagen des Feb. 43 zum Gegenstand hat«.[46] Man muss also bei dem respektvollen Ton, den Mohr in seinem Bericht anschlägt, bedenken, dass zu diesem Zeitpunkt er als ehemaliger Gestapo-Beamter auf dem Prüfstand steht: »Als ich wenig später in das Vorzimmer des Rektorates geführt wurde, waren auch hier auf einem kleinen Tisch Flugblätter der bekannten Art, allerdings mit der Überschrift ›Kommilitoninnen! Kommilitonen!‹, die man eben im Lichthof eingesammelt. Im gleichen Zimmer befanden sich ein junges Fräulein und ein junger Herr, die mir als die vermutlichen Verbreiter der Flugblätter bezeichnet wurden. Ein Bediensteter der Universität (Schmied) wollte die beiden in der Nähe der Abwurfstelle gesehen haben. Beide, vor allem das Fräulein, machten einen absolut ruhigen Eindruck und legitimierten sich schließlich durch Vorzeigen ihrer Studenten-Ausweise als das Geschwisterpaar Sophie und Hans Scholl.«

Mohr ließ beide mit dem Auto ins Wittelsbacher Palais bringen. Bei der Aufnahme in das Hausgefängnis der Gestapo begegnet Sophie zum ersten Mal Else Gebel. Sie ist selbst Häftling.[47] Weil es keine Gestapo-Beamtinnen gibt, wird Gebel als Kalfaktorin und zur Leibesvisitation neu eingelieferter weiblicher Häftlinge eingesetzt. »Wir stehen uns das erste Mal allein gegenüber, und ich kann Dir zuflüstern: ›Wenn Sie irgendein Flugblatt bei sich haben, vernichten Sie es jetzt, ich bin selbst Häftling.‹« Else Gebel reflektiert sogleich, dass Sophie Scholl dieser Aufforderung misstrauisch begegnen muss, zumal sie vom ersten Tag an in die geräumige »Ehrenzelle« verlegt wird, die Sophie Scholl zugeteilt wird. »Glaubst Du mir, oder meinst Du, die Gestapo stellt Dir eine Falle?«[48], fährt sie in ihrem Bericht vom November 1946 fort, dem zweiten, wichtigen Dokument über Sophie Scholls letzte Tage.

Nach der Aufnahmeprozedur werden Hans und Sophie Scholl gleichzeitig, jedoch getrennt voneinander verhört. Hans Scholl wird von Kriminalsekretär Anton Mahler vernommen, Sophie Scholl von Robert Mohr. Die Geschwister leugnen stundenlang mit großem Geschick, und man muss daraus mehrerlei folgern: Die beiden mögen unter dem Eindruck in die Universität aufgebrochen sein, die Gestapo sei ihnen auf der Spur. Sie mögen deshalb auch übereilt gehandelt und die Wohnung und ihre Kleidung nicht umsichtig und konsequent genug von verräterischen potenziellen Beweismitteln gereinigt haben. Offenkundig verräterisch waren jedoch vor allem die 1800 bisher nicht verteilten Flugblätter in der Wohnung, die die Geschwister deshalb am Morgen des 18.2.1943 in die Universität brachten. Ein Fanal mit bekenntnishafter Geste, gar bewusster Selbstopferung, war die Aktion der Geschwister jedoch nicht. Dazu hätten die beiden das Ende der Vorlesung abwarten, die Flugblätter nicht kurz vor, sondern kurz nach Ende der Vorlesungen abwerfen müssen, so dass sie von möglichst vielen durch das Gebäude und den Lichthof flanierenden Studenten wahrgenommen worden wären. Und sie hätten nicht, vom Hausmeister Josef Schmied verdächtigt und abgeführt, empört geleugnet, irgendetwas mit den im Gebäude verteilten und in den Lichthof hinabgeflatterten Flugblättern zu tun zu haben.

Hans und Sophie Scholl scheinen allerdings ihr Verhalten in Verhören nach einer eventuellen Verhaftung irgendwann verabredet zu haben. Anders ist kaum zu erklären, dass ihre Aussagen weitgehend stimmig zueinander passten und es daher den beiden bis in die Abendstunden des 18. Februar gelang, in ihren getrennten, unabhängig voneinander geführten Vernehmungen die Gestapo-Beamten um ein Haar davon zu überzeugen, dass sie an die Falschen geraten seien. »Sophie Scholl versicherte mir zuerst absolut glaubwürdig (das war nach der Lage der Dinge nur verständlich), mit dieser Flugblattgeschichte nicht das Mindeste zu tun zu haben«, notiert Robert Mohr in seiner Niederschrift und fährt fort: »Zu diesem Zeitpunkt war ich beim Stand der Dinge der Auffassung, daß Hans und Sophie Scholl noch am gleichen Tag mit ihrer Entlassung zu rechnen hätten.«[49]

Mohr ging sogar so weit, Sophie Scholl die Entlassung anzukündigen. Offenbar konnte auch Hans Scholl in der ersten Vernehmung für die Beamten glaubwürdig seine Beteiligung an der Flugblattaktion leugnen. Doch bevor es dazu kommt, sind Gestapo-Beamte von einer zweiten Wohnungsdurchsuchung in der Franz-Josef Straße zurück. Sie haben neue Beweisstücke gefunden. Die werden in die nun weitergeführten Verhöre eingebracht: Ein Bogen mit 100 Briefmarken und – dies ist der folgenschwerste Fund – Briefe von Christoph Probst an Hans Scholl. Ohne jeden Zweifel stimmt die Handschrift dieser Briefe mit dem Flugblattentwurf überein, den Hans Scholl bei der Verhaftung bei sich trug und zu spät und noch in der Universität vergeblich zu beseitigen versuchte. Damit kann Hans Scholl seine bisherige Behauptung nicht weiter aufrechterhalten: Ein ihm unbekannter Absender habe ihm dieses Schriftstück ohne Umschlag in den Briefkasten gesteckt.

Jetzt entfaltet Hans Scholls Nachlässigkeit katastrophale Wirkung: Hätte er weiter abgestritten, für die Flugblätter in der Universität verantwortlich zu sein, wäre der durch seinen handschriftlichen Flugblattentwurf überführte Christoph Probst von diesem Moment von der Gestapo auch als Autor der anderen schon verteilten Flugblätter belangt worden. Um 4 Uhr morgens begann Hans Scholl mit seinem Geständnis. Sophie Scholl schließt sich dem erst an, als sie mit den Aussagen ihres Bruders konfrontiert wird.[50] Wenn Robert Mohrs Darstellung zutrifft, dann wird Sophie aller Wahrscheinlichkeit nach zu diesem Zeitpunkt Gewissheit über den Zustand ihres Bruders verlangt haben. »Während der umfangreichen Vernehmung der Sophie Scholl bemerkte ich in den ersten Abendstunden des 18.2.1943 bei meinem Gegenüber eine Unruhe, die ich mir nicht erklären konnte. Auf meine Frage nach dem Grund, erhielt ich von Sophie ungefähr folgendes zur Antwort: ›Ich habe mir sagen lassen, daß die Beschuldigten bei der Stapo gequält, geschunden, ja sogar gemartert würden, um Geständnisse zu erpressen.‹ Sie (Sophie) warte nun förmlich darauf, daß sich in dieser Richtung etwas tue, obgleich sie mir (Unterzeichneten) solches nicht zutrauen könne. Selbst habe sie weder Angst, so erwähnte sie weiter, aber sie denke an ihren Bruder. Ich habe darüber gelacht und ihr erklärt, daß es eine derartige Behandlung bei uns nicht gebe, daß sie (Sophie) vielmehr das Opfer falscher Information sei. Aber auch damit begnügte sich mein Gegenüber nicht. Erst als ich ihr versicherte, sie (Sophie), so oft sie dies wünsche, mit ihrem Bruder in Verbindung zu bringen, war sie zufrieden und auch wieder ganz ruhig. Zu dieser Beruhigung hat vielleicht auch der Umstand beigetragen, daß ich zwischendurch die Türe zum Nachbarzimmer vorübergehend öffnete und dadurch Sophie Scholl Gelegenheit gab, ihren Bruder, um den sie so sehr bangte, zu sehen.«[51]

Es muss an diesem Punkt ausdrücklich erwähnt werden, dass es keinerlei Möglichkeit gibt, Robert Mohrs Darstellung mit Hilfe einer zweiten Quelle zu überprüfen. Wahrscheinlich hat Inge Aicher-Scholl aus diesem Grund diese Passage des Mohr-Berichtes nie veröffentlicht. Diese Vorsicht ist verständlich, insbesondere, weil der Vernehmungsbeamte Hans Scholls, Kriminalsekretär Anton Mahler, nach dem Krieg wegen Gefangenenmisshandlung in seiner Spruchkammerverhandlung und in einem Strafprozess vor dem Landgericht München rechtskräftig verurteilt worden ist. Allerdings haben die Misshandlungen, wegen der Mahler belangt wurde, in einer späteren Phase ab Ende 1943 stattgefunden, als die Verfahren gegen die Mitglieder der *Weißen Rose* bereits abgeschlossen waren.[52]

Für Robert Mohrs Schilderung spricht, dass er nach den ersten Verhörstunden als psychologisch erfahrener Vernehmer sein Gegenüber Sophie Scholl und deren Verhältnis zu ihrem Bruder einzuschätzen gelernt hatte. Mohr hatte eine persönlich unerschrockene junge Frau erlebt, die sich mit großer Anhänglichkeit um ihren Bruder sorgte. Die Sorge Sophies um den Bruder muss sich enorm gesteigert haben, als sie erfuhr, dass er sein Aussageverhalten geändert und zu gestehen begonnen hatte. Mohr scheint daraus gefolgert zu haben: Er bringt Sophie Scholl nur dann zum Sprechen, wenn sie sich davon überzeugen kann, dass ihr Bruder Hans sein Schweigen nicht auf Grund von Folter gebrochen hat.

Was auch immer vorangegangen sein mag, Sophie Scholls Verhör, das – ohne Uhrzeitangabe – 14 Seiten lang ohne jedes Geständnis abgelaufen und dann von ihr selbst und Robert Mohr schon unterschrieben worden ist, wird – ebenfalls ohne Zeitangabe – fortgesetzt. Es beginnt dann mit diesen Sätzen:

»Nachdem mir eröffnet wurde, dass mein Bruder Hans Scholl sich entschlossen hat, der Wahrheit die Ehre zu geben und von den Beweggründen unserer Handlungsweise ausgehend die reine Wahrheit zu sagen, will auch ich nicht länger an mich halten all das was ich von dieser Sache weiss zum Protokoll zu geben.«[53] Von dieser Wende zum Geständnis an berichten beide Geschwister rückhaltlos offen über ihre Motive für ihre Widerstandsaktionen, ihre vehemente Ablehnung des nationalsozialistischen Staates und seiner Kriegsführung. »Es war unsere Überzeugung, dass der Krieg für Deutschland verloren ist, und dass jedes Menschenleben das für diesen verlorenen Krieg geopfert wird, umsonst ist. Besonders die Opfer die Stalingrad forderte bewogen uns, etwas gegen dieses unserer Ansicht nach sinnlose Blutvergiessen zu unternehmen.« Diesem Kernsatz ihres Geständnisses fügt Sophie Scholl später an: »Ich war mir ohne weiteres im Klaren darüber, dass unser Vorgehen darauf abgestellt war, die heutige Staatsform zu beseitigen und dieses Ziel durch geeignete Propaganda in breiten

Schichten der Bevölkerung zu erreichen.«[54] Hans Scholl bekennt sich wie Sophie zu dem Ziel, den verlorenen Krieg zu verkürzen, und fährt fort: »Andererseits war mir die Behandlung der von uns besetzten Gebiete und Völker ein Gräuel. Ich konnte mir nicht vorstellen, dass nach diesen Methoden der Herrschaft eine friedliche Aufbauarbeit in Europa möglich sein wird.«[55]

Sophie und Hans Scholl verfolgten mit dieser Offenheit zugleich eine Strategie der Verschleierung: Sie geben sich selbst als das ideelle Zentrum der Verschwörung aus. Sie behaupten, möglichst viele Aktionen alleine ausgeführt zu haben. Sie versuchen den Anteil der Aktivitäten, die sie nicht alleine durchgeführt haben konnten, auf einen einzigen Helfer, nämlich Alexander Schmorell, zu begrenzen, auf dessen Flucht sie hoffen.

Hans Scholl räumt dabei in seiner Vernehmung nach und nach Alexander Schmorells aktive Beteiligung an den Widerstandsaktivitäten ein: Ihn benennt er als Helfer bei der Versendung und der Verteilung der Flugblätter und bei den nächtlichen Maueraufschriften. Am Ende seiner Vernehmungen schildert Hans Scholl schließlich, dass Alexander Schmorell mit ihm gemeinsam schon im Sommer 1942 die ersten vier Flugblättern der *Weißen Rose* verfasst, hergestellt und verbreitet hat.

Sophie Scholl spielt die Bedeutung sämtlicher Freunde, die von der Gestapo als Helfer bei den Widerstandsaktivitäten verdächtigt werden, bis zuletzt konsequent und systematisch herunter. Alexander Schmorell habe mitgemacht, »weil er politisch nicht nüchtern genug denkt und sehr begeisterungsfähig ist«, Willi Graf »war an der Herstellung und Verbreitung der Flugblätter in keiner Weise beteiligt«, über dessen Schwester Anneliese bemerkt sie: »Die Graf halte ich, ohne mir ein abschließendes Urteil erlauben zu wollen, für vollkommen unpolitisch.«[56]

Aus dem Bericht von Sophie Scholls Zellengenossin Else

Gebel lässt sich ablesen, wie Sophie Scholl den Verlauf der Ermittlungen und Verhöre bewertet hat. Schockiert reagiert sie, als sie von Gebel erfährt, dass der am Samstagabend eingelieferte weitere »Hauptbeteiligte« ihres Falles nicht Alexander Schmorell, sondern Christoph Probst ist. »Dein Gesicht zeigt Entsetzen, als ich Dir Christls Namen nenne. Zum ersten mal sehe ich Dich fassungslos. [...] Aber Du beruhigst Dich wieder: Man kann Christl höchstens eine Freiheitsstrafe zudiktieren, und die ist ja bald überstanden.«[57] Einen Tag später vermerkt Gebel Sophie Scholls Reaktion auf die Anklageschrift: »Deine Hand zittert, wie Du die umfangreiche Anklageschrift zu lesen beginnst. Aber je weiter Du liest, um so ruhiger werden Deine Züge, und bis Du zu Ende bist, hat sich Deine Erregung gänzlich gelegt. ›Gott sei Dank‹, ist alles, was Du sagst.«[58]

Das Studium der vom Oberreichsanwalt Weyersberg verfassten Anklageschrift erklärt beide Reaktionen: Höchst beunruhigend ist, dass Christoph Probst wegen des bei Hans Scholl gefundenen handschriftlichen Textentwurfes mit den Geschwistern angeklagt wird, wie sie wegen Vorbereitung zum Hochverrat, Feindbegünstigung und Wehrkraftzersetzung, Delikte, für die die Todesstrafe verhängt werden kann. Nur ein weiterer wesentlicher Tatbeteiligter wird erwähnt: Alexander Schmorell. Da er jedoch nicht als Mitangeklagter aufgeführt ist, ist für sie klar: Die Gestapo hat ihn nicht fassen können. Als Erfolg mag Sophie Scholl vor allem gewertet haben, wen die Gestapo nicht ermittelt hat. Nicht einmal fällt der Name von Professor Kurt Huber, von Willi Graf und dessen Freunden, von den Helfern in Ulm und Stuttgart.

Aufrecht vor dem Henker – Freislers Justizmord an Christoph Probst sowie an Hans und Sophie Scholl

Wie sehr die Aktionen der *Weißen Rose* den NS-Staat herausforderten, ist aus der beispiellosen Reaktion seiner Terrorjustiz ablesbar. Am Donnerstag, den 18. Februar, wurden Hans und Sophie Scholl festgenommen und mit nur kurzen Unterbrechungen drei Tage, bis zum 20. Februar, vernommen. Am Freitag, den 19. Februar, wurde Christoph Probst in Innsbruck im Büro der Studentenkompanie verhaftet und nach München ins Wittelsbacher Palais gebracht. Er bekennt sich im Verhör am 20. Februar zu dem handschriftlichen Textentwurf, der bei Hans Scholl gefunden wurde und den er auf dessen Bitte angefertigt hatte. Am Tag darauf – es ist Sonntag, der 21. Februar – liegt die fertige Anklageschrift vor. Bereits für Montagmorgen, den 22. Februar, um 10 Uhr ist der Prozess vor dem in Berlin ansässigen formal höchsten deutschen Gericht, dem so genannten Volksgerichtshof, anberaumt, das im Münchner Justizpalast tagt. Die Verhandlung wird der Präsident des »Volksgerichtshofes« Dr. Roland Freisler persönlich leiten, der dafür unverzüglich mit dem Flugzeug nach München reist.

Dass der »Volksgerichtshof« überhaupt und dann so schnell in Aktion tritt, geht auf das Betreiben des Gauleiters Paul Giesler zurück. Hans Scholl, Christoph Probst, Alexander Schmorell und Willi Graf sind Soldaten. Sie unterstehen deshalb eigentlich nicht der Ziviljustiz, sondern der Wehrgerichtsbarkeit. Doch schon am 19. Februar wendet sich Giesler an Reichsleiter Martin Bormann in Berlin und teilt am selben Tag um 17 Uhr der Gestapo-Sonderkommission das Ergebnis seiner Intervention mit: »daß Generalfeldmarschall Keitel die beteiligten Soldaten aus der Wehrmacht entlassen hat und mit ihrer

Aburteilung durch den Volksgerichtshof einverstanden ist. Der Gauleiter bittet, die Aburteilung in den nächsten Tagen hier und die Vollstreckung alsbald darauf vorzunehmen.«[59]

Die Vollstreckung. Nicht nur Gieslers verräterischer Sprachgebrauch macht deutlich, dass das Ergebnis der »Gerichtsverhandlung« von vornherein feststeht. Weder die Gestapo noch das Gericht haben den Beschuldigten die Möglichkeit eingeräumt, einen Verteidiger beizuziehen. Auch die Familien der Beschuldigten konnten nicht für einen Rechtsbeistand sorgen, sie wurden weder von der Verhaftung noch vom bevorstehenden Prozess gegen ihre Verwandten verständigt (im Falle der Eltern Scholl übernehmen dies couragiert Traute Lafrenz und Jürgen Wittenstein.) Der Oberreichsanwalt stellt zwei Pflichtverteidigern am Sonntagnachmittag die Anklageschrift für ein Hochverratsverfahren zu, das für den nächsten Morgen angesetzt ist. Der Rechtsanwalt, der Hans und Sophie Scholl zugeordnet ist, zeigt weder Mut oder auch nur Neigung, die Verschiebung des Verhandlungstermins zu beantragen, um sich in die Materie des Falles einarbeiten und sich mit seinen Mandanten beraten zu können. Else Gebel berichtet vom peinlichen Auftritt dieses Rechtsanwaltes August Klein, der Sophie Scholl pro forma in der Zelle aufsuchte und fragte, ob sie denn einen Wunsch habe, anstatt ein ernsthaftes Gespräch über eine erfolgversprechende Verteidigungsstrategie zu beginnen. »Nein, Du willst nur von ihm bestätigt haben, daß Dein Bruder das Recht auf den Tod durch Erschießen hat. [...] Über Deine Fragen, ob Du selbst wohl öffentlich aufgehängt wirst oder durch das Fallbeil sterben sollst, ist er geradezu entsetzt«, notiert Else Gebel und fährt fort: »Derartiges, in so ruhiger Art gefragt, noch dazu von einem jungen Mädchen, hat er wohl nicht erwartet.«[60] Rechtsanwalt Dr. Ferdinand Seidl versucht wenigstens mit einem Antrag, das Verfahren seines Mandanten Christoph Probst von der Hauptverhandlung gegen die Geschwister Scholl abtrennen zu lassen – vergeblich.[61]

Die Gerichtsverhandlung am Montagmorgen ist als Tribunal geplant. Doch Gestapo und NS-Juristen fürchten die unberechenbaren Reaktionen eines zuvor nicht genauestens ausgesuchten Publikums. Daher wird der Verhandlungstermin nicht veröffentlicht. Die Zuschauerbänke werden mit eigens delegierten Angehörigen von NS-Organisationen gefüllt. Der Gerichtsreferendar Leo Samberger, einer der wenigen unabhängigen Augenzeugen, berichtet gleichwohl, dass sich auch in den Gesichtern des bestellten Publikums Anspannung gespiegelt habe. »Man sah überall angespannte Gesichter. Ich glaubte festzustellen, daß die meisten bleich waren vor Angst. Vor jener Angst, die sich vom Richtertisch her ausbreitete.«[62] Der Universitätspedell Schmied, die Gestapo-Kommissare Robert Mohr und Anton Mahler waren als Zeugen bestellt, wurden aber nicht gehört. Der Ankläger, Oberreichsanwalt Weyersberg, und die Gerichtsbeisitzer, aber auch die Verteidiger der Angeklagten bildeten die stumme Staffage für den Hauptakteur in roter Robe. »Tobend, schreiend, bis zum Stimmüberschlag brüllend, immer wieder explosiv aufspringend«[63], schildert der Augenzeuge Leo Samberger die Verhandlungsführung von Volksgerichtshofpräsident Freisler, von der sich die Angeklagten jedoch nicht einschüchtern und brechen ließen. »Die Haltung der Angeklagten machte wohl nicht nur mir einen tiefen Eindruck. Da standen Menschen, die ganz offensichtlich von ihren Idealen erfüllt waren. Ihre Antworten auf die teilweise unverschämten Fragen des Vorsitzenden, der sich in der ganzen Verhandlung nur als Ankläger aufspielte und nicht als Richter zeigte, waren ruhig, gefaßt, klar und tapfer.«[64]

Freisler verweigerte den in den Gerichtssaal drängenden Eltern von Hans und Sophie jedes rechtliche Gehör und ließ sie durch Gerichtsdiener aus dem Saal schaffen. Seine Mordlaune wird in besonderer Weise an der Behandlung von Christoph Probst deutlich. Selbst nach dem Stand der Gestapo-Ermittlungen hatte er keinen Anteil an den Wandparolen- und Flugblattaktionen, die im Zentrum der Anklage standen. Alles reduzierte sich auf den einen bei Hans Scholl gefundenen und auf dessen Bitte verfassten Text, der nicht vervielfältigt worden war. Niemand außer Hans Scholl hatte ihn gelesen. Probst war geständig, er gab an, den Text in einem psychotischen Depressionszustand wegen der schweren Geburt und des Kindbettfiebers seiner Frau verfasst zu haben. Er bat um sein Leben als Vater dreier kleiner Kinder. Als schließlich in seinem Schlusswort auch Hans Scholl um Gnade für Probst bat, unterbrach ihn Freisler mit den Worten: »Wenn Sie für sich selbst nichts vorzubringen haben, schweigen Sie!« Mit der Verhandlungsführung und dem Todesurteil auch gegen Christoph Probst unterstrich Freisler demonstrativ seine an Willkür und keinerlei rechtliche Abwägung und Differenzierung gebundene Entscheidungsfindung. Die Botschaft lautete: Der Volksgerichtshof vernichtet nicht nur diejenigen physisch, die wie die Scholls Widerstand leisten und sich dazu bekennen, sondern auch jeden, der sich in gedankliche und freundschaftliche Nähe zu Personen begibt, die Widerstand ausüben. Kein Gedanke ist mehr frei. Ein Gestapo-Beamter notiert für Freisler Hans Scholls Kommentar über den Gerichtspräsidenten auf ein Aktenblatt: »Scholl bezeichnete die laufende Verhandlung als ein Affentheater.«[65]

Die einmütige Feststellung aller Fraktionen des Deutschen Bundestages vom 25. Januar 1985 beschreibt präzise, was auch auf die Verhandlung am Morgen des 22. Februar 1943 in München zutraf, nämlich »daß die als ›Volksgerichtshof‹ bezeichnete Institution kein Gericht im rechtsstaatlichen Sinne, sondern ein Terrorinstrument zur Durchsetzung der nationalsozialistischen Willkürherrschaft gewesen war«.[66]

Um 12.45 Uhr verkündet Freisler das Urteil. »Die Angeklagten haben im Kriege in Flugblättern zur Sabotage der Rüstung und zum Sturz der nationalsozialistischen Lebensform unseres Volkes aufgerufen, defaitistische Gedanken propagiert und den Führer aufs gemeinste beschimpft und dadurch den Feind des Reiches begünstigt und unsere Wehrkraft zersetzt. Sie werden deshalb mit dem Tode bestraft. Ihre Bürgerehre haben sie für immer verwirkt.«

Die Gnadengesuche, bei deren Abfassung Gerichtsreferendar Leo Samberger Robert Scholl unterstützt, laufen ins Leere. Immerhin erhält Robert Scholl die Erlaubnis, mit seiner Frau Hans und Sophie in Stadelheim zu besuchen. Die Eltern wissen zu diesem Zeitpunkt nicht, dass noch für denselben Tag die Hinrichtungen angesetzt sind.

Christoph Probst kann sich nicht von seiner Familie verabschieden. Er lässt sich von einem katholischen Geistlichen in letzter Stunde taufen. Die Zellenwärter ermöglichen den drei Freunden noch, gemeinsam eine Zigarette zu rauchen. Um 17 Uhr werden Sophie, Hans und Christoph von Scharfrichter Reichart mit dem Fallbeil hingerichtet.

Das Schicksal der Freunde aus der *Weißen Rose* und ihr Vermächtnis

Zwei Tage nach der Hinrichtung seiner Freunde wird Alexander Schmorell am 24. Februar verhaftet. »Verbrecher gesucht« – unter dieser Überschrift war auf Plakaten und in Zeitungen nach Alexander Schmorell gefahndet worden. Auf seine Ergreifung war eine Belohnung von 1000 RM ausgesetzt.[67] Er war nach seiner vergeblichen Flucht in Richtung Schweiz nach München zurückgekehrt, wurde in einem Luftschutzkeller erkannt, denunziert und festgenommen. Am 26. Februar verhaftete die Gestapo Professor Kurt Huber, von dessen Verbindung mit der studentischen Widerstandsgruppe und seiner Autorschaft des letzten Flugblattes die Gestapo erst jetzt erfuhr. Wohl deshalb lassen sich Gestapo und Volksgerichtshof diesmal Zeit mit der Anklageerhebung und versuchen, die Verschwörung der *Weißen Rose* in allen Verästelungen auszuforschen. Besonders dem schon am 18. Februar verhafteten Willi Graf gelingt es trotzdem, mit seinem besonnenen Aussageverhalten die meisten seiner Freunde zu decken, die er zur Mitarbeit geworben hatte.

Am 19. April tagt wiederum in München und unter dem Vorsitz Freislers der Volksgerichtshof. Professor Kurt Huber, Willi Graf und Alexander Schmorell werden zum Tode verurteilt. Elf weitere Angeklagte erhalten Haftstrafen. Falk Harnack wird überraschend freigesprochen.

Hitler lehnt alle Gnadengesuche für die im zweiten Prozess zum Tode Verurteilten umgehend ab. Alexander Schmorell und Professor Kurt Huber werden am 13. Juli hingerichtet. Willi Graf saß am längsten in der Todeszelle, er wurde am 12. Oktober enthauptet. Seine Hinrichtung wurde herausgeschoben, weil die Gestapo von ihm Aufklärung über Willi Bollingers Verstrickungen in die Aktivitäten der *Weißen Rose* erhoffte, die sie aber nicht erhielt. Die Serie der Prozesse gegen Unterstützer der *Weißen Rose* geht bis in die letzten Tage des Krieges weiter: In Hamburg, in München, in Neuburg an der Donau. Dort verhandelt der Volksgerichtshof gegen Marie-Luise Jahn und den Chemie-Studenten Hans Konrad Leipelt.

Noch am 29. Januar 1945 wird Leipelt in München hingerichtet. Als »rassischer Halbjude« im Sinne der Nürnberger Gesetze war der protestantisch erzogene, patriotisch gesinnte und als Soldat mit Panzerkampfabzeichen dekorierte Leipelt zunächst 1940 »unehrenhaft« aus der Wehrmacht entlassen worden. 1941 wurde er wegen seiner jüdischen Abstammung von der Hamburger Universität verwiesen und hatte gerade im Münchner Chemischen Institut als Gaststudent von Nobelpreisträger Professor Heinrich Wieland Unterschlupf gefunden, der in seinem Bereich die Hochschulvorschriften der Nazis couragiert missachtete.

Hans Leipelt und seine Freundin Marie-Louise Jahn wurden nach der Hinrichtung der Geschwister Scholl und Christoph Probsts aktiv. Sie bekamen das sechste Flugblatt der *Weißen Rose* in die Hand und verbreiteten es weiter – so wie in Berlin ein Kreis um die Schriftstellerin Ruth-Andreas Friedrich. Über das Flugblatt setzten Hans Leipelt und Marie Louise Jahn die Überschrift »Und ihr Geist lebt trotzdem weiter«. Außerdem hatten die beiden für Kurt Hubers Frau Clara Geld gesammelt, die nach der Verurteilung ihres Mannes völlig mittellos dastand.

Mehr Raum als der Schriftwechsel um die mögliche Begnadigung der Mitglieder der *Weißen Rose* nimmt in den Akten des Volksgerichtshofes die hartnäckige Nachfrage eines Münchner Rechtsanwaltes um die Rückübereignung einer Schreibmaschine ein. Es ist jene Schreibmaschine, die Alexander Schmorell von einem Bekannten entliehen und zur Herstellung der Flugblätter der *Weißen Rose* benutzt hatte. Die Schreibmaschine, so der Anwalt, wird von ihrem rechtmäßigen Besitzer dringend für die Hinterbliebenenbetreuung seines SS-Sturmes gebraucht. Nach einigen Monaten wird sie ausgehändigt – und funktioniert wieder im Sinne des Systems. Scharfrichter Johann Reichart, der die Mitglieder der *Weißen Rose* in Stadelheim hingerichtet hat – er vollstreckte insgesamt über 3000 Urteile – wurde nach Kriegsende kurz entlassen, um bereits im Herbst 1945 wieder vom Bayerischen Justizministerium eingestellt und nach Landsberg verpflichtet zu werden – diesmal als Henker der in Nürnberg verurteilten NS-Hauptkriegsverbrecher.

Anmerkungen

1 Meldung des Großdeutschen Rundfunks am 3.2.1943, in: Wolfram Wette/Gerd R. Ueberschär (Hrsg.), Stalingrad. Mythos und Wirklichkeit einer Schlacht, Frankfurt 1992, S. 54.
2 Sophie Scholl an Fritz Hartnagel, 3.1.1943, in: Hans Scholl und Sophie Scholl, Briefe und Aufzeichnungen, Hrsg. Inge Jens, Frankfurt 1984, S. 231.
3 Heinz Boberach (Hrsg.), Meldungen aus dem Reich. Die Geheimen Lageberichte des SD, Herrsching 1984, 21.1.1943, Bd. 12, S. 4707.
4 Joseph Goebbels, Tagebucheintrag 23.1.1943, in: Joseph Goebbels, Die Tagebücher, Bd. 2/7, hrsg. von Elke Fröhlich, München 1993.
5 Joseph Goebbels, a.a.O. (Anm. 4).
6 Urteil des Sondergerichts München gegen Eickemeyer, Söhngen und Geyer vom 13.7.1944, Staatsarchiv München Staatsanwaltschaften 12530.
7 ›Völkischer Beobachter‹, Ausgabe München, 15.1.1943, Gauleiter Giesler an die Studentenschaft: Der Krieg macht nicht halt vor den hohen Schulen, abgedruckt bei Christian Petry, Studenten aufs Schafott. Die *Weiße Rose* und ihr Scheitern, München 1968, S. 170.
8 Äußerungen und Berichte liegen vor von: Wolf Jaeger, Jürgen Wittenstein, Annemarie Farkasch, Albert Riester, Anneliese Knoop-Graf, Philomena Sauermann.
9 William L. Shirer, Aufstieg und Fall des Dritten Reiches, München–Zürich 1963, S. 1075, und Christian Petry, Studenten aufs Schafott. Die *Weiße Rose* und ihr Scheitern, München 1968, S. 99, nach einer Mitteilung von Wolf Jaeger, der mit Hans Scholl, Alexander Schmorell und Willi Graf befreundet war und mit ihnen in der Studentenkompanie Medizin studierte.
10 Hier weichen die Berichte voneinander ab. Nur Jürgen Wittenstein, auch er Mediziner und Mitglied der Sanitätskompanie, berichtet, der NS-Studentenführer sei verprügelt und als Geisel genommen worden, wodurch man die Kommilitonen wieder freibekommen habe. Annemarie Farkasch und Albert Riester sprechen übereinstimmend davon, dass die Teilnehmer trotz des Eintreffens der Polizei nach Ende der Veranstaltung nicht nach Hause gingen und in Sprechchören die Herausgabe ihrer Kommilitoninnen forderten.
11 Annemarie Farkasch, Studenten gegen Hitler. Es lebe die Freiheit, Folge 1, in: Der Student, Wien, 1948, zitiert hier nach Institut für Zeitgeschichte, Bestand *Weiße Rose* FA 215, Band 3.
12 Farkasch, a.a.O. (Anm. 11).
13 Mitteilung Philomena Sauermann an den Verfasser, September 2004.
14 Philomena Sauermann, a.a.O. (Anm. 13).
15 Willi Graf, Briefe und Aufzeichnungen. Hrsg. von Anneliese Knoop-Graf und Inge Jens, Frankfurt 1988, S. 99.
16 Alexander Schmorell sagte im Gestapo-Verhör am 1.3.1943 dazu aus: »Ich weiß noch ganz genau, daß Prof. Huber und Hans Scholl mit meinem Entwurf nicht ei-

nig gingen, sondern ihn mißbilligten. Solange ich an dem betr. Abend in der Wohnung des Scholl war, hat Prof. Huber selbst keinen Entwurf zu einem staatsfeindlichen Flugblatt angefertigt. […] Da ich an diesem Abend ohnehin vor hatte, ein Konzert im Odeon zu besuchen, habe ich mich in der Wohnung des Scholl nicht länger aufgehalten, sondern bin unverrichteter Dinge weggegangen.« Schmorell belastet also lediglich den bereits hingerichteten Freund, entlastet den Mitangeklagten Prof. Huber und entlastet den Mitangeklagten Willi Graf, indem er seine Anwesenheit bei der Besprechung nicht erwähnt. Huber bestätigt in seiner Aussage vom 2.3.1943, dass Schmorell das Treffen frühzeitig verließ, um ins Konzert zu gehen. Sein Entwurf sei daher nicht für das Flugblatt verwendet worden. Huber erwähnt Grafs Anwesenheit ebenfalls nicht. Willi Graf hingegen spricht in seinem Verhör zum gleichen Thema am 16.3.1943 mit keinem Wort von Alexander Schmorell. Huber habe lediglich auf Scholls Aufforderung hin dessen Flugblattentwurf kommentiert und stilistisch verbessert. Auch hier bei Willi Graf das gleiche Muster: Belastung des schon hingerichteten Freundes, Entlastung seines mitangeklagten Freundes Schmorell, dem mitangeklagten Prof. Huber wird eher eine Nebenrolle zugewiesen. Überlebende Mitglieder der *Weißen Rose* wie etwa Susanne Zeller-Hirzel berichten von ähnlichen Strategien bei ihren Verhören. Dafür war allerdings Voraussetzung, über das Schicksal der Freunde informiert zu sein. Zeller-Hirzel bekam einen Zeitungsausschnitt unter der Zellentür durchgeschoben, über den sie von der Hinrichtung von Christoph Probst, Hans und Sophie Scholl erfuhr. Neben der Erschütterung sei ihre Reaktion auch gewesen: »Ich wußte: Jetzt kann ich lügen« (Interview Susanne Zeller-Hirzel mit dem Verfasser, 18.3.2004).

17 Gestapo-Vernehmung Kurt Huber vom 27.2.1943: »Diese Sache war vor der Studentenkundgebung im Kongresssaal, bei welcher Gauleiter Giesler sprach.« In der Vernehmung vom 2.3. datiert Huber das Gespräch wahrscheinlich irrtümlich auf den Zeitraum vom 18. bis 20.1.1943.

18 5. Flugblatt »Aufruf an alle Deutsche!«, gesamter Text siehe S. 27 f.

19 Gestapo-Leitstelle München an das RSHA am 5.2.1943, BA ZC13267, Bd. 1.

20 Die vier »Flugblätter der *Weißen Rose*« wurden von Alexander Schmorell und Hans Scholl verfasst und am 27.6., 30.6., 4.7. und 12.7.1942 verschickt. Jedes war nur in einer Auflage von ca. 100 Stück gedruckt worden. Unter den Adressaten waren Ärzte, Gastwirte, Geschäftsinhaber, von denen sich die Autoren die Weiterverbreitung ihrer Texte erhofften. Aber viele von ihnen lieferten die Flugblätter sofort bei der Gestapo ab. Eine Liste von 40 Personen befindet sich in BA ZC13267, Bd. 1.

21 Bericht Robert Mohr, in: Inge Scholl, Die Weiße Rose, Frankfurt 1993, S. 172.

22 Oswald Schäfer, Gestapo-Leitstelle München an das RSHA Berlin, 12.2.1943, Bundesarchiv Berlin, ZC 13267, Bd. 1.

23 Meldung des Großdeutschen Rundfunks am 3.2.1943.

24 Oswald Schäfer, a. a. O. (Anm. 22).

25 Oswald Schäfer, a. a. O. (Anm. 22).

26 6. Flugblatt »Kommilitoninnen! Kommilitonen!«, siehe S. 29 ff.

27 6. Flugblatt, a. a. O. (Anm. 26), siehe S. 29 ff.

28 Richard Harder, BA Berlin, ZC 13267 Bd. 1.

29 Harder, a.a.O. (Anm. 28).

30 Interview Elisabeth Hartnagel mit dem Verfasser, 18.3.2004.

31 Brief an Fritz Hartnagel, 7.2.1943, in: Hans Scholl und Sophie Scholl, Briefe und Aufzeichnungen, a.a.O., S. 234/235 (Anm. 2).

32 Traute Lafrenz, in: Inge Scholl, Die Weiße Rose, Frankfurt 1993, S. 133/134.

33 Die Berichte der Beteiligten über diese Treffen, an denen Sophie Scholl nicht teilnahm – sie war in diesen Tagen in Ulm und kehrte erst am 14. Februar nach München zurück – sind mit Vorsicht zu bewerten. Von Hans Scholl gibt es keinen Bericht – Scholl hat in seinen Verhören die Beteiligung Hubers und Harnacks gänzlich verschweigen können. In ihren Gestapo-Verhörprotokollen versuchen Alexander Schmorell, Kurt Huber, Willi Graf und Falk Harnack verständlicherweise Belastendes zu verschweigen bzw. herunterzuspielen. Im Gegensatz dazu bezeichnet der einzige überlebende Gesprächspartner Falk Harnack in seiner Darstellung aus dem Jahr 1947 die beiden Gespräche als »Münchner Konferenz«, die er wie die Gründungsversammlung einer Volksfront-Bewegung darstellt. Zweifel sind auch angebracht, ob Harnack tatsächlich noch am Nachmittag des 25. Februar 1943 in Berlin einen Termin mit den Gebrüdern Bonhoeffer abgemacht hat und zum verabredeten Treffpunkt um 19 Uhr an der Gedächtniskirche gefahren ist, um Scholl zu den Bonhoeffers zu begleiten, nachdem die Verurteilung und Hinrichtung von Hans und Sophie Scholl und Christoph Probst doch schon am 23. Februar im ›Völkischen Beobachter‹ gemeldet worden war.

34 Clara Huber, Interview mit dem Verfasser, 1989.

35 BA Berlin, NJ 1704 Bd. 7, Vernehmung Kurt Huber.

36 6. Flugblatt, a.a.O., siehe S. 29 ff.

37 Die gesamte Passage lautete; »Studentinnen, Studenten! Ihr habt Euch der deutschen Wehrmacht an der Front und in der Etappe, vor dem Feind, in der Verwundeten-Hilfe, aber auch im Laboratorium und am Arbeitstisch restlos zur Verfügung gestellt. Es kann für uns alle kein anderes Ziel geben als die Vernichtung des russischen Bolschewismus in jeder Form. Stellt Euch weiterhin geschlossen in die Reihen unserer herrlichen Wehrmacht.« BA Berlin, NJ 1704 Bd. 7, Vernehmung Kurt Huber, siehe auch: Clara Huber (Hrsg.), Kurt Huber zum Gedächtnis. »... der Tod war nicht vergebens«, München 1986, S. 15.

38 Wie heftig dieser Streit war, ist schwierig zu beurteilen, weil in diesem Punkt die Gestapo-Verhörprotokolle die einzige Quelle sind und keiner der Zeugen überlebte. Schmorell spricht in seiner Vernehmung von einer Diskussion mit Huber und einigen Änderungen, mit denen Huber einverstanden war. Die Passage mit der Wehrmacht hätten Scholl und er allerdings nach Hubers Weggang und deshalb ohne sein Einverständnis geändert. Huber sagt: »Ich überließ das Konzept etwas ärgerlich an Scholl mit der Bemerkung, sie möchten damit machen, was sie wollten« und »Beiden war der Entwurf nicht aggressiv genug abgefaßt, so daß ich mich zurückzog und eigentlich der Meinung war, daß der Entwurf nicht benützt würde.« (BA, NJ 1704 Bd. 7) In Verhörprotokolle gehen vielfältige Strategien Beschuldigter ein: nur das Notwendige und nicht Bestreitbare zuzugeben und nach Möglichkeit andere Beschuldigte herauszuhalten. Und auch daran sei nochmal er-

innert: Natürlich kann einem bereits hingerichteten Freund ein höherer Tatanteil zugeschrieben werden.

39 Willi Graf, Briefe und Aufzeichnungen, a.a.O. (Anm. 15), S. 106.

40 Vernehmung Hans Scholl, BA Berlin, ZC 13267, Bd. 2.

41 Otl Aicher, innenseiten des krieges, Frankfurt 1985, S. 153.

42 Hirzel konnte nicht wissen, dass seine Aussagen von dem Ulmer Gestapo-Beamten Rechsteiner am 17. Februar nicht ernst genommen worden waren. Rechsteiner verständigte die Münchner Gestapo nicht. Deshalb hätte den Scholls am Morgen des 18. Februar in München, wären sie zu Hause geblieben, weder Hausdurchsuchung noch Verhaftung gedroht.

43 Traute Lafrenz, in: Inge Scholl, Die Weiße Rose, a.a.O. (Anm. 32) S. 173 f., auch in einem Interview des Verfassers mit Traute Lafrenz. Lilo Fürst-Ramdohr berichtet, dass Hans Scholl die Aktion in der Uni wollte, jedoch bei dem sonst sehr wagemutigen Alexander Schmorell auf Ablehnung gestoßen sei. Der sonst so zurückhaltende und vor Aktionismus warnende Christoph Probst habe mitmachen wollen. Hiergegen habe sich Sophie Scholl gewandt und darauf bestanden, an seiner Stelle ihren Bruder zu begleiten. Siehe: Lilo Fürst-Ramdohr, Freundschaften in der Weißen Rose, München 1995, S. 113–120. Die Verhörprotokolle geben in dieser Frage wenig Aufschluss. Hans und Sophie Scholl gelingt es, als sie schließlich gestehen müssen, die Verantwortung für die Flugblattverteilung in der Universität am 18.2. ganz auf sich zu beschränken. Schmorell und Graf haben in ihren Verhören keinen Anlass, Mitverantwortung für diese Tat ihrer schon hingerichteten Freunde auf sich zu nehmen.

44 Richard Harder, BA Berlin, ZC 13267 Bd. 1.

45 Robert Mohr, Erinnerungsbericht über die Ereignisse in München um die Geschwister Scholl und deren Haltung bei den Verhören, IfZ, Fa 215 Bd. 3, siehe auch, jedoch gekürzt: Inge Scholl, Die Weiße Rose, a.a.O. (Anm. 21), S. 226 ff.

46 Mohr hatte sich zuvor an Robert Scholl gewandt und bat ihn um eine Bescheinigung für ein offenbar erwartetes Gerichtsverfahren. Robert Scholl hatte darauf erklärt, seine Kinder hätten ihm noch eine halbe Stunde vor der Hinrichtung unabhängig voneinander erklärt, »sie seien von der Gestapo so gut und vornehm behandelt worden«. (Hier zitiert nach einem Brief Scholls an den RA Ruefer, StA München, SpKa Karton 1104, Anton Mahler, eine Formulierung Robert Scholls, die in diesen unmittelbaren Nachkriegsjahren immer wieder, auch in Presseveröffentlichungen, zitiert wird.)

47 Sie kam durch ihren Bruder Willy Gebel in Kontakt mit der Hartwimmer-Olschewski-Gruppe in München und war wegen Kurierdiensten für die Gruppe inhaftiert worden. Im Februar 1943 wartete sie auf ihre Anklage, ihr Urteil wurde am 18.3.1944 verkündet. Siehe Kurzbiographie Else Gebel, S. 135 ff.

48 Else Gebel, Dem Andenken von Sophie Scholl, November 1946, IfZ, Fa 215/Bd. 3.

49 Robert Mohr, a. a. O. (Anm. 21).

50 Was den Zeitpunkt 4 Uhr morgens angeht, siehe Bericht Gauleiter Giesler an Reichsleiter Bormann in BA Berlin, ZC 13267 Bd. 1. In den Verhörprotokollen gibt es keine Uhrzeitangaben, die Reihenfolge der Geständnisse aber geht aus dem Wortlaut der Verhörprotokolle von Sophie Scholl hervor.

51 Robert Mohr, a. a. O. (Anm. 21).
52 Siehe Staatsarchiv München, SpKa Karton 1104, Anton Mahler.
53 Vernehmung Sophie Scholl, BA ZC 13267, Bd. 3. Seite 15 beginnt mit einem in Maschinenschrift erneut getippten Briefkopf »Geheime Staatspolizei, Staatspolizeileitstelle München« und der Überschrift »Fortsetzung der Vernehmung der Beschuldigten Sophie Scholl« (siehe S. 364 ff.).
54 Alle Zitate Vernehmung Sophie Scholl, a. a. O. (Anm. 53).
55 Vernehmung Hans Scholl, BA ZC 13276, Bd. 2.
56 Vernehmung Sophie Scholl, a. a. O. (Anm. 53).
57 Else Gebel, Dem Andenken von Sophie Scholl, a. a. O. (Anm. 48).
58 Else Gebel, Dem Andenken von Sophie Scholl, a. a. O. (Anm. 48).
59 BA ZC 13267, Bd. 1.
60 Else Gebel, Dem Andenken von Sophie Scholl, a. a. O. (Anm. 48).
61 BA ZC 13267, Bd. 1, Antrag des Rechtsanwalts Dr. Seidl an Freisler vom 22.2.43.
62 Leo Samberger, in: Inge Scholl, *Die Weiße Rose*, a. a. O., S. 184.
63 Leo Samberger, a. a. O. (Anm. 62), S. 184.
64 Leo Samberger, a. a. O. (Anm. 62), S. 184.
65 BA ZC 13267, Bd. 1, handschriftlicher Vermerk des offenbar bei der Verhandlung anwesenden Gestapo-Beamten Schmauß auf einem Aktenstück.
66 Helmut Ortner, Der Hinrichter. Roland Freisler – Mörder im Dienste Hitlers, Wien 1993, S. 300.
67 ›Völkischer Beobachter‹, 20.2.1943, im Faksimile abgedruckt in: Kurt Huber Gymnasium Gräfelfing (Hrsg.), Kurt Huber, Stationen seines Lebens, Gräfelfing, o. J.

III. Biographische Notizen

Von Ulrich Chaussy

Abschied vor der Abfahrt zur Ostfront, München, 23. Juli 1942

Fronteinsatz im Osten Sommer 1942 (von links nach rechts: Hubert Furtwängler, Hans Scholl, Willi Graf, Alexander Schmorell)

Anmerkungen für Kapitel III. auf den Seiten 155–158

Hans Scholl

Hans Fritz Scholl wurde am 22. September 1918 in Ingersheim bei Crailsheim geboren. Er war, nach seiner ein Jahr zuvor geborenen Schwester Inge, das zweite Kind von Robert und Magdalene Scholl, ihr ältester Sohn.

Es gibt eine von ihm verfasste Passage im ersten Flugblatt der *Weißen Rose*, die man zweimal lesen muss. Denn was zunächst nur nach einem allgemeinen politischen Pamphlet klingt, das spiegelt präzise auch seine ganz persönliche Entwicklung: »Goethe spricht von den Deutschen als einem tragischen Volke, gleich dem der Juden und Griechen, aber heute hat es eher den Anschein, als sei es eine seichte, willenlose Herde von Mitläufern, denen das Mark aus dem Innersten gesogen und die nun ihres Kernes beraubt, bereit sind, sich in den Untergang hetzen zu lassen. Es scheint so – aber es ist nicht so; vielmehr hat man in langsamer, trügerischer, systematischer Vergewaltigung jeden einzelnen in ein geistiges Gefängnis gesteckt, und erst als er darin gefesselt lag, wurde er sich des Verhängnisses bewusst.«[1]

Die Flugblatt-Sätze schildern Hans Scholls Leben im Telegrammstil. Denn während seine späteren Gefährten in der *Weißen Rose*, Alexander Schmorell, Christoph Probst und Willi Graf, sich schon als Jugendliche dem Zugriff der Hitlerjugend entzogen, begeisterten sich Hans Scholl und seine Geschwister in Ulm von 1933 an zunächst durchaus für die »Neue Zeit«, die sie mit Hitler gekommen sahen. Hans war damals gerade 15 Jahre alt. Die »langsame, trügerische, systematische Vergewaltigung« hatte auch ihn zeitweise »in ein geistiges Gefängnis gesteckt«. Viele Jugendliche in Deutschland erlebten HJ und BDM als die ersten Gelegenheiten, sich dem bestimmenden elterlichen Einfluss zu entziehen. Was die Jugendbe-

Hans Scholl, Ulm, geboren am 22.9.1918,
Student der Medizin,
hingerichtet am 22.2.1943

wegung zu Beginn des Jahrhunderts mit ihrem Ausbruch »aus grauer Städte Mauern« als bündische Protestbewegung gegen die Welt der Erwachsenen begonnen hatte, schien nun von der staatlichen Macht akzeptiert. Die schiefe Gleichung lautete: Im Konflikt der Generationen stehe der neue NS-Staat auf Seiten der Jungen gegen die Alten. Diese schiefe Gleichung galt für die Scholl-Geschwister Inge, Hans, Elisabeth, Sophie und Werner bis etwa 1936.

Dass ihr Vater Robert Scholl von Anbeginn in der Familie vehement kritisch gegen den Nationalsozialismus auftrat, passte dabei ins Bild der Jungen. Die Argumente des liberal gesinnten Mannes stießen über drei Jahre hinweg bei seinen Kindern auf taube Ohren. Robert Scholl hatte schon im nationalen Taumel der Kriegsbegeisterung von 1914 einen kühlen Kopf bewahrt und mit pazifistischer Entschlossenheit den Kriegsdienst verweigert. Ebenso kühl widerstand er dem Begeisterungstaumel für Hitler. Inge Scholl berichtet in ihrem Buch ›Die Weiße Rose‹, wie ihr Vater dem Argument seiner Kinder begegnete, Hitler habe ja sein Versprechen gehalten und die Arbeitslosigkeit abgeschafft:

»Das bestreitet ja niemand. Aber fragt nicht, wie! Die Kriegsindustrie hat er angekurbelt, Kasernen werden gebaut ... Wißt ihr, wo das endet? ... Er hätte es auch auf dem Wege der Friedensindustrie schaffen können, die Arbeitslosigkeit zu beseitigen – in der Diktatur ist das leicht genug zu erreichen. Wir sind doch kein Vieh, das mit einer vollen Futterkrippe zufrieden ist. Die materielle Sicherheit allein wird nie genügen, uns glücklich zu machen. Wir sind doch Menschen, die ihre freie Meinung, ihren eigenen Glauben haben. Eine Regierung, die an diese Dinge rührt, hat keinen Funken Ehrfurcht mehr vor dem Menschen. Das aber ist das erste, was wir von ihr verlangen müssen.«[2]

Es vergehen Jahre, bis Hans Scholl im Sommer 1942 mit den einleitenden Passagen des von ihm verfassten ersten Flugblattes der *Weißen Rose* zum öffentlichen Echo der Gedanken-

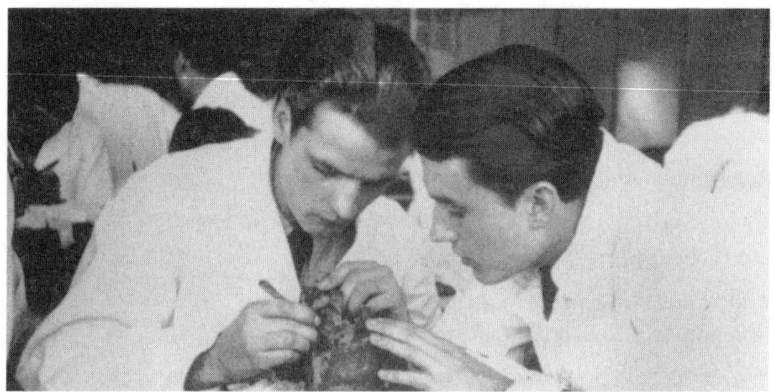

Ende 1939 im Präpariersaal mit Freund Enno v. Bresser

gänge seines Vaters Robert Scholl werden wird. Dann aber ist die Ähnlichkeit der Grundsatzpositionen nicht mehr zu verkennen. »Ist es nicht so, daß sich jeder ehrliche Deutsche heute seiner Regierung schämt, und wer von uns ahnt das Ausmaß der Schmach, die über uns und unsere Kinder kommen wird, wenn einst der Schleier von unseren Augen gefallen ist und die grauenvollsten und jegliches Maß unendlich überschreitenden Verbrechen ans Tageslicht treten? Wenn das deutsche Volk schon so in seinem tiefsten Wesen korrumpiert und zerfallen ist, daß es, ohne eine Hand zu regen, im leichtsinnigen Vertrauen auf eine fragwürdige Gesetzmäßigkeit der Geschichte das Höchste, das ein Mensch besitzt und das ihn über jede andere Kreatur erhöht, nämlich den freien Willen, preisgibt, die Freiheit des Menschen preisgibt, selbst mit einzugreifen in das Rad der Geschichte und es seiner vernünftigen Entscheidung unterzuordnen – wenn die Deutschen, so jeder Individualität bar, schon so sehr zur geistlosen und feigen Masse geworden sind, dann, ja dann verdienen sie den Untergang.«[3]

Hans Scholl hatte es in der HJ von 1933 bis 1936 bis zum Fähnleinführer von somit 160 Hitlerjungen gebracht. In dieser Zeit beeindruckten ihn die Argumente des Vaters nicht. Hans musste erst auf ganz eigene Widersprüche und Konflikte mit der Bewegung stoßen, der er sich verschrieben hatte. Er versuchte, anfänglich noch geduldet, innerhalb der HJ die Traditionen der bündischen Gruppe »deutsche jungenschaft« – abgekürzt: »d.j.1.11.« – weiterzuführen.[4] Die bestanden in einer eigenartigen Mischung: Zu ihnen gehörte, wie in der HJ, uniformiertes und militärisches Gehabe. Zu ihnen gehörte weiter die Verehrung elitärer Dichter-Priester wie Stefan George. Zu diesen Traditionen gehörte aber auch die Begeisterung für die Moderne der Weimarer Zeit.

Beeinflusst vom Bauhaus schrieb man in Kleinschrift. Man verknüpfte die auf Fahrten ausgelebte Natursehnsucht mit der Begeisterung für die expressionistische Malerei eines Franz Marc. Hans Scholl und seine Freunde zeigten nicht nur für die mittlerweile von den Nazis als »entartet« diffamierten Maler Interesse, sondern auch für verfemte Dichter wie Stefan Zweig oder Thomas Mann. Und zu alledem wurden auf Fahrten und Gruppenabenden keineswegs nur deutsche, sondern auch russische oder skandinavische Volkslieder gesungen. Diese Aktivitäten wurden innerhalb der HJ durch die übergeordneten Führer Zug um Zug verboten. 1936 war Hans Scholl noch als Vertreter seines HJ-Standorts zum Nürnberger Reichsparteitag geschickt worden. Doch von der mit hoher Erwartung angetretenen Reise kehrte er völlig desillusioniert zurück. Die Erfahrungen der letzten Jahre hatten sich in den Marschblöcken und Lichtdomen des Zeppelinfeldes zur Gewissheit verdichtet: Die neue Gemeinschaft, die die Nationalsozialisten anstrebten, sollte durch die systematische Auslöschung von Individualität erreicht werden. Angeekelt und resigniert teilt er diese für ihn neue Erkenntnis seinen Eltern in einem Brief mit. »Mir ist der

Auf dem Heimweg nach Bad Tölz

Kopf schwer. Ich verstehe die Menschen nicht mehr. Wenn ich durch den Rundfunk diese namenlose Begeisterung höre, möchte ich hinausgehen auf eine große einsame Ebene und dort allein sein.«[5]

Immer mehr entwickeln sich bei Hans Scholl Distanz und Wut. Nach dem Abitur absolviert er gerade die ersten Monate seines Wehrdienstes, da werden er und seine Geschwister im Spätherbst 1937 wegen so genannter »bündischer Umtriebe« – das heißt, wegen der Fahrten und Treffen außerhalb der Hitlerjugend, in Untersuchungshaft genommen und angeklagt.

Frankreichfeldzug 1940

Nur eine Amnestie nach dem Anschluss von Österreich rettet die Geschwister vor einem Gerichtsverfahren. In seiner Untersuchungshaft entschließt sich Hans Scholl, Medizin zu studieren. Die Skepsis dem herannahenden Krieg gegenüber, die aus vielen Briefen und Tagebuchnotizen spricht, der Unwille, als kämpfender Soldat zum Werkzeug in den Händen Hitlers und der Nazis zu werden, dürften diese Entscheidung mit beeinflusst haben. Als der Krieg dann im September 1939 mit dem Überfall auf Polen beginnt, notiert Hans Scholl in seinem Tagebuch: »Mich verlangt es nicht nach einem ›Heldentum‹ im Kriege. Ich suche Läuterung. Ich will, daß alle Schatten von mir weichen. Ich suche mich, nur mich. Denn das weiß ich: Die Wahrheit finde ich nur in mir.«[6]

Der Rückzug aus dem von den Nationalsozialisten bestimmten Alltag ist für Hans Scholl nur eine erste Reaktion. Im Kreis der Geschwister und der engsten Freunde beginnt die Suche nach eigenen Orientierungen. Bücher, von Hand zu Hand gegeben, gemeinsam gelesen und diskutiert, spielen dabei eine entscheidende Rolle. Otl Aicher, der Freund und spätere Ehemann von Inge Scholl, ist der literarisch-philosophische Pfadfinder des Freundeskreises. In seiner Autobiographie ›innen-

Rast beim Wandern 1941

seiten des krieges‹ beschreibt er die mühsame Suche nach lesenswerten Büchern: »Politische Literatur gab es für uns nicht. Alles, was dem Staat nicht paßte, wurde weggeräumt, zum Teil öffentlich verbrannt. Aber gelegentlich geht auch der Zensur etwas durch die Lappen. Ein Buch mit dem Titel: ›Die Zukunft der Christenheit‹ mußte offensichtlich ein religiöses Buch sein, auch wenn darin die Demokratisierung der Wirtschaft durch Mitbestimmung und Mitverwaltung gefordert wird, um die Macht des Kapitals einzudämmen. Maritain war ein französischer Philosoph. Ich kam auf ihn über meine Thomas-Studien. [...] Von Jacques Maritain übernahmen wir den Begriff der pluralistischen Demokratie. Atheisten werden neben Christen leben, Sozialisten neben Liberalen, und keine utopische Ideologie, sei es die der Rasse oder die der Klasse, kann Herrschaft über andere legitimieren.«[7]

Der evangelisch getaufte Hans Scholl entdeckte mit seinen Freunden die Schriften des französischen Zeitgenossen George Bernanos, etwa sein ›Tagebuch eines Landpfarrers‹. Bernanos war ein führender Kopf des »Renouveau Catholique«, einer Erneuerungsbewegung des Katholizismus, in der der Versuch unternommen wurde, religiöse Spiritualität und politisch-soziales Engagement zu verbinden. Hatte sich Hans Scholl ab 1936 zunächst den politischen Zumutungen des Nationalsozialismus entzogen, um zu sich selbst zu finden, beginnt er diesen Rückzug ins Private seit dem Beginn des Krieges kritisch zu sehen:

»Soll man hingehen, ein kleines Haus bauen mit Blumen vor den Fenstern und einem Garten vor der Tür und dort Gott preisen und danken und der Welt mit ihrem Schmutz den Rükken kehren? Ist nicht Weltabgeschiedenheit Verrat, Flucht? Das Nacheinander ist zu ertragen. Aus den Trümmern steigt der junge Geist empor zum Licht. Aber das Nebeneinander ist Widerspruch. Trümmer und Licht zur gleichen Zeit. Ich bin klein und schwach, aber ich will das Rechte tun.«[8] Nicht nur dieser Brief an die Freundin Rose Nägele belegt, dass allein die innere Abkehr vom Nationalsozialismus Hans Scholl nicht zufrieden stellen konnte. Aber: Sollte, durfte, musste er aktiv Widerstand leisten? Diese Frage trieb Hans Scholl noch im Winter 1941/42 um, und er hatte sich noch nicht entschieden. In dieser Zeit traf er, vermittelt durch die Schwester Sophie, mit dem Ulmer Schüler Hans Hirzel zusammen. »Hans Scholl hat mir im Winter Anfang 42 schlimme Dinge erzählt, daß die Nazis Anstalten treffen, die gesamte polnische Intelligenz auszurotten und auch die Juden. Dabei wußten wir nur von 300 000. Hätten wir die wahren Zahlen gewußt, hätte das uns viel Gewissensqualen erspart. Das war schwerwiegend, ging es doch um die Frage, dagegen anzugehen. Und es verdichtete sich der Eindruck, daß man es tun muß. So war das im Frühjahr 1942.

München 1941

Hans Scholl war da noch dagegen. Aus religiösen Gründen. Und zwar wegen der enormen Unterschiede der Größenordnungen: Hier das große mächtige Reich mit seinen Hilfsmitteln, dort eine kleine Gruppe von jungen Leuten ohne Macht und Erfahrung, ohne wichtige Stellung. ›Steht's uns denn zu?‹, fragten wir uns, im Sinne unserer Meinung zu handeln.

Mögen die Gründe dafür so zwingend sein, wie sie wollen. Verstößt man da nicht gegen eine universelle Ordnung? Es wäre Sache der Bischöfe, Richter etc. Die sind dafür berufen. Die müssen ihr Leben einsetzen. Ist das nicht überheblich, wenn wir eingreifen? Ist nicht Demut richtiger? Das war Hans Scholls Meinung damals. Er gebrauchte den Ausdruck ›nicht eingreifen in das Rad der Geschichte‹. Das war bei uns verbreitet.«[9]

»Selbst mit einzugreifen in das Rad der Geschichte.« Als Hans Hirzel in Ulm wenige Monate später im Juni 1942 die ihm anonym per Post zugesandten Flugblätter der *Weißen Rose* liest, entdeckt er darin diesen Halbsatz wie ein Kennwort. »Wenn das deutsche Volk schon so in seinem tiefsten Wesen korrumpiert und zerfallen ist, daß es, ohne eine Hand zu regen, im leichtsinnigen Vertrauen auf eine fragwürdige Gesetzmäßigkeit der Geschichte das Höchste, das ein Mensch besitzt und das ihn über jede andere Kreatur erhöht, nämlich den freien Willen, preisgibt, die Freiheit des Menschen preisgibt, *selbst mit einzugreifen in das Rad der Geschichte* [Kursivierung von Ulrich Chaussy] und es seiner vernünftigen Entscheidung unterzuordnen – wenn die Deutschen, so jeder Individualität bar, schon so sehr zur geistlosen und feigen Masse geworden sind, dann, ja dann verdienen sie den Untergang.«[10]

Hans Scholl: »Der Krieg läßt nicht zu, daß der Mensch als Mensch sein Leben beendet.«

Der Autor dieser Sätze kann nur Hirzels vor kurzem noch zweifelnder Gesprächspartner Hans Scholl sein. Er hat sich, wie er später in seiner Vernehmung bei der Gestapo bekennen wird, für den aktiven Widerstand entschieden, »[...] weil ich bestrebt sein wollte, als Staatsbürger dem Schicksal meines Staates nicht gleichgültig gegenüberzustehen, entschloß ich mich, nicht nur in Gedanken, sondern auch in der Tat meine Gesinnung zu zeigen. So kam ich auf die Idee, Flugblätter zu verfassen und zu verfertigen.

Als ich mich zur Herstellung und Verbreitung von Flugblättern entschlossen habe, war ich mir darüber im Klaren, daß eine solche Handlungsweise gegen den heutigen Staat gerichtet ist. Ich war der Überzeugung, daß ich aus innerem Antrieb so handeln mußte und war der Meinung, daß diese innere Verpflichtung höher stand, als der Treueid, den ich als Soldat geleistet habe. Was ich damit auf mich nahm, wußte ich, ich habe auch damit gerechnet, dadurch mein Leben zu verlieren.«[11]

Alexander Schmorell

Hans Scholl traf seine Entscheidung für den aktiven Widerstand gemeinsam mit Alexander Schmorell. In dessen Elternhaus in München-Harlaching wurden im Juni 1942 die ersten »Flugblatter der *Weißen Rose*« hergestellt. Schmorell hatte die Schreibmaschine und das Vervielfältigungsgerät beschafft. Alex und Hans studierten Medizin und hatten sich beim Studium kennen gelernt. Als sie ihre ersten »Flugblätter der *Weißen Rose*« druckten, kannten sie sich aus Kursen, Vorlesungen und Prüfungsvorbereitungen. Sie hatten beide am Harlachinger Krankenhaus famuliert und hatten einander ihre Freunde vorgestellt. Ein Netz privater Kontakte war geflochten worden, bei Konzertbesuchen, Wanderungen, Gesprächen, Leseabenden. Jeder hatte die Vorgeschichte des anderen kennen gelernt. So waren Offenheit, Freundschaft und Vertrauen entstanden. Sie waren Voraussetzung für das riskante Unterfangen, Flugblätter gegen den Nationalsozialismus zu verbreiten. Das damit verbundene Risiko trugen beide von Anfang an gemeinsam und in jeder Phase der Arbeit. Denn wie Hans Scholl hat auch Alexander Schmorell große und entscheidende Passagen der Flugblätter formuliert, wie etwa diese: »Nicht über die Judenfrage wollen wir in diesem Blatte schreiben, keine Verteidigungsrede verfassen – nein, nur als Beispiel wollen wir die Tatsache kurz anführen, die Tatsache dass seit der Eroberung Polens dreihunderttausend Juden in diesem Land auf bestialischste Art ermordet worden sind. Hier sehen wir das fürchterlichste Verbrechen an der Würde des Menschen, ein Verbrechen, dem sich kein ähnliches in der ganzen Menschheitsgeschichte an die Seite stellen kann. Auch die Juden sind doch Menschen – man mag sich zur Judenfrage stellen, wie man will –, und an Menschen wurde solches verübt.«[12]

Alexander Schmorell, München, geboren am 16.9.1917,
Student der Medizin,
hingerichtet am 13.7.1943

Dieser Text aus dem zweiten Flugblatt der *Weißen Rose*, den Alexander Schmorell im Juni 1942 verfasste, ist der einzige bis heute bekannt gewordene öffentliche Protest von Angehörigen des deutschen Widerstandes gegen den Holocaust an den Juden. Schmorell selbst bezeichnete in seiner Vernehmung die Texte der ersten vier Flugblätter insgesamt als »mein und Scholls geistiges Eigentum, weil wir alles gemeinschaftlich getan haben«.[13] Obwohl Angaben aus den Verhörprotokollen mit Vorsicht zu bewerten sind, spricht viel dafür, dass Hans Scholls detaillierte Angaben, welche Passagen er und welche sein Freund Alexander Schmorell formuliert hat, zutreffend sind. Denn die distanzierte Sicht auf »die Deutschen« und ihre moralische Apathie, die der Autor jenes Abschnittes über die Morde an Polen und Juden erkennen lässt, war niemandem aus dem inneren Kreis der *Weißen Rose* so mitgegeben wie Alexander Schmorell:

»Und wieder schläft das deutsche Volk in seinem stumpfen, blöden Schlaf weiter und gibt diesen faschistischen Verbrechern Mut und Gelegenheit weiterzuwüten –, und diese tun es. Sollte dies ein Zeichen dafür sein, daß die Deutschen in ihren primitivsten menschlichen Gefühlen verroht sind, daß keine Saite in ihnen schrill aufschreit im Angesicht solcher Taten, daß sie in einen tödlichen Schlaf versunken sind, aus dem es kein Erwachen mehr gibt, nie, niemals? Es scheint so und ist es bestimmt, wenn der Deutsche nicht endlich aus dieser Dumpfheit auffährt, wenn er nicht protestiert, wo immer er nur kann, gegen diese Verbrecherclique, wenn er mit diesen Hunderttausenden von Opfern nicht mitleidet. Und nicht nur Mitleid muß er empfinden, nein, noch vielmehr:

Mitschuld. Denn er gibt durch sein apathisches Verhalten diesen dunklen Menschen erst die Möglichkeit so zu handeln, er leidet diese ›Regierung‹, die eine so unendliche Schuld auf sich geladen hat, ja, er ist doch selbst schuld daran, daß sie überhaupt entstehen konnte! Ein jeder will sich von seiner Mitschuld freisprechen, ein jeder tut es und schläft dann wieder mit ruhigstem, bestem Gewissen. Aber er kann sich nicht freisprechen. Ein jeder ist *schuldig, schuldig, schuldig!*« [14]

Besuch bei Angelika Probst, Marienau, September 1940

Von Alexander Schmorell, einem der wichtigsten, aber am wenigsten bekannten Mitglieder der *Weißen Rose,* sind nur wenige Bilder vorhanden. Sie zeigen einen schlanken, großen jungen Mann mit langem und schmalem Gesicht, kräftiger Nase, sinnlichem Mund und vollem, für damalige Maßstäbe langem Haar. Oft hat er eine Pfeife dabei. Schriftliche Zeugnisse von seiner Hand sind ebenfalls rar. Keine ausführlichen Tagebücher, die erhaltenen Briefe privaten Inhalts sind nur in wenigen Auszügen bekannt. »Sein Hauptinteresse galt der Kunst, insbesondere der Bildhauerei – eine Plastik von Beethoven ist mir in Erinnerung«, schrieb sein Studienfreund aus der Studentenkompanie Hubert Furtwängler, »Beethoven war wohl mit Mussorgskij sein Lieblingskomponist. Alex wollte innerlich aufgewühlt und umgekrempelt werden durch die Kunst. Dem entsprach auch ein gewisser bacchantischer Zug in seinem Wesen – das Spiel der Balalaika bei Wodka und Tanz liebte er über alles. Ich selbst habe solche Abende in Rußland mit ihm erlebt und ich weiß, daß er im Winter 1942/43 sich öfters mit ukrainischen Freunden traf und bei Wodka und Gesang mit ihnen die Nächte verbrachte.« [15]

Alexander Schmorell wurde am 16. September 1917 in Russland geboren, in der Stadt Orenburg im südlichen Ural. Nach Russland kehrte er später zurück – in vielerlei Beziehung. Seine Mutter war Russin, Tochter eines russisch-orthodoxen Geistlichen, und in diesem Ritus wurde das Kind, das in der Familie und später von seinen Freunden »Schurik« genannt wurde, getauft. Auch Alexanders Vater Hugo Schmorell ist in Russland geboren und dort aufgewachsen – allerdings als Sohn deutscher Eltern, die weder ihre kulturellen Beziehungen zu Deutschland noch die deutsche Staatsbürgerschaft aufgaben. Als Alexander Schmorell noch keine zwei Jahre alt war, starb seine Mutter während einer Typhusepidemie. Sein Vater heiratete erneut, verließ Orenburg und ging 1921 nach München, wo er einst Medizin studiert hatte. Hier eröffnete er eine Arztpraxis. Russland war aber auch in der Harlachinger Villa der Schmorells gegenwärtig – in der Person der alten russischen Kinderfrau Nanja, die Alexander von seiner Geburt an betreut hatte und der Familie nach München gefolgt war. Diese Einflüsse haben Alexander unter seinen deutschen Altersgenossen nicht zum Außenseiter gemacht. Er schloss sich dem Jugendbund Scharnhorst an. Allerdings trat er aus, als diese Organisation der Hitlerjugend einverleibt wurde. Er suchte Freunde und fand sie in den Geschwistern Christoph und Angelika Probst. Mal ging Alex mit den beiden, mal allein in die Berge und an die bayerischen Seen. »Er liebte es, einsam zu wandern, ziellos umherzustreifen, irgendwo unterzutauchen und Bekanntschaft zu schließen mit seltsamen Geschöpfen dieser Erde«, erinnert sich Angelika Probst, »er hatte Neigung und Blick für Abenteurer, Landstreicher, heruntergekommene Artisten, Zigeuner und Bettler aller Art; und später saß er oft bis tief in die Nacht beim Wein, um dann anderntags voll Begeisterung zu erzählen.«[16]

Alexander Schmorell war gewiss kein ideologisch gefestigter oder gar festgelegter Untergrund- und Widerstandskämpfer. Aber man wird ihm ebenso wenig gerecht, wenn man ihn zu einem im Grunde unpolitischen Gefühlsrebellen stilisiert. In dem Maß, in dem der nationalsozialistische Staat seinen persönlichen Freiheitsdrang einschränkte, lief er nicht schweigend und opportunistisch mit, sondern meldete seinen Widerspruch offen an, was später auch in der Anklageschrift des

Volksgerichtshofes vermerkt wird. »Als er nach dem Arbeitsdienst in die Wehrmacht eintrat, hatte er innere Hemmungen, den Eid auf den Führer zu leisten und offenbarte einige Zeit später seinen Vorgesetzten seine politische Einstellung. Seine Bitte um Entlassung aus der Wehrmacht hatte jedoch keinen Erfolg.«[17] Freunde von Alex berichten, er habe die Uniform bei jeder nur möglichen Gelegenheit gegen Zivilkleider vertauscht. In Zivil lernte ihn auch der Bulgare Nikolai Nikolaijeff Hamasaspian kennen, der im Oktober 1939 zum Studium nach München kam. Die beiden, die sich miteinander mal auf russisch, mal auf deutsch unterhielten, freundeten sich an. »Zuerst hat mir Schurik über das Pogrom gegen die Juden erzählt, daß es unmenschlich ist, daß sie nicht in den Omnibus einsteigen dürfen, daß sie zu Fuß gehen müssen und den gelben Stern tragen müssen«, erinnert sich Hamasaspian. Ab Juni 1940 wurden die beiden gemeinsam aktiv. »Als Frankreich kapituliert hatte, haben wir Tabak und Abfälle gesammelt. In Richtung Freising gab es französische Gefangene, und wir haben ihnen Zigaretten gegeben. Alex hat immer Brot und Zigaretten und, was er kriegen konnte, gesammelt, und wir brachten es auf unseren Fahrrädern dorthin in das Lager.«[18]

Während einer Vorlesung in der Münchner Universität 1940

Hilfe und menschliche Solidarität mit den vom Nationalsozialismus ausgegrenzten Menschen war Schmorells erster Reflex. Aber eine weitere, von ihm verfasste Passage im dritten Flugblatt der *Weißen Rose* belegt, dass er sich auch damit beschäftigte, wie politischer Widerstand unter den Bedingungen einer Diktatur ausgeübt werden kann.

»Wir wollen versuchen, Ihnen zu zeigen, daß ein jeder in der Lage ist, etwas beizutragen zum Sturz dieses Systems. Nicht durch individualistische Gegnerschaft, in der Art verbitterter Einsiedler, wird es möglich werden, den Boden für einen Sturz dieser ›Regierung‹ reif zu machen oder gar den Umsturz möglichst bald herbeizuführen, sondern nur durch die Zusammenarbeit vieler überzeugter, tatkräftiger Menschen, Menschen, die sich einig sind, mit welchen Mitteln sie ihr Ziel erreichen können. Wir haben keine reiche Auswahl an solchen Mitteln, nur ein einziges steht uns zur Verfügung – der *passive Widerstand.*«[19] Auch die präzisen politischen Passagen des dritten Flugblattes der *Weißen Rose* über passiven Widerstand und Sabotage hat, wie wir heute wissen, Alexander Schmorell ausgearbeitet. Man kann diesen Text als Beleg dafür werten, wie sich das politische Bewusstsein des Individualisten Alexander Schmorell allmählich zugespitzt hat. Er ist, wohl weil er in keinerlei gängige ideologische und weltanschauliche Schublade passte, gelegentlich falsch eingeschätzt worden, wurde mal unter-, dann wieder überschätzt. Sogar im Freundeskreis galt er als künstlerisch-musische Natur ohne ausgeprägtes politisches Interesse. Dagegen legte Professor Huber Schmorells romantisch überhöhte Zuneigung zu Russland und seinen Menschen als Sympathie für den Bolschewismus aus. Nachdem Schmorell seine Rolle in der Widerstandsarbeit der *Weißen Rose* von Anfang an eingestanden und sich dazu bekannt hatte, verfasste er in der Haft noch vor dem »Volksgerichtshof«-Prozess auf Aufforderung der Gestapo hin ein »Politisches Bekenntnis«, das mit einem Bekenntnis zur Monarchie beginnt.

»Wenn ich mich schon öfter als Russen bezeichnet habe, so sehe ich für Russland als die einzig mögliche Staatsform unbedingt den Zarismus an. Ich will damit nicht sagen, dass die Staatsform wie sie in Russland bis 1917 geherrscht hat, mein Ideal war – nein. Auch dieser Zarismus hatte Fehler, vielleicht sogar sehr viele – aber im Grunde war er richtig. Im Zaren hatte das russische Volk seinen Vertreter, seinen Vater, den es heiss liebte – und mit Recht. Man sah in ihm nicht sosehr das Staatsoberhaupt, als vielmehr den Vater, Fürsorger, Berater des

Volkes – und wiederum mit vollem Recht, denn so war das Verhältnis zwischen ihm und dem Volk. [...]

Selbstverständlich wird es in einem Staate, wie ich ihn mir vorstelle, auch eine Opposition geben, immer wird es diese geben, da selten ein ganzes Volk nur einer Meinung ist – aber auch diese muss geduldet und geachtet werden. Denn diese deckt die Fehler der bestehenden Regierung auf – und, welche Regierung macht keine Fehler – und übt Kritik. [...]

Sie fragen mich weiter, warum ich mit der natsoz. Regierungsform nicht einverstanden bin. Weil sie meinem Ideal, wie mir scheint, nicht entspricht. Meiner Ansicht nach stützt sich die natsoz. Regierung zu sehr auf die Macht, die sie in Händen hat. Sie duldet keine Opposition, keine Kritik, deshalb können die Fehler, die gemacht werden, nicht erkannt, nicht beseitigt werden. Dann glaube ich, dass sie nicht eine reine Ausdrucksform des Volkswillens darstellt. Sie macht es dem Volk unmöglich, seine Meinung zu äussern, sie macht es dem Volk unmöglich, etwas an ihr zu ändern, wenn es (das Volk) auch damit nicht einverstanden ist. Sie ist geschaffen worden, und an ihr darf nicht kritisiert, nichts mehr geändert werden – und das finde ich nicht richtig. Sie müsste mit dem Volksdenken mitgehen, elastisch – nicht nur befehlen. [...] Meiner Ansicht nach hat jetzt jeder Bürger direkt Angst, irgendetwas bei den Regierungsbehörden auszusetzen, weil er sonst bestraft wird. Und das müsste vermieden werden. Ich bin sogar geneigt, der autoritären Staatsform fast immer vor der demokratischen den Vorzug zu geben. Denn wohin uns die Demokratien geführt haben, haben wir alle gesehen. Eine autoritäre Staatsform bevorzuge ich nicht nur für Russland, sondern auch für Deutschland. Nur muss das Volk in seinem Oberhaupt nicht nur den politischen Führer sehen, sondern vielmehr seinen Vater, Vertreter, Beschützer. Und das, glaube ich, ist im natsoz. Deutschland nicht der Fall.«[20]

Alexander Schmorells »Politisches Bekenntnis« ist ein Dokument ohne jeden taktischen Winkelzug, das überraschende

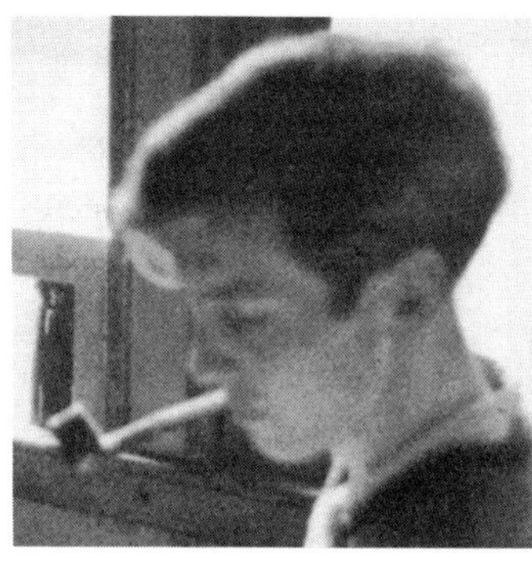

Auf der Fahrt zur Ostfront Juli 1942

Einsichten in sein Fühlen und politisches Denken gewährt. Es zeigt, wie wenig die Widerstandskämpfer der *Weißen Rose* in bekannte ideologische Schubladen passten, dass sie, wie zum Beispiel Schmorell, noch auf der Suche waren, wenn auch da und dort schon mit festen Prinzipien, wie etwa in der Frage der Gewalt:

»Ein Volk ist wohl berechtigt, sich an die Spitze aller anderen Völker zu stellen und sie anzuführen zu einer schliesslichen Verbrüderung aller Völker – aber auf keinen Fall mit Gewalt. Nur dann, wenn es das erlösende Wort kennt, es ausspricht, und dann alle Völker *freiwillig* folgen, indem sie die Wahrheit einsehen und an sie glauben. Auf diesem Wege wird, dessen bin ich ganz sicher, schliesslich eine Verbrüderung ganz Europas und der Welt kommen, auf dem Wege der Brüderlichkeit, des freiwilligen Folgens. Sie können sich vorstellen, dass es mich besonders schmerzlich berührte, als der Krieg gegen Russland, meine Heimat, begann. Natürlich herrscht dort drüben der Boleschwismus, aber es bleibt trotzdem meine Heimat, *die Russen bleiben doch meine Brüder.*«[21]

Christoph Probst

Am Sonntag, den 21. Februar 1943, sitzt Christoph Probst in der Gestapo-Haft im Wittelsbacher Palais im Beisein seines Vernehmungsbeamten Geith vor einem aus zerrissenen Papierschnipseln zusammengeklebten handschriftlichen Brief und rekonstruiert aus dem Puzzle einen Text, den er geschrieben hat. Es ist jenes handschriftliche Textblatt, das Hans Scholl fahrlässigerweise bei sich trug, als er bei der Verteilung des sechsten Flugblattes in der Universität festgenommen wurde und das er daraufhin vergeblich zu zerstören und beiseite zu schaffen versucht hatte. Christoph Probst hatte diesen Text Ende Januar verfasst. Darin vergleicht er die Lage auf den zwei damals umkämpften Kriegsschauplätzen: In Tripolis hatten die Italiener bedingungslos vor den Briten kapituliert, das Leben der Zivilbevölkerung normalisierte sich nach Ende der Kampfhandlungen. In Stalingrad hatte Hitler den eingekesselten deutschen Truppen die Kapitulation verboten, die 6. Armee unter Befehl des Generals Paulus wurde aufgerieben, 200 000 deutsche Soldaten fielen. Probst argumentiert in seinem Text, dass in naher Zukunft die Entscheidung anstehe, ob in Deutschland nach dem Modell Tripolis – oder nach dem Modell Stalingrad verfahren werde. »Mit tödlicher Sicherheit kommt die vernichtende, erdrückende Übermacht von allen Seiten herein. Viel weniger als Paulus kapitulierte, wird Hitler kapitulieren. Gäbe es doch für ihn dann kein Entkommen mehr. Und wollt ihr Euch genauso belügen lassen wie die 200 000 Mann, die Stalingrad auf verlorenem Posten verteidigten? Dass ihr massakriert, sterilisiert oder Eurer Kinder beraubt werdet?

Roosevelt, der mächtigste Mann der Welt, sagt am 26. Januar 1943 in Casablanca: Unser Vernichtungskampf richtet sich

Christoph Probst, München, geboren am 6.11.1919,
Student der Medizin,
hingerichtet am 22.2.1943

Im bayerischen Oberland

nicht gegen die Völker, sondern gegen die politischen Systeme. Wir kämpfen bis zur bedingungslosen Kapitulation. Bedarf es da noch eines Nachdenkens, um die Entscheidung zu fällen? [...] Heute ist ganz Deutschland eingekesselt, wie es Stalingrad war. Sollen dem Sendboten des Hasses und des Vernichtungswillens alle Deutschen geopfert werden? Ihm, der die Juden zu Tode marterte, die Hälfte der Polen ausrottete, Rußland vernichten wollte, ihm, der Euch Freiheit, Frieden, Familienglück, Hoffnung und Frohsinn nahm und dafür Inflationsgeld gab? Das soll, das darf nicht sein. Hitler und sein Regime muss fallen, damit Deutschland lebt. Entscheidet Euch: Stalingrad und der Untergang – oder Tripolis – und die hoffnungsvolle Zukunft. Und wenn ihr euch entschieden habt, handelt!«[22]

Dieser Textentwurf, der als Flugblatt nie vervielfältigt und verteilt wurde, ist der einzige konkret-materielle Beleg für Christoph Probsts Beteiligung am Widerstand der *Weißen Rose*. Er ist erst 1990 bekannt geworden, als die Verhörprotokolle von Hans und Sophie Scholl und Christoph Probst aus Ostberliner Archiven auftauchten.[23] Dennoch standen die Zugehörigkeit von Christoph Probst zur *Weißen Rose* und seine Übereinstimmung mit den Auffassungen seiner Freunde gegenüber Nationalsozialismus und Krieg nie in Frage. Aus einer Reihe von Gründen war Probst im Freundeskreis nicht so präsent wie die anderen. Zwar studierte er ebenfalls Medizin; er gehörte aber nicht der gleichen Studentenkompanie an wie Hans Scholl, Alexander Schmorell und Willi Graf. Ab dem

Fechtübungen in München

Wintersemester 1942/43 war er nach Innsbruck versetzt worden, seine Frau Herta und seine Kinder lebten in seiner Nähe in Lermoos. Erst kurz vor Christophs Versetzung waren seine Freunde gerade mit ihrer Studentenkompanie von einer mehr als dreimonatigen Frontfamulatur aus Russland zurückgekehrt.

Dass Christoph Probst jedoch im Sommer 1942 im Gespräch Einfluss auf die ersten vier Flugblätter seiner Freunde Alexander Schmorell und Hans Scholl genommen hat, wird von Lilo Fürst-Ramdohr berichtet, die auch das entscheidende Motiv benennt, Christoph Probst im Hintergrund zu belassen. »Alex vertraute mir im Laufe des Jahres 1942/43 alles über den Fortgang der Aktion an, wobei immer wieder die Besorgtheit um Christl Probst zur Sprache kam. Ihm dürfe nichts passieren – auf keinen Fall. Er hat Frau und Kinder, die ihn brauchen. [...] Christl aber ließ sich nicht ausschließen und wäre wohl nur schwerlich zu entbehren gewesen.« Auch die Versetzung nach Innsbruck, so Fürst-Ramdohr, habe daran nichts geändert. »Immer wieder aber besuchte er seine Freunde und verfolgte deren Arbeit kritisch und mit guten Vorschlägen, wie jedenfalls Alex sagte.«[24] Dass Christoph Probst, wie Inge Scholl schildert, bei dem Abschiedsabend für seine Freunde vor der Frontfamulatur in Russland in großer Runde gegen die Zweifel anderer ein vehementes Plädoyer für den Widerstand hielt, mit den Worten »Wir müssen dieses Nein riskieren gegen eine Macht, die sich an-

Mit Sohn Micha 1941

Zu Hause in Ruhpolding, August 1942

maßend über das Innerste und Eigenste des Menschen stellt und die Widerstrebenden ausrotten will«[25] – das allerdings ist nach der Erinnerung eines überlebenden Teilnehmers dieses Abends sehr unwahrscheinlich. »Persönlich angezogen hat mich ein schweigsamer, junger Mann, der nun für meine Vorstellung auch nicht mehr so jung war, fünf Jahre älter«, erinnert sich der Ulmer Schüler Hans Hirzel, der, kurz nachdem er per Post die Flugblätter der *Weißen Rose* erhalten hatte, nach München gekommen war, um bei dieser Gelegenheit den Freundeskreis kennen zu lernen, über den ihm Hans Scholl bei einem Gespräch in Ulm eine Reihe von Andeutungen gemacht hatte. »Der junge Mann war Christoph Probst, und der hat nicht viel gesagt, und eben deswegen hat er sich ja in diesem Gespräch gar nicht so eingefügt. Er war eigentlich mehr dabei, als er mitmachte. Ich hatte aber den Eindruck großer Nachdenklichkeit, großer Überlegtheit.« Hirzel sprach Probst an und vereinbarte einen Besuch bei ihm. »Da hat er sich kritisch ablehnend geäußert gegenüber dem, was er den Aktionismus von Scholl nannte. Ich habe also gesehen, dass seine starke Gegnerschaft zum Dritten Reich nicht so angekränkelt ist wie bei mir mit meinen Selbstzweifeln, die sich immer wieder meldeten: Ob nicht doch vielleicht alles falsch ist, weil ich die Akzente falsch setze, zu wenig von der Welt weiß, es nicht beurteilen kann.«[26]

Christoph Probst wurde am 6. November 1919 in Murnau geboren. Er wuchs in einer Atmosphäre auf, die ihn für die Verlockungen auch des frühen Nationalsozialismus immun machte, ja machen musste. Denn was er als Kind schätzten lernte, war vom totalitären Anspruch des Systems bedroht: die kulturelle und religiöse Offenheit, die er im Haus seines Vaters, des Privatgelehrten und Sanskrit-Forschers Hermann Probst, erlebte.

Hermann Probst war mit dem expressionistischen Maler Emil Nolde befreundet, von dessen Hand es Porträts von Christoph Probst und seiner Schwester Angelika gibt, ebenso mit Paul Klee – beides Künstler, die die Nazis umgehend als »entartet« diffamierten. Und schließlich ragte die Bedrohung durch den Nationalsozialismus unübersehbar in das Familienleben hinein, denn nach der Scheidung von Christophs und Angelika Probsts Mutter heiratete der Vater erneut. Seine zweite Frau war Jüdin.

»Er empörte sich über den öffentlich zu tragenden gelben Judenstern – zumal seine Stiefmutter selbst Jüdin war«, erinnert sich Christoph Probsts ehemaliger Lehrer und späterer Ehemann seiner Schwester Angelika, Bernhard Knoop, »ganz zu schweigen von allmählich immer mehr durchsickernden Nachrichten über Massenverbrechen in den Konzentrationslagern und auch an der Ostfront.«[27]

Angelika Probst beobachtete, dass ihr Bruder schon früh und gegen den Zeitgeist auf Ausgrenzung und Verletzung der Menschenwürde reagierte. »Besonders lebhaft erinnere ich mich an die heilige Erregung, mit der Christoph sich gegen die Tötung der Irren und rettungslos Kranken aussprach, wie er mir, der ich damals nicht ganz so Entsetzliches darin sah, klar machte, dass es den Menschen in keinem Fall zustände, in den Willen Gottes einzugreifen, denn niemand könne doch wissen, was in den Seelen dieser Irren vorgehe und zu welch geheimer Reifung das Leid über sie verhängt sei.«[28]

Christoph Probst verbrachte einen Großteil seiner Schulzeit in den Landerziehungsheimen Marquartstein und Schondorf am Ammersee. Diese Internatsschulen waren reformpädagogischen Ansätzen verpflichtet und ermöglichten ihren Schülern auch in der NS-Zeit noch Freiräume. Sein Abitur legte er schon mit 17 ab, dann musste er den unvermeidlichen Arbeitsdienst absolvieren. Er meldete sich zum Militärdienst bei der Luftwaffe. 1939 begann er Medizin zu studieren, ein Studium, das Christoph Probst gerne und mit großem Ernst aufgenommen hat – anders als seine Kommilitonen Alexander Schmorell und Hans Scholl, die mit dem Medizinstudium vor allem einem aktiven Frontdienst in Hitlers Krieg entgehen wollten. Mit 21 Jahren heiratete Christoph Probst, 1942 hatte er bereits zwei Kinder.

Auch wenn sich die Assoziation aufdrängt: Es ist gewiss nicht richtig, dieses Leben im Geschwindschritt als Vorahnung seines frühen Todes zu interpretieren. In den Schilderungen der Freunde erscheint er als freundlicher und gelöster Mensch, und diesen Eindruck vermitteln auch Fotografien des großen, gutaussehenden jungen Mannes, der mit offenem Gesicht und gewinnendem Lachen in die Kamera schaut.

Christoph Probst war freireligiös erzogen und nicht getauft worden. Es scheint, als habe er sich ohne vorab von den Eltern entschiedene Bindung weit mehr als andere herausgefordert gefühlt, diese Bindung – Religion – zu suchen. Denn was nach dem Tod geschieht, wurde in seinem Leben früh zum Thema. Er war 17, als sich sein bewunderter und geliebter Vater das Leben nahm. Als Christoph Probst, gerade 23 Jahre alt, der lebenslustige Vater dreier Kinder, binnen zweier Tage von der Haft zur Aburteilung vor der Hinrichtung steht, Stunden nur nach dem Prozess, bittet er den katholischen Gefängnispfarrer um die Taufe. Seiner Mutter schreibt er im Abschiedsbrief: »Ich

Mit Sohn Micha, Sommer 1942

danke Dir, dass Du mir das Leben gegeben hast. Wenn ich es recht übersehe, war es ein einziger Weg zu Gott. Da ich ihn aber nicht gehen konnte, springe ich über das letzte Stück hinweg. Mein einziger Kummer ist, dass ich Euch Schmerz bereiten muss. Trauert nicht zu sehr um mich, denn das würde mir in der Ewigkeit Schmerz bereiten. Aber ich bin ja nun im Himmel und kann Euch dort einen herrlichen Empfang bereiten. Eben erfahre ich, dass ich nur noch eine Stunde Zeit habe. Ich werde jetzt die heilige Taufe und die heilige Kommunion empfangen.

Wenn ich keinen Brief mehr schreiben kann, grüße alle Lieben von mir. Sag ihnen, dass mein Sterben leicht und freudig war.«[29]

Sophie Scholl

»Von Hans habe ich einen sehr netten Brief erhalten. Ich glaube, es wäre ganz fein, wenn wir zusammen studieren könnten, denn ich werde mich vor Hans nicht gehen lassen. (Übrigens möchte ich das vor niemandem mehr.) Und er will es vor mir auch nicht. Das ist doch das beste Erziehungsmittel.«[30]

Sophie Scholls Wunsch, mit ihrem Bruder Hans zu studieren, geht nach einjähriger Wartezeit Anfang Mai 1942, wenige Tage vor ihrem 21. Geburtstag, in Erfüllung. Sie kann nach München fahren und sich für das Studium der Biologie und Philosophie einschreiben.

Sophie hatte im März 1940 ihr Abitur bestanden. Vor allem um dem verhassten Reichsarbeitsdienst zu entkommen, meldete sie sich zu einer Ausbildung am Ulmer Fröbel-Seminar an. Eine Tätigkeit als Kindergärtnerin würde als Arbeitsdienst-Ersatz angerechnet werden – so hieß es zunächst. Sie begann ihre Ausbildung gemeinsam mit Susanne Hirzel. Die beiden Freundinnen, die ab und zu miteinander trampten und wanderten, verband eine eindringliche Erinnerung an die Hitlerjugend.

»Wir wurden beide, die Sophie und ich, rausgeschmissen als Führerinnen, da waren wir 16 Jahre alt, und zwar wegen ›Untreue‹ und ›unbotmäßigen Äußerungen‹. Eines weiss ich noch: Wir hatten uns eigene Fahnen gemacht mit eigenen Zeichen drauf und sind damit rummarschiert. Also, es war irgendwie ein Aufleben von bündischen Sitten. Das war verboten. Was die ›unbotmäßigen Äußerungen‹ waren, weiß ich nicht mehr. Das war also ein Festakt, oder ein Trauerakt, bei dem man uns also bestraft und gesagt hat: ›Ja, wir wollen Euch nicht rausschmeißen aus der Hitlerjugend, weil Euch sonst das ganze übrige Leben verdorben würde, aber als Führerinnen seid ihr ab-

Sophie Scholl, Ulm, geboren am 9.5.1921,
Studentin der Biologie und Philosophie,
hingerichtet am 22.2.1943

gesetzt‹, und dann wurde gesungen: ›Wo wir stehen, steht die Treue‹.«[31]

Sophie Scholl wurde am 9. Mai 1921 geboren – als zweitjüngstes der insgesamt fünf Geschwister Scholl. Die vier Jahre Abstand zur ältesten Schwester Inge und die drei Jahre zum älteren Bruder Hans erlaubten ihr eine andere Entwicklung. Denn die anfängliche Begeisterung der geschwisterlichen Leitfiguren Inge und Hans für BDM und HJ teilte sie nur in noch beinahe kindlicher Imitation, als Zwölfjährige. Ab dem vierzehnten Lebensjahr erlebte sie immer bewusster die Konflikte ihrer Geschwister mit, die zur Abkehr vom linientreuen Jugendkult der Nationalsozialisten führten. Diese Abkehr vollzog sie selbst schon frühzeitig und auf ihre Art – in einer leisen Entschiedenheit.

Sophie Scholl untermauerte ihre moralische Empörung mit analytischem Blick. So durfte ihre jüdische Mitschülerin Luise Nathan nicht Mitglied der Hitlerjugend werden. Sophie protestierte dagegen mehrmals in ihrer BDM-Gruppe. Sie prangerte bei dieser Gelegenheit die erbärmlichen Legitimationsversuche der NS-Rassedoktrin an, die mit pseudowissenschaftlichen »rassehygienischen« Erkenntnissen Arier und Nichtarier auseinander zu sortieren versuchte. »Warum darf Luise, die blonde Haare und blaue Augen hat, nicht Mitglied sein, während ich mit meinen dunklen Haaren und dunklen Augen BDM-Mitglied bin?«[32]

Über den Krieg, den Hitler mit dem Überfall auf Polen am 1. September 1939 begann, wurde sich Sophie Scholl schneller, entschiedener und radikaler klar als die männlichen Mitglieder der *Weißen Rose*. Ein ausführlicher Briefwechsel zeigt dies, der mal schroff, mal liebevoll, dann wieder provozierend und gleich wieder werbend ist: Sophies Briefwechsel mit ihrem vier Jahre älteren Freund Fritz Hartnagel, der sich als Berufsoffizier verpflichtet hatte. »Lieber Fritz, Danke schön für Deinen Brief. Hoffentlich muß ich auf den nächsten nicht wieder so lange warten«, schreibt sie ihm vier Tage nach Kriegsbeginn am

An der Iller bei Ulm, Sommer 1938

5.9.1939, und fährt schnippisch fort: »Nun werdet ihr ja genug zu tun haben. Ich kann es nicht begreifen, daß nun dauernd Menschen in Lebensgefahr gebracht werden von anderen Menschen. Ich kann es nie begreifen und ich finde es entsetzlich. Sag nicht, es ist für's Vaterland.« Im nächsten Satz kippt der Ton ins Zärtliche. »Wenn es Dir nur immer gut geht. Gelt, Du hast keinen so gefährlichen Posten?«[33]

Sophie Scholl war 16, als sie Fritz Hartnagel beim Tanzen kennen lernte. »Sie tanzte mit großer Hingabe, konzentriert und sehr still. Sie ließ sich von der Musik forttragen, vergaß ihre Umgebung und stellte sich ganz auf ihren Partner ein[34]«, so erlebte Inge Scholl ihre vier Jahre jüngere Schwester Sophie. Sie könne nichts dafür, wenn eine Schulfreundin eine solche Tanzweise unanständig finde, schrieb Sophie in einem ihrer Briefe Inge Scholl zufolge, die das Verhalten der Schwester anders, nüchtern, eher mit leiser Bewunderung vermerkte. »Tanzen war für sie etwas Befreiendes. Oft trafen wir uns auch nachmittags bei einer Freundin in Ulm, bei Anneliese, die ein Grammophon und Platten zum Tanzen besaß. Bei ihr haben sich 1937 Sophie und Fritz kennengelernt.«[35] Sophies Briefe an Fritz belegen, wie frei sie ihm gegenüber ihre Gefühle bekannte, und Inge, die mit ihrer Schwester für einige Jahre ein Zimmer teilte, weiß von dem unverkrampften Ver-

Bei einer Pfingstwanderung 1940 mit dem jüngsten Bruder Werner, der seit 1944 als vermisst gilt

hältnis ihrer Schwester zur Sexualität zu berichten. »Ein Jahr vor ihrem Abitur nahm Sophie im Biologieunterricht die Zeugungsvorgänge durch. Eines Abends sagte sie zu mir: ›Du, wir haben heute was Tolles gelernt. Ich möchte Dir das gern erklären.‹ Sie schlüpfte zu mir unter die Decke, nahm Block und Zeichenstift und zeichnete genau auf, was die Biologielehrerin ihr beigebracht hatte. Mit nüchternem Enthusiasmus holte sie bei mir etwas nach, was ich in der Schule nicht mitbekommen hatte.« [36]

Fritz Hartnagel gegenüber offen ihre Gefühle zu bekennen hat Sophie jedoch in ihren Anschauungen und Urteilen nicht abhängig von ihrem Geliebten gemacht. Ihre Briefe an ihn vermitteln den gegenteiligen Eindruck: Sie fühlt sich dem Menschen gegenüber, den sie liebt, frei, ihn zu fordern, ja, seine Positionen zu kritisieren. So durchzieht Sophie Scholls Briefe an Fritz Hartnagel angesichts des eskalierenden Krieges eine spürbar zunehmende Spannung. »Manchmal graut mir vor dem Krieg, und alle Hoffnung will mir vergehen. Ich mag gar nicht dran denken, aber es gibt ja bald nichts anderes mehr als Politik, und solange sie so verworren ist und böse, ist es feige, sich von ihr abzuwenden. Wahrscheinlich lächelst Du und denkst, sie ist ein Mädchen. Aber ich glaube, ich wäre sehr viel froher, wenn ich nicht immer unter dem Druck stünde – ich könnte mit viel besserem Gewissen anderem nachgehen. So aber kommt alles andere erst in zweiter Linie. Man hat uns eben politisch erzogen. (Jetzt lachst Du wieder.) Ich möchte mich nur wieder bei Dir ausruhen und nichts anderes sehen und spüren als das Tuch von Deinem Anzug.« [37]

Im Verhältnis des vier Jahre älteren Offiziersanwärters Fritz

Hartnagel zu Sophie, die noch Schülerin war, kehren sich die gewohnten Rollen um. »Sie hat ihn laufend versucht zu beeinflussen, dass er als Soldat verantwortlich ist für den Krieg, als Offizier verantwortlich ist für das, was Hitler macht«, resümiert Sophies Schwester Elisabeth, die später Fritz Hartnagels Ehefrau wurde. »Die Sophie hat keine Zugeständnisse gemacht. Sie hat versucht, es so schonend wie möglich auszudrücken. Das war ein langer, schmerzhafter Weg und eine Auseinandersetzung zwischen den beiden. Fritz Hartnagel hat mir später, noch im Krieg, geschrieben: ›Ich schäme mich nicht, zuzugeben, dass ich von einem jungen Mädchen völlig umgewandelt wurde‹.«[38] Es gibt Briefe, in denen dieser argumentative Zweikampf besonders deutlich wird, etwa, als Fritz Hartnagel sie fordert, sie solle ihm ihre Meinung zum Thema »Volk« schreiben. Das tut sie dann auch, ohne sich einen Moment lang mit unverbindlichen Äußerungen aufzuhalten. Denn sie diskutiert die Rolle des Soldaten im Volk, jene Rolle, die Fritz Hartnagel mit seiner Berufsentscheidung eingenommen hat.

»Die Stellung eines Soldaten dem Volk gegenüber ist für mich ungefähr die eines Sohnes, der seinem Vater und der Familie schwört, in jeder Situation zu ihm oder zu ihr zu halten. Kommt es vor, daß der Vater einer anderen Familie Unrecht tut und dadurch Unannehmlichkeiten bekommt, dann muß der Sohn trotz allem zum Vater halten. Soviel Verständnis für Sippe bringe ich nicht auf. Ich finde, daß immer Gerechtigkeit höher steht als jede andere, oft sentimentale Anhänglichkeit. Und es wäre doch schöner, die Menschen könnten sich bei einem Kampfe auf die Seite stellen, die sie für die gerechtfertigte halten. [...]

Wenn ich auf der Straße Soldaten sehe, womöglich noch mit Musik, dann bin ich gerührt, früher mußte ich mich bei Märschen gegen Tränen wehren. Aber das sind Sentimente für alte Weiber. Es ist lächerlich, wenn man sich von ihnen beherrschen läßt. [...] Für heute die herzlichsten Grüße Sofie.«[39]

Kaum ist Sophie Anfang Mai 1942 in München, ist sie in

den Freundeskreis ihres Bruders aufgenommen. Seine ehemalige Freundin Traute Lafrenz hatte Hans schon früher nach Ulm mitgebracht. Mit Alexander Schmorell teilt Sophie das künstlerische Interesse. Ab und zu treffen sich die beiden in Alex' Atelier im Haus Schmorell, Sophie zeichnet, Alex modelliert. Sophie freundet sich auch mit Christoph Probst und dessen Frau Herta an, die mit ihren Kindern zu dieser Zeit in Ruhpolding wohnt. In Briefen berichtet sie von ausgelassenen Feiern mit den Freunden, von nächtlichen Ausflügen in den Englischen Garten. Sie spürt sofort, dass sie sich unter Gleichgesinnten befindet. Im Juni 1942, einen Monat nach Sophies Ankunft, verfassen und verbreiten Hans Scholl und Alexander Schmorell die Serie der vier »Flugblätter der *Weißen Rose*«.

Ob Sophie Scholl schon in diese Aktion eingeweiht oder gar an ihr beteiligt war, ist unklarer denn je. Lange Zeit galt, was Inge Scholl in ihrem Buch ›Die Weiße Rose‹ geschrieben hatte. Sophie habe zunächst an der Universität ein von Hand zu Hand gehendes Flugblatt der *Weißen Rose* gelesen. Im Zimmer ihres Bruders habe sie dann Anstreichungen in den offen herumliegenden Büchern entdeckt, die exakt mit Textstellen des Flugblattes übereinstimmten. Darauf habe sie ihren Bruder zur Rede gestellt: »›Weißt Du, woher die Flugblätter kommen?‹ – ›Man soll heute manches nicht wissen, um niemanden in Gefahr zu bringen.‹ – ›Aber Hans. Allein schafft man so etwas nicht. Daß heute nur noch einer von einer solchen Sache wissen darf, zeigt doch, wie unheimlich diese Macht ist, die es fertigbringt, die engsten menschlichen Beziehungen zu zerfressen und zu isolieren. Allein kommst du gegen sie nicht an.‹«[40]

Dieses Vier-Augen-Gespräch in Inge Scholls Buch ›Die Weiße Rose‹ ist fiktiv, denn Sophie und Hans sind hingerichtet worden, und beide haben ihre illegale Arbeit vor den Eltern und vor ihren anderen Geschwistern bis zum Schluss nicht offenbart.[41]

Aus heutiger Sicht kann nicht als gesichert gelten, dass

Im Reichsarbeitsdienst in Krauchenwies (Sigmaringen), Juni 1941

Sophie Scholl an der Ausarbeitung, Herstellung oder auch nur der Verbreitung der unmittelbar folgenden Flugblätter zwei, drei und vier beteiligt war, die in den folgenden zwei Wochen bis Mitte Juli 1942 erschienen sind. Die Protokolle ihrer Verhöre bei der Gestapo bargen an diesem Punkt eine Überraschung. Aus ihnen geht hervor, dass Sophie Scholl, als das Leugnen sinnlos geworden war, sich rückhaltlos zu den Aktivitäten der *Weißen Rose* bekannte. Doch als Robert Mohr Sophie in der Schlussphase der Verhöre auf die vier »Flugblätter der *Weißen Rose*« vom Juni/Juli 1942 ansprach, stellte sie jede Mitarbeit daran in Abrede.[42]

Elisabeth Hartnagel geht jedoch auf Grund anderer Informationen sehr wohl davon aus, dass Hans Scholl seine Schwester Sophie noch vor ihrem Umzug nach München in die geplante Widerstandstätigkeit eingeweiht hat. Von Fritz weiß sie, dass Sophie ihn bei ihrem letzten Treffen vor seiner Versetzung an die russische Front im Sommer 1942 und unmittelbar vor Sophies Umzug nach München um 1000 Reichsmark gebeten hat, außerdem um einen mit dem Stempel seiner Kompanie versehenen Beschaffungsschein für ein Vervielfältigungsgerät. Wofür sie das Geld und das Vervielfältigungsgerät benötigte, wollte sie ihm nicht sagen. Das Geld besorgte er, den gestempelten Beschaffungsschein nicht. Dafür hätte er einen Regimentskameraden mit hineinziehen müssen. Das aber lehnte er ab, weil er davon ausging, dass Sophie eine illegale Aktion plante.

Als Hans Scholl, Alexander Schmorell und der neu hinzugestoßene Willi Graf im Winter 1942 die Widerstandstätigkeit neu aufnehmen, ist Sophie Scholl von Anfang an beteiligt. So

Semesterferien zu Hause 1942

begleitet sie ihren Bruder Hans, als der im Dezember 1942 zu Eugen Grimminger nach Stuttgart fährt. Grimminger, ein Freund der Familie und Kollege von Robert Scholl, gibt Hans Geld, um die Flugblattpropaganda zu unterstützen. Es ist die Zeit, in der Sophies Freund Fritz wie Hunderttausende anderer deutscher Soldaten in Stalingrad eingeschlossen ist. Bei dieser Gelegenheit trifft sie ihre Freundin Susanne Hirzel wieder, die in Stuttgart Musik studiert. Susanne kennt Sophie, ihre Impulsivität, ihre Radikalität, die ihr auf eindringliche Weise noch einmal gesteigert vorkommen. »Wir sind dann in die Innenstadt, um den Hans Scholl in einem Cafe zu treffen. Und ich weiß noch, wie die Sophie da die Straße runterging, die Römerstraße und gesagt hat: ›Wenn jetzt der Hitler käme, und ich eine Pistole hätte, würde ich ihn erschießen. Wenn's die Männer nicht machen, muss es eben eine Frau machen.‹

Da sagte ich: ›Du hast eben keine Pistole. Und der kommt eben nicht. Und wenn du ihn erschossen hättest, dann steht der Himmler da. Ich glaube nicht, dass mit der Ermordung von Hitler viel geändert werden würde.‹

Da sagt sie: ›Wenn keiner was tut! Das alles ist nur möglich gewesen, weil keiner etwas getan hat. Und ich muss etwas machen.‹ – Ich merkte damals, sie war einfach ... Sie war entschlossen, etwas zu tun, und ich wollte sie aber warnen. Denn was heißt das, ›etwas tun‹. Man ist am Platzen. Sie fühlt sich schuldig. Sie fühlt sich schuldig an den ganzen Verhältnissen. Also muss ich etwas tun. Aber es muss ja doch einen Sinn haben.«[43]

Es ist das letzte Mal, dass Susanne Hirzel ihre Freundin sieht. Sie wird selbst, wider all ihre Bedenken, im Januar 1943 bei der Verbreitung der Flugblätter der *Weißen Rose* mithelfen, die Sophie Scholl zuvor ihrem Bruder Hans Hirzel gebracht hatte.

Willi Graf

»Zur Universität, am Mittag Appell, abends Rede des Chefs, die unausstehlich ist, denn sie steckt voller Phrasen. Bei Hans sitzen wir lange zusammen, denn Christl wird jetzt wegfahren. Gespräche über den Aufbau. Manche Gedanken sind mir neu.«[44]

Ein Eintrag, datiert 2. Dezember 1942, in der winzigen Tagebuchkladde, die Willi Graf am Abend seiner Verhaftung vor der Gestapo versteckte. Seine Schwester Anneliese hat sie später gefunden.

In den Wochen nach der Rückkunft aus Russland entschließt sich Willi Graf, aktiv am Widerstand seiner Freunde teilzunehmen – eine Entscheidung, die er lange erwogen hat, die ihm offenbar nicht leicht gefallen ist.

Willi Graf, der am 2. Januar 1918 geboren wurde, wuchs mit seinen beiden Schwestern in Saarbrücken auf. Er stammt aus einer streng katholischen Familie, in der vor allem die Mutter auf die religiöse Erziehung der Kinder großen Wert legte. Willi übernahm diese Bindung an die Kirche, ging allsonntäglich in die Gottesdienste, wurde Messdiener. Er schloss sich dem katholischen »Schülerbund Neudeutschland« an, der in der Tradition der Wandervogel-Bewegung stand. 1935, beim Anschluss des Saarlandes an das Deutsche Reich, wurde der Schülerbund – wie alle konfessionellen Jugendgruppen – von den Nationalsozialisten aufgelöst. Willi Graf verhielt sich daraufhin konsequent: Er weigerte sich trotz des Drängens seiner Eltern, trotz verschiedenster Drohungen von Seiten der Lehrer und Mitschüler, der Hitlerjugend beizutreten. In seinem Notizbuch strich der Fünfzehnjährige in dieser Zeit viele Namen früherer Freunde durch. An den Rand schrieb er lakonisch: »Ist in der HJ.«

Willi Graf, Saarbrücken, geboren am 2.1.1918,
Student der Medizin,
hingerichtet am 12.10.1943

1938 wurde Willi Graf zusammen mit 17 seiner Kameraden inhaftiert – wie zur selben Zeit die Geschwister Scholl. Auch bei ihm lautete die Anklage: »bündische Umtriebe.«

Nach seinem Abitur hatte sich Willi Graf entschieden, Medizin zu studieren, was für ihn, dessen ausgeprägtestes Interesse theologischen und religiösen Fragen galt, wohl auch eher ein Studium aus Verlegenheit war. Im Juni 1942, nach Kriegseinsätzen in Frankreich, Jugoslawien und an der Ostfront, begegnet er Hans und Alex in der Münchner Studentenkompanie.

Sechs Monate später, im Dezember 1942, hat er seine Zweifel überwunden, ob ein gläubiger Christ von der passiven Verweigerung zum aktiven Widerstand übergehen darf. Kurz vor Weihnachten notiert er im Tagebuch:

»Der Sonntag. Ich schlafe lange, gehe dann wieder zum ›Messias‹, habe leider nur einen Stehplatz. Aber die Aufführung macht wiederum großen Eindruck auf mich vor allem die Arie ›Ich weiß, daß mein Erlöser lebt‹.

Es ist wundervolles, klares Wetter, wie am vergangenen Sonntag. Abends im Bayerischen Hof das Konzert.

Spät noch zu Hans und Alex. Wir trinken Tee und Cognac, reden und planen.«[45]

Willi Graf singt in diesen Tagen und Wochen wie gewohnt im Bachchor, er hört Konzerte, er geht seinem Studium nach, er besucht den Fechtboden, er bereitet mit in München lebenden Freunden aus der illegalen bündischen Gruppe »Grauer Orden« die Sonntagsliturgie vor, er pflegt unverfängliche gesellschaftliche Kontakte, er bewahrt Ruhe. Ihm merkt niemand an, dass er sich in die Vorbereitung der nächsten Flugblattaktionen der *Weißen Rose* eingeschaltet hat. Selbst seine Schwester Anneliese, die auf Willis Wunsch im November 1942 zum Studium nach München kommt und ein Zimmer bei derselben Vermieterin bezieht, erlebt ihn wie eh und je.

Das Gespräch mit Hans und Alex bei Tee und Cognac dreht sich um einen wichtigen Reiseplan. Willi Graf nutzt zunächst den Weihnachtsurlaub in Saarbrücken, um alte Freunde aus

Fahrt mit Freunden aus dem »Grauen Orden«, Montenegro 1936
(Willi Graf, 3. v. r.)

der bündischen Jugend zur Mitarbeit für die *Weiße Rose* zu gewinnen. Auch darüber gibt sein Tagebuch Auskunft.

»27.12.1942. Am Morgen besuche ich die Familie Bollinger. Wir sprechen über die Freiburger Verhältnisse, dann verstehen wir uns aber rasch, sind uns ganz einig.«

Willi Graf sucht und findet Kontakt zu den Brüdern Heinz und Willi Bollinger. In Freiburg trifft er Heinz an, der dort Philosophie studiert. Er kommt dem vertrauten Freund gegenüber schnell und offen zum Grund seines Besuches: »Dann hat er mir das Konzept dargelegt: Eben, dass die Alliierten landen werden und es dann ganz schnell geht, '43 geht der Krieg zu Ende. Aber in der Stunde X werden die Nazis dann noch überall ihre Gegner umzubringen versuchen und auch noch so und so vieles zerstören, was ja auch dann tatsächlich '45 geschehen ist. Dafür sollten wir uns dann bereithalten, die einzelnen Gruppen in den einzelnen Städten, in denen er auf Organisationsreise war. Er habe auch den Auftrag, in Freiburg so eine Gruppe zu gründen. Darauf habe ich ihm gesagt: Das ist nicht nötig. Ich habe schon über ein Jahr so eine Gruppe.«[46]

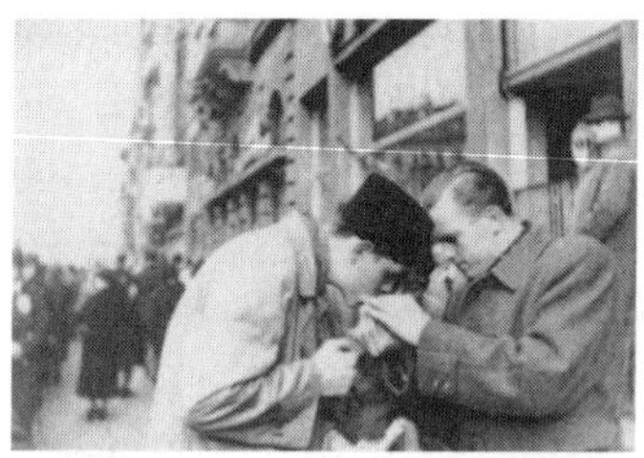

Student in Bonn 1938

Es war das Bild einer gewandelten *Weißen Rose*, das Willi Graf im Dezember 1942 vor den Brüdern Heinz und Willi Bollinger entwarf. In nur einem halben Jahr hat sich eine gewaltige programmatische Radikalisierung vollzogen, und die Verschwörer glaubten, eine allgemeine Endzeitstimmung zu wittern, die es allerdings außerhalb ihres Münchner Kreises so nicht gab. Im dritten Flugblatt hatten Alexander Schmorell und Hans Scholl den passiven Widerstand als das einzige probate Mittel propagiert, um den Nationalsozialismus auszuhebeln. Jetzt, im Winter 1942, geht es, wie Heinz Bollinger belegt, auch um den Tyrannenmord, ohne den kein erfolgreicher Widerstand ins Werk gesetzt werden kann. »Außerdem haben wir uns auch darüber verständigt: Es geht nur, indem der Hitler getötet wird. Und das war also auch nach Willi Graf das Ziel der Münchner Gruppe. Er wusste auch von dem Generalskreis, und das hat mich dann also auch überzeugt. Er hat so getan, als hätten sie schon den Kontakt. Den hatten sie ja auch fast durch Falk Harnack. Und die würden den Hitler dann liquidieren. Andere kämen ja nicht an den heran. Dass wir das aber unterstützen könnten, dann auch durch Flugblätter und Straßeninschriften, um die Bevölkerung vorzubereiten, aufzuklären und vorzubereiten.«[47]

Willi Graf hat bei einer zweiten, sehr riskanten Reise im Januar 1943 einen Vervielfältigungsapparat und Exemplare des zu dieser Zeit neuen, fünften Flugblattes im Gepäck. Den Apparat und ein Flugblatt übergab er Willi Bollinger. Der zog mehrere hundert Exemplare davon ab und verbreitete sie in Saarbrücken. Außerdem hortete Willi Bollinger Waffen, die er im Lazarett eingelieferten Soldaten abnahm. Dass Willi Graf mit Willi Bollinger eine so weit reichende Zusammenarbeit organisiert hatte, hat die Gestapo nie erfahren, obwohl sie hartnäckig den Verdacht hegte, dass Graf auf seinen Reisen mehr und ihr noch unbekannte Mitarbeiter für die *Weiße Rose* geworben habe. Willi Graf war verschwiegen und bewies in seinen Verhören größte Umsicht und Besonnenheit. Er hat vielen Freunden, nicht nur Willi Bollinger, auf diese Weise das Leben gerettet. Graf ist gemeinsam mit Schmorell und Huber am 19. April von Freisler zum Tode verurteilt worden. In diesem zweiten Verfahren wurde auf die an ein Standgericht erinnernde Vollstreckung am Tag der Verhandlung verzichtet. Alle drei Todeskandidaten konnten Gnadengesuche einreichen. Nachdem sie Hitler abgelehnt hatte, wurden Huber und Schmorell am 13. Juli enthauptet. Willi Grafs Hinrichtung aber wurde ausgesetzt, um ihn zu weiteren Auskünften über das Umfeld der *Weißen Rose* zu bewegen. Nach acht Monaten quälenden Wartens wird Willi Graf am 12. Oktober hingerichtet. Der Gefängniskaplan schmuggelt einen unzensierten Abschiedsbrief an seine Schwester Anneliese heraus. Aus ihm geht hervor, dass Willi Graf ungebrochen war und woraus er seine Kraft bezog.

»... Gerade in der Zeit der Einsamkeit habe ich viel an Euch gedacht und für Euch gebetet, und ich glaube und hoffe, dass ihr alle Trost und Stärke in Gott und Seinem unerforschlichen Willen findet. Du weißt, dass ich nicht leichtsinnig gehandelt habe, sondern dass ich aus tiefer Sorge und dem Bewusstsein der ernsten Lage gehandelt habe. Und Du mögest dafür sorgen, dass dieses Andenken in der Familie, den Verwandten und Freunden lebendig und bewusst bleibt. Für uns ist der Tod nicht das Ende, sondern der Anfang wahren Lebens und ich sterbe im Vertrauen auf Gottes Willen und Fürsorge. [...] Auch gegenüber meinen Freunden sollst Du bestimmt sein, mein Andenken und mein Wollen aufrecht zu erhalten. Du kannst es ja verstehen, dass ich ihnen kein Zeichen hinterlassen konnte. Sie sollen weitertragen, was wir begonnen haben.«[48]

Kurt Huber

»Bei Scholls: Sehr interessantes Gespräch mit Huber. Nachher sitzen wir noch lange beisammen.«[49]

Wieder ist es Willi Graf, der am 17. Dezember 1942 in dürren Worten in seinem Tagebuch eine wichtige Etappe in der Geschichte der *Weißen Rose* notiert. Ein halbes Jahr lang schon – seit dem Sommer 1942 – haben sich Professor Kurt Huber und Hans Scholl und seine Freunde in privaten Gesprächen im privaten Rahmen immer mehr angenähert. Erst in den Tagen vor Weihnachten geben die Studenten ihre Deckung auf. Sie offenbaren, die Verfasser der Flugblätter zu sein, was Huber ahnen mochte, aber noch nicht wusste. Sie wollen ihn, den sie als erbitterten Gegner der Nazis kennen gelernt haben, schon lange für die Mitarbeit in der *Weißen Rose* gewinnen.

Hans, Alex, Sophie, Christoph und Willi kannten Huber zunächst aus respektvoller Entfernung. Seine Vorlesungen galten innerhalb der Münchner Studentenschaft als Geheimtipp. Ob er sich mit Kant auseinander setzte, mit Musikästhetik oder mit Leibniz, seine stets ohne Manuskript gehaltenen Vorträge führten, wie seine Schülerin Hermine Maier schildert, eine Art des freien Philosophierens vor, das an der Münchner Universität sonst ausgestorben schien. »War es damals üblich, Denker wie Spinoza, Husserl u. a. entweder totzuschweigen oder negativ zu beurteilen oder ihre Urheberschaft an dem ihnen zugeschriebenen Gedankengut zu bezweifeln, so ließ ihnen Professor Huber stets, die Gefahr, der er sich dabei aussetzte, bewusst missachtend, die Gerechtigkeit und Verehrung zuteil werden, die ihnen gebührt. Manchmal fügte er lächelnd hinzu, wenn er ihre Werke zitierte, ›er ist Jude, Vorsicht, dass man sich nicht vergiftet!‹«[50]

Kurt Huber wurde am 24. Oktober 1893 in Chur als Sohn

Kurt Huber, München, geboren am 24.10.1893,
Professor für Psychologie und Philosophie,
hingerichtet am 13.7.1943

Preissingen in Landshut 1931

deutscher Eltern geboren. Aufgewachsen ist er in Stuttgart. Schon früh zeigte sich bei ihm eine ausgeprägte musikalische Begabung. Nach dem frühen Tod des Vaters begann er eine rasante akademische Laufbahn, er studierte Musikwissenschaft, Psychologie und Philosophie. Mit 24 promovierte er, mit 27 habilitierte er sich und wurde außerordentlicher Professor.

Er widmete sich vor allem der Volksliedforschung, die er ganz praktisch anging: Ab 1925 sammelte er auf Exkursionen und Wanderungen altbayerische Volkslieder, später bereiste er den Balkan, Südfrankreich und Spanien. Im Gepäck hatte er Notenblätter, aber auch eine Grammophon-Aufzeichnungsapparatur. Der koreanische Schüler Mirok Li erlebte seinen Professor immer dann als aufmerksamen Zuhörer, wenn er ihm über seinen heimischen asiatischen Kulturkreis berichtete.

»Er liebte seine Heimat, ihre Berge und Flüsse, ihre Bauern und Handwerker, Künstler und Dichter. Deshalb zog er aber keine engen Grenzen zwischen den Völkern. Seine Lieder- und musikalische Forschung umfasste die ganze alte Welt bis zu den Südseeinseln – und wie oft sprach er mit Begeisterung von den großen Kulturwerten bei anderen Völkern und Rassen. Diese Weite seines Wesens und die Herzenswärme, mit der selbst bei Menschen aus fernsten Ländern nur die verwandte Seele suchte, erfüllte mich immer mit großer Freude, wenn ich ihn sehen durfte, besonders in den letzten Jahren, in denen die Außenwelt mit Ablehnung und Hass gegen alles Fremde erfüllt war.«[51]

Mirok Lis Schilderung muss man bedenken, versucht man Kurt Hubers Haltung zum Nationalsozialismus zu verstehen. Denn der national gesinnte deutsche Professor war keineswegs der geborene Widerstandskämpfer. Wie viele Intellektuelle hat auch Kurt Huber mit dem aufkommenden Nationalsozialismus sympathisiert, hat ihn als Damm gegen die, wie er sagte »innere Bolschewisierung« der Deutschen angesehen. Von einer politischen Bewegung, die das Deutschtum so auf ihre Fahnen schrieb, erwartete er sich Rückenwind für seine Arbeit, die Volksliedforschung. Er erfuhr bald am eigenen Leib, dass seine Forschung damit nicht gemeint war. Denn in Hubers Verständnis waren die Volksliedkulturen verschiedener Nationen gleichwertig. Diese Auffassung passte nicht in das völkische Konzept der Nazis, die – wie üblich – nur wieder einmal die Höherwertigkeit deutscher Kultur belegt wissen wollten. 1937 wurde Huber zunächst die Leitung des neu gegründeten Volksliedarchivs in Berlin übertragen. Dann hintertrieb das für Weltanschauungsfragen zuständige »Amt Rosenberg« Hubers Berufung, da es ihn als einen »geistigen Vertreter der Katholischen Aktion«[52] ansah. Ein Dossier der Münchner NSDAP dürfte dabei zum Stolperstein geworden sein.

Zu Hubers enttäuschten Hoffnungen auf die Nationalsozialisten kamen persönliche Demütigungen. Nach der Rückkehr aus Berlin mussten er und seine Familie von einem kärglichen Gehalt von nicht einmal 300 Mark leben, bis Frau Huber ihren widerstrebenden Mann ohne sein Wissen Mitte 1940 als NSDAP-Mitglied anmeldete.[53] Binnen weniger Wochen wurde das Gehalt auf 600 Mark angehoben. Huber hatte nie Parteigenosse werden wollen, weil er trotz seiner anfänglichen Sympathien für die Nationalsozialisten auch immer

Auf einem Ausflug in den bayerischen Bergen

schon Reserven verspürte. Seine Witwe Clara berichtet, dass diese Vorbehalte mit Beginn des Krieges immer stärker wurden.

»Schon 1933 hat mein Mann immer getobt über Hitler. Er hatte Bekannte, die ihm erzählten, was vorgefallen war; eben diese Gräueltaten, die uns Studenten, die aus dem Krieg heimkamen, auf kurzen Urlaub, erzählt haben: Gräueltaten an den Juden. Studenten hatten gesehen, wie Juden reihenweise erschossen worden sind. Es hat meinen Mann schwer empört, was die SS gemacht hat. Mein Mann kannte viele Juden. Immer wenn er sie traf, haben die Juden gesagt: ›Gehen Sie, Herr Kollege, man darf Sie mit mir nicht sehen.‹ Schon vor der sogenannten Kristallnacht 1938 hat mein Mann gewarnt: ›Ziehen Sie weg, gehen Sie doch ins Ausland. Haben Sie denn sein Buch ‚Mein Kampf' nicht gelesen? – ›Ach‹, haben die gesagt, ›das ist doch nur der Gefreite, der macht doch das nicht.‹ – Da hat mein Mann gesagt: ›Glauben Sie mir, der macht das; er hat es ganz genau beschrieben, er wird es auch ausführen.‹ Aber sie haben es nicht geglaubt.«[54]

Hubers moralisches Empfinden gegenüber der rassistischen Politik und den Verbrechen der Nationalsozialisten ist frühzeitig geschärft, seine Empörung wächst mit den Jahren. Gleichwohl ist er hin- und hergerissen, wie offen er sich als angestellter Wissenschaftler mit der Verantwortung für seine Frau und die zwei Kinder exponieren kann, wie weit er sich anpassen soll. In seinen philosophischen Vorlesungen, gespickt mit kritisch-ironischen, aber nicht gerichtsverwertbaren Anspielungen über nationalsozialistische Politik und »Weltanschauung« findet Huber seine Form. Er wird verstanden. Kritische Studentinnen und Studenten der verschiedensten Fachrichtungen strömen in seine Vorlesungen. Huber ist zugänglich, am Dialog mit seinen Studenten interessiert. So ist er bereits ein geistiger Mentor der Studenten der *Weißen Rose*, als er ihr noch nicht angehört und nicht einmal weiß, dass sie in seinen Vorlesungen sitzen. Das Beispiel seiner Studenten, die sich ihm kurz vor Weihnachten 1942 schließlich zu erkennen gaben, muss ihn sehr bewegt haben. Er war um Rat angegangen worden – und riet zunächst zur Vorsicht, war skeptisch gegenüber Flugblattpropaganda. Das volle Risiko zu gehen, möglicherweise sein Leben zu lassen, hat er selbst entschieden, als er nach der Niederlage von Stalingrad in der Nacht vom 6. auf den 7. Februar sich an die Schreibmaschine setzte und das letzte Flugblatt entwarf.

Als der »Volksgerichtshof« am 19. April sein Tribunal über Huber, Schmorell, Graf und zwölf weitere Angeklagte hält, behandelt Freisler Professor Kurt Huber besonders demütigend. Die Universität München hat ihm sofort eilfertig sämtliche akademischen Grade entzogen. Er kenne keinen Professor, keinen Doktor Huber, er kenne nur den Angeklagten Huber, brüllt Freisler. Und dennoch gelingt es Kurt Huber, in seiner Verteidigungsrede die Rollen vor Gericht zu vertauschen: Der Angeklagte wird zum Ankläger.

»Was ich bezweckte, war die Weckung der studentischen Kreise nicht durch eine Organisation, sondern durch das schlichte Wort, nicht durch irgendeinen Akt der Gewalt, sondern durch sittliche Einsicht in bestehende schwere Schäden des politischen Lebens. Rückkehr zu klaren sittlichen Grundsätzen, zum Rechtsstaat, zu gegenseitigem Vertrauen von Mensch zu Mensch, das ist nicht illegal, sondern umgekehrt die Wiederherstellung der Legalität. [...]

Es gibt für alle äußere Legalität eine letzte Grenze, wo sie unwahrhaftig und unsittlich wird. Dann nämlich, wenn sie zum Deckmantel einer Feigheit wird, die sich nicht getraut, gegen offenkundige Rechtsverletzung aufzutreten. Ein Staat, der jegliche freie Meinungsäußerung unterbindet und jede, aber auch jede sittlich berechtigte Kritik, jeden Verbesserungsvorschlag als ›Vorbereitung zum Hochverrat‹ unter die furchtbarsten Strafen stellt, bricht ein ungeschriebenes Recht, das im gesunden Volksempfinden noch immer lebendig war und lebendig bleiben muss. Mit allen Mitteln der Aufrüttelung eingeschlafener Gewissen, der Einsicht in die Verdrehung einer ungeschriebenen, für jeden gültigen Rechtsordnung zu dienen, ist höchste vaterländische Pflicht.«[55]

Else Gebel

»Vor mir liegt Dein Bild, Sophie, ernst, fragend, zusammen mit Deinem Bruder und Christoph Probst aufgenommen. Als ob Du ahnen würdest, welch schweres Schicksal Du erfüllen mußt, das Euch drei im Tode vereint.«[57] So beginnt der Bericht von Else Gebel, verfasst im November 1946. Sie war der Mensch, mit dem Sophie Scholl in den letzten fünf Tagen ihres Lebens – abgesehen von dem Gestapo-Beamten Robert Mohr – den intensivsten Kontakt hatte. Ein ganz und gar anderer Kontakt, denn Else Gebel teilte sich mit Sophie Scholl ihre Zelle im Gestapo-Hausgefängnis des Wittelsbacher Palais. Auch sie war Mitglied einer Widerstandgruppe und in Untersuchungshaft. Sie wartete auf ihr Gerichtsverfahren, nachdem sie von Stadelheim in das Wittelsbacher Palais verlegt und dort in der Gefängnisregistratur zur Arbeit verpflichtet worden war.

Else Gebels Neffe Walter, als junger Soldat nach Kriegsende heimgekehrt, erinnert sich an die Abfassung dieses Berichtes. »Ich spürte, daß es eine ganz enge Verbindung gegeben hatte zwischen meiner Tante und Sophie Scholl. Sie verehrte Sophie außerordentlich und hatte ihr Bild da stehen. Sie schrieb damals den Bericht über ihre gemeinsame Zeit mit Sophie. Das weiß ich noch gut, das hat sie bei uns zu Hause gemacht, auf der Maschine geschrieben. In dieser Zeit hat sie alles noch einmal durchgearbeitet und auch erzählt.«[57]

Else Gebel wurde am 5. Juli 1905 in Augsburg geboren. Walter Gebel berichtet, dass seine Tante Else zwei Brüder hatte, seinen Vater Arno und seinen Onkel Willy Gebel. Alle drei Geschwister standen dem Nationalsozialismus distanziert gegenüber. Arno war Freimaurer, 1934 wurde die Druiden-Loge in München, in der er Mitglied war, geschlossen. Weit kriti-

In den 50er Jahren

scher aber waren Willy und Else Gebel eingestellt. Die beiden bildeten eine starke Einheit. Nach dem frühen Tod der Eltern wohnte Else bei Willy und führte ihm bis zu dessen Heirat im Jahr 1935 den Haushalt. Willy wurde ein erfolgreicher Versicherungskaufmann, Else erlernte den Beruf der Sekretärin und Buchhalterin. »Onkel und Tante waren von Anfang an beide im Widerstand, das spürte ich schon als Kind«, berichtet Walter Gebel, »Onkel Willy sprach von Anfang an von Hitler nur vom ›Braunauer‹, schon Anfang der 30er äußerte er sich offen gegen ihn. Meine Tante war auch immer gegen Hitler. Wenn sie uns besuchte, sagten ihr meine Eltern: ›Schrei net so laut, sonst kommst nach Dachau!‹«[58] Nach allem, was Walter Gebel über das Leben, die Interessen und den Charakter seiner Tante zu schildern weiß, passt Else Gebel, die die nationalsozialistische Justiz später als Unterstützerin einer über das Reich weitverzweigten kommunistischen Widerstandsgruppe verurteilte, in keine festgefügte ideologische Schublade. Sie war lebenslustig, unterhielt Männerbekanntschaften, ging aber keine feste Bindung ein. Sie mochte den anarchischen Humor eines Karl Valentin. Sie war evangelisch getauft und tief religiös. Wer nach konkreten Gründen ihrer entschiedenen Ablehnung der Nationalsozialisten sucht, wird bei ihren Erlebnissen nach der Pogromnacht gegen die Juden am 9. November 1938 fündig. Was der Gestapo-Beamte Robert Mohr seinem 14 Jahre alten Sohn Willi gegenüber als Vandalismus einer Gruppe Betrunkener verharmloste, erlebte Else Gebel in München aus nächster Nähe mit. Sie war Chefsekretärin des jüdischen Kaufhausbesitzers Max Uhlfelder. Das große Kaufhaus Heinrich Uhlfelder (es beschäftigte damals in zwei Filialen in der Münchner Innenstadt 450 Mitarbeiter) gehörte in der Pogromnacht in München zu den ersten Zielen der Nazi-Zerstörung. Es wurde weitgehend verwüstet und systematisch geplündert. Max Uhlfelder wurde in der Pogromnacht von einer dreiköpfigen Gruppe, angeführt von dem HJ-Oberbannführer Ulrich, um einen Scheck über 5000 Reichsmark erpresst, bevor er verhaftet und ins KZ Dachau gebracht wurde.[59]

Else Gebel verlor ihre Arbeit und erfuhr, wie ihr hoch verehrter Chef Max Uhlfelder in der Folgezeit gedemütigt, seines Vermögens beraubt, sein Betrieb zerschlagen wurde.[60] Sie fand dann eine Anstellung bei der Firma Diamalt, in der sie bis zu ihrer Festnahme im Februar 1942 arbeitete.

Seit Mitte der 30er Jahre lebte Else Gebel alleine in München; ihr Bruder Willy war mit seiner jungen Familie aus beruflichen Gründen zunächst nach Hannover, dann nach Leipzig gezogen. Else Gebels Gegnerschaft zum Nationalsozialismus wuchs mit ihren drastischen Erfahrungen. Für die Richter vom 2. Senat des Volksgerichtshofes, die Willy Gebel am 24. März 1944 »wegen Feindbegünstigung in Verbindung mit Vorbereitung zum Hochverrat zum Tode und zum dauernden Ehrverlust« verurteilten, war sie jedoch vor allem eine untergeordnete Gehilfin ihres Bruders. So sahen dies auch die Richter des Zweiten Strafsenats beim Oberlandesgericht München. Sie verhängten über Else Gebel am 20. Juni 1944 eine Zuchthausstrafe von einem Jahr und vier Monaten, die ihrer Untersuchungshaft angerechnet wurde. Konkret war ihr ein Botendienst zwischen der Gruppe um die kommunistische Organisation von Robert Uhrig in Berlin und einer Münchner Organisation um Wilhelm Olschewski und Hans Hartwimmer nachgewiesen worden. Hartwimmer, mit dem Else Gebel befreundet war, hatte sie mit im Untergrund kursierenden Schriften versorgt, in denen »wenn auch in sehr vorsichtiger Form der Verlust des gegenwärtigen Krieges als unvermeidbar dargestellt wird«.[61] Vom weit erheblicheren Vorwurf des Anklägers, auf Hartwimmers Anweisung ein staatsfeindliches Flugblatt durch die Collage von Zitaten aus Ludwig Thomas Aufsatz ›Vaterlandsliebe‹ auf der Schreibmaschine hergestellt zu haben, sprachen die Richter Else Gebel frei.

Doch das Schicksal ihres Bruders und den Ausgang ihres eigenen Prozesses im Jahr 1944 konnte Else Gebel noch nicht kennen, als sie am 18. Februar 1943 am frühen Nachmittag Sophie Scholl bei ihrer Einlieferung in das Gestapo-Hauptquartier begegnete. Sie musste die neue Mitgefangene durchsuchen und bot ihr bei dieser Gelegenheit an, eventuell belastendes Material zu beseitigen. Ferner wusste sie, worauf es in der Verhörsituation ankam. »Ich rate Dir, ja nichts einzugestehen, wovon sie keine Beweise hätten«[62], rät sie Sophie Scholl vor der Abholung zur Vernehmung. Else Gebel sieht Sophie Scholl erst am Morgen des 19. Februar wieder, nachdem diese die ganze Nacht verhört worden war. Beide Geschwister Scholl haben gestanden.

Jetzt konnten die beiden Frauen die Gemeinsamkeiten ihrer Situation entdecken: Beide bangten um ihre Brüder, beide waren mit ihren Brüdern in gemeinsame Aktivitäten verstrickt. Else Gebel und ihr Bruder Willy mochten noch hoffen. Im Februar 1943, also schon seit über einem Jahr war weder der Fall ihres Bruders noch ihr eigener zur Verhandlung gekommen, und mit diesem eigenen Erfahrungshintergrund konnte sie Sophie Scholl anfangs Mut machen. Und sie verweist Sophie darauf, mit Robert Mohr »einen der wenigen sympathischen Sachbearbeiter zu haben«[63].

Umso deutlicher verzeichnet Else Gebel, mit welcher erbarmungslosen Hast der Fall »Weiße Rose« vorangetrieben wird, als Sophie bereits am Sonntagnachmittag gegen 15 Uhr die Anklageschrift ausgehändigt und die Gerichtsverhandlung für den nächsten Tag angekündigt wird.

Sie wird Zeugin, wie Sophie Scholl die Strategie ablehnt, sich als von ihrem älteren Bruder Hans als beeinflusst und ab-

Nach dem Krieg

hängig darzustellen, um so vielleicht ein Todesurteil für sich zu vermeiden. Niemanden kann dies tiefer beeindruckt haben als Else Gebel, die ebenfalls gemeinsam mit ihrem Bruder angeklagt war. Auch bei ihr würde die künftige Strafe daran gemessen werden, wie viel eigene politische Verantwortung für ihr Handeln ihr zugerechnet würde.

Gebel unterrichtet Sophie Scholl den alten Rechtsbrauch, dass auch nach einer Verurteilung zum Tode die Verurteilten 99 Tage Frist bis zur Vollstreckung haben. Der damals 38-jährigen Else Gebel blieb vor allem, der 16 Jahre jüngeren Sophie Scholl Zuwendung zu geben. Anneliese Knoop-Graf, die später während ihrer Untersuchungshaft ebenfalls mit Else Gebel die Zelle teilte, berichtet von der mütterlichen und burschikosen Art, mit der Gebel auftrat. Schon wieder also eine Gefangene, die wie sie um ihren Bruder bangen musste. Um einen Bruder, der ebenfalls Willi hieß: Willi Graf. Um ihrer Mitgefangenen Hoffnung zu machen, hat Else Gebel auch jenen letzten Traum Sophie Scholls variiert, der durch ihren schriftlichen Bericht so überliefert ist:

»Du bist sofort munter und erzählst mir, noch im Bett sitzend, Deinen gehabten Traum: Du trugst an einem schönen Sonnentag ein Kind in einem langen, weißen Kleid zur Taufe. Der Weg zur Kirche führte einen steilen Berg hinauf. Aber fest und sicher trugst Du das Kind. Du hattest gerade noch Zeit, das Kind auf die gesicherte Seite zu legen, da stürztest Du in die Tiefe. Du legtest Dir den Traum so aus. Das Kind in weißem

Kleid ist unsere Idee, sie wird sich trotz aller Hemmnisse durchsetzen. Wir durften vorher Wegbereiter sein, müssen aber vorher sterben, für sie.[64]

In einer Situation der Niedergeschlagenheit erzählte Else Gebel Anneliese Graf Sophies letzten Traum – mit der Variation, dass das Kind, das sicher auf die andere Seite gelange, Willi Graf sei.

Elses Bruder Willy Gebel wurde am 24. März 1944 zum Tode verurteilt und wurde im April hingerichtet. Else Gebel starb 1964 in München.

Robert Mohr

Ein Porträt und die Geschichte der Recherche

Die Entscheidung von Drehbuchautor Fred Breinersdorfer und Regisseur Marc Rothemund, sich in ihrem Film ›Sophie‹ auf die letzten Lebenstage der Sophie Scholl vom Abend des 17. Februar bis zu ihrer Hinrichtung zu konzentrieren, rückt neben der Protagonistin Sophie Scholl vor allem eine Person in den Vordergrund: Robert Mohr, Kriminalobersekretär bei der Gestapoleitstelle München. Ihm war bisher in den Darstellungen der Widerstandsgruppe *Weiße Rose* eher eine Nebenrolle zugekommen.

Wer wie unter dem Vergrößerungsglas Sophie Scholls letzte Tage detailgenau anschaut, stellt zunächst fest, dass sie mit keinem anderen Menschen in den letzten Tagen ihres Lebens mehr Zeit verbracht, mehr gesprochen hat, mehr sich messen musste als mit dem Gestapo-Beamten Robert Mohr.

Mohr ist der Leiter der Sonderkommission, die in München Anfang 1943 die intensive Flugblattpropaganda unbekannter Herkunft aufklären soll. Er sieht Sophie Scholl das erste Mal am 18. Februar 1943, kurz nachdem die Gestapo um 11 Uhr vom Rektoratsbüro der Universität gerufen worden war. »Als ich wenig später in das Vorzimmer des Rektorates geführt wurde, waren auch hier auf einem kleinen Tisch Flugblätter der bekannten Art [...] angehäuft. Im gleichen Zimmer befanden sich ein junges Fräulein und ein junger Herr, die mir als die vermutlichen Verbreiter der Flugblätter bezeichnet wurden. [...] Beide, vor allem das Fräulein, machten einen absolut ruhigen Eindruck und legitimierten sich schließlich durch Vorzeigen ihrer Studenten-Ausweise als das Geschwisterpaar Sophie und Hans Scholl.«[65] Das letzte Mal sieht Mohr Sophie Scholl am 22. Februar etwa um 15 Uhr nachmittags im Gefängnis Stadelheim,

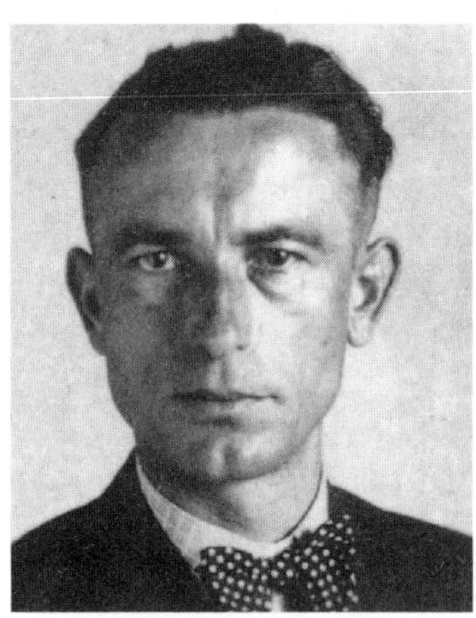

Aufnahme aus der NSDAP-Mitgliedskartei, ca. 1933

zwei Stunden bevor sie hingerichtet wird. »Sophie Scholl traf ich in der Wärterinnen-Zelle, wohin man sie nach dem Besuch ihrer Eltern gebracht hatte, erstmals seit ich mit ihr in Berührung kam, weinend. Sie entschuldigte sich ihrer Tränen, indem sie mir mitteilte: ›Ich habe mich gerade von meinen Eltern verabschiedet und Sie werden begreifen.‹«[66]

Dazwischen lagen die Verhöre, die Robert Mohr mit Sophie Scholl geführt hat. Von Donnerstag am frühen Nachmittag bis in den Freitagmorgen. Am Samstag eine weitere Vernehmung. Sie schufen die Voraussetzung für das Todesurteil, das »Volksgerichtshofpräsident« Roland Freisler kurz zuvor am Montag um 13.30 Uhr gefällt hat. Von dieser Feststellung ausgehend, wiegt jedes Wort schwer, mit dem Robert Mohrs Tun möglichst genau bezeichnet werden soll. Von dieser Feststellung ausgehend, sind auch die Worte Mohrs schwer erträglich, mit denen er die Schilderung seines Abschieds von Sophie Scholl fortsetzt: »Wie mir um diese Stunde selbst zumute war, kann man aus dem Zusammenhang ermessen. Nach einigen Worten des Trostes habe ich mich von Sophie Scholl verabschiedet. Ich kann nur wiederholen, daß dieses Mädel, wie auch ihr Bruder, eine Haltung bewahrt hat, die sich nur durch Charakterstärke, ausgeprägte Geschwisterliebe und eine seltene Tiefgläubigkeit erklären läßt.«[67]

Die ganze Bandbreite ist eröffnet. Mohr bereitet Sophie Scholl objektiv den Weg zum Schafott und er bedauert subjektiv, dass sie sterben muss. Für die filmische Inszenierung dieser in den letzten Tagen und für das Schicksal von Sophie Scholl so wichtigen Person stellte sich die Frage: Was für ein Mensch war dieser Robert Mohr?

Die erste verblüffende Feststellung ist, dass die gesamte, mittlerweile umfangreiche Literatur über die Geschichte der *Weißen Rose* darüber keine Auskunft gibt. Es existieren darin über Robert Mohr bislang nur zwei Quellen, die aber nur auf einem einzigen Gewährsmann beruhen: auf Robert Mohr selbst. Niemand hat ihn bislang von außen beschrieben. Und es gab nicht ein einziges Bild, keine Fotografie.

Quelle eins – und auf vier Jahrzehnte die einzige – war Robert Mohrs »Niederschrift«, entstanden exakt acht Jahre nach seinen Verhören, am 19. Februar 1951. Mohrs Niederschrift stand Inge Scholl also schon bei der Abfassung ihres Buches ›Die Weiße Rose‹ zur Verfügung, dem Auftaktdokument, mit dem die publizistische Befassung mit dieser Widerstandgruppe begonnen hat. Mohr hat seinen Bericht »auf Ersuchen des Herrn Robert Scholl, Oberbürgermeister a. D. in Ulm« geschrieben. Es ist anzunehmen, dass Robert Scholl seine Schilderungen grundsätzlich gebilligt hat. Andernfalls hätte er ihn nicht zur Verwendung freigegeben. Robert Scholls Motiv dafür ist klar. Hans und Sophie sagten dem Vater vor ihrer Hinrichtung, sie seien von der Gestapo anständig behandelt und nicht gequält worden. Robert Scholl hat Mohr aber auch aus einem zweiten Grund für aufrichtig gehalten. Scholl ist in der Zeit der Sippenhaft nach der Hinrichtung seiner Kinder in Ulm selbst von Mohr vernommen worden. Auch das schildert Mohr in seinem Bericht. In diesem Verhör habe sich Robert Scholl mit staatsfeindlichen Aussagen eigentlich um Kopf und Kragen geredet, er habe dies aber nicht protokolliert, um Scholl zu schützen. Wäre diese Geschichte einer Rettung von Mohr erdichtet worden, hätte sie Robert Scholl nicht durchgehen lassen.

Quelle zwei über Robert Mohr sind die ebenfalls von ihm verfassten Vernehmungsprotokolle[68] von Sophie Scholl. Indem er darin nicht nur Antworten Sophies, sondern auch die Fragen und damit seine Gesprächsführung wiedergibt, be-

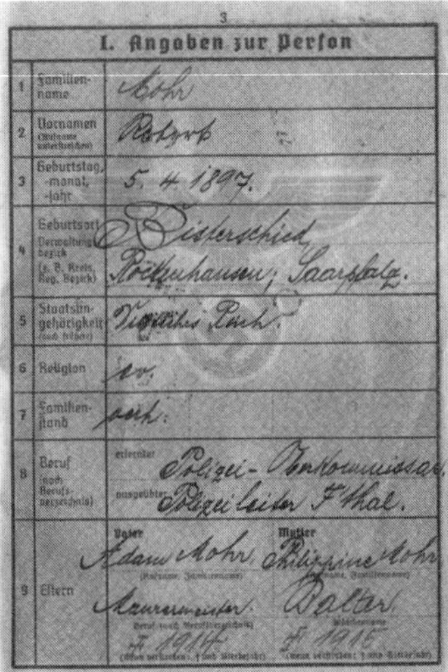

3

I. Angaben zur Person

1	Familienname	Mohr
2	Vornamen	Robert
3	Geburtstag, -monat, -jahr	5. 4. 1897.
4	Geburtsort, Verwaltungsbezirk (z. B. Kreis, Reg. Bezirk)	Bisterschied, Rockenhausen, Saarpfalz.
5	Staatsangehörigkeit	Deutsches Reich.
6	Religion	ev.
7	Familienstand	verh.
8	Beruf (nach Berufsverzeichnis)	erlernter: Polizei-Oberkommissar. ausgeübter: Polizeileiter F'thal.
9	Eltern	Vater: Adam Mohr, Maurermeister, † 1914 — Mutter: Philippine Mohr, Walter, † 1916

Wehrpass Robert Mohr

leuchtet Mohr auch seine eigene Persönlichkeit, seine Strategien und Absichten. Die Protokolle galten bis 1988 als verschollen und sind erst 1990 in den Archiven der ehemaligen DDR aufgetaucht und der Forschung zugänglich gemacht worden. Sie bestätigten immerhin die zentrale Behauptung von Mohrs Niederschrift aus der Erinnerung: »Was Sophie Scholl anlangt, glaubte ich einen Weg gefunden zu haben, ihr wenigstens das Leben zu retten. [...] Ich versuchte mit letzter Beredsamkeit Fräulein Scholl zu einer Erklärung zu veranlassen, die letzten Endes darauf hinaus hätte laufen müssen, daß sie ideologisch mit ihrem Bruder nicht konform war, sich vielmehr auf ihren Bruder verlassen habe, daß das was sie getan habe richtig sei, ohne sich selbst über die Tragweite der Handlungsweise Gedanken zu machen. Sophie Scholl erkannte sofort, wo ich hinauswollte, lehnte es jedoch entschieden ab, sich zu einer solchen oder ähnlichen Erklärung bereitzufinden.«[69] Zweimal, so kann man in den Vernehmungsprotokollen nachlesen, setzt Mohr an, zweimal weigert sich Sophie Scholl, die ihr angebotene goldene Brücke zu beschreiten. »Wenn die Frage an mich gerichtet wird, ob ich auch jetzt noch der Meinung sei, richtig gehandelt zu haben, so muss ich hierauf mit ja antworten«, beschied sie Mohr in der Mitte des Verhörs und schließt mit den unmissverständlichen Sätzen: »[...] ich bin nach wie vor der Meinung, das Beste getan zu haben, was ich gerade jetzt für mein Volk tun konnte. Ich bereue deshalb meine Handlungsweise nicht und will die Folgen, die mir aus meiner Handlungsweise erwachsen, auf mich nehmen.«[70]

War Mohr wirklich »sehr enttäuscht«, wie er schreibt, dass er Sophie Scholls Leben nicht retten konnte, das Leben einer Wehrkraftzersetzerin, einer Hochverräterin?

Ein erstes Bild von Robert Mohr kann man sich an Hand seiner Parteiunterlagen machen. Auch ein erstes Fotografisches. Denn es existiert eine Akte Robert Mohr im Parteiarchiv der NSDAP, dem früheren »Berlin Document Center«, das nun in das Bundesarchiv überführt ist. Schon am 1.5.1933 ist Robert Mohr Mitglied der NSDAP geworden, Mitgliedsnummer 3271936. Er war ferner führendes Mitglied im Nationalsozialistischen Kraftfahrerkorps, einfaches Mitglied bei der NS-Volkswohlfahrt, dem Reichsbund der Deutschen Beamten, beim Reichsluftschutzbund und dem Kolonialbund.[71] Alles in allem macht er den Eindruck eines früh berufenen und überzeugten Nationalsozialisten, der sich später erhärtet.

Zur Parteiakte gehören auch zwei Fotografien von Robert Mohr. Er hat einen schlanken, hohen, sich zum Kinn hin etwas verjüngenden Kopf, starke Backenknochen, einen energischen, ernsten Mund, eine vor allem im Profil starke Nase, ganz leicht abstehende Ohren, eine hohe Stirn und intensiv prüfend in die Kamera blickende Augen. Dieser intensive Blick auf den Betrachter findet sich später wieder – auf buchstäblich jedem Bild im Familienalbum.

Robert Mohr, geboren am 5. April 1897, kommt aus kleinen Verhältnissen. Sein Vater ist zwar Maurermeister, aber bei neun Kindern – fünf Brüdern und drei Schwestern – muss sich der junge Robert gleich nach der Volks- und Fortbildungsschule nach einem Handwerk umschauen. Er erlernt das Schneidern mehr der Not gehorchend. Später arbeitet er nie wieder mehr in diesem Beruf. Denn unversehrt und dekoriert mit dem EK II aus dem Krieg zurückgekehrt, kann er in dem Beruf anheuern, den er als seine Berufung ansieht: bei der Polizei. Der handgeschriebene Lebenslauf, Teil der Aufnahmeprozedur in die SS, verzeichnet die ersten Stationen und ist eine potenzielle neue Quelle zur Person Robert Mohr.

»Nach meinem Ausscheiden aus der Wehrmacht am 11.5.1919 war ich einige Monate Feldwebeldiensttuer auf Zivilvertrag bei 3. Gefangenenkompanie des Gefangenenlagers Hammelburg. Am 1.10.1919 wurde ich zur bayerischen Gendarmerie einberufen und erhielt nach meiner Beschulung die erste etatmäßige Anstellung bei der Gendarmerieabteilung der Pfalz in Frankenthal. Dort habe ich mich am 27.6.1923 mit der Landwirtschaftstochter Martha Klein aus Biesterschied verheiratet. Aus unserer Ehe ist ein Sohn von nunmehr 18 Jahren hervorgegangen.«

Der Vorname des Sohnes wird in keinem der Parteidokumente erwähnt. Dies machte eine relativ umfangreiche Suche nötig, bis Willi Mohr gefunden war. Er ist 1924 geboren – und dies beinhaltete eine weitere Neuigkeit von einiger Bedeutung über Robert Mohr. Der Gestapo-Beamte ist 1943 also Vater eines Sohnes, der dem gleichen Geburtsjahrgang angehört wie die jüngsten Mitglieder der *Weißen Rose*, die er bei seinen Verhören im Wittelsbacher Palais zu überführen versucht.[72]

Willi Mohr konnte die nüchternen Daten der väterlichen Polizeikarriere erläutern: Bayerische Gendarmerieschule in der Münchner Arcisstraße, danach Einsatz in der ebenso jungen wie wirtschaftlich gebeutelten Weimarer Demokratie als Gendarm im bayerisch-pfälzischen Frankenthal. Robert Mohr ist auf der Gendarmerieschule gedrillt worden, als Gendarm politisch neutral zu bleiben. Doch er entwickelte eine Abneigung gegen die Kommunisten. Er erfuhr sie als Unruhestifter, immer wieder hielten sie illegale Versammlungen ab, die er als

Polizist mit Schlagstockeinsatz auflösen musste. Zu der Abneigung gegen die Kommunisten gesellte sich bei Mohr die gegen die Franzosen, die »Erbfeinde«. Sie hielten die Pfalz besetzt, sie versuchten die Verwaltung unter ihre Kontrolle zu bringen und verwiesen deutsche Beamte in großer Zahl des Landes, darunter auch den Gendarmen Robert Mohr. Sein Sohn Willi wird deshalb 1924 im bayerischen »Exil« in Donauwörth geboren. Die achtmonatige Ausweisung habe seinen Vater zum glühenden Nationalisten gemacht, berichtet Willi Mohr. Enttäuscht sei er gewesen von den moderaten Kräften wie etwa der SPD und dem Zentrum. Sie hätten weder die soziale Frage dieser Zeit lösen, die Armut lindern noch den Franzosen Paroli bieten können. Mohrs Nationalismus verstärkte sich, als er im Mai 1924 wieder in seine pfälzische Heimat zurückkehren konnte. Als die Nationalsozialisten nach der Machtergreifung Hitlers sämtliche Parteien außer der NSDAP verboten und Beamten erlaubten, darin Mitglied zu werden, trat Robert Mohr sofort in die Partei ein und bekannte sich begeistert zu Hitler. Von da an machte er Karriere. Erst wurde er Polizeileiter in Frankenthal. 1938 vermittelte ein Staatsanwalt und NSDAP-Parteigenosse Robert Mohr den Wechsel zur Geheimen Staatspolizei in München.

Über seine dienstliche Tätigkeit sprach Robert Mohr in der Familie so gut wie nicht. Er stand unter großem inneren Druck, jede Maßnahme des Regimes gutzuheißen. Als sein Sohn Willi verstört von der Schule heimkam und fragte, warum nach dem 9. November 1938 so viele Schaufenster jüdischer Geschäfte in der Innenstadt zerschlagen und die Läden verwüstet waren, gab der Vater die ausweichende Antwort, Betrunkene seien hineingefallen. Und wenn mit sich zuspitzender Kriegslage der Sohn dem Vater vermitteln wollte, wie Deutschland denn einen Krieg gewinnen solle, in dem es zuvor beinahe die ganze Weltkugel gegen sich aufgebracht habe, ging Willi Mohr auf Sicherheitsabstand außer Reichweite von Robert Mohrs Schlaghand. Der sonst ruhige Mann konnte zu Hause seinem Sohn gegenüber fast ansatzlos in Aggression ausbrechen. Das geschah immer dann, wenn er in den eigenen vier Wänden mit genau den Zweifeln aus dem Mund seines Sohnes konfrontiert wurde, die er in seiner Gestapo-Tätigkeit unter den Überschriften Wehrkraftzersetzung, Feindbegünstigung, Defaitismus oder Vorbereitung zum Hochverrat untersuchte. Mohr wird als ruhige und besonnene Person geschildert, wie angespannt er innerlich ist, wird 1942, im Jahr der ersten Ermittlungen gegen *Die Weiße Rose* deutlich.

Mohr war magenkrank, er litt unter Geschwüren. Eines Tages im Jahr 1942 brach er im Dienst bei der Gestapo zusammen. Eine schwere Magenblutung wurde diagnostiziert, Mohr benötigte dringend eine Bluttransfusion. Die SS-Wachen in Dachau wurden alarmiert, ein Freiwilliger aus dem Kreis der SS-Männer, der Mohrs Blutgruppe hatte, spendete Blut, Mohr wurde gerettet.

Willi Mohr wusste, dass sich sein Vater bei der Gestapo mit der Aufdeckung politischer Widerstandsdelikte befasste. Aber er hat nicht von ihm persönlich erfahren, dass er mit der Zerschlagung der *Weißen Rose* befasst war, sondern durch die Entdeckung von Inge Scholls Buch und den darin abgedruckten Bericht seines Vaters, auf das er zufällig stieß. »Da ist es mir eiskalt den Buckel heruntergelaufen, als ich mitbekommen habe, dass mein Vater der Vorarbeiter vom Freisler war«, sagt Willi Mohr.

Er war ein fleißiger, ein effizienter Vorarbeiter. Robert Mohr hat nicht nur Sophie Scholl vernommen, er war auch der Vernehmungsbeamte von Willi Graf, von Susanne Hirzel, von Anneliese Graf, von Robert Scholl.

»Er zog sich das Mäntelchen des Väterlichen an. Er bot Zigaretten an. Mohr hatte eine gewisse Art sich hilflosen Frauen gegenüber als hilfreicher Mann darzustellen. Das ärgerte mich, ich wollte diese Hilfe nicht. Er war für uns einer der Schergen«[73], erinnert sich Anneliese Knoop-Graf, die feststellt, dass Robert Mohr über viele Facetten verfügte. Sie waren funktional

Mit Sohn Willi und Frau Martha, 1942

für seine Verhörarbeit, mal gefährlich, mal hilfreich für die Gefangenen. Anneliese Graf diskutierte mehrfach mit ihrer Zellengenossin Angelika Probst, ob sie ihn nett finden dürften. Dann wieder gab es abstoßende Grenzüberschreitungen. Anneliese Grafs Schwester war im Frühjahr 1943 hochschwanger. »Mohr wusste aus der Überwachung des Briefverkehrs, dass ein Kind unterwegs war. Eines Morgens kommt er ein Telegramm schwenkend in die Zelle und ruft: Der Stammhalter ist da!« – Es war derselbe, immer ordentlich angezogene Robert Mohr mit dem Parteiabzeichen am Revers, der freundlich und meist ruhig das Verhör führte und viele Fragen immer mal wieder wiederholte, um Widersprüche und Unsicherheiten in den Aussagen der Verhörten herauszukitzeln. So beflissen er die Meldung über das neue Leben in der Familie Graf in die Zelle von Anneliese Graf trug, so sachlich und fleißig trug er einen Puzzlestein nach dem anderen zusammen in den langen Verhören von Willi Graf, den Freisler zum Tode verurteilte.

Für Robert Mohr endete seine Zeit in der Münchner Gestapo-Leitstelle mit der Zerschlagung des *Weiße Rose*-Kreises. Er absolviert einen Kurs an der höheren Polizeischule in Berlin und wurde dann als Chef der Gestapo oder der Kriminalpolizei ins Elsass nach Mühlhausen / Mulhouse entsandt. Noch vor dem Kriegsende setzte er sich erst nach Freiburg, dann in seine pfälzische Heimat Biesterschied ab. Etwa 1947 internierten ihn die Franzosen zeitweise, um ihn für seine Polizeitätigkeit in Mulhouse zur Rechenschaft zu ziehen. Nach den Erinnerungen seines Sohnes Willi kehrte er nach etwa zwei Jahren nach Hause zurück. Sein Vater habe, so gibt Willi Mohr an, nach der Internierung entlastende Zeugenaussagen für ein bevorstehendes Entnazifizierungsverfahren gesammelt. Es ist dieselbe Zeit, in der Robert Mohr mit Robert Scholl Kontakt aufnimmt und jenen Bericht niederschreibt, der möglicherweise auf immer die einzige Quelle über die letzten Tage des inneren Kreises der *Weißen Rose* bleiben wird. Denn ein Entnazifizierungsverfahren von Robert Mohr, das bis dato unbekannte Zeugnisse und Dokumente enthalten könnte, ist bisher in den Archiven nicht aufzufinden. Mohr arbeitete nach dem Krieg als Angestellter der Bäderverwaltung in Bad Dürkheim. Er starb am 5. Februar 1977 in Ludwigshafen.

Mohrs Kollege Anton Mahler, der Hans Scholl vernommen hat, kam vor die Schranken der Gerichte. Die ihm zur Last gelegten Gefangenenmisshandlungen fanden wesentlich später statt als die Ermittlungen gegen Mitglieder der *Weißen Rose*. Zu seiner Rolle in der Ermittlung gegen die *Weiße Rose* ist in Anton Mahlers Gerichts- und Spruchkammerakten nichts Erhellendes zu finden, auch nicht über seine Zusammenarbeit mit Robert Mohr beim Verhör der Geschwister Scholl. Mahler wurde am 22.12.1949 von der 3. Strafkammer des Landgerichts München wegen fortgesetzter Vergehen der Körperverletzung im Amt und Aussageerpressung zu einer Strafe von vier Jahren Zuchthaus verurteilt. Dem Haftantritt entzog er sich durch Flucht aus dem Gerichtssaal. Er tauchte unter und trat vorübergehend in die Dienste des amerikanischen Geheimdienstes CIC.[74] Dort widmete er sich als Mitarbeiter von Klaus Barbie, des damals ebenfalls in Diensten des CIC stehenden ehemaligen Gestapo-Chefs von Lyon, seiner von der Gestapo wohl bekannten Aufgabe: der Bekämpfung der kommunistischen Subversion. Mahlers Spur verliert sich bislang im Jahr 1953. Von den Akten der Gestapo-Leitstelle München sind nur Fragmente erhalten, der größte Teil wurde zu Kriegsende vernichtet, Erkenntnisse über die *Weiße-Rose*-Ermittlungen enthalten sie nicht. Die Ruine des 1944 bei einem Bombenangriff schwer beschädigten ehemaligen Gestapohauptquartiers ist 1964 abgerissen worden.

Roland Freisler

»Mein Führer! Ihnen, mein Führer, bitte ich melden zu dürfen: das Amt, das sie mir verliehen haben, habe ich angetreten und mich inzwischen eingearbeitet. [...] Der Volksgerichtshof wird sich stets bemühen, so zu urteilen, wie er glaubt, daß Sie mein Führer, den Fall selbst beurteilen würden. Heil, mein Führer! In Treue, Ihr politischer Soldat Roland Freisler«[75]

Diese Ergebenheitsadresse schrieb Roland Freisler am 15. Oktober 1942, nachdem er wenige Wochen zuvor von Hitler zum Präsidenten des Volksgerichtshofes ernannt worden war. Deutlicher konnte ein Jurist nicht erklären, dass er auf die Unabhängigkeit der Gerichtsbarkeit von der politischen Macht verzichtet.

Roland Freisler wurde am 30. Oktober 1893 in Celle geboren. Im Ersten Weltkrieg geriet er 1915 in russische Kriegsgefangenschaft und wurde mehrere Jahre in Sibirien festgehalten. Dort soll er fließend Russisch gelernt haben und brachte es zum Rang eines Lagerkommissars. Das bestritt Freisler auch nie, wohl aber, er habe sich dem Bolschewismus angenähert und sei zum Kommunisten geworden – eine Episode in seiner Biographie, die bis heute nicht restlos geklärt ist.[76] Erst 1920 kehrte er nach Deutschland zurück. Freisler promovierte und schloss seine juristischen Staatsexamina 1923 ab. Der Volljurist wurde schon 1925 Mitglied der NSDAP. Zunächst diente er seiner Partei als Verteidiger für Parteigenossen, die wegen ihrer Gesetzesverstöße vor Gericht gestellt wurden. Schon bald arbeitete er ab 1935 als Staatssekretär im Justizministerium an der Indienstnahme der gesamten Justiz für den nationalsozialistischen Staat und Hitlers Ziele.

Der Volksgerichtshof war schon am 24. April 1934 gegründet worden. Nachdem die NS-Regierung damit unzufrieden

Präsident des Volksgerichtshofes 1942 bis 1945

war, dass das Reichsgericht im Reichstagsbrand-Prozess vier kommunistische Angeklagte freigesprochen hatte, wurde der Volksgerichtshof geschaffen und ihm die Zuständigkeit in Hoch- und Landesverratsfragen zugeschlagen. Um die Parteilichkeit dieses »Gerichts« im Sinne der NS-Führung sicherzustellen, wurde sein Personal – zwei Berufsrichter und drei Laienrichter pro Senat – nach politischen Kriterien ausgesucht. »Die Laienrichter stammen insbesondere aus der NSDAP, der SA, der SS und der Wehrmacht.[77] Die Bindung an übliche gerichtliche Verfahrensabläufe ist beim Volksgerichtshof weitgehend aufgehoben. Es gibt keine gerichtliche Voruntersuchung, Beweisanträge der Angeklagten zu ihrer Entlastung müssen nicht berücksichtigt werden.

So führte Freisler auch die beiden Prozesse gegen die Angeklagten aus dem Kreis der *Weißen Rose*. Ein halbes Jahr nach seiner Amtseinführung als Volksgerichtshofpräsident waren diese seine ersten spektakulären Verfahren, da die Flugblattaktionen, wie etwa Robert Mohr bemerkt, »Beunruhigung bis in höchste Parteikreise« erregt hatten. Freisler teilte daher mit, er wünsche »einen würdigen Saal« für die Verhandlung. Für diese begab er sich extra von Berlin, dem Sitz des Volksgerichtshofes, nach München, um der Forderung des Münchner Gauleiters Paul Giesler nach »Aburteilung« Rechnung zu tragen.

Während einer Volksgerichtshofverhandlung

Nach der Verlesung der Anklageschrift führte Freisler nach Belieben die Verhöre mit den Angeklagten. Weitere Prozessbeteiligte, vor allem die Verteidiger oder die Beisitzer Freislers am Gerichtstisch, griffen nicht ein. Im zweiten Prozess gegen Angeklagte aus der *Weißen Rose* geschah dies überraschenderweise dann doch. Hans Hirzel hat sich diese Szene besonders deutlich eingeprägt: »Er hat eine Art Privatissimum-Anfang über den Status und den Sinn dieses Gerichts gegeben. Er hat bekanntgegeben, daß das Gericht an kein Gesetz, an keine Prozeßordnung gebunden sei, was natürlich wesentlich ist. Er hat dann gesagt: ›Sehen Sie mal, wir haben nicht einmal ein Strafgesetzbuch bei uns!‹ – Da hat ihm ein Beisitzer ein Strafgesetzbuch, das er trotzdem, trotz dieser Auffassung bei sich hatte, zugeschoben. Worauf Freisler es packte, in den Saal warf, so daß es am Boden entlang schlidderte und brüllte: ›Wir brauchen kein Recht! Wir brauchen kein Gesetz! Wer gegen uns ist, der wird vernichtet.‹«[78]

Aus dem Kreis der *Weißen Rose* verurteilte Freisler sechs Menschen zum Tode: alle drei Angeklagten des ersten Prozesses am 22. Februar 1943, Hans und Sophie Scholl und Christoph Probst, im zweiten Prozess am 19. April 1943 Alexander Schmorell, Willi Graf und Professor Kurt Huber. Insgesamt hat der Erste Senat des Volksgerichtshofes, den Freisler leitete, zwischen 1942 bis Freislers Tod etwa 2295 Todesurteile gesprochen. Freisler war auch an seinem Todestag am 3. Februar 1945 mit nichts anderem befasst. Während einer Verhandlungspause tötete ihn bei einem schweren Fliegerangriff auf Berlin ein Bombensplitter.

Anmerkungen

1 Flugblätter der *Weißen Rose*, I, siehe S. 11 ff.
2 Inge Scholl, Die Weiße Rose, a. a. O., S. 18/19.
3 Flugblätter der *Weißen Rose*, I, siehe S. 11 ff.
4 So benannt nach dem Datum ihrer Gründung am 1. November 1929.
5 Brief an die Eltern. Bad Cannstatt, 14.3.1938, in: Hans und Sophie Scholl, Briefe und Aufzeichnungen, a. a. O., S. 16.
6 Tagebuch Hans Scholl, 20.9.1939, in: Hans und Sophie Scholl, Briefe und Aufzeichnungen, a. a. O., S. 26.
7 Otl Aicher, innenseiten des krieges, Frankfurt 1985, S. 71.
8 Brief an Rose Nägele, in: Hans und Sophie Scholl, Briefe und Aufzeichnungen, a. a. O., S. 53/54.
9 Hans Hirzel, Interview mit dem Verfasser, 15.7.1990.
10 Flugblätter der *Weißen Rose*, I, siehe S. 11 ff.
11 Vernehmung Hans Scholl, BA ZC 13267, Bd. 2.
12 Flugblätter der *Weißen Rose*, II., siehe S. 15 ff.
13 Vernehmung Alexander Schmorell, Sonderarchiv Moskau 1361-1-8808.
14 Flugblätter der *Weißen Rose*, II., siehe S. 15 ff.
15 IfZ München, Fa 215/Bd. 2.
16 Christian Petry, Studenten aufs Schafott, a. a. O., S. 17.
17 Der Oberreichsanwalt beim Volksgerichtshof, Anklageschrift gegen Schmorell u. a., in: Christian Petry, Studenten aufs Schafott, a. a. O., S. 18.
18 Nikolai Hamsaspian, Interview mit dem Verfasser, 2.3.1989.
19 Flugblätter der *Weißen Rose*, III, siehe S. 19 ff.
20 Gestapo-Vernehmungen Alexander Schmorell, Sonderarchiv Moskau 1361-1-8808.
21 Gestapo-Vernehmungen Alexander Schmorell, a. a. O.
22 BA ZC 13267, Bd. 4.
23 Siehe hierzu S. 339 ff.: Die Vernehmungsprotokolle von Mitgliedern der *Weißen Rose*.
24 Lilo Fürst-Ramdohr, Freundschaften in der Weißen Rose, München 1995, S. 60 f.
25 Inge Scholl, Die Weiße Rose, a. a. O., S. 44.
26 Interview Hans Hirzel mit dem Autor, 15.7.1990.
27 Bernhard Knoop, Ansprache zum Gedenken an Christoph Probst, in: ... damit Deutschland weiterlebt. Christoph Probst 1919–1943, Gilching, 2000, S. 133. Ursprünglich abgedruckt in: Schondorfer Berichte, 30. Jahrgang, Schondorf 1983. Bernhard Knoop heiratete später Anneliese Graf, die Schwester von Willi Graf.
28 Angelika Probst, Christoph Probst, in: ... damit Deutschland weiterlebt. a. a. O., S. 128 f. Ursprünglich abgedruckt in: Der Fährmann. Zeitschrift der katholischen Jungmänner-Gemeinschaft im Bund der deutschen Katholischen Jugend, Heft 3, 1947.

29 Christoph Probst, Abschiedsbrief an die Mutter, in: … damit Deutschland weiterlebt, a. a. O., S. 118. Diesen Brief hat Probsts Mutter Karin Kleeblatt nie ausgehändigt bekommen. Sie durfte den Brief nur einmal in Anwesenheit eines Gestapo-Beamten lesen, prägte ihn sich so gut wie möglich ein und schrieb ihn anschließend aus dem Gedächtnis nieder. So erging es auch Probsts Schwester Angelika, der bei dieser Gelegenheit offen erklärt wurde, man händige die Abschiedsbriefe nicht aus, denn »man wolle vermeiden, dass ein Märtyrer aus ihm gemacht werde«. Angelika Probst, Christoph Probst, … damit Deutschland weiterlebt a. a. O., S. 130.
30 Brief an Lisa Remppis vom 13.4.1941, in: Hans Scholl und Sophie Scholl, Briefe und Aufzeichnungen, a. a. O., S. 175.
31 Susanne Zeller-Hirzel, Interview mit dem Verfasser, 15.4.1989.
32 Diesen Ausspruch berichtet Inge Aicher-Scholl, in: Hermann Vinke, Das kurze Leben der Sophie Scholl, Ravensburg 1980, S. 43.
33 Hans Scholl und Sophie Scholl, Briefe und Aufzeichnungen, a. a. O., S. 130.
34 Hermann Vinke, Das kurze Leben der Sophie Scholl, a. a. O., S. 54.
35 Hermann Vinke, Das kurze Leben der Sophie Scholl, a. a. O.
36 Hermann Vinke, Das kurze Leben der Sophie Scholl, a. a. O., S. 56 f.
37 Brief an Fritz Hartnagel vom 9.4.1940, in: Hans Scholl und Sophie Scholl, Briefe und Aufzeichnungen, a. a. O., S. 140.
38 Interview Elisabeth Hartnagel mit dem Autor, 18.3.2004.
39 Brief an Fritz Hartnagel vom 23.9.1940, in: Hans Scholl und Sophie Scholl, Briefe und Aufzeichnungen, a. a. O., S. 163 / 164.
40 Inge Scholl, Die Weiße Rose, a. a. O., S. 41.
41 Es ist auch keine Aussage eines überlebenden Zeitzeugen aus dem kleinen Kreis der in die Verschwörung Eingeweihten bekannt, der diese Version von Hans oder Sophie erfahren und an Inge Scholl weitergegeben haben könnte.
42 Siehe BA ZC 13267, Bd. 3, Verhör Sophie Scholl: »Ich muß ganz entschieden bestreiten, sowohl mit der Abfassung, der Herstellung oder Verbreitung dieser Schrift auch nur das geringste zu tun zu haben.« – Auffällig ist: Für die Aktionen vom Herbst 1942 bis Februar 1943, deren realen Ablauf sie im Detail genau überblickte, nahm Sophie Scholl, um Freunde zu decken, geschickt und von der Gestapo unbemerkt deren Beteiligung auf sich – zum Beispiel die Autorenschaft des 5. Flugblattes und die Weiterverbreitung in Stuttgart durch Hans Hirzel und seine Helfer Susanne Hirzel und Franz Müller. Es wäre also in der Tendenz ihres Aussageverhaltens gelegen, auch für die ersten vier Flugblätter Verantwortung und Mitarbeit einzuräumen, etwa um Alexander Schmorell zu entlasten bzw. zu decken. Der Schluss liegt nahe, dass Sophie Scholl dies unterlassen hat, weil sie die realen Abläufe im Juni / Juli 1942 tatsächlich nicht kannte und es ihr daher nicht möglich war, präzise, nachprüfbare und dann passende Aussagen über ihre angebliche Beteiligung zu erfinden.
43 Interview Susanne Hirzel mit dem Autor, 15.4.1989.
44 Willi Graf, Briefe und Aufzeichnungen. Hrsg. von Anneliese Knoop-Graf und Inge Jens, Frankfurt 1988, S. 84.
45 Willi Graf, Briefe und Aufzeichnungen. Hrsg. von Anneliese Knoop-Graf und Inge Jens, Frankfurt 1988, S. 89.

46 Interview Heinz Bollinger mit dem Verfasser, 4.5.1989.

47 a.a.O.

48 Willi Graf, Briefe und Aufzeichnungen. Hrsg. von Anneliese Knoop-Graf und Inge Jens, Frankfurt 1988, S. 199f.

49 Ebenda, S. 88.

50 Hermine Meier, Ein Lehrer vertieften Denkens, in: Clara Huber (Hrsg.), Kurt Huber zum Gedächtnis. »... der Tod war nicht vergebens«, München 1986, S. 94.

51 Mirok Li, Kurt Huber und das Ausland, in: Clara Huber (Hrsg.), Kurt Huber zum Gedächtnis. »... der Tod war nicht vergebens«, München 1986, S. 162f.

52 Zitiert nach: Claudia Schorcht, Philosophie an den Bayerischen Universitäten 1933–1945, Erlangen 1990, S. 166.

53 NSDAP-Mitgliedsnummer 8282981, aufgenommen am 1.4.1940. Zuvor war Huber seit 1934 nur Mitglied der NSV und des Reichsluftschutzbundes, eine »Minimalvariante nationalsozialistischen Engagements«, siehe dazu: Michael Schneider, Winfried Süß, Keine Volksgenossen, Studentischer Widerstand der Weißen Rose, München 1993, S. 19ff.

54 Interview Clara Huber mit dem Verfasser, 23.12.1990.

55 Verteidigungsrede Kurt Huber, in: Christian Petry, Studenten aufs Schafott. Die Weiße Rose und ihr Scheitern, München 1968, S. 192f. Bei Petry ist Hubers Redemanuskript auf den Seiten 184–194 insgesamt abgedruckt.

56 Niederschrift Else Gebel November 1946 »Dem Andenken von Sophie Scholl gewidmet«, München, Fa 215/Bd. 3. Die Fotografie, die Ilse Gebel anspricht, stammt aus der von Jürgen Wittenstein aufgenommenen Serie, in der Sophie und Christoph Probst im Sommer 1942 von Hans Scholl, Alexander Schmorell, Willi Graf und den weiteren Freunden aus der Sanitätskompanie vor ihrer Abreise zur Feldfamulatur in der Sowjetunion am Ostbahnhof München Abschied nehmen.

57 Interview Walter Gebel mit dem Verfasser, 16.2.2004.

58 Ebenda.

59 Siehe dazu: Andreas Heusler/Tobias Weger: »Kristallnacht«, Gewalt gegen Münchner Juden im November 1938, München 1998, bes. S. 99, 107, 110.

60 Uhlfelder konnte am 2.7.1939 in die Schweiz emigrieren.

61 Staatsarchiv München, OLG 3499, Urteil I d OJs 185/43, Urteil gegen Plötz u. a. darunter Gebel.

62 Niederschrift Else Gebel November 1946 »Dem Andenken von Sophie Scholl gewidmet«, IfZ München, Fa 215/Bd. 3.

63 Ebenda.

64 Ebenda.

65 Bericht Robert Mohr, in: Inge Scholl, Die Weiße Rose, a.a.O., S. 173.

66 Bericht Robert Mohr, in: Inge Scholl, Die Weiße Rose, a.a.O., S. 178.

67 Bericht Robert Mohr, in: Inge Scholl, Die Weiße Rose, a.a.O., S. 178/179.

68 »Laut diktiert und auf nochmalige Nachlesung verzichtet« steht z.B. vor der Unterschrift von Sophie Scholls letztem Verhör am 20.2.1943.

69 Bericht Robert Mohr, in: Inge Scholl, Die Weiße Rose, a.a.O., S. 233.

70 BA ZC 13267, Bd. 3, Verhör Sophie Scholl.

71 Alle Angaben aus Personalakte Robert Mohr, BA BDC.

72 Z. B. Franz Müller, Hans Hirzel, Susann Zeller-Hirzel.
73 Interview Anneliese Graf mit dem Autor, 12.12.2003.
74 Ian Sayer/Douglas Botting, America's secret Army. The untold story of the counterintelligence corps, New York, Toronto 1989, S. 331.
75 Helmut Ortner, Der Hinrichter. Roland Freisler – Mörder im Dienste Hitlers, Wien 1993, S. 136.
76 A. a. O., S. 49 f.
77 Bundesminister der Justiz (Hrsg.), Justiz und Nationalsozialismus, Köln 1989, S. 152.
78 Hans Hirzel im Interview mit dem Autor, 15.7.1990.

IV. Der Film
Sophie Scholl – Die letzten Tage

Anmerkungen für Kapitel IV. auf den Seiten 333–338.

DAS DREHBUCH
Von Fred Breinersdorfer

VORBEMERKUNG ZUM DREHBUCH

Das Drehbuch wurde 2004 in voller Länge in 29 Drehtagen verfilmt. Der erste Rohschnitt enthält alle Szenen und Dialoge; er dauert 180 Minuten. Die ab Februar 2005 in den Kinos laufende Fassung des Films musste wegen der Überlänge erheblich gekürzt werden. Die hier abgedruckte Drehbuchfassung ist ungekürzt.

1. VORSPANN

Titel Sophie Scholl die letzten Tage

zugleich läuft im Off der Swingtitel *Sugar*

mit Billie Holliday

2. WOHNUNG SCHOLL, KÜCHE, NACHT / INNEN

Sophie und GISELA SCHERTLING hören mit dem Radio (nicht Volksempfänger) Feindsender. Die BBC – und über deren Sender auch Die Stimme Amerikas – spielten damals unter anderem populäre Swing-Titel. Diese Musik durfte in Deutschland niemand hören, deswegen kleben die beiden jungen Frauen fast mit den Ohren am Radio. Es läuft *Sugar*. Sophies Augen sprühen vor Begeisterung, und sie sieht, dass Gisela auch davon angesteckt ist. Sophie und Gisela trommeln auf dem Tisch.

Sophie Gleich kommt *sie*.

Ein Saxophonsolo. Sophie imitiert das Instrument, wie die Mädels heute Luftgitarre spielen.

Nun der Vokaleinsatz von Billie Holliday. An drei Stellen singen die Mädels mit und lachen.

Sugar, I call my baby my sugar …
Funny, he never asks for my money …

Und nun mit vollem »Einsatz« eine gut verständliche, besonders phrasierte Passage.

I made a million trips to his lips,
If I wherever be … (?)

Weil dieser letzte Satz schwierig zu verstehen ist, stocken die beiden kurz und lachen.

Cause he is sweeter than,
chocolate can be to me.
He's confectionary … (?)

Wieder so ein Stolperstein mit Gelächter.

Sophie schaut auf die Uhr und will das Radio abschalten.

Sophie Ich muss gehen. Tut mir Leid, Gisela.

Gisela hält sie zurück.

Gisela (bittend) Noch nicht.

Sophie lacht, bleibt dran, trommelt wieder.

Sophie Die Schwarzen sind einfach besser. Duke Ellington und Count Basie …

Gisela Satchmo!

Sophie Ella!

Gisela Dizzy Gillespie

Sophie Und Billie! Sie ist die Beste.

Die Vokalpassage ist vorbei. Sophie schaltet ab, verstellt den Sender und seufzt.

Sophie Aber vielleicht sitzen wir beide irgendwann in einem Konzert von Billie hier in München.

Gisela Schön wär's.

Sophie Ich muss wirklich weg.

Gisela Da hat es aber jemand eilig.

Sophie nimmt eine halb volle Aktentasche. Gisela blickt Sophie an und ahnt jetzt, dass Sophie nicht zu einem Rendezvous geht.

Gisela Ach so!

Die beiden Frauen verlassen, das Swingstück summend, die Wohnung.

3. FRANZ-JOSEF-STRASSE IN SCHWABING, NACHT / AUSSEN

Weil wegen der Luftangriffe die Stadt »verdunkelt« sein musste, gibt es kein Licht auf den Straßen.

Sophie verabschiedet sich mit einem Handschlag von Gisela.

Gisela Also bis morgen um 12 im Englischen Garten.

Sophie Vor dem Seehaus?

Gisela Ja. – Hans soll mich doch mal anrufen.
Sophie Sag ich ihm.
Gisela Hat er sich wieder beruhigt?
Sophie Du hättest ihn auch nicht so anschreien müssen. (lächelt) Aber er ist nicht mehr wütend.

Die beiden Frauen gehen in entgegengesetzter Richtung davon. Wir folgen Sophie ein Stück durch das nächtliche Schwabing.

4. ATELIER, NACHT / AUSSEN

Sophie nähert sich dem Eingang eines im Souterrain liegenden Malerateliers. Sie schaut sich vorsichtig um, dann klopft sie in einem vereinbarten Rhythmus an die Tür.

5. KELLER IM MALERATELIER,[1] NACHT / INNEN

Sophie tritt ein und schließt die Tür hinter sich wieder ab, während Hans, der ihr geöffnet hat, sofort zurück zur Arbeit geht.

Hans Endlich! Gib Willi die Umschläge. Los ... weiter ...

HANS SCHOLL, Alexander Schmorell (SHURIK) und WILLI GRAF in fieberhafter Arbeitsatmosphäre beim illegalen Drucken von Flugblättern.

Mit Sophie blicken wir uns um: Es herrscht unter den Studenten in dieser Nacht große Anspannung und zugleich Euphorie.[2] Hans steht an einer kleinen Matrizenmaschine, deren Kurbel er dreht. Shurik legt unbedrucktes »Saugpost-Papier« ein und nimmt die bedruckten Seiten wieder heraus. Willi

Graf sitzt an einem Tisch und beschriftet mit einer Schreibmaschine Umschläge mit Adressen, die er schon mit 8-Pfennig-Marken mit dem Hitler-Kopf frankiert hat, tütet jeweils ein Flugblatt ein und klebt den Umschlag zu. Die Adressen entnimmt er einem Heft, das vor ihm liegt.

Sophie zieht aus der Aktentasche etwa 200 neue Briefumschläge und gibt sie Willi Graf.

Willi Ist das alles?
Sophie Das ist der Rest, mehr war nicht da.

Willi nimmt die Umschläge und legt sie neben die Schreibmaschine, um sie zu beschriften. Sophie nimmt eines der Flugblätter und überfliegt es und liest murmelnd, ihre Stirn runzelnd:

Sophie »Erschüttert steht unser Volk vor dem Untergang der Männer von Stalingrad. 330 000 Männer hat die geniale Strategie des Weltkriegsgefreiten sinn- und verantwortungslos in Tod und Verderben gehetzt. Führer, wir danken dir: Es gärt im Deutschen Volk. Wollen wir weiter einem Dilettanten das Schicksal unserer Armeen anvertrauen? Wollen wir den niedrigsten Machtinstinkten einer Parteiclique den Rest unserer deutschen Jugend opfern? Nimmermehr! Der Tag der Abrechnung ist gekommen.«

Sophie lässt den Blick über den Text schweifen.

Sophie Ihr habt *die Passage* von Professor Huber gestrichen?
Willi (mit Kopfnicken Richtung Hans Scholl) Hans.
Sophie Und was sagt Huber dazu?
Hans Er ist wütend, aber ich weigere mich, die deutsche Wehrmacht zu verherrlichen.
Shurik Es geht doch sowieso nur um einen Satz.
Willi Der kriegt sich schon wieder ein.

Hans Sophie, hilf Willi ... wir sind gleich fertig.
Willi (zu Sophie) Wien ... München ... und dort Augsburg.

Sophie macht das. Wir sehen, die Post ist für München, aber auch für Wien und Augsburg.

Montage: Abziehen der Flugblätter, Beschriften der Umschläge, Eintüten der Flugblätter, Matrizenwechsel, Sortieren der beschrifteten Umschläge.

Ein ansehnlicher Stapel Flugblätter ist schon fertig abgezogen. Sie liegen auf dem Tisch vor Willi. Shurik legt die abgezogenen Blätter aus der Maschine einzeln auf den Stapel.

Willi beschriftet den letzten Umschlag. Es sind noch eine Menge Flugblätter (etwa vier Stapel von 6 cm) übrig.

Willi Waren das wirklich die letzten Umschläge?
Sophie Ja.
Willi Mist.

Die letzten Blätter fliegen durch die Maschine. Shurik legt sie auf den Stapel auf dem Tisch.

Hans Fertig. Briefe verteilen, Matrizen vernichten.

Die Griffe sitzen. Hans versteckt die Druckmaschine im Hintergrund unter Malerutensilien, Sophie nimmt gleichzeitig eine angebrochene, verkorkte Weinflasche aus einem Schrank. Shurik wickelt die gebrauchten, klebrigen Matrizen in den ›Völkischen Beobachter‹ und steckt sie in seine Jacketttasche.

Shurik (lacht) Die werfe ich bei der Gestapo in den Briefkasten.
Sophie Nur mit Visitenkarte.
Hans (grinst) Und morgen stehen wir mit Visitenkarte und Flugblatt im ›Völkischen Beobachter‹.
Shurik Und dann: Überall Beifall auf den billigen Plätzen.

Gelächter. Sophie ist fertig mit Sortieren. Willi reicht Hans die Briefmarken, die dieser in seiner Aktentasche verschwinden lässt.

Willi Hier, die Briefmarken.
Hans Danke.

Sophie nimmt vier Gläser aus einem Schrank, zieht den locker steckenden Korken aus der Weinflasche und füllt vier Gläser gut daumenbreit mit hellem Rotwein. Dabei zündet sie eine Zigarette an, zieht daran und gibt sie an Hans weiter. Auch Hans nimmt einen Zug und reicht die Zigarette an Shurik weiter, der auch zieht und sie dann Willi gibt. Willi tippt auf den Stapel fertiger Flugblätter.

Willi Und was ist mit dem Rest?

Hans nimmt den Packen übriger Flugblätter in die Hand.

Hans Die verteile ich morgen in der Uni.

Kurze Stille, Überraschung bei den anderen, einschließlich Sophie.

Willi (alarmiert) Bist du verrückt?
Hans (intensiv) Mensch Willi, der Aufstand der Studentinnen neulich im Deutschen Museum, da war es doch fast so weit.
Willi Gerade deswegen ist doch bei der Gestapo Alarmstufe eins. Und unsere Parolen überall an den Wänden!

Auch Shurik ist die Sache zu heiß.

Shurik Hans, wir verstecken die Flugblätter da hinten, bis wir neue Umschläge haben.
Hans Papiermangel. Es gibt keine mehr.

Willi Nachts was an die Wände schreiben, ist schon gefährlich genug, aber am helllichten Tag mit den Flugblättern in die Uni? Spinnst du?

Hans Willi, *jetzt* müssen wir was tun, *jetzt* bringen wir die Stadt in Bewegung.

Willi (fällt ihm ins Wort) *Gerade* jetzt nach Stalingrad wimmelt die Uni vor braunen Spitzeln.

Shurik wirkt nachdenklich, aber Hans scheint ihn mitzureißen.

Shurik (grinst) Wenn die Bolschewiken kommen, dann erwischen sie die Schlapphüte wenigstens gleich auf einem Haufen.

Willi (zu Shurik) *Du* hasst doch die Bolschewiken am meisten. (zu Hans) Hans, es ist Wahnsinn! Tu es nicht.

Hans Ich gehe während der Vorlesungen rein, da ist keiner in der Halle … und zack bin ich wieder auf der Straße.

Willi Zu riskant!

Sophie wirkt sehr nachdenklich. Hans sieht, dass Willi mit dem Ergebnis der Diskussion nicht zufrieden ist, er sagt besänftigend:

Hans Willi, *ich* alleine übernehme die Verantwortung.

Sophie sieht, dass die Skepsis von Willi nicht beseitigt ist. Blickwechsel mit Hans. Hans packt die Flugblätter in den Koffer. Seine Entscheidung steht fest. Willi lenkt ein.

Willi Sei wenigstens vorsichtig!

Hans Klar.

Sophie beobachtet einen Blickwechsel zwischen den Männern. Einen grundsätzlichen Dissens gibt es nicht. Sie stellt die Gläser auf den Tisch.

Sophie Hier!

Hans und Willi greifen nach den Gläsern. Shurik nimmt Sophie den Korken aus der Hand und zündet ein Streichholz an und kokelt den Korken. Sophie beobachtet amüsiert, wie sich Shurik mit dem angerußten Korken einen Hitlerbart malt und sich eine Hitlerlocke in die Stirn drapiert. Shurik nimmt sein Glas, hebt es und imitiert den »Gröfaz« (d. i. die damals übliche spöttische Abkürzung für »Größter Feldherr aller Zeiten«).

Shurik Volksgenossinnen und Volksgenossen, euer Führer Adolf Hitler hat sich im Namen des Deutschen Volkes entschieden, abzudanken. Mein Leben habe ich dem Untergang des Deutschen Volkes gewidmet. Jetzt ist es so weit. Ich beuge mein Haupt vor dem Flugblatt Nummer 6 der *Weißen Rose* aus München, der Hauptstadt der Bewegung, bekenne, dass ich ein militärischer Dilettant bin. Euer Gröfaz, der Größte Feldherr aller Zeiten.

Hand hoch zum eckigen Hitlergruß, wie Hitler selbst ihn ausführte. Gelächter. Die anderen knallen die Hacken zusammen und reißen die Hand zum »Deutschen Gruß« hoch.

Sophie Sie sind ein Defätist, mein Führer!
Shurik (auf Russisch) In den Müll mit dem Volksschädling! (auf Deutsch) In den Müll mit dem Volksschädling!

Damit wirft er den Korken in einen Papierkorb. Nun stoßen Sophie und die Studenten an.

Alle Prost.

Genussvoll trinkt Sophie den kostbaren Wein. Shurik kippt das Glas wie Wodka und wäscht sich das Gesicht. Die anderen genießen den Wein.

Willi Die Briefe für München und Augsburg gebe ich auf.

Willi verteilt die Umschläge.

Shurik (beim Waschen) Die für Wien gib mir.
Hans Den Leipelt nicht vergessen.
Shurik Den haben wir.

Willi legt sie auf die Seite.

Hans Die für Falk nehme ich nächste Woche mit nach Berlin. Stellt euch vor, die Berliner verteilen unser neues Flugblatt! (begeistert) Dann begreifen die Nazis, dass es sogar in der Hauptstadt Widerstand gibt.

Der Ruß in Shuriks Gesicht geht nur schwer ab. Er studiert sich in einem Spiegel.

Shurik Das geht überhaupt nicht mehr ab.
Hans Wenn du morgen mit der Rotzbremse in die Vorlesung kommst, reißen alle den Arm hoch.

Gelächter. Shurik wäscht an seinem Gesicht herum. Der Wein ist geleert.

Hans So, Leute, Abmarsch.

Sophie schwenkt unter dem Wasserhahn noch die Gläser aus und stellt sie ins Regal. Die Weinflasche verschwindet. Die Studenten nehmen ihre Mäntel und ziehen sie an. Hans nimmt den Koffer in die Hand.

Shurik Und mit dem Koffer voller Flugblätter willst du nachts durch Schwabing laufen?

Sophie entscheidet nach kurzem Nachdenken.

Sophie Den nehme ich.

Blickwechsel. Irritation bei Hans.

Willi Hans, ich finde es nicht richtig, dass Sophie …
Sophie Falls eine Kontrolle kommt, haben es Frauen leichter.

Blickwechsel zwischen Bruder und Schwester.

Shurik Sie hat Recht.

Willi seufzt. Nun stehen alle in den Mänteln beisammen. Sophie blickt sich ebenso kontrollierend um wie die anderen. Nichts mehr weist im Atelier auf das konspirative Treffen hin. Sie geben sich die Hand, schauen sich in die Augen. Jeder sagt zu dem anderen:

Allen Gewalten …

Willi löscht das Licht. Shurik geht im Dunkeln als Erster zur Tür, er öffnet einen Spalt und späht hinaus. Die Luft ist rein. Ein Wink mit dem Kopf. Die anderen gehen zur Tür, die Shurik aufhält.

Hans (im Vorbeigehen, leise) Shurik, wir treffen uns morgen Mittag bei dir. (Blickwechsel) Wenn ich aus der Uni komme.

Alle verstehen, dass Hans dann die Flugblätter verteilt haben will.

Shurik Gut. Bis Morgen.

6. ATELIER, NACHT / AUSSEN

Sophie geht an Willi und Shurik vorbei hinter Hans her ins Freie.

Sophie hakt sich bei Hans unter. Die beiden gehen weg.

Shurik schließt die Tür ab.

Willi und Shurik schauen den Geschwistern hinterher.

7. STRASSE VOR WOHNUNG SCHOLL, NACHT / AUSSEN

Kurz vor dem Hauseingang. Mitten im Gespräch. Die beiden sind gleich zu Hause und entspannen sich ein wenig.

Sophie Also gleich morgen?
Hans Die Nazis warten auch nicht. – Sag mal, wenn du morgen nach Ulm fährst, dann brauchst du doch am Wochenende deine Skistiefel nicht?
Sophie Für wen sind sie denn diesmal?

Hans lächelt.

Sophie Rose?

Keine Reaktion.

Sophie Traute?

Entschiedenes Kopfschütteln.

Sophie Gisela?

Hans grinst.

Sophie Glaubt Gisela auch, sie ist die Einzige?
Hans (verständnislos) Wie? Die Einzige?
Sophie Wundert sich der Hüttenwirt nicht langsam?

Hans lenkt ab.

Hans Sag mal, liegt eigentlich genug Schnee?

Ein langer, ironischer Blick der Schwester, dann lächelt sie, atmet die Luft tief ein und schaut in den Nachthimmel.

Im Weitergehen: Sophie sieht die Silhouette eines Mannes in Mantel und in Hut, an einer Ecke ganz in der Nähe ihres Hauseinganges wartend. Sophie schaut ihren Bruder an, der nach vorne blickt.

Die beiden wittern Gefahr, konzentrieren sich und fahren im Dialog so unverfänglich wie möglich fort, während Sophie den Koffergriff ein wenig fester packt.

Hans Die Zugspitzbahn fährt jetzt abends bis halb sechs.
Sophie Wenn du meine Skistiefel suchst, sie stehen in meinem Schrank, nicht im Schuhschrank.
Hans Wo?
Sophie Im unteren Fach. Und vergiss bitte nicht, sie einzufetten?
Hans Sicher.

Im selben Schritttempo geht Sophie mit ihrem Bruder auf den Mann zu. Er vertritt ihnen den Weg. Kurzer Schreck! Sophie und ihr Bruder sind gezwungen, anzuhalten.

Passant 'n Abend. Mal Feuer?
Hans Gerne.

Sophie beobachtet, wie Hans nach kurzem Suchen die Streichhölzer aus der Tasche zieht und eines entzündet.

Im flackernden Schein des Streichholzes sieht Sophie ein von Brandwunden grässlich entstelltes Gesicht. Der Mantel des Mannes ist abgewetzt. So sieht kein Gestapo-Scherge aus.

Passant (zu Hans) Danke. – Heil Hitler.
Hans Gute Nacht.

Der Mann zieht tief an seiner Zigarette und wendet sich ab. Er wartet weiter. Die Geschwister gehen erleichtert weiter. Blickwechsel.

Hans Phosphorbombe.

Die beiden betreten den Hausflur zum Hinterhof, wo es zur Wohnung geht.

8. WOHNUNG SCHOLL,[3] NACHT / INNEN

Montage: Sophie bereitet zwei Tassen Tee mit dem Samowar zu und stellt sie auf ein kleines Tablett. Warme Stimmung.

9. WOHNUNG SCHOLL, HANS' ZIMMER, NACHT / INNEN

Sophie betritt mit dem Tablett in der Hand Hans' Zimmer. Sie sieht ihn im Dunkeln müde am Tisch sitzen. Nun, mitten in der Nacht, scheinen seine Kraft und Energie erloschen zu sein. Er wirkt ausgebrannt und müde. Sie stellt eine der Teetassen auf den Schreibtisch. Dort liegt seine Aktentasche.

Hans Danke, Sophie.

Sie tritt hinter ihn und legt ihre Hände auf seine Schulter und massiert ihn kurz. Hans legt den Kopf zurück, denn die Berührung tut ihm gut. Schließlich geht Sophie zur Tür.

Sophie Mach nicht zu lang.
Hans Gute Nacht.

Sophie dreht sich an der Tür noch einmal um. Blickwechsel, Lächeln.

Wir bleiben kurz bei Hans. Er öffnet die Aktentasche, nimmt die Briefmarken heraus und legt sie in eine Schublade des Schreibtischs, die er öffnet. Wir sehen in der Schublade mit ihm ein Spritzbesteck, Medikamente und eine Pistole liegen. Darunter sehen wir verschiedene Briefe, handschriftliche und maschinengeschriebene, und eine angebrochene Packung Zigaretten.

10. WOHNUNG SCHOLL, SOPHIES ZIMMER, NACHT / INNEN

Sophie sitzt in ihrem Zimmer am Tisch neben der halb vollen Teetasse, nun schon im Nachthemd. Sie trägt darüber einen dicken, gestreiften Bademantel. Sophie hat nur eine Leselampe brennen, die einen Kreis warmen Lichts spendet. Auf dem Tisch liegt eines der Tagebücher, wir sehen ein Foto von Fritz und vielleicht noch ein oder zwei Kino- oder Konzertprogramme. Das Fenster ist verhängt. Ein Grammophon spielt ihr Lieblingsstück, das *Forellenquintett* von Schubert. Sie schreibt einen Brief. Gelöste, freundliche Stimmung, voller Zuversicht.

Sophie (voice over) Liebe Lisa! Ich lasse mir gerade das Forellenquintett vom Grammophon vorspielen. Am liebsten möchte ich daselbst eine Forelle sein, wenn ich mir das Andantino anhöre. Man kann ja nicht anders als sich freuen und lachen, so wenig man unbewegten oder traurigen Herzens die Frühlingswolken am Himmel und die vom Wind bewegten knospenden Zweige in der glänzenden jungen Sonne sich wiegen sehen kann. O, ich freue mich wieder so sehr auf den Frühling. Man spürt und riecht in diesem Ding von Schubert förmlich die Lüfte und Düfte und vernimmt den ganzen Jubel der Vögel und der ganzen Kreatur. Die Wiederholung des Themas durch das Klavier – wie kaltes klares perlendes Wasser, oh, es kann einen entzücken. – Lass doch bald von Dir hören.

Nun unterschreibt sie.

Insert Herzlichst! Deine Sophie

Sophie faltet den Brief zusammen und schiebt ihn in einen bereits frankierten und adressierten Umschlag.[4] Sophie stellt das Grammophon ab.

Im Off knarren die Dielen unter den vorsichtigen Schritten von Hans, die Tür wird leise ins Schloss gezogen. Sophies Blick wandert zur Tür, sie atmet tief durch. Sorge und Hoffnung.

Sophie löscht das Licht, zieht ihren Bademantel aus und legt sich ins Bett.

Ihr Bruder geht draußen im Off in sein Zimmer zurück.

Sophie träumt im Bett mit offenen Augen, bevor sie sich auf die Seite legt und in ihr Kissen kuschelt.

11. WOHNUNG SCHOLL, KÜCHE, TAG / INNEN

Donnerstag, der 18.2.1943

Ein herrlicher Vorfrühlingstag in München, warm wie im April.

Sophie bei einem frugalen Frühstück in der Küche. Bei der

Gestapoverhör: Sophie Scholl und Robert Mohr (Alexander Held)

Sophie und Else Gebel (Johanna Gastdorf) in der Zelle

Die Geschwister Scholl und Christoph Probst (Florian Stetter) auf der Anklagebank

Sophie vor Freislers (André Hennicke) »Volksgerichtshof«

Abschied von den Eltern (Petra Kelling und Jörg Hube)

Die letzte Zigarette

Einrichtung fällt ein prächtiger, russischer Samowar auf. Es gibt nur ein wenig hartes Schwarzbrot mit Marmelade von zu Hause. Die Marmelade reicht nur – hauchdünn – für ein Brot. Dazu gibt es Pfefferminztee.

Im Radio läuft leise eine Sendung der BBC / Stimme Amerikas, während Hans aus dem Flur hereinkommt. Er hat einen Zettel in der Hand. Sophie blickt hoch.

Sprecher Wichtigste Nachrichten: Die Russen haben südlich von Stalingrad weitere Ortschaften erobert. Deutsche Kriegsgefangene von der Stalingradfront klagen über Erschöpfung und Unterernährung. Britische Luftangriffe auf das Ruhrgebiet, 17 deutsch-italienische Jagdflugzeuge in einer Luftschlacht über Tunis vernichtet.

Hans ist mit einem halben Ohr bei den Nachrichten. Da schaltet Sophie ab und verstellt den Sender. Sie hat genug gehört.

Hans Man darf auch nicht alles glauben, was die BBC sagt. – Frau Schmidt ist wieder zu ihrer Schwester aufs Land gefahren, weil sie Angst vor den Luftangriffen hat. Wir sollen ihre Blumen gießen. Schöne Grüße.

Sophie kratzt mit einem Löffel in dem inzwischen praktisch leeren Marmeladeglas herum.

Sophie Ob Mutter noch Marmelade hat? Auf die Marken bekommt man nur noch Steckrübensirup.

Hans klappt den Koffer auf, den Sophie vergangene Nacht mitgenommen hat, und legt noch ein paar zusätzliche Flugblätter hinein, die er aus einem Versteck nimmt.

Hans Geduld. In ein paar Wochen hat sie wieder frische Erdbeeren im Garten.

Sophie schneidet das Brot durch und gibt ihrem Bruder die größere Hälfte. Während er den Koffer schließt, nimmt Hans die angebotene Brothälfte und beißt hinein.

12. WOHNUNG SCHOLL, TAG / INNEN

Sophie steht vor dem Spiegel, mustert ihre Kleidung. Hans tritt zu ihr, sie wendet sich zu ihm und fragt:

Sophie Unauffällig genug?

Hans nickt. Sie schauen sich an, sie wissen, jetzt wird es ernst. Pause, dann umarmen sich die Geschwister, verharren eine Zeit in der Umarmung.

Hans Heute fliegt der Funke in die Uni.

Schließlich lösen sie sich voneinander. Sophie nimmt den Koffer, Hans seine Aktentasche. Sie verlassen die Wohnung.

13. WOHNUNG SCHOLL, TREPPENHAUS, TAG / INNEN

Die Geschwister kommen in Mänteln die Treppe herunter. Sophie trägt den Koffer, Hans seine Aktentasche.

14. WOHNUNG SCHOLL, HAUSEINGANG, TAG / INNEN

Sophie blickt im Vorbeigehen in den Briefkasten und schließt ihn enttäuscht.

Hans Immer noch nichts von Fritz?

Sehnsuchtsvolles Kopfschütteln.

15. WOHNUNG SCHOLL, HOF, TAG / AUSSEN

Die beiden gehen in den sonnenbeschienenen Hof. Sophie blinzelt in die Sonne, atmet durch, lächelt.

16. RECHTE SEITE LUDWIGSTRASSE, NÄHE UNI, TAG / AUSSEN

Sophie geht mit ihrem Bruder, beide normales Schritttempo einhaltend, auf der rechten Seite der Ludwigstraße auf die Universität zu. Ihr Gepäck haben sie bei sich. Nicht nur sie hat einen Kloß im Magen. Sophie spürt Hans' Nervosität, ein Seitenblick, ein ermunternder Griff.

Sophie Denk ans Skifahren.

Erneuter Blickwechsel zwischen den Geschwistern. Sophie betritt mit ihrem Bruder die Universität.

17. UNIVERSITÄT MÜNCHEN, HAUPTGEBÄUDE, LICHTHOF UND FLURE, TAG / INNEN

An der Glastür sieht Sophie, dass ihnen plötzlich TRAUTE LAFRENZ und Willi Graf in der ansonsten leeren Halle entgegenkommen. Willi weiß natürlich, was gespielt wird. Traute, die nicht eingeweiht ist, sieht Sophie fragend an.

Alle durcheinander Morgen!
Traute Wir gehen rüber in die Nervenklinik. Hans, kommst du mit?
Hans Sophie fährt nach Ulm. Ich komme gleich nach.

Traute blickt den Koffer an.

Willi Los, komm.

Die Geschwister warten, bis Willi und Traute das Gebäude verlassen haben, dann sehen sie sich um. Die Luft ist sauber. Die beiden öffnen in einer Ecke den Koffer, nehmen Flugblätter heraus und legen sie rasch in kleinen Stapeln auf Simsen und Treppen und vor die Türen der Hörsäle, hinter denen man undeutlich dozierende Stimmen hört.[5]

Von irgendwo kommt ein lautes Geräusch, vielleicht ein Knall, als wäre etwas umgefallen. In der großen Halle hallt es nach. Sophie erschrickt, hält inne, lauscht. Sie hat noch nicht alle Flugblätter verteilt. Hans winkt ihr und geht zum Eingang.

Koffer zu. Sophie folgt. Raus!

18. VOR UNIVERSITÄT MÜNCHEN, HAUPTGEBÄUDE, WEG ZUM HINTERAUSGANG, TAG / INNEN

Sophie und Hans wollen die Uni mit Koffer und Aktentasche Richtung Azalienstraße verlassen. Hans befindet sich noch ein paar Schritte vor Sophie. Sophie schließt zu ihrem Bruder auf.

Sophie Hans, du weißt schon, dass noch welche im Koffer sind.

Hans zögert, überlegt, blickt auf die Uhr. Sophie sieht, er ist entschlossen, ein weiteres großes Risiko einzugehen.

Hans Warte hier. Oben liegen noch keine.
Sophie Ich geh mit.

Sophie schließt zu Hans auf, und die Geschwister gehen beschleunigten Schritts zurück Richtung Empore.

19. UNIVERSITÄT MÜNCHEN, HAUPTGEBÄUDE, EMPORE UND TREPPE, TAG / INNEN

Im Hauptgebäude gibt es im zweiten Stock eine Empore, über die man in die oberen Ränge des Audi Max gelangt. Sophies Blick schweift über den leeren Lichthof. Niemand ist zu sehen. Nur wieder die Geräusche des Dozierens.

Hans Mach schnell.

Sophie öffnet den Koffer und ihr Bruder legt dort auf der Balustrade mit raschen Griffen den Rest der Flugblätter in einem Stapel hin. Jetzt ist der Koffer leer. Blickwechsel. Euphorie strahlt in den Augen. Pausenklingel.

Hans (leise) Raus jetzt!

Koffer zu. Im selben Augenblick öffnen sich die Türen der Hörsäle und die Zuhörer strömen heraus. Es sind in der Mehrzahl Studentinnen, aber auch Studenten (nicht wenige in Uniform).

Im Weglaufen gibt Sophie dem Flugblattstapel mit der Hand einen übermütigen Stoß. Hans bemerkt dies und schaut irritiert zu Sophie, die mit einem übermütigen Lächeln antwortet.

Hans (alarmiert) Jetzt aber schnell.

Er nimmt ihren Arm und zieht sie mit.

Die Flugblätter fallen und wirbeln von der Balustrade in den Lichthof. Sophie beobachtet, wie die überraschten Kommilitonen nach oben zur Empore schauen, von wo die Flugblätter herunterschweben. Einige heben verstohlen und neugierig Exemplare der Flugblätter auf und beginnen zu lesen.

Sophie hört nun vereinzelt empörte Rufe von zwei Uniformierten.

Rufe Schweinerei so was.

Die Geschwister normalisieren ihren Schritt und mischen sich unter die Studenten auf der Treppe und können sich fast schon sicher fühlen.

Plötzlich die laute Stimme eines Mannes (SCHMIED), der mit starkem bayrischen Akzent ruft:

Schmied Halt, halt, stehen bleiben!

Für Sophie ein lähmender Schreck. Blick zu Hans. Der immer befürchtete, aber nie für real gehaltene Albtraum ist plötzlich Wirklichkeit. Zunächst weiß aber keiner der Studenten, wer gemeint ist. Irritierte Blickwechsel, einige sehen sich um, Sophie beschleunigt so unauffällig wie möglich ihre Schritte, ebenso wie Hans. Sie blicken nach vorne. Die beiden bemühen sich, sich nichts anmerken zu lassen. Schmied bahnt sich entschlossen durch die Studenten den Weg Richtung Sophie und Hans. In der Hand hat er ein paar Flugblätter, flüchtig aufgeklaubt.

Schmied Halt, Sie da … sofort stehen bleiben!

Aus dem Augenwinkel sieht Sophie Schmied näher kommen. Er faltet das Corpus Delicti und steckt die Flugblätter in seine Kitteltasche, kurz bevor er die Geschwister erreicht.

Schmied Stehen bleiben, Sie sind festgenommen, stehen bleiben, Kruzifix.

Der Betriebsschlosser Schmied hält die Geschwister mitten in der Bewegung an. Die beiden reagieren gelassen. Die meisten Studenten starren herüber. Sophie sieht ihren Bruder souverän seinen Schreck überspielen.

Hans *Was* ist?
Schmied Sie sind verhaftet!
Hans Unverschämtheit! Nehmen Sie die Hand weg! Sie können uns doch nicht in der Universität festnehmen!

Sophie sieht im Hintergrund einen uniformierten Studenten mit Flugblatt in einen Flur rennen. Kurz danach beginnt eine Alarmklingel zu läuten. Schmied geht Hans Scholl ziemlich an, er packt seinen Arm und schreit ihn an:

Schmied Sie waren die Einzigen da oben. Mitkommen!
Sophie Wir kommen vom Psychologischen Institut.
Schmied Nix! Die Flugblätter haben's dort runtergeworfen.
Hans Lächerlich.
Schmied Wenn Sie a Ehr' im Bauch haben, dann geben's es wenigstens zu.

Sophie stellt sich zum ersten Mal vor ihren Bruder, indem sie sich fast zwischen die beiden Männer drängt, und sagt:

Sophie Lassen Sie meinen Bruder. *Ich* habe das Papier dort runtergeworfen.

Sophie fängt einen vorwurfsvollen Blick ihres Bruders auf. Ein kleiner Auflauf ist entstanden. Schmied ist aufgeregt und drängt:

Schmied Das wird angezeigt. Mitkommen jetzt.

Wir folgen den beiden und Schmied durch ein Spalier der erstarrten Studenten noch ein Stück in einen Flur hinein, ständig das Geschelle der Glocke im Ohr.

20. UNIVERSITÄT MÜNCHEN, HAUPTGEBÄUDE, BÜRO DES SYNDIKUS, TAG / INNEN

Sophie wartet mit ihrem Bruder im Zimmer des Syndikus HEFNER, des leitenden Juristen der Universität, eines Mannes in Zivil, der etwa 50 Jahre sein dürfte. Im Off scheppert der Alarm weiter. Die Geschwister sitzen im Mantel, mit Koffer und Aktentasche, weit voneinander entfernt, und Sophie blickt ihren Bruder an. Ein kleines Lächeln der Ermutigung fliegt über ihr Gesicht. Sie beobachtet dann den Syndikus, der mit verschränkten Armen am Fenster im Licht der Sonne verweilt. Schmied sieht sie mit stolzgeschwellter Brust halb in ihrem Rücken stehen.

Endlich stellt jemand den Alarm ab.

Kurz darauf tritt Prof. WÜST ein, der Rektor der Universität München. Er trägt nicht etwa Zivil, sondern die Uniform eines SS-Generals. Schmied steht in seinem Arbeitskittel stramm, Hefner strafft sich.

Hefner und Wüst Heil Hitler.

Schmied behält seine stramme Haltung bei und sagt ungefragt:

Schmied Heil Hitler, zwei Studenten, männlich und weiblich, bei Abwurf von Flugschriftenmaterial noch nicht näher geprüften Inhalts im Lichthof gefasst und hierher verbracht. Flugschriften sichergestellt.

Schmied nimmt die Flugblätter, die er aufgelesen hat, vom Schreibtisch des Syndikus und hält sie Wüst hin. Der nimmt sie.

Wüst Danke, Schmied.

Der Rektor schaut die Geschwister an. Der Blick des Rektors zeigt unverhohlene Verachtung.

Wüst Schon wieder Zwergenaufstand an meiner Universität ... Na ja, wir kriegen auch die Rotbäckigen klein. Hefner, Sie suchen für die Staatspolizei die Akten heraus. Schmied, Sie schreiben einen Bericht.
Schmied und Hefner Jawohl.

Wüst gibt dem Syndikus eines der Flugblätter. Er und Hefner beginnen das Flugblatt zu überfliegen. Auch Schmied nimmt eines und beginnt zu lesen.

Schmied Überall liegen diese Zettel im Lichthof und auf den Treppen!

Erschrocken bemerkt Sophie, wie Hans die Gelegenheit nutzt, dass Wüst und die anderen beschäftigt sind. Sie sieht, wie Hans mit einer Hand heimlich ein Flugblatt in der Jacketttasche zu zerreißen versucht. Kurz lugt eine Kante des Papiers heraus. Sophie hält den Atem an. Ein flüchtiger Blickwechsel mit Hans. Wüst ist über den Text empört.

Wüst (zu Hefner) Das ist ja die Höhe.
Hefner Unglaublich!

Beide schauen zu den Geschwistern. Hans hält in der Bewegung inne und starrt geradeaus. Sophie reißt sich zusammen und lächelt mit ihrem unschuldigsten Lächeln die Männer an.

Wüst Das hat Folgen auch hier in meiner Universität, das sage ich Ihnen!

Im Off ist jetzt auf der Straße eine sich nähernde Polizeisirene zu hören, die lauter wird und abbricht. Unwillkürlich schauen die drei Männer zum Fenster. Schmied geht zum Fenster, schaut hinaus und nickt Wüst und Hefner zu.

Schmied Sie sind da.

Sophie sieht, wie es Hans gelingt, kleine Papierschnipsel und -krümel hinter sich auf den Boden rieseln zu lassen. Schmied schaut kurz herüber. Schmied fallen die Papierfetzen auf. Sofort ist er zur Stelle:

Schmied (aufgeregt) Da … da …, der Student hat da was.

Sophie sieht, wie Schmied Hans die Hand aus der Tasche zerrt. Ein halb zerrissenes, handschriftliches Blatt wird nun für alle sichtbar.

Schmied Noch ein Flugblatt.

Hans lässt sich nicht so einfach von Schmied angreifen, er reißt die Hand zurück. Doch nun kommt auch der Rektor her und herrscht Hans an:

Wüst Hergeben, oder wollen Sie, dass ich Gewalt anwenden lasse?

Sophie hört schnelle Schritte auf dem Flur und sieht, wie Hans die Papierfetzen in seiner Hand dem Rektor gibt, während Schmied hinter Hans auf die Knie gegangen ist und die Papierkrümel zusammenfegt und einsammelt.

Schmied Das gehört alles dazu.

Schmied legt seine Funde säuberlich auf ein leeres Blatt Papier. Er hält devot dem Rektor das Papier hin, sodass dieser die Schnipsel darauf legen kann, die er von Hans erhalten hat.

Es klopft. Sophie wendet den Kopf zur Tür. ROBERT MOHR tritt ein. Ihm folgen zwei Männer. Alle tragen Zivil.[6] Mohr hat einen Tuchmantel über dem Arm und einen Anzug mit Parteiabzeichen an, dazu trägt er eine Fliege. Die anderen Gestapomänner tragen die berüchtigten Ledermäntel und dazu Lederhandschuhe und einen Hut. Mohr wirkt ruhig, trägt sogar ein Lächeln zur Schau, es scheint Sophie sogar so, als würde sein Erscheinen die Situation kurz entspannen.

Mohr Mohr, Staatspolizei, Heil Hitler.

Routinemäßig zeigt Mohr kurz seine Dienstmarke.

Wüst, Schmied und Hefner Heil Hitler.
Wüst Das hier sind die beiden vorläufig Festgenommenen.

Sophie fällt auf, dass Mohr irritiert schaut. Er hat nicht eine so junge Frau und einen Studenten als Täter erwartet.

Schmied Ich habe …

Sophie sieht, wie der Rektor mit einem Blick den Mann zum Schweigen bringt.

Wüst Jawoll.

Mohr wendet sich an die Geschwister.

Mohr Können Sie sich ausweisen?

Sophie sucht ihren Studentenausweis aus der Tasche und gibt ihn Mohr, der sie mit einer Geste dazu auffordert, dann folgt ihr Bruder.

Mohr (mit prüfendem Blick auf die Fotos und Gesichter) Fräulein Sophia Magdalena Scholl und Herr Hans Fritz Scholl aus Ulm? Sie sind Geschwister?
Sophie und Hans Ja.

Mohr gibt die Ausweise an seinen Mitarbeiter weiter, der sie einsteckt. Mohr schaut Sophie prüfend an.

Mohr (zu sich) Das schwache Geschlecht ... 21 Jahre ... soll *das* der Widerstand gegen das Großdeutsche Reich sein, das ganz Europa im Griff hat?
Wüst Dieser junge Mann hat in meinem Beisein versucht, dieses Papier zu zerreißen.
Hans Den Zettel hat mir ein fremder Kommilitone in die Hand gedrückt, ich habe ihn vernichten wollen, weil es mich grundlos belasten könnte.

Mohrs Gesicht bleibt undurchsichtig. Sophie sieht, wie Wüst einem Gehilfen von Mohr das Papier mit dem zerrissenen Flugblatt reicht. Mohr wendet sich nun an Sophie. Schnitt auf den Koffer.

Mohr Gehört dieser Koffer Ihnen?
Sophie Ja, mir.
Mohr Abführen.

Ein Zeichen von Mohr, seine Begleiter ziehen Handschellen heraus und legen sie den Geschwistern mit einem Handgriff an.

Sophie und Hans werden abgeführt.

Im Hintergrund sehen wir, wie Mohr sich an Wüst und Hefner wendet und sagt:

Mohr Ich brauche die Studentenakten. Ich habe angeordnet, dass die Universität bis auf weiteres abgeriegelt bleibt. Es verlässt auch niemand vom Lehrkörper oder aus der Verwaltung das Haus.
Wüst Jawohl. Ich bleibe selbstverständlich auch.

21. UNIVERSITÄT MÜNCHEN, HAUPTGEBÄUDE, LICHTHOF, TAG / INNEN

Es ist sehr still geworden in der Haupthalle.

Sophie wird mit ihrem Bruder von den Gestapomännern, die Mohr begleitet haben, zügig durch die schweigende Menge der Kommilitonen zum Ausgang gebracht. Sie sind an den Händen gefesselt. Die Geschwister starren ins Leere. Mohr ist nicht dabei.

Sophie sieht Zivilisten von der Gestapo, wie sie Flugblätter von Boden aufsammeln. Einige wenige Studenten und Studentinnen helfen ihnen servil.

Hans sagt im Vorbeigehen leise in die Luft, meint aber Gisela Schertling:

Hans Geh nach Hause und sag Alex, er soll nicht auf mich warten.

Sophie bemerkt, wie Gisela nur mühsam Haltung bewahrt.

Gestapomann Los, weiter!

Die Geschwister werden in eiligem Schritt zum Ausgang geführt. Ein Uniformierter an der Tür hält diese auf.

22. VOR UNIVERSITÄT UND ZIVILFAHRZEUG, TAG / AUSSEN UND INNEN

Wir steigen mit Sophie und Hans in eine zivile, schwarze Limousine, die zwei Gestapoleute steigen zu. Die Limousine fährt los. Ein Gestapomann sitzt hinten zwischen den Geschwistern. Sie schauen geradeaus. Der Blick des Mannes pendelt prüfend und kontrollierend zwischen den Geschwistern. Sophie und ihrem Bruder ist die Anspannung anzusehen.

23. VOR WITTELSBACHER PALAIS, TAG / AUSSEN

Vorfahrt des Wagens vor dem mit zwei Löwen bewehrten Palais, vor dem eine SS-Wache steht. Die Wache öffnet ein seitliches Tor. Das Auto fährt hinein.

24. WITTELSBACHER PALAIS,[7] EINGANGSHALLE / FLUR, TAG / INNEN

Auf dem Weg die Treppe hinauf zum ersten Stock: Sophie an der einen Seite eines Gestapomannes (LOCHER), Hans an dessen anderer Seite. Ein weiterer Gestapomann aus der Uni folgt.

Locher ist der Assistent von Mohr. Der Mann wirkt auf Sophie ein wenig pomadig, wie ein »Stutzer«. Vielleicht hat er einen dünnen Oberlippenbart. Er spricht militärisch-barsch, aber mit bayrischem Dialekteinschlag. Im ersten Stock werden die Geschwister in einen Flur mit Bänken an der Wand geführt. Dort wartet ein weiterer Gestapomann.

Locher Scholl, Hans, gleich rein zum Mahler ins Verhör.

Der Mann nimmt Hans ruppig am Arm und zieht ihn zu einer offenen Tür unmittelbar neben sich.

Sophie bleibt kurz stehen, sieht ihrem Bruder nach, der an der Tür stoppt, sich umdreht. Blickwechsel und ein langes, inniges Lächeln. Sophie weiß, von nun an ist sie auf sich alleine gestellt.

Locher Kommen's endlich, Fräulein!

Sophie wird zur nächsten Tür gebracht. Locher öffnet die Tür und schiebt Sophie hinein.

25. WITTELSBACHER PALAIS, VORZIMMER ZUM VERNEHMUNGSZIMMER, TAG / INNEN

Locher hat Sophie in das Vorzimmer zum Büro von Mohr geführt. Sie sitzt mit pochendem Herzen auf einem Stuhl. Locher steht hinter ihr. Er hat sich an die Wand gelehnt und die Arme verschränkt. Sophie schaut geradeaus.

Die Tür geht auf. Mohr erscheint. Er trägt Sophies Koffer in der Hand und die Studentenakten sowie einen beträchtlichen Stapel Flugblätter aus der Universität unter dem Arm. Ohne Sophie eines Blickes zu würdigen geht er in sein Büro, das er vorher aufschließt. Nachdem er die Tür geschlossen hat, leuchtet an einer kleinen Lampenanlage neben der Tür das rote Licht auf.

Kurze Pause.

Die Lampe an der Tür springt auf weiß.

Locher Los geht's.

Sophie steht auf und geht zur Tür, wo ein Türsummer ertönt. Sie tritt ein.

26. WITTELSBACHER PALAIS, VERNEHMUNGSZIMMER,[8] TAG / INNEN

Sophie betritt das relativ große Büro Mohrs im Haupthaus und sieht sich um. Sie wirft ihrem Sachbearbeiter[9] einen forschenden Blick zu. Mohr holt gerade aus einem großen Aktenschrank, wo eine Menge nummerierte Ordner mit der Aufschrift *Weiße Rose* stehen, einen Stapel bunter Karteikarten hervor, die teilweise beschriftet (diese in blauer Farbe), teilweise unbeschriftet sind (weiß, rot und gelb). Die Notizen macht er höchst beiläufig. Es kommt nie zur Sprache, was er aufschreibt.

Mohr Setzen Sie sich.

Sophie tut das, ohne ihren Mantel auszuziehen, den Mann vorsichtig beobachtend.

Bei diesem Verhör sind die beiden noch alleine im Raum und noch ohne Protokollführerin. Sophies Blick geht zu dem dicken braunen Lederpolster an der Tür. Von hier wird kein Laut nach draußen dringen.

Auf dem Tisch vor sich sieht Sophie den Stapel von den in der Uni aufgesammelten Flugblättern. Den Koffer sieht sie nicht. Während der Vernehmung wird sich Mohr Notizen auf die momentan noch leeren Karteikarten machen, die er – ähnlich einem Patience-Spiel – vor sich hinlegt, wenn er sich darauf etwas notiert hat. Die weißen betreffen künftig Sophies Aussagen. Die roten sind für Hans, die gelben für die Mittäter. Auf den blauen hat er bereits bekannte Tatsachen eingetragen.

Sophie bleibt in dem ersten Verhör leise, zurückhaltend und schüchtern. Mohr tritt ihr förmlich-routiniert und hart wirkend entgegen.

Mohr wirft einen Blick in die Studentenakte und dann zu Sophie.

Mohr Scholl, Sophia Magdalena, aus Ulm, geboren am 9.5. 1921 in Forchtenberg. Evangelisch. Vater?

Sophie Robert Scholl, er war Berufsbürgermeister in Forchtenberg.

Mohr Ausbildung als Kinderschwester abgeschlossen?

Sophie Ja.

Mohr Studentin der Biologie und Philosophie seit Sommersemester 42. Vier Geschwister?

Sophie Ja.

Mohr Immer noch mit Zweitwohnsitz wohnhaft in München 23, Franz-Joseph-Straße 13, Gartenhaus, bei Schmidt?

Sophie Ja.

Mohr Vorbestraft?

Sophie Nein.

Bedrohlich erscheint ihr nun, wie Mohr langsam die Flugblätter auf dem Tisch in ihre Richtung schiebt.

Mohr Sie haben gegenüber dem Hausmeister der Universität zugegeben, dass Sie diese Flugblätter hier von der Balustrade geworfen haben.

Sophie sieht, wie er aufblickt und sie anschaut.

Sophie Die lagen auf dem Marmorgeländer herum. Ich habe ihnen im Vorbeigehen einen Stoß versetzt.

Mohr macht sich erste Notizen auf weiße Karteikarten.

Mohr Warum?

Sophie Solche Späße liegen in meiner Natur. Ich habe es ja auch gleich zugegeben.

Mohr Sie müssen dann doch wenigstens gesehen haben, wer die Flugblätter auf die Balustrade gelegt hat.

Sophie Nein.

Sophie hält den prüfenden, langen Blick von Mohr aus und zwingt sich zu einem Lächeln und einem bedauernden Achselzucken. Dann setzt sie hinzu:

Sophie Ich sehe aber ein, dass ich mit dem Hinunterstoßen der Zettel eine Dummheit gemacht habe. Ich bereue das, kann es aber nicht ändern.

Sophie beobachtet, wie Mohr einen Stapel Flugblätter vor sie hinhält. Mit der anderen Hand schiebt er einen Gesetzband Richtung Sophie, sodass sie auf dem Umschlag lesen kann: Strafgesetzbuch.

Mohr Fräulein Scholl, die Flugblätter, die Sie in der Universität abgeworfen haben, fallen unter die Kriegssonderstrafrechtsverordnung. Wollen Sie nachlesen, was auf Hochverrat und Feindbegünstigung steht?
Sophie Ich habe damit nichts zu tun.
Mohr Gefängnis, Zuchthaus oder Todesstrafe.
Sophie Ich habe wirklich nichts damit zu tun.

Sophie hält den prüfenden Blick des Gestapomannes aus. Sophie sieht, wie der Mann nun ihren Koffer hinter dem Tisch hervorholt und die Flugblätter Stapel um Stapel daneben legt.

Mohr Die passen genau.
Sophie Zufall.

Sophie blickt den Beamten offen an.

Mohr Warum nehmen Sie einen *leeren* Koffer mit in die Universität?
Sophie Ich will nach Hause, nach Ulm fahren, um die Wäsche zu holen, die ich letzte Woche meiner Mutter gebracht habe.

Mohr Nach Ulm? So weit wollen Sie? Mitten in der Woche?

Sophie Ja.

Mohr Nur wegen Wäsche?

Sophie Nein. Auch weil ich meine Freundin und ihr neugeborenes Kind sehen möchte. Außerdem ist meine Mutter krank.

Mohr Aber warum mitten in der Woche? Es sind doch Vorlesungen! Das wirkt überstürzt.

Sophie Weil meine Freundin früher als geplant nach Hamburg fahren will, habe ich die Reise vom Wochenende vorverlegt und wollte den Schnellzug um 12.48 Uhr nehmen. Ich habe mich am Holzkirchner Bahnhof mit dem Freund meiner Schwester verabredet. Sie können ihn fragen.

Mohr Name?

Sophie Otto Aicher. Er ist mit dem Zug aus Solln um halb 12 hier in München angekommen.

Mohr nimmt eine gelbe Karte und notiert beiläufig den Namen.

Mohr Aicher mit »e-i«?

Sophie Mit »a-i«.

Sophie hält dem prüfenden Blick des Mannes stand.

Mohr Hatten Sie denn keine schmutzige Wäsche für Ulm?

Sophie Nein, die kleinen Stücke wasche ich mit der Hand heraus und große Wäsche war noch nicht angefallen.

Mohr Es gibt also bei Ihnen keinen Bedarf für frische Wäsche, und Sie wollen mir im gleichen Atemzug erzählen, dass Sie extra einen leeren Koffer für frische Wäsche mit sich führen?

Sophie Ich wollte für die nächsten Wochen vorsorgen, wenn ich schon in Ulm bin.

Sophie beobachtet Mohr dabei, wie er eine Notiz auf eine weiße Karteikarte macht und dabei die Zigarette nach einem letzten Zug ausdrückt. Wie damals üblich wird er die Kippe nicht wegwerfen, sondern zurück in die Schachtel tun.[10]

Mohr Was haben Sie in der Universität gemacht, wo Sie doch nach Ulm wollten?

Sophie Ich hatte mich mit einer Freundin verabredet. (Sophie sieht Mohrs aufmerksamen Blick) Sie heißt Gisela Schertling.

Mohr nimmt eine weitere unbeschriftete gelbe Karteikarte und notiert den Namen.

Sophie Wir wollten heute um 12 Uhr im Seehaus im Englischen Garten zu Mittag essen und ...

Mohr Obwohl Sie nach Ulm wollten?

Sophie ... ich habe mich gestern Abend umentschieden und bin in die Universität gegangen, um Gisela abzusagen.

Es klingelt. Mohr drückt den Türöffner. Die Tür öffnet sich, Sophie sieht einen Gestapomann hereinkommen und wortlos Mohr einen Durchschlag eines mit Schreibmaschine geschriebenen Textes (Protokoll Aussage Schmied) hinlegen. Mohr schiebt ihm ein Stück den Koffer zu. Der Mann weiß offenbar, was zu tun ist. Er nimmt den Koffer und geht sofort wieder ab. Mohr wirft einen interessierten Blick auf den Text und legt ihn dann mit der beschriebenen Seite nach unten auf den Tisch.

Mohr Warum war Ihr Bruder mit Ihnen in der Universität, wo Sie doch nur der Schertling kurz absagen wollten?

Sophie Wir gehen oft zusammen in die Uni und Hans wollte in die Nervenklinik.

Mohr blickt kurz in die Aussage von Schmied.

Mohr Der Hausmeister sagt aus, Sie waren um 11 Uhr auf der Empore im 2. Stock. Was haben Sie dort gemacht?

Sophie Wir waren auf dem Weg zu Gisela, die in der Vorlesung von Prof. Huber über die Einführung in die Philosophie saß.

Mohr Aber die ist im ersten Stock.

Sophie Ja, und weil wir etwa 10 Minuten zu früh waren, habe ich meinem Bruder noch das Psychologische Institut gezeigt, wo ich öfters Vorlesungen besuche. Das liegt im zweiten Stock.

Mohr versucht eine Überrumpelung.

Mohr Und wo befanden sich da die Flugblätter?

Doch Sophie lässt sich nicht irreführen.

Sophie Ich habe Zettel überall auf dem Boden liegen sehen, wenn Sie das meinen.

Mohr Und nicht gelesen?

Sophie Doch, aber nur flüchtig. Und mein Bruder hat noch Witze darüber gemacht.

Mohr *Politische* Witze?

Sophie Nein, nur über die Vergeudung von Papier. Er ist so unpolitisch wie ich.

Mohr sucht eine blaue Karteikarte heraus.

Mohr Bei dem Zwergenaufstand der Studentinnen neulich im Deutschen Museum bei der Rede des Gauleiters ... waren Sie dabei?

Sophie Nein.

Mohr Aber Anwesenheit war doch Pflicht.

Sophie Ich halte mich aus allem Politischen heraus.

Mohr Wie stehen Sie dazu, wenn der Gauleiter im Deutschen

Museum vor wenigen Tagen sagt, Mädchen sollen lieber dem Führer ein Kind schenken, statt sich an der Universität herumzudrücken, und wenn er weniger Hübschen verspricht, ihnen einen seiner Adjutanten zuzuweisen?

Sophie (distanziert) Geschmacksfrage.

Sophie sieht, wie Mohr seine Notizen auf den blauen Karteikarten neu ordnet und sie dann anblickt.

Mohr Die Umstände, unter denen Sie in der Universität angetroffen worden sind, machen Sie verdächtig. (Pause) Ich rate Ihnen dringend, uneingeschränkt und ohne Rücksicht auf etwaige Nebenumstände die Wahrheit zu sagen.

Sophie Ich bestreite, auch nur das Geringste mit den Flugblättern zu tun zu haben, außer dem dummen Scherz. Ich verstehe ja, dass der Verdacht an uns hängen bleiben kann, wenn die richtigen Täter nicht gefunden werden. Aber wir haben wirklich nichts damit zu tun.

Sophie hält den Blick des Beamten aus. Mohr schlägt die Studentenakte auf und blickt hinein. Er legt eine neue weiße Karte vor sich hin.

Mohr Waren Sie beim Arbeitsdienst und Bund deutscher Mädel?[11]

Sophie Ja.

Mohr Aber 1941 sind Sie ausgetreten? Warum?

Sophie Ich gebe ganz ehrlich zu, dass ich in den letzten zwei Jahren nicht mit dem Herzen bei der Sache war, das lag daran, dass meine Schwester Inge, meine beiden Brüder und ich wegen so genannter bündischer Umtriebe verhaftet worden sind. Mich haben sie am Abend freigelassen. Die anderen sind nach Stuttgart gebracht worden und für Wochen ohne Urteil in Haft gekommen.

Notiz in die erste rote Karteikarte.

Mohr Die Bündische Jugend ist verboten.
Sophie Wir haben Lieder gesungen, sind gewandert, haben die Natur genossen ... Ich meine auch heute noch, dass das Vorgehen gegen uns in keiner Weise berechtigt war.

Lauernde Pause.

Mohr Also sind Sie gegen den Nationalsozialismus?
Sophie Ich gebe zu, dass ich für meine Person mit dem Nationalsozialismus nichts zu tun haben will.

Telefon. Mohr hebt den Hörer ab und hört aufmerksam zu.

Mohr Danke.

Er legt wieder auf. Auf eine der blauen Karteikarten macht er oben rechts beiläufig ein Kreuz.

Mohr Glauben Sie, dass uns Ihre wirkliche Gesinnung in dieser Untersuchung verborgen bleiben wird?
Sophie Ich bin doch ganz offen zu Ihnen.

Sophie bleibt äußerlich ruhig. Überraschend für Sophie sammelt Mohr seine Karten ein und verlässt den Raum. Sophie verharrt in innerer Spannung. Ihr Blick geht zum Fenster. Das Nachbargebäude liegt in der Mittagssonne. Mohr kommt schnell wieder.

Mohr Die Kollegen haben keine Spuren von diesen Flugblättern im Koffer gefunden. Und Ihr Bruder hat im Verhör Ihre Darstellung bestätigt.

Erleichterung und weitere Spannung mischen sich bei Sophie. Blick auf das Protokoll von Schmied.

Mohr Erleichtert?

Sophie gibt sich schüchtern-gelassen und nickt nur, als wäre das eine Selbstverständlichkeit.

Sophie Ich habe mir keine Sorgen gemacht.

Lange Pause. Prüfender Blick. Mohr nimmt den Telefonhörer ab und wählt. Sophie studiert dabei sein hageres Gesicht.

Mohr Protokollführerin soll kommen.[12]

Mohr macht sich Notizen auf einer weißen und einer blauen Karteikarte. Die Tür geht erneut auf. Sophie sieht eine Verwaltungsangestellte (PROTOKOLLFÜHRERIN), die auf leisen Sohlen eintritt, eine jüngere Frau in Zivil, welche die Schreibmaschine auf dem kleineren Tisch zur Seite rückt und einen Stenoblock mit Bleistift und Spitzer zurechtlegt. Sie bleibt eine graue Erscheinung mit einer Brille und ernstem Gesicht – stets unbeteiligt wirkend. Nur sehr selten kommt es zu einem Blickwechsel mit Sophie.

Mohr Ich diktiere jetzt ein Protokoll. Sie müssen genau zuhören und mich unterbrechen, falls etwas nicht mit Ihren Aussagen übereinstimmt. Haben Sie mich verstanden, Fräulein Scholl?

Sophie Ja.

Mohr Danach werden Sie erst mal hinten im Gefangenentrakt aufgenommen, aber je nachdem … vielleicht können Sie heute Abend doch noch nach Ulm fahren.

Sophie knetet unter dem Tisch und für Mohr nicht sichtbar nervös die Hände und schenkt Mohr ein kleines Lächeln.

Mohr[13] (zur Protokollführerin) Fertig?
Protokollführerin Ja.

Mohr nimmt die weißen Karteikarten und die Studentenakte und beginnt.

Mohr Ich bin in Forchtenberg, Landkreis Öhringen in Württemberg geboren, wo mein Vater Berufsbürgermeister war …

Die Protokollführerin beginnt zu stenographieren.

Sophie Richtig.

Hier gehen wir aus dem Verhör heraus.

27. WITTELSBACHER PALAIS, FLUR / EINGANGSHALLE, TAG / INNEN

Am späteren Nachmittag dieses Donnerstags:

Locher hat Sophie abgeholt. Er führt sie an anderen Studenten aus der Uni vorbei, die inzwischen verschüchtert und wortlos vor den Verhörzimmern auf der Bank warten. Gisela Schertling ist darunter. Sophies Blick gleitet über die Studenten und bleibt an Gisela hängen. Diese starrt sie angstvoll an. Sophie lächelt Gisela aufmunternd zu.

Ein Gestapomann aus der Universität tritt aus dem Zimmer gegenüber und ruft.

Gestapomann Metternich.

Ein Student in Feldwebeluniform steht zackig auf. Der Gestapomann drückt Metternich einen Entlassungsschein in die Hand.

Gestapomann Entlassungsschein. Heil Hitler!

Der Student reißt den Arm hoch und eilt sich, hinauszukommen.

Sophie wird von Locher die Treppe hinunter zum Gefängnistrakt geführt.

28. WITTELSBACHER PALAIS, UNTERIRDISCHER GANG, TAG / INNEN

Schattenloses Licht. Sophie versucht ihren Arm aus dessen Griff zu befreien und sagt energisch:

Sophie Bitte lassen Sie mich los.

Locher zieht sie weiter.

Locher Komm, los Fräulein, mitkommen! Ihr Studenten meint's auch, ihr könnt's uns hier drinnen alle mit eurem Gespinne auf Trab halten.

29. GEFÄNGNISBAU, AUFNAHME,[14] TAG / INNEN

Sophie wird von Locher eine Treppe hoch zur Aufnahme gebracht.

Locher Scholl, Sophie, Neuzugang.

Sophie zeigt ein unschuldiges Lächeln und tritt an den Tresen, an dem eine Frau von 38 Jahren sitzt, ELSE GEBEL, sie trägt keine Gefängniskleidung, sondern ein braves, hoch geschlossenes Kleid und darüber einen Kittel. Else sieht verblüfft Sophie an. So ein junges Ding! Sophie beobachtet, wie Else eine Karteikarte mit Sophies Namen für ihre Eintragungen heraussucht.

Else Bitte geben Sie mir Ihren Schal und legen Sie alles in den Karton, was Sie in den Taschen haben.

Else stellt einen Karton auf den Tresen. Sophie legt den Schal und was sie sonst noch hat auf den Tresen. Viel ist es nicht. Dabei hören wir im Off einen Teil aus der Sportpalastrede, die in einem Volksempfänger übertragen wird. Locher tritt zum Volksempfänger und stellt lauter.

Goebbels (off)
(O-Ton) Es muss jetzt zu Ende sein mit den bürgerlichen Zimperlichkeiten in diesem Schicksalskampf. Die Gefahr, vor der wir stehen, ist riesengroß, riesengroß müssen auch unsere Anstrengungen sein. Es ist also die Stunde gekommen, die Glaceehandschuhe auszuziehen. Jetzt müssen wir die Faust bandagieren. [...]
Ich frage euch: Wollt ihr den totalen Krieg? Wollt ihr ihn, wenn nötig totaler und radikaler, als wir ihn uns heute überhaupt vorstellen können?

Else notiert zunächst Sophies Namen auf dem Karton, nachdem sie einen anderen ausgestrichen hat, und dann die Gegenstände in einem Formular.

Else (murmelnd) Ein Schal, ein Geldbeutel, Studentenausweis auf den Namen Scholl, Sophie, Zigaretten und Streichhölzer. Ein Schlüsselbund mit vier Schlüsseln.

Sophie sieht, wie Locher zustimmend der Hetztirade von Goebbels folgt. Else steht auf.

Else Kommen Sie bitte mit.

Sophie folgt Else Richtung zweite Tür, deren Gitter Else aufschließt.

30. GEFÄNGNISBAU, GEFÄNGNISFLUR, TAG / INNEN

Sophie geht mit Else den Gefängnisflur entlang. Else öffnet eine Tür. Die beiden Frauen treten ein.

Voice over. Der Rest der Goebbels-Rede.

31. GEFÄNGNISBAU, DURCHSUCHUNGSRAUM, TAG / INNEN

Ein karger weiß getünchter Raum ohne Fenster mit ein paar Graffiti und Sporenflecken an der Wand. Helles schattenloses Licht. Ein Tisch, ein Stuhl, sonst nichts.

Else Ziehen Sie sich bitte aus und geben mir die Kleider.

Sophie zieht sich mit sachlichem Gestus aus.[15] Else sieht Sophie beiläufig zu und tastet ihre Kleider ab, sobald sie etwas abgelegt hat.

Else (leise) Wenn du was Belastendes bei dir hast, gib es mir, ich werfe es ins Klo.

Auf Sophies fragenden Blick.

Else Ich bin selber Häftling.

Sophie bleibt ruhig und freundlich und lässt sich ihre Zweifel nicht anmerken.

Sophie Ich habe nichts.
Else[16] Du kannst dich wieder anziehen.

Sophie tut das. Else macht auf den Tisch gestützt eine Notiz in ein Formular.

Else Hier geht's zu wie im Taubenschlag, seit die Flugblätter und die politischen Parolen an den Wänden aufgetaucht sind. Jeden Tag wird eine hoch gestellte Persönlichkeit hier vorstellig, (schadenfroh) die der Sonderkommission hinten reintritt.
Sophie Warum verhören die uns überhaupt? Ich habe gedacht, man kommt beim kleinsten Verdacht sofort nach Dachau.
Else Die Sonderkommission will wissen, wer alles dabei ist. – Mit dem Mohr als Sachbearbeiter hast du aber Glück. Der ist einigermaßen human.

Sophie kleidet sich weiter an.

Sophie Er hat gesagt, dass ich möglicherweise noch den letzten Zug nach Ulm nehmen kann.
Else Der Mohr hat aber angeordnet, du kommst vorläufig mit mir in die »Ehrenzelle«.

Sophie knöpft mit undurchsichtiger Miene ihr Kleid zu und folgt Else zur Tür.

32. GEFÄNGNISFLUR, TAG / INNEN

Sophie folgt Else und Locher zum Eingang einer Zelle. Locher schließt auf. Im Off hören wir noch Reste der Übertragung der Sportpalastrede aus der Aufnahme. Else trägt Decken und Handtücher über dem Arm.

Locher So, da samer. Eintreten die Damen. Dalli, dalli, ich will die Rede hören.

33. GEFÄNGNISBAU, ZELLE,[17] TAG / INNEN

Sophie betritt mit Else die »Ehrenzelle«. Locher schließt ab. Sie sieht sich um. Eine klaustrophobische Situation: Zwei Pritschen, ein Spind, ein Klo und ein Waschbecken, dazu das wenige, was man in der Zelle besitzen darf: ein dünnes Handtuch, ein Napf mit einem Trinkbecher aus Blech, ein Stück Seife für beide, nur eine Zahnbürste für Else (die Geschwister durften ja nichts aus der Wohnung holen) und deren Zahnpasta.

Else Eigentlich nur für »entgleiste« Bonzen.

Sophie setzt sich auf die Kante, so als gehöre sie nicht hierher. Sie rührt nichts an.

Sophie Haben Sie was von meinem Bruder gehört?
Else Dein Bruder war schon dran und wartet oben bei den Männern. Du bist momentan die Hauptverdächtige, weil du den Koffer getragen und die Flugblätter runtergestoßen hast. – Gestehe denen bloß nichts!
Sophie Es gibt nichts zu gestehen.

Zeit wird spürbar. Sophie lauscht auf die Geräusche im Off. Abtastender Blickwechsel.

Sophie Wie lange sind Sie schon hier?
Else Seit einem Jahr und fünf Tagen.
Sophie Und warum?
Else Sie haben mich mit einem Brief erwischt mit Ludwig Thoma-Zitaten gegen Hitler.

Else zitiert in ironischem Ton:

Else »Dürres Herz wie dürre Beine,
Kurz wie ein Gedankenstrich«,

Beide lachen, Else jedoch herzlicher als Sophie.

Else »Kommen wir mit uns ins Reine:
Dieser Mann ist fürchterlich!«

Sophie bricht das Lachen ab.

Sophie Aber Sie helfen der Gestapo?
Else Ich trage nur ein, wer kommt und wer geht …, als einzige Buchhalterin hier drin.

Pause.

Else Du fragst dich bestimmt, ob ich ein Spitzel bin, weil ich auf dieselbe Zelle gelegt worden bin?

Sophie schweigt.

Else Ich bin selber verraten worden. Ich würde das nie machen.
Sophie Ich verstehe nicht, wie man für diese Leute arbeiten kann.
Else Das wird einfach befohlen. (Pause, dann vorsichtig) Ich bin hier, damit du dich nicht umbringst …
Sophie Warum sind *Sie* gegen die Nazis?

Else Mein Bruder und ich sind Kommunisten, obwohl er ein hohes Tier bei einer Versicherung ist. Aber die Kommunisten halten zusammen, das hat mir imponiert. Und irgendetwas muss man tun.
Sophie Ja.

Sophie stellt sich an die Heizung und tastet mit den Händen über die Lamellen.

Sophie Es ist kalt.
Else Und im Sommer verdörrt man nachts vor Hitze.

Sophie verharrt im Weiteren stumm, wartet. Der leise Geräuschteppich des Knasts wird ihr bewusst. Dann wird unvermittelt die Zellentür aufgeschlossen.

Locher Scholl, Sophie, mitkommen.

Sophie nickt Else zu.

Else Ich hoffe, wir sehen uns *nicht* wieder … und alles Gute.
Sophie Ja, alles Gute!

Ein kurzer Händedruck. Sophie zieht ihren Mantel an und folgt ihrem Bewacher.

34. GEFÄNGNISBAU, AUFNAHME, ABEND / INNEN

Sophie betritt hinter Locher, immer noch im Mantel, den Raum. Hinter ihnen knallt das Gitter zum Flur zu. Auf dem Tresen liegt ein Papier, das Locher nimmt.

Locher So, Fräulein, das ist Ihr Entlassungsschein ... nochmal Glück g'habt.

Sophie atmet durch. Locher setzt sich, und beginnt den Schein auszufüllen. Im Off hören wir den Essenwagen quietschen.

Offstimme Essen fassen!

Gemurmel. Die Klappen in den Zellentüren knallen herunter. Blechnäpfe klappern. Sophie blickt zum Fenster und beobachtet, wie die Dämmerung blau über der gegenüberliegenden Fassade (hofseitig, 90° laufend) des Wittelsbacher Palais liegt. Quälendes Warten, während Locher in einem Stempelhalter nach dem geeigneten Stempel sucht.

Telefon, Locher nimmt ab.

Locher Aufnahme.

Locher hört kurz zu, schaut Sophie an und ruft:

Locher (ruft) Die beiden Scholls kriegen nichts zum Essen, es geht sofort weiter mit dem Verhör.

Sophie holt Luft wie nach einem Schlag in die Magengrube. Locher nimmt den ausgefüllten Entlassungsschein, steht auf und sagt:

Locher Mitkommen.

Wir folgen Sophie, die innerlich höchst alarmiert ist, mit Locher Richtung Treppe zum Gang.

35. WITTELSBACHER PALAIS, UNTERIRDISCHER GANG, NACHT / INNEN

Sophie mit Locher auf dem Weg zum Palais. Sie wirft Locher einen unsicheren Seitenblick zu. Der bleibt undurchsichtig.

36. WITTELSBACHER PALAIS, AUFNAHME, NACHT / INNEN

In einer Montage sehen wir, wie Sophie erkennungsdienstlich behandelt wird. In kurzen Einstellungen sehen wir, wie Fotos gemacht und ihre Fingerabdrücke abgenommen werden. Sophies Blick ist starr nach vorne gerichtet.

37. WITTELSBACHER PALAIS, VERNEHMUNGSZIMMER, NACHT / INNEN

Draußen ist es an diesem Februartag schon Nacht geworden.[18]

Sophie wird in das fast dunkle Vernehmungszimmer geführt, wo sie Mohr als Schatten am Fenster erkennt. Er bringt gerade die Verdunklung an. Locher legt den Entlassungsschein auf Mohrs Seite des Tisches und geht ab.

Mohr (undurchsichtig) Den Mantel können Sie ablegen. Setzen Sie sich.

Sophie hängt ihren Mantel auf und setzt sich. Mohr nimmt sich eine Zigarette und Feuer und raucht.

Mohr Zigarette?
Sophie Nein, danke.
Mohr Sie rauchen aber?

Sophie reagiert mit einem offenen Lächeln.

Sophie Gelegentlich.

Sophie orientiert sich, und ihr fällt auf, dass sich nun von Beginn an die Protokollführerin mit Stenoblock hinten im Schatten an den Schreibmaschinentisch setzt. Blickwechsel mit der unnahbar wirkenden, emotionslosen Frau. Mohr schaltet noch eine düstere Deckenlampe ein.

Sophie bemerkt eine Aktentasche auf dem Tisch. Die Sammlung von Karteikarten auf dem Tisch ist größer geworden. Mohr steht im Lampenschatten, zieht zunächst den Entlassungsschein ein wenig zu sich her, um einen Blick darauf zu werfen, dann schiebt er ihn zurück. Auf Sophie wirkt der Vernehmungsbeamte verändert, sehr undurchsichtig. Mohr tritt ein wenig aus dem Schatten, sein Gesicht wird erkennbar. Er zitiert aus einer gelben Karteikarte.

Mohr Ihr Vater hat letztes Jahr sechs Wochen eingesessen, weil er unseren Führer als »Gottesgeißel der Menschheit« bezeichnet hat.

Sophie Er ist wegen »Heimtücke« in Haft gekommen, und man hat ihm die Zulassung zum Beruf entzogen.

Mohr Nur Härte hilft dem Volksganzen, Fräulein Scholl. – Ich frage mich, wie Ihr Vater dazu gestanden hat, dass Sie beim BDM waren?

Sophie Unser Vater hat unsere Erziehung nie im politischen Sinne beeinflusst.

Mohr Typisch Demokrat! – *Warum* waren Sie beim BDM?

Sophie Ich habe gehört, Hitler will unserem Vaterland zu Größe, Glück und Wohlstand verhelfen und dafür sorgen, dass jeder Arbeit und Brot hat. Und dass jeder einzelne Deutsche ein freier und glücklicher Mensch ist.

Mohr So ist es doch auch gekommen, Fräulein Scholl. Einer alleine ist nichts, die Gemeinschaft alles. Da stimmen Sie mir doch zu?

Sophie zuckt mit den Schultern. Sie bemerkt am Aufglühen der Zigarette, dass Mohrs Emotionen geweckt zu sein scheinen. Er beobachtet sie.

Mohr Sind Sie ledig?
Sophie Ich bin verlobt. Mit Fritz Hartnagel. Er steht als Hauptmann an der Ostfront.

Pause. Notiz auf eine weiße Karteikarte. Eine unbeschriftete gelbe legt er heraus. Blickwechsel, dann die Frage.

Mohr Stalingrad?
Sophie Ja.
Mohr Sie machen sich Sorgen um ihn?
Sophie Ja.
Mohr Wann haben Sie ihn zum letzten Mal gesehen?
Sophie Vor über einem halben Jahr.

Mohr knipst das Vernehmungslicht an. Sophie blinzelt, sie sieht, wie Mohr in seine Aktentasche greift und eine Pistole 08 und ein Magazin auf den Tisch legt. Sophie begreift, dass die Gestapo in ihrer Wohnung war.

Mohr Kennen Sie die?
Sophie Mein Bruder hat so eine. Er ist Feldwebel bei der Wehrmacht.
Mohr Und was ist mit den 190 Patronen in Ihrem Schreibtisch ... Kaliber 9 mm?
Sophie Die gehören auch meinem Bruder.
Mohr Wann haben Sie in der letzten Zeit Briefmarken gekauft?
Sophie Vor etwa zehn oder zwölf Tagen.
Mohr Wo? Wie viele?
Sophie Beim Postamt 23 in der Leopoldstraße ... zehn Zwölfer ... vielleicht fünf Sechser, ich weiß nicht genau.

Mohr Nicht mehr?

Sophie leugnet tapfer.

Sophie Nein.

Sophie beobachtet, wie Mohr den uns schon bekannten kleinen Block mit 140 Acht-Pfennig-Marken aus der Tasche holt, den er vor Sophie auf den Tisch legt. Wir wissen, wie Sophie, dass Hans die Marken in seine Schublade gelegt hat.

Mohr Kennen Sie diese Marken?
Sophie Nein.
Mohr Wirklich nicht?
Sophie Nein.

Mohr betrachtet die glühende Spitze seiner Zigarette und wartet vergeblich auf eine weitere Erklärung. Dann fährt er in aller Ruhe fort:

Mohr Wir haben diese hier im Zimmer Ihres Bruder gefunden. Warum haben Sie uns verschwiegen, dass er derartige Mengen an Porto für Postwurfsendungen besitzt?
Sophie Sie haben gefragt, wann und wo *ich* in letzter Zeit Marken gekauft habe.

Mohrs Augenbrauen ziehen sich zusammen, er raucht wieder schneller. Er notiert auf weißen und roten Karteikarten.

Mohr 140 Stück! – Wer von Ihnen wollte diese Marken wozu verwenden? Was sollte per *Postwurfsendung* zum Versand kommen?
Sophie Grüße an Freunde und Familie. Wir schreiben viel.

Telefon. Mohr nimmt ab und legt wieder auf, nachdem jemand kurz ein Wort gesagt hat. Mohr drückt den Türsummer. Doch die Tür wird noch nicht geöffnet.

Mohr Also, kennen Sie diesen Briefmarkenblock!
Sophie Ich vermute nur. Sie haben die Briefmarken doch bei meinem *Bruder* gefunden. Nicht bei mir.

Sophie bemerkt halb aus dem Augenwinkel, wie die Tür leise aufgeht und ein fremder Mann in Zivil eintritt, der VORGESETZTE von Mohr, älter als dieser, kurz geschorene Haare. Sie beobachtet einen Blickwechsel zwischen den Beamten. Der Mann bleibt regungslos und beobachtend mit verschränkten Armen an der Tür im Rücken von Sophie stehen. Sophie wagt nicht, sich umzuschauen.

Mohr Besitzen Sie eine Schreibmaschine?
Sophie Die im Zimmer meines Bruders gehört unserer Wohnungsgeberin. Sie hat sie uns geliehen, damit mein Bruder etwas tippen kann.
Mohr Was?
Sophie Einen Aufsatz über philosophische und theologische Fragen.

Mohr zieht eines der Flugblätter aus seiner Tasche. Es ist das mit dem Titel »An alle Deutschen«.

Mohr Nicht dieses Flugblatt?
Sophie Nein.
Mohr Vielleicht solche Sätze[19] wie »Hitler kann den Krieg nicht mehr gewinnen, nur verlängern« ... oder ... Oder vielleicht: »Ein Verbrechertum kann keinen deutschen Sieg erringen« ... oder »Das kommende Deutschland kann nur föderalistisch sein ... Freiheit der Rede, Freiheit des Bekenntnisses.« ...

Sophie Das stammt nicht von Hans.
Mohr Von Ihnen?
Sophie Nein.

Notiz in eine weiße und eine rote Karteikarte.

Mohr Aber Sie glauben an so eine Ordnung der Welt.
Sophie Ich bin und bleibe unpolitisch.

Mohr legt das Flugblatt vor Sophie auf den Tisch.

Mohr Jedenfalls ist mit der Schreibmaschine aus Ihrer Wohnung, laut Schriftvergleich, diese Schmähschrift geschrieben worden, die auch Anfang des Monats an zahlreiche Empfänger unter anderem in Augsburg und München verschickt wurde.
Sophie Davon weiß ich nichts.

Sophie steckt den Treffer weg. Der Vorgesetzte gibt Mohr einen Wink. Mohr versteht und geht hinaus.

Mohr (zu Sophie) Sitzen bleiben. (zur Protokollführerin) Passen Sie auf.

Sophie blickt sich nun doch um und sieht, wie der Vorgesetzte hinter beiden die Tür schließt. Sophie blickt dann zur Protokollführerin hinüber, die kalt und abweisend wirkt.

38. WITTELSBACHER PALAIS, VERNEHMUNGSZIMMER, NACHT / INNEN

Wir bleiben bei der verunsichert wartenden Sophie. Die Protokollführerin schaut sie kalt an und klopft mit dem Stift auf den Tisch. Sophie gibt sich keine Blöße vor der Frau und setzt sich aufrechter hin.

Mohr tritt mit ein paar Blättern geschriebenem Text ein, die er auf den Tisch legt. Die Karteikarten schiebt er ein kleines Stück zur Seite. Mohr öffnet einen weiteren Umschlag. Er zieht daraus ein handschriftliches Flugblatt hervor, das zum Teil in kleine Fetzen zerrissen war und von jemand in Kleinarbeit zusammengesetzt und auf ein Papier geklebt worden war. Er legt es Sophie vor.

Mohr Sie waren ja dabei, wie wir bei Ihrem Bruder dieses Pamphlet gefunden haben, das er vernichten wollte. Kennen Sie das Papier?
Sophie Nein.
Mohr Lesen Sie, bevor Sie was Falsches aussagen.
Sophie (zitiert) »200 000 deutsche Brüder wurden geopfert für das Prestige eines militärischen Hochstaplers.«
Mohr An was erinnert Sie das?

Fragendes Kopfschütteln.

Mohr Doch wohl sehr genau an die Musik, die in den anderen sechs Flugblättern spielt.

Sophie antwortet nicht.

Mohr Und die Handschrift?
Sophie Kenne ich nicht.
Mohr Ach hören Sie doch auf! Der Urheber dieses Pamphlets ist ein gewisser Christoph Probst, ein Freund von Ihnen aus Innsbruck.

Sophie erschrickt innerlich, äußerlich wirkt sie eine Sekunde unsicher.

Mohr Wir haben bei Ihnen Briefe von ihm gefunden. Die Handschrift stimmt überein. Probst, auch Medizinstudent von Führers Gnaden. (mit zynischem Unterton) Sohn eines wohlhabenden Privatgelehrten ohne Dozentur. Familienmensch mit Gemüt und der Liebe zu den Bergen seiner Heimat ... während andere an der Front verrecken. Auch so ein privilegierter Nestbeschmutzer. – Wer hat denn außer Ihrem Bruder und dem Christoph Probst noch bei den Flugblättern geholfen?

Sophie Lassen Sie die ständigen Unterstellungen!

Mohr umschreibt mit einer Geste die Beweisstücke auf dem Tisch vor Sophie.

Mohr Die Existenz dieser Beweise aus Ihrer Wohnung haben Sie mir mutwillig verschwiegen, obwohl Sie zu wahrheitsgemäßen und vollständigen Aussagen verpflichtet sind!

Sophie Ich kann nur zugeben, was ich weiß.

Mohr Wollen Sie hören, was Ihr Bruder zu diesen Beweisen sagt, nachdem er, wie Sie, um den Brei herumgeredet hat?

Sophie gelingt nur die Andeutung eines Nickens. Langsam, Sophie nicht aus dem Auge lassend, dreht Mohr die Papiere um.

Mohr »Nachdem ich geglaubt hatte, dass die militärische Lage nach der Niederlage an der Ostfront und dem ungeheuren Anwachsen der militärischen Macht Englands und Amerikas eine siegreiche Beendigung des Krieges unsererseits unmöglich macht, gelangte ich nach vielen, qualvollen Überlegungen zu der Ansicht, dass es nur noch ein Mittel zur Vermeidung weiterer sinnloser Opfer und der Erhaltung der europäischen Idee gäbe, nämlich die Verkürzung des Krieges. Andererseits war mir die Behandlung der von uns besetzten Gebiete und Völker ein Gräuel.«

Schwerer Treffer, aber Sophie widerspricht.

Sophie Das ist doch bloß eine politische Erklärung, keinerlei Stellungnahme zu den Vorwürfen.
Mohr Das ist Wehrkraftzersetzung und Hochverrat!
Sophie Ich kann mir auch nicht vorstellen, dass mein Bruder solche Aussagen macht.

Sophie spürt, wie ärgerlich Mohr inzwischen ist.

Mohr Sie glauben wohl, dass Ihnen hier falsche Aussagen vorgehalten werden?

Sophie beugt sich nach vorne, spricht mit Kraft und Konzentration.

Sophie Solange es mir mein Bruder nicht selbst sagt, glaube ich nicht, dass er solche Angaben gemacht hat.
Mohr Ihr Bruder fällt damit rücksichtslos unseren Soldaten in den Rücken.
Sophie Er fällt keinem in den Rücken, er argumentiert.

Mohr nimmt eine gelbe Karteikarte, als müsse er sich den Namen vergegenwärtigen.

Mohr Denken Sie an Ihren Verlobten ... Fritz Hartnagel, Fräulein Scholl! Was würden Sie ihm sagen, wenn er hier wäre?
Sophie Dass der Krieg verloren ist und jedes weitere Opfer umsonst.

Mohr, der Kriminalist, arbeitet sich Schritt für Schritt weiter, er sagt:

Mohr Das Maleratelier Eickemayr sagt Ihnen doch was?

Sophie weiß in diesem Augenblick, dass sie keine Chance mehr hat. Die Gestapo hat das Atelier und den Apparat gefunden. Ihre Gegenwehr bricht zusammen. Dennoch kämpft sie noch ein letztes Mal verzweifelt.

Sophie Ja. Eickemayr ist seit Monaten in Krakau als Architekt und hat uns den Schlüssel zu seinem Atelier überlassen, damit wir Freunden seine Bilder zeigen …

Mohr unterbricht barsch:

Mohr Die Fingerabdrücke auf dem Vervielfältigungsapparat stammen von Ihrem Bruder.
Ihr Bruder hat auch zu Protokoll gegeben, alles alleine gemacht zu haben, alle sechs Flugblätter entworfen zu haben, vervielfältigt, verteilt, er will in einer Nacht alleine 5000 Stück in München ausgelegt haben.

Mohr wirft das Geständnis vor Sophie auf den Tisch und deutet auf die Unterschrift von Hans.

Mohr Sie wohnen mit Ihrem Bruder zusammen, Sie sind mit ihm zusammen auf der Empore gewesen. Da wollen Sie uns weismachen, dass Sie mit all dem nichts zu tun haben? Sie wollen die Pamphlete in der Uni für harmlose Zettel gehalten haben? – Geben Sie doch endlich zu, dass Sie mit Ihrem Bruder die Flugblätter hergestellt und verteilt haben.

Sophie weiß, dass es keinen Ausweg mehr gibt. Sie gesteht.

Sophie Ja – und ich bin stolz darauf!

Stille. Sophie beobachtet Mohr, wie er den immer noch vor ihm liegenden Entlassungsschein nimmt und zusammenfaltet und ihn in die Innentasche seines Jacketts steckt. Auf einer weißen Karteikarte macht er einen Haken an einem Text, den er mit der Hand geschrieben hat.

Sophie Was passiert mit meinem Bruder und mir?
Mohr Sie hätten sich das alles früher überlegen müssen, Fräulein Scholl.
Sophie Kommt unsere Familie in Sippenhaft?
Mohr Das entscheiden andere.
Sophie Ich möchte auf die Toilette.

Mohr schaut auf die Uhr.

Mohr Jetzt nicht.

Sophie ist nun psychisch angeschlagen, verliert ihre aufrechte Haltung, antwortet auf die folgenden Fragen leise und schleppend, ohne Mohr anzusehen, der nun seine blauen Karteikarten konsultiert und auch dort Notizen macht, die er teilweise auf den weißen wiederholt.

Mohr Wer hat die Flugblätter verfasst?
Sophie Ich.
Mohr (ärgerlich) Sie lügen ja schon wieder, Fräulein Scholl! (dann maliziös und freundlich) Wir haben schon vor Wochen ein wissenschaftliches Gutachten anfertigen lassen, wonach der Verfasser wohl mit an Sicherheit grenzender Wahrscheinlichkeit ein Mann ist. Geistesarbeiter. Ihr Bruder!

Mohr deutet auf das Corpus Delicti vor sich und Sophie auf dem Tisch.

Mohr Und wer hat die Schmähschriften zum Versand gebracht?
Sophie Mein Bruder und ich.

Sophie ist so blass, dass man ihr glaubt, dass es ihr schlecht ist.

Sophie Entschuldigung, ich muss jetzt auf die Toilette.

Mohr ist genervt. Er schiebt die weißen Karteikarten zusammen und klopft den so entstandenen Stapel auf den Tisch.
Er nimmt das Telefon ab und sagt:

Mohr Locher! Toilette!

Sophie sieht, wie Mohr zum Waschbecken geht, ein Glas mit Wasser füllt und eine Tablette nimmt, während Locher eintritt und sie mitnimmt.

Locher Kommen's!

39. WITTELSBACHER PALAIS, FLUR, NACHT / INNEN

Sophies Gang über den Flur mit Locher auf die Toilette, wir bleiben dicht bei Sophie und beobachten, wie sie die neue Situation verarbeitet.

40. WITTELSBACHER PALAIS, TOILETTE, NACHT / INNEN

Ein großer Abort mit einer geätzten Scheibe. Davor sieht Sophie die Silhouette von Locher. Sie ist erschöpft, trinkt Wasser aus dem Hahn, kühlt damit auch ihre Stirn, fährt sich durch die Haare und betrachtet ihr blasses Gesicht im Spiegel. Sie ordnet mit ihrer Haarklammer ihr Haar. Dann lehnt sie den Kopf an den Spiegel und versucht Kraft zu sammeln.

Mit Tränen in den Augen verabschiedet sie sich innerlich von Ulm, Familie und ihrer Freiheit. Sie atmet tief ein.

Locher klopft drängend an die Tür.

Nun geht sie mit veränderter Haltung in die folgende Fortsetzung ihres Ringens mit Mohr.

41. WITTELSBACHER PALAIS, FLUR, NACHT / INNEN

Auf dem Weg zurück zum Verhör begegnet Sophie plötzlich ihrem Freund und Mitverschwörer Willi Graf.

Willi und seine Schwester Anneliese werden von zwei Zivilisten flankiert, sie sind an den Händen gefesselt.

Anneliese Lassen Sie mich los! Sie sollen mich loslassen!
Mann Ruhe jetzt.

Als Willi und Anneliese an der offenen Tür des benachbarten Vernehmungszimmers vorbeigeführt werden, hört Sophie im Off ihren Bruder rufen:

Hans (off) Was wollt ihr denn mit *denen* hier?

Sie sieht, wie Willi an ihr vorbeigeht, ohne sie zur Kenntnis zu nehmen, genauso wie Sophie sich nicht anmerken lässt, dass sie Willi und dessen Schwester kennt.

Locher Kennen's die Kollegen, Fräulein Scholl?

Keine Antwort.

Locher Jetzt geht's Schlag auf Schlag.

Sophie passiert nun die offene Tür und sieht in einem großen Raum, ähnlich ihrem Vernehmungszimmer, im Schein der Vernehmungslampe ihren Bruder sitzen. Hans lächelt erschöpft, aber aufmunternd. Locher schiebt Sophie weiter.

Locher Gehma! Nächste Tür rechts, Sie kennen das ja schon.

42. WITTELSBACHER PALAIS, VERNEHMUNGSZIMMER, FRÜHER MORGEN / INNEN

Freitag, 19.2.1943

Schnitt in die Fortsetzung des Verhörs. Die Protokollführerin tippt dabei aus ihrem Stenogramm ab und Mohr schaut ihr dabei über die Schulter, während er die Befragung fortsetzt.

Mohr Was ist mit den Schmierereien: »Nieder mit Hitler« und »Freiheit« und den durchgestrichenen Hakenkreuzen, an der Universität, in der Ludwigstraße, am Marienplatz, in der Kaufingerstraße und in Schwabing?
Sophie Die stammen von meinem Bruder und mir.

Mohr seufzt müde. Er konsultiert eine gelbe Karteikarte.

Mohr Ihr Bruder hat nach seiner Festnahme in der Universität gesagt: »Geh nach Hause und sag Alex, wenn er da ist, er soll nicht auf mich warten.« Die Schertling stand ganz in der Nähe. Das war doch eine Aufforderung zur Flucht an den Schmorell?

Zum ersten Mal nennt Mohr den Namen eines engen Mitverschwörers. Doch Sophie ist wach genug, sich den Treffer nicht anmerken zu lassen.

Sophie Hans war mit Schmorell verabredet und wollte nicht, dass er vergeblich wartet.
Mohr Haben Sie mit dem Schmorell über die Pläne gesprochen?
Sophie Nein.

Andere gelbe Karteikarte. Die Protokollführerin ist mit dem Tippen fertig und zieht das Kohlepapier aus den Durchschlägen, sortiert die Blätter und reicht Mohr das Original.

Mohr Und mit Graf?
Sophie Auch nicht.

Wir sehen, dass Mohr Sophie nicht glaubt. Müde sagt er.

Mohr Warum lügen Sie denn immer noch, Fräulein Scholl?
Sophie Ich lüge nicht.

Mohr nimmt die Verdunklung vor dem Fenster weg. Sophie blickt in den über dem Gebäude gegenüber mit weichem Licht heraufziehenden Vorfrühlingstag. Mohr gähnt, wirkt übermüdet und nur mühsam konzentriert. Sophie dagegen wirkt konzentriert und aufmerksam, sie steckt wieder mit einer Klammer ihr Haar zurück.

Er bricht das Verhör ab und stopft sich von den eingesammelten Kippen eine Pfeife und zündet sie an. Die Karteikarten bleiben relativ ungeordnet auf dem Tisch liegen. Er schiebt Sophie das getippte Geständnis zu.

Mohr Hier. Ihr Geständnis von heute. Unterschreiben Sie.

Sophie wirft einen Blick darauf und nimmt den Federhalter, den ihr Mohr hinhält, und unterschreibt.

Sophie sieht Mohr dann an die Tür gehen, sie öffnen und hört ihn nach seinem Assistenten rufen.

Mohr Locher!

Locher tritt ein.

Sophie nimmt im Hinausgehen ihren Mantel vom Haken und über den Arm.

43. WITTELSBACHER PALAIS, UNTERIRDISCHER GANG, MORGEN / INNEN

Sophie geht aufrecht und sehr nachdenklich zurück in den Gefängnistrakt. Sophie bemerkt, wie Locher sie von der Seite mit unverhohlenem Interesse mustert.

Locher Was ist jetzt mit der Revolution?

Sophie ignoriert trotzig den Gestapomann.

44. GEFÄNGNISBAU, ZELLE, MORGEN / INNEN

Sophie betritt angeschlagen und blass, aber erhobenen Hauptes die Zelle. Sie sieht schräges Morgenlicht durch das Souterrainfenster hereinfallen.

Else hat mit der Decke um die Schulter auf sie gewartet und ihr Frühstück aufgehoben. Sophie sieht, wie Else aufsteht, die Decke ablegt und zu ihr kommt.

Sophie Frühstück?
Else Ich hab's aufgehoben. Komm, setz dich.

Sophie setzt sich an den Tisch. Else legt ihr ihre Decke um die Schultern.

Sophie Wie geht es meinem Bruder?

Else Er ist auch zurück in der Zelle, aber heute Nacht sind noch zwei Studenten gekommen, Geschwister wie ihr.

Sophie nickt. Sie hat ja die beiden Grafs gesehen. Ein kurzer Moment der Entspannung für Sophie. Else setzt sich zu Sophie und ist sehr gespannt und neugierig. Die Nähe der Frau tut Sophie gut.

Else Alle reden darüber, wie ihr zwei kämpft.

Sophie nickt mit einem traurigen Lächeln.

Sophie Gekämpft, aber verloren! Sie haben uns die Sache mit den Flugblättern nachgewiesen.

Else nimmt die Nachricht mit Schreck auf, aber sie versucht routiniert, wie sie im Kerkerbetrieb ist, die Sache einzuordnen.

Else Verdammt! – Das bedeutet, dass ihr vorläufig hierbleibt. (Pause) Aber Kopf hoch! *Mein* Bruder und ich sind seit einem Jahr und sechs Tagen eingesperrt, und sie haben uns bis heute nicht den Prozess gemacht.

Nun hofft auch Sophie wieder und sagt mit einem Seufzen:

Sophie Du hast Recht, das dauert bestimmt.
Else Geduld lernst du hier. Zeit gewonnen, alles gewonnen. – Und nach dem Prozess werden sie dich höchstens nach Dachau schicken und deinen Bruder in eine Strafkompanie.
Sophie Hoffentlich!

Sie beginnt nun zögernd, aber erleichtert das trockene Brot mit Margarine von einem verbeulten Blechteller zu essen.

Else Der Mohr soll heute Nacht zum Locher gesagt haben: Solche Leute braucht Deutschland eigentlich. Man müsste euch halt gründlich umerziehen. Vielleicht probieren sie es mit »weltanschaulicher Schulung«. – Aber die werden sich alle noch umgucken. Das sage ich dir.

Sophie Warum?

Else Selbst die hohen Tiere oben haben Fracksausen. Viele reden davon, dass die Invasion in 8 bis 10 Wochen kommen muss. Und dann geht's Schlag auf Schlag, und Deutschland wird befreit.

Sophie Und wir?

Else (intensiv) Sie werden uns als Erste befreien, weil wir gegen die Nazis sind.

Sophie Wann werden unsere Eltern benachrichtigt?

Else Das weiß ich nicht.

Sophie Wenn meine Mutter erfährt, dass wir verhaftet sind. Das verkraftet sie nicht. Sie ist schon über 60 und seit Monaten krank. – Und wenn die Gestapo wieder bei uns vor der Tür steht und sie dann noch in Sippenhaft kommt ...

Else Und dein Vater?

Sophie Der ist zehn Jahre jünger. Er hat uns immer viel von seiner Kraft geschenkt.

Else Dann ist sie ja nicht alleine.

Sophie Und meine Schwestern sind ja auch noch da.

Sophies Bett ist bezogen. Ein Nachthemd liegt darauf. Sie isst nicht auf, setzt sich zuerst auf die Kante, dann lässt sie sich nach hinten sinken und zieht die Decke um den Oberkörper zusammen.

Schräge Sonnenstrahlen fallen auf ihr Gesicht.

Sophie verschränkt die Hände hinter dem Kopf und starrt an die Decke, kurz darauf flattern ihre Augenlider, sie schläft ein.

Else deckt sie noch mit ihrem Mantel zu.

45. GEFÄNGNISBAU, ZELLE, TAG / INNEN

Die Sonnenstrahlen sind verschwunden. Nun liegt das Zellenfenster im Schatten. Sophie schläft tief auf der Seite liegend auf der Pritsche.

Außen rennen Männer über den Hof. Wir hören Befehle.

Offstimme Aufsitzen!

Autos springen an und fahren vom Hof. Sophie erwacht davon. Dann wieder Stille.

Sophie setzt sich auf, schüttelt ihre Haare aus dem Gesicht und orientiert sich. Sophie sieht Else auf ihrer Pritsche sitzen, in die Decke eingehüllt. Sie hat Sophie im Auge behalten wollen, ist darüber aber eingenickt.

Sophie tritt leise ans Waschbecken, um Else nicht zu wecken, und beginnt sich die Zähne mit dem Finger und ein wenig Zahnpasta zu reinigen.

Locher tritt nun ein.

Locher Ziehen Sie sich an, Fräulein Scholl, in fünf Minuten machen wir weiter.

Else erwacht. Locher geht ab.

Else Was ist denn *jetzt* wieder los ... so ein Arschloch.

Else steht auf und beginnt im Hintergrund schweigend Sophies Bett zu machen.

Blickwechsel. Übereinstimmung zweier Häftlinge.

46. WITTELSBACHER PALAIS, VERNEHMUNGSZIMMER, TAG / INNEN

Sophie in einem vertiefenden Verhör von Mohr mit der Protokollführerin. Vor Mohr liegen nun die gelben Karteikarten aufgefächert. Daneben die blauen. Rot und weiß spielen eine untergeordnete Rolle.

Draußen der Ausschnitt vom Nachbargebäude in strahlendem, sehr schrägem Februarlicht. Mohr lässt nicht locker. Jetzt wird es um ihre Freunde gehen. Mohr blickt auf, nimmt eines der Flugblätter und beginnt:

Mohr (zitiert) »Wir schweigen nicht, wir sind euer böses Gewissen! Die *Weiße Rose* lässt euch keine Ruhe.« – Wer sind »wir«?

Sophie Das hat mein Bruder geschrieben.

Mohr Unter dem Flugblatt Nr. 4 steht als Letztes: »Bitte vervielfältigen und Weitersenden.« (er nimmt das Flugblatt Nr. 5 und zitiert) »hier am Ende ist die Rede von Widerstandsbewegung«. Das hört sich nicht nach Einzeltäter an.

Sophie Es gibt keine Gruppe.

Gelbe Karteikarte.

Mohr Was wissen Sie über Willi Graf?

Schwieriges Terrain, weil Sophie weiß, dass Willi auch festgenommen worden ist.

Sophie Feldwebel, er studiert Medizin wie mein Bruder. Er kommt gelegentlich zu uns.

Mohr Wir wissen, er hat in dem Maleratelier geholfen, die Flugblätter zu vervielfältigen.

Sophie Sie werden seine Fingerabdrücke gefunden haben. Aber er war zu einem ganz anderen Zeitpunkt im Atelier.

Mohr Wann?

Sophie Mitte Januar, als wir die Bilder von Eickemayr unseren Freunden gezeigt haben. Deswegen sind auch noch die Fingerabdrücke von anderen im Atelier.

Mohr muss akzeptieren, dass Sophie ihn gut gekontert hat. Er wirft ihr einen Blick zu und notiert etwas auf der gelben Karteikarte, die anscheinend Informationen über Willi enthält. Er nimmt eine andere.

Mohr Wer war noch dabei? Schmorell?

Sophie Kann sein. Ich weiß es nicht, weil ich nur am Anfang kurz da war und dann ins Konzert gegangen bin.

Mohr Wissen Sie, was Graf über seinen Fronteinsatz gesagt hat?

Sophie registriert: Jetzt werden auch die Grafs verhört! Umso vorsichtiger ist sie.

Sophie Nein, ich habe mit ihm nicht über Russland gesprochen.

Mohr »Das Elend sieht uns überall an«, sagt der Graf.

Sophie Das ist doch wohl so.

Mohr Er meint aber nicht das Elend, das die Bolschewisten dort verursacht haben, sondern den Krieg. – Graf gehört doch auch zur *Weißen Rose*?

Sophie Nein.

Langes Schweigen, prüfender Blick von Mohr, den Sophie aushält.

Mohr Was wissen Sie über Schmorell?

Sophie Auch Feldwebel und Medizinstudent. Er ist mit meinem Bruder befreundet.

Mohr zieht weitere gelbe Karten.

Mohr Der Vater ist Halbrusse, die Mutter Russin, da liebt er doch Russland?

Sophie Ja, aber er hasst die Bolschewisten, die seine Familie vertrieben haben. Er fühlt sich als ganzer Deutscher.

Mohr Zieht der junge Mann es nicht schon seit geraumer Zeit vor, mit dienstverpflichteten jungen Russinnen zu verkehren, statt dass er sich eine rassisch einwandfreie Frau sucht, wo er selber zweifelhafter Herkunft ist?

Sophie Das ist doch seine Privatsache.

Mohr Wie nennen Sie ihn im Freundeskreis?

Sophie Mein Bruder und ich nennen ihn scherzhaft Shurik.

Mohr Und politisch?

Sophie Schmorell ist ein reiner Gefühlsmensch, der politischen Gedankengängen unzugänglich ist.

Sophie sieht, wie Mohr beiläufig eine Tablette aus dem Röhrchen in den Mund steckt und sie langsam im Mund zergehen lässt, wenn er spricht. Er kehrt zu der Frage der Mittäter zurück, er nimmt eine blaue Karteikarte.

Mohr Hat Probst Salzburg und Linz mit Flugschriften versorgt?

Sophie Nein. Hans hat ihn nicht eingeweiht, schon alleine wegen Probsts Frau und seinen drei Kindern.

Urplötzlich reißt nun doch Mohrs Geduldsfaden, er schlägt mit der flachen Hand auf den Tisch und fährt Sophie an:

Mohr Sie haben, verdammt nochmal, hier die Wahrheit zu sagen. Ich erwarte, dass Sie mir endlich Ross und Reiter nennen.

Sophie ist zunächst wegen des Schlages zusammengezuckt, aber sie lässt sich nicht aus dem Konzept bringen. Mohr bemerkt, wie ihn die Protokollführerin wegen seiner Emotionen verblüfft anschaut. Er blickt weg:

Mohr Graf Anneliese?

Sophie erklärt sich im Folgenden zu harmlosen Fakten und Einschätzungen der Personen, über die Mohr etwas wissen will. Das geschieht spontan und wirkt ehrlich. Mohr hantiert mit gelben Karteikarten und macht kurze Notizen.

Sophie Insgesamt bin ich acht bis zehn Mal mit ihr in Berührung gekommen.
Mohr Über was wurde gesprochen?
Sophie Über Literatur und Wissenschaft. Die Graf halte ich für völlig unpolitisch.
Mohr Unpolitisch, aber eingeweiht?
Sophie Ich bestehe darauf, dass die Graf mit unseren Flugblättern nicht das Geringste zu tun hat.
Mohr Ganz anders als ihr Bruder Willi?
Sophie Der auch nicht.
Mohr Und die Schertling?
Sophie Gisela treffe ich öfter, seit wir in München studieren. Ich kenne sie vom Arbeitsdienstlager Krauchenwies. Sie ist gut nationalsozialistisch eingestellt.
Mohr Wenn es nach Ihnen geht, Fräulein Scholl, dann wimmelt das ganze Reich von Unpolitischen und Anhängern der Bewegung.
Sophie Dann ist für Sie ja alles in bester Ordnung, Herr Mohr.

Nach einem langen Blick kommt Mohr auf die offenbar von der Gestapo beweisbaren Fakten zu sprechen. Dazu holt er sich einen der Aktenordner aus dem Aktenschrank und schlägt ihn auf.

Mohr Insgesamt hat die so genannte *Weiße Rose* nach unseren Feststellungen alleine im Januar 10000 Blatt Abzugspapier und 2000 Briefumschläge beschafft. Wer war das?
Sophie Mein Bruder und ich.

Mit einem Seitenblick in die Akte und auf seine blauen Karten.

Mohr Es mag glaubhaft klingen, weil die ersten vier Pamphlete nur Hunderter-Auflagen hatten. Aber Sie wollen mir doch nicht erzählen, dass Sie und Ihr Bruder ganz *alleine* von der fünften und sechsten Schmähschrift *Tausende* Blatt gedruckt und zum Versand gebracht haben?
Sophie Wir haben Tag und Nacht gearbeitet.

Mohr gibt sich Mühe, nicht ärgerlich zu werden.

Mohr *Neben* den Vorlesungen, die Sie nachweislich besucht haben?
Sophie Ja. Wir haben den Anschein erwecken wollen, unser Widerstand hätte eine breite Basis.

Mohr fasst Sophie ins Auge, sie erwartet einen neuen Angriff.

Mohr Wir wissen, dass Ihr Bruder, Graf und Schmorell sowie ein gewisser Furtwängler und ein Wittenstein zusammen an der Ostfront waren. Alle studieren in München. (lauernd) Da sollen sie sich nicht auch politisch ausgetauscht haben?
Sophie Mein Bruder hat mir vom Grauen des Massensterbens erzählt und nicht über seine Kameraden gesprochen.
Mohr Das glaube ich Ihnen nicht, Fräulein Scholl.
Sophie Heute ist doch jeder extrem vorsichtig geworden, wenn es um politische Äußerungen geht.
Mohr (grinst) ... wie man an Ihren Flugblattaktionen sieht. (plötzlich ernst) Woher stammen eigentlich die Adressen?

Mohr hält Sophie ein Heft mit Adressen vor.

Sophie Aus Telefonbüchern im Deutschen Museum abgeschrieben.

Mohr zieht eine blaue Karteikarte aus seiner Sammlung und zitiert:

Mohr Nehmen wir Stuttgart: Am 27. Januar und am folgenden Morgen sind dort etwa 700 Flugschriften bei der Post eingeworfen worden. Gleichzeitig sind hier in München am selben Tag rund 2000 Flugblätter ausgelegt worden. Das kann doch ihr Bruder unmöglich alleine gemacht haben ... 2000 Stück!

Sophie entspannt sich, weil sie überprüfbare Fakten nennen kann, um sich zu belasten und andere zu entlasten.

Sophie Ich bin am 27. mit dem Schnellzug abends nach Stuttgart gefahren und habe die Flugblätter im Koffer dabei gehabt. Nach der Ankunft habe ich etwa die Hälfte in Bahnhofsnähe in Briefkästen eingeworfen, den Rest am Tag darauf in Vororten.

Mohr hakt auf seinen Notizen auf verschiedenen Karteikarten Fakten ab.

Mohr Wo haben Sie die Nacht verbracht?
Sophie Im Warteraum 2. oder 3. Klasse, genau weiß ich das nicht mehr.

Sophie sieht, Mohr hakt wieder ab und fasst sofort nach.

Mohr Ihr Bruder alleine kann aber am 28. Januar keine 2000 Flugblatter in München in den Telefonkabinen in die Telefonbücher gesteckt und an anderen Orten abgelegt haben. Wer hat ihm geholfen?

Sophie Ich war in München nicht dabei.

Sophie bleibt für Mohr undurchsichtig. Mohr wechselt die blaue Karteikarte und steckt sie um, dabei wechselt er das Thema.

Mohr Wer hat die Flugblattaktionen finanziert?

Sophie Mein Bruder und ich.

Mohr Wie bestreiten Sie Ihren Lebensunterhalt?

Sophie Mein Vater gibt mir im Monat 150 RM, und mein Bruder bezieht Wehrsold.

Mohr Davon wollen Sie zu zweit gelebt und die Flugblätter samt Porto bezahlt haben? Alleine jede Ihrer vielen Reisen nach Ulm kostete 15 RM.

Sophie Wir haben uns bei Freunden Geld geliehen.

Mohr Wer waren die Geldgeber?

Sophie antwortet nicht. Mohr hält Sophie wieder das Heft vor.

Mohr Hier auf der linken Seite oben befindet sich der Buchstabe E, soll doch bestimmt heißen »Einnahmen«. Der Name hinter dem Betrag soll doch sagen, von wem das Geld stammt.

Sophie Ja.

Mohr Da ist auch Ihr Verlobter drunter. Also ist er Mitwisser!

Sophie Nein! Wir haben jedes Mal einen Vorwand benutzt, wenn wir uns Geld geliehen haben. Da können Sie jeden Einzelnen fragen. (mit Nachdruck) Mein Bruder und ich sind die Täter, die Sie suchen.

Mohr Haben Sie sich mal die Konsequenzen überlegt, wenn Sie und Ihr Bruder alles auf sich nehmen?

Mohr wirft vor Sophie das Strafgesetzbuch hin. Sophie zuckt für Mohr merklich zusammen. Sophie sieht Mohr hin und her laufen. Sie sieht, wie er sie taxierend anschaut.

Mohr Fräulein Scholl, Wir kennen alle Namen! – Warum überlegen Sie nicht, mit uns zusammenzuarbeiten? ... das würde man bei Ihrer Strafe berücksichtigen. Denken Sie doch mal an Ihre armen Eltern und die Schande, die Sie ihnen machen.

Sophie Herr Mohr, Sie werfen uns doch Hochverrat vor. Und jetzt wollen Sie, dass ich angebliche Mittäter verrate, damit ich selber besser davonkomme?

Mohr Ein Kriminaldelikt aufzuklären ist kein Verrat.

Sophie Die Kameraden meines Bruders haben damit nichts zu tun.

Mohr ist ratlos. Wir sehen, er hat den Kampf um den Verrat der Mittäter verloren. Er ist ärgerlich. Sophie kann als einen wichtigen Etappensieg verbuchen, dass sie der Gestapo keine Beweise geliefert hat. Er nimmt das Telefon und sagt:

Mohr Abführen!

Sophie dreht sich an der Tür herum, als Locher sie holt, und sieht Mohr in Gedanken an seinem Tisch sitzen und mit den gelben Karteikarten sortierend spielen. Zuletzt beobachtet Sophie, wie Mohr das letzte Flugblatt nachdenklich in die Hand nimmt und zu lesen beginnt.

Ein letzter Blickwechsel für dieses Verhör. Mohr nimmt eine Tablette.

47. GEFÄNGNISBAU, ZELLE, NACHT / INNEN

Das Licht ist gelöscht. Von draußen dringt nur noch Restlicht des Himmels herein. Sophie sitzt nachdenklich in ihrer Unterwäsche auf ihrer Pritsche in der Zelle, zugedeckt, und umfasst ihre Knie mit den Armen. Else liegt in ihrem Bett auf der Seite, Sophie zugewandt.

Sophie Ich mache mir Sorgen um Fritz. Wie konnte ich nur seinen Namen in mein Heft schreiben.

Else War er denn eingeweiht?

Sophie Absolut nicht.

Else Er hat wirklich nichts bemerkt?

Das ist wieder so ein Moment, in dem Sophie nicht weiß, ob sie von Else ausgefragt wird, deswegen weicht sie geschickt aus.

Sophie Nein. Er hält sich außerdem an seinen Eid als Soldat auf Hitler, … wir haben so oft darüber gestritten. Ich war dagegen, die Front zu unterstützen, weil es den Krieg verlängert. Das hat ihm nicht gefallen.

Else Ist er auch in Stalingrad?

Sophie Er war. Zum Glück haben sie ihn als einen der Letzten nach Lemberg ausgeflogen, wo er im Lazarett liegt. Man hat ihm zwei Finger amputiert, weil er und seine Leute bei 30° Kälte wochenlang Tag und Nacht im Freien gelegen haben. Ich wünsche ihm so sehr, dass er den Krieg übersteht, ohne sein Geschöpf zu werden.

Else Was ist, wenn Fritz erfährt, dass du hier bist?

Wieder ein prüfender Blick, den Else aushält.

Sophie Er wird mich verstehen. Hoffentlich.

Die beiden lächeln. Sophie löst sich langsam aus ihrer eingesponnenen Haltung.

Else Und wie habt ihr euch kennen gelernt?

Sophie Bei einem Tanztee. Ich war 16 und er schon Leutnant. Wir haben Swingplatten aufgelegt, obwohl die Eltern meiner Freundin die »Negermusik« verboten haben. Count Basie, Satchmo und vor allem Billie Holliday!

Sophie beginnt nun den Swingtitel zu summen. Beide trommeln mit den Fingern. Die Frauen sehen sich an und lachen. Sophie löst sich weiter, wird im Gestus lebhafter, auch wenn sie im Bett sitzt, tänzerischer. Vielleicht kopiert sie ein Stück weit den Tanz von damals.

Sophie Fritz hat mich aufgefordert. Und dann habe ich mein Herz in beide Hände genommen und mit ihm getanzt. Wie im Traum!

Else Schon mit 16 so viel Leidenschaft und Zärtlichkeit. Wie sieht er denn aus?

Sophie (sehnsüchtig) Groß, dunkle Haare. Ein freier Geist. Er hat mich immer zum Lachen gebracht. (leise, emotional) Die Liebe, die ganz einfach umsonst ist, ist so etwas Wunderbares!

Eine nachdenkliche Pause.

Sophie Aber unsere Gedanken sind manchmal so verschieden, dass ich mich frage, ob das eine Grundlage für eine Gemeinschaft sein kann. Ich glaube, es gibt Menschen, die gehen einfach ein Stück zusammen.

Else Nur ein Stück?

Sophie Ja. Und wenn sich die Wege trennen, geht jeder in seiner Richtung ruhig weiter. Fritz und ich brauchen jetzt trotzdem nicht bloß Freundschaft und Kameradschaft, sondern Liebe. – (zärtlich) Ich möchte mich nur bei ihm ausruhen und nichts anderes sehen und spüren als den Stoff seines Anzugs.

Else Wann hast du ihn zum letzten Mal gesehen?

Sophie Im letzten Sommer. Wir waren an der Nordsee in Carolinensiel. Mit dem Fischkutter sind wir in aller Herrgottsfrühe hinausgefahren und abends mit dem Fuhrwerk ins Watt. Nachts haben wir gesungen und vom Frieden geredet. Und nirgends gab's Soldaten, keine Flieger, keine Bomben! Nur die See, der Himmel, der Wind und unsere Träume.

Else schweigt, weil sie spürt, wie weit Sophie in diesem Augenblick mit ihren Gedanken aus der Gestapo-Zelle geflohen ist. Sophie dreht sich träumerisch und sehnsuchtsvoll zur Seite.

48. GEFÄNGNISBAU, ZELLE, NACHT / INNEN

Mitten in der Nacht. Die Frauen schlafen.

Plötzlich im Off vier gellende Schreie, nach den bei der Gestapo üblichen Stockhieben bei Folter. Die Frauen wachen auf.

Sophie Was ist das?

Sophie blickt zu Else, die nicht so erschrocken ist wie Sophie, nur unendlich müde und verzweifelt die Augen zur Decke wendet.

Else Nein, nein, die verschärfte Befragung kriegen momentan nur die Russen und Polen, nicht dein Bruder …

Noch ein Schrei und wieder einer. Quälend. Endlich Ruhe.

Sophie beginnt, für sich alleine zu beten.

Sophie (flüsternd) Lieber Gott, ich kann nicht anders als stammeln zu Dir. Nichts anderes kann ich, als Dir mein Herz hinhalten. Du hast uns geschaffen hin zu Dir, und unruhig ist unser Herz, bis es Ruhe findet in Dir.

Sophie starrt vor sich hin.

49. WITTELSBACHER PALAIS, ZELLE, TAG / INNEN

Samstag, 20.2.1943

Sophie ist alleine in der Zelle und versucht am Waschbecken vor dem Spiegel mit Wasser und der Handtuchspitze ihre Augen zu reinigen und dann ihr Kleid glatt zu streichen. Die Tür geht auf, Sophie sieht im Spiegel: Else tritt ein. Augenscheinlich hat sie es eilig. Sophie dreht sich zu Else um, schaut sie an und spürt, dass etwas passiert ist. Else berichtet Sophie aufgeregt und hastig:

Else Ein Alexander Schmorell ist flüchtig. Er wird seit heute Morgen mit einem extra Steckbrief gesucht. 1000 Mark Belohnung.

Sophies Augen beginnen zu leuchten. Ausdruck der Freude! Shurik ist ihnen also entkommen! Welch eine großartige Neuigkeit! Sophie legt das Handtuch zur Seite.

Die Klappe an der Tür fällt. Suppe wird hereingeschoben. Else stellt Sophie die Suppe hin.

Else (abschätzig) Wieder saure Kutteln.
Sophie (Richtung Tür) Herr Ober, kann ich nochmal die Karte haben?
Else Na, du hast Humor!

Sophie lächelt, setzt sich und rührt zögernd in dem Gebräu in dem Blechnapf und beginnt zu essen.

Sophie (lächelt offen) Weißt du, was wir immer sagen? Freu dich, wenn's regnet, wenn du dich nicht freust, regnet es trotzdem.

Wir studieren mit Else ihr Gesicht, während sie den Fraß durchaus mit Appetit zu sich nimmt.

Locher öffnet die Tür.

Locher Scholl raustreten! – Gebel an die Arbeit!

50. WITTELSBACHER PALAIS, VERNEHMUNGSZIMMER, TAG / INNEN

Die Protokollführerin ist bei diesem Verhör nicht zugegen. Mohr hat seine Notizen zusammengeräumt. Er hat die Karteikarten gebündelt und mit einem Gummi umwickelt. Das finale Stadium des Verhörs ist angebrochen. Der folgende Dialog wird erbittert und sehr emotional von beiden Seiten geführt. Doch Mohr eröffnet zunächst ruhig und freundlich. Auch oder gerade, weil er ein hartgesottener Nazi ist, imponiert ihm nicht nur Sophies Haltung, daneben auch, dass sie keine Verräterin an ihren Kameraden ist. Allerdings versucht er, sie dazu zu überreden, sich von ihrer Idee zumindest zu distanzieren, und sich damit mit seinen eigenen politischen Vorstellungen durchzusetzen. Wie gesagt, deswegen eine erstaunlich milde Eröffnung.

Sophie bekommt zu ihrer Überraschung von Mohr eine Tasse Bohnenkaffee zu trinken. Er schiebt ihr eine Tasse hin und schenkt aus einer Thermoskanne ein. Wegen seiner Magenschmerzen trinkt er selbst keinen Kaffee und raucht auch nicht.

Mohr Hier, trinken Sie.
Sophie (überrascht) Das ist ja echter Bohnenkaffee!

Sophie trinkt in kleinen Schlucken den Kaffee. Mohr fasst Sophie ins Auge:

Mohr Es geht Ihnen doch auch um das Wohl des Deutschen Volkes, Fräulein Scholl?
Sophie Ja.
Mohr Sie haben nicht feige eine Bombe gegen den Führer gelegt, wie dieser Elser im Bürgerbräukeller. Sie haben zwar mit falschen Parolen, aber mit friedlichen Mitteln gekämpft.
Sophie Warum wollen Sie uns denn dann überhaupt bestrafen?
Mohr Weil das Gesetz es so vorschreibt! Ohne Gesetz keine Ordnung.
Sophie (sehr engagiert) Das Gesetz, auf das Sie sich berufen, hat vor der Machtergreifung 1933 noch die Freiheit des Wortes geschützt und heute bestraft es unter Hitler das freie Wort mit Zuchthaus oder dem Tod. Was hat das mit Ordnung zu tun?
Mohr Woran soll man sich denn sonst halten, als an das Gesetz, egal, wer es erlässt?
Sophie An Ihr Gewissen.
Mohr Ach was! (deutet auf den Gesetzesband, mit dem er beim ersten Verhör hantiert hat) Hier ist das Gesetz und hier (er deutet auf Sophie) sind die Menschen. Und ich habe als Kriminalist die Pflicht zu prüfen, ob beide deckungsgleich sind, und wenn das nicht der Fall ist, wo die faule Stelle ist.
Sophie Das Gesetz ändert sich. Das Gewissen nicht.
Mohr Wo kommen wir hin, wenn jeder selber bestimmt, was nach seinem Gewissen richtig oder falsch ist? – Überlegen Sie doch mal, selbst wenn es Verbrechern gelingen würde, den Führer zu stürzen, was käme denn dann? Zwangsläufig ein verbrecherisches Chaos! Die so genannten freien Ge-

danken, der Föderalismus, die Demokratie? Das hatten wir doch alles schon, da wissen wir doch, wo es hinführt.

Sophie Ohne Hitler und seine Partei gäbe es endlich wieder Recht und Ordnung für jeden und den Schutz des Einzelnen vor Willkür, nicht nur für die Mitläufer.

Mohr Mitläufer? Willkür? Wer gibt Ihnen das Recht, so abfällig zu reden?

Sophie *Sie* reden abfällig, wenn Sie meinen Bruder und mich wegen ein paar Flugblättern Verbrecher nennen, obwohl wir nichts anderes machen, als mit Worten zu überzeugen versuchen.

Mohr reagiert nun hasserfüllt, ganz der Kleinbürger, wie Hitler selbst, der typische Nazi mit seinen Komplexen und Träumen vom großen Reich.

Mohr Sie mit Ihren Privilegien, die Sie und Ihre Sippschaft schamlos ausnutzen. Sie dürfen von unserem Geld mitten im Krieg studieren. Ich habe in der verdammten Demokratie nur Schneider lernen dürfen … wissen Sie, wer mich zum Polizisten gemacht hat? Der Franzos in der besetzten Pfalz, nicht die Deutschen Demokraten. Und wenn die Bewegung nicht gewesen wäre, ich wäre heute noch Landgendarm bei Pirmasens. Das Schanddiktat von Versailles, die Inflation, die wirtschaftliche Not und die Arbeitslosigkeit, das alles hat unser Führer Adolf Hitler beseitigt.

Sophie Und Deutschland in den Krieg geführt.

Mohr In den Heldenkampf! – Sie bekommen dieselben Lebensmittelkarten wie wir, die Menschen, die Sie bekämpfen und verachten. Ihnen geht es doch sowieso besser als unsereinem. Sie haben es doch gar nicht nötig … wie kommen Sie eigentlich dazu aufzumucken. Der Führer und das deutsche Volk schützen Sie …

Sophie … hier drinnen im Wittelsbacher Palais oder meine Familie in Sippenhaft!

Mohr … (mit erhobener Stimme) unsere deutschen Soldaten schützen das Reich und die Volksgenossen vor der Plutokratie und vorm Bolschewismus und kämpfen für ein großes, freies Deutschland. Nie wieder Besatzung auf deutschem Boden, das sage ich Ihnen!

Sophie … bis demnächst der Krieg zu Ende ist und wieder fremde Truppen einmarschieren und alle Völker auf uns deuten und sagen, wir haben Hitler widerstandslos ertragen.

Mohr Und was sagen Sie, wenn der Endsieg errungen ist und nach dem ganzen Blut und Leid die Freiheit und der Wohlstand in Deutschland einzieht, von der Sie selber geträumt haben, als Sie dem BDM beigetreten sind?

Sophie strauchelt bei diesem Argument, denn ausschließen kann sie eine Veränderung der Verhältnisse nicht. Wie auch?

Sophie Den Glauben daran haben in Hitlers Deutschland alle verloren.

Mohr Und wenn es doch so kommt, wie ich sage?

Sophie schweigt in kurzer Irritation, und Mohr setzt nach.

Mohr Sie sind doch Protestantin?

Sophie Ja.

Mohr Die Kirche fordert doch auch, dass die Gläubigen ihr folgen, selbst wenn sie Zweifel haben?

Sophie In der Kirche ist jeder freiwillig, aber Hitler und die Nationalsozialisten lassen einem keine andere Wahl!

Mohr Warum gehen Sie für falsche Ideen, so jung wie Sie sind, ein derartiges Risiko ein?

Sophie Ich kann nicht anders.

Mohr Ich kann nicht verstehen, dass Sie mit Ihren Gaben nicht nationalsozialistisch denken und fühlen. Freiheit, Wohlstand, Ehre, sittlich verantwortliches Staatswesen, das ist *unsere* Gesinnung!

Sophie Handeln *Sie* sittlich verantwortlich, wenn Sie uns bloß wegen eines *Flugblatts* festhalten, verhören und drakonisch bestrafen?[20] Hat Ihnen denn nicht auch das furchtbare Blutbad die Augen geöffnet, das die Nationalsozialisten im Namen von Freiheit und Ehre in ganz Europa angerichtet haben? Der deutsche Name bleibt für immer geschändet, wenn nicht die deutsche Jugend Hitler entmachtet und endlich hilft, ein neues, geistiges Europa aufzurichten!

Mohr Das neue Europa kann nur nationalsozialistisch sein.

Sophie ist nicht mehr zu bremsen. Mit Seitenblick auf das Hitlerbild an der Wand.

Sophie Und wenn Ihr Führer ein Wahnsinniger ist? Denken Sie doch bloß an den Rassenhass! Es hat bei uns in Ulm einen jüdischen Lehrer gegeben, den man vor eine SA-Gruppe gestellt hat, und alle mussten auf Befehl an ihm vorbeiziehen und ihm ins Gesicht spucken. Und dann ist er nachts verschwunden wie seit 41 hier in München Tausende. Angeblich zum Arbeitseinsatz im Osten.

Mohr Diesen Unfug glauben Sie? Die Juden wandern aus. Von selber.

Sophie Die Soldaten, die aus dem Osten kommen, erzählen schon lange von Vernichtungslagern. Hitler will doch die Juden in ganz Europa ausrotten! Diesen *Wahnsinn* hat er schon vor 20 Jahren[21] gepredigt. Wie kommen Sie darauf, dass die Juden andere Menschen sein sollen wie wir?

Mohr Dieses Pack hat uns nur Unglück gebracht. Aber Sie gehören zu einer verwirrten Jugend, die nichts versteht. Falsche Erziehung … vielleicht ist es sogar unsere Schuld, dass Sie nichts verstehen … ich hätte ein Mädel wie Sie anders erzogen.

Sophie sieht, dass Mohr sich in den Schatten hinter dem Vernehmungslicht zurückzieht.

Sophie Was glauben Sie, wie entsetzt ich war, als ich erfahren habe, dass die Nationalsozialisten geisteskranke Kinder mit Gas und Gift beseitigt haben! Mir haben Freundinnen unserer Mutter erzählt, wie Kinder bei den Diakonissinnen in der Pflegeanstalt mit Lastwagen abgeholt wurden. Da haben die übrigen Kinder gefragt, wo die Wagen hinfahren. Sie fahren in den Himmel, haben die Schwestern gesagt. Da sind dann die übrigen Kinder singend in die Lastwagen gestiegen.

Sophie kämpft mit Tränen der Wut und der Rührung, sie behält sich aber im Griff.

Sophie Meinen Sie, ich bin falsch erzogen, weil ich mit diesen Menschen fühle?

Mohr Das ist lebensunwertes Leben. Sie haben Kinderschwester gelernt, da müssen Ihnen doch auch Geisteskranke begegnet sein.

Sophie Ich weiß deswegen genau, dass kein Mensch, gleichgültig unter welchen Bedingungen, berechtigt ist, ein Urteil zu fällen, das allein Gott vorbehalten ist. Niemand kann wissen, was in der Seele eines Geisteskranken vorgeht. Niemand kann wissen, welches geheime innere Reifen aus Leid entstehen kann. Jedes Leben ist kostbar.

Mohr Sie müssen sich daran gewöhnen, dass endlich eine neue Zeit angebrochen ist. Was Sie sagen, ist romantisch und hat mit der Realität nichts zu tun.

Sophie Was ich sage, hat natürlich mit der Wirklichkeit zu tun, mit Sitte, Moral und Gott.

Mohr reagiert emotional und faucht sie an.

Mohr Gott gibt es nicht.

Mohr geht ans Fenster, blickt hinaus. Er zündet sich eine Zigarette an, inhaliert. Nach einer Pause.

Mohr Mord an Juden … an Kindern … das ist alles Quatsch.

Wieder Pause. Er zweifelt selbst. Mohr wendet sich Sophie wieder zu und blickt sie lange an. Mit veränderter, ruhiger Stimme sagt er schließlich:

Mohr Ist es denn nicht so gewesen, dass Sie sich auf ihren Bruder verlassen haben, dass es richtig war, was er getan hat, und Sie einfach nur mitgemacht haben? Sollen wir das nicht noch ins Protokoll aufnehmen? Sonst kann keiner mehr etwas für Sie tun.

Sophie erkennt, das ist eine goldene Brücke, die man bei der Gestapo nicht so leicht gebaut bekommt. Nach einer Pause:

Sophie Nein, Herr Mohr, weil es nicht stimmt.

Mohr ringt förmlich um eine Erklärung, die ihr helfen könnte.[22]

Mohr Ich will Ihnen doch nur helfen, Fräulein Scholl. Sehen Sie, ich habe einen Sohn, der ist sogar noch ein Jahr jünger als Sie, Fräulein Scholl, der hatte auch manchmal Flausen im Kopf, aber jetzt steht er an der Ostfront, weil er einsieht, dass er seine Pflicht tun muss.

Seine Hand wandert zu seinem Magen. Diesen winzigen Augenblick der Schwäche nutzt Sophie und sagt mit weicher Stimme:

Sophie Glauben *Sie* denn noch an den Endsieg, Herr Mohr?

Mohr zögert, weicht der Antwort aus.

Mohr Mensch, Fräulein Scholl, wenn Sie das alles bedacht hätten, da hätten Sie sich doch nie zu solchen Handlungen hinreißen lassen? Es geht um Ihr Leben!

Sophie starrt Mohr an. Sie weiß, dass es um ihr Leben geht, sie kann nicht anders. Mohr sieht ihre betroffene Sprachlosigkeit und setzt nach. Mohr liest Sophie den Text seines letzten Vorhaltes aus dem Gestapo-Protokoll vor:

Mohr Hier … für das Protokoll halte ich Ihnen das vor: (zitiert) »Sind Sie nach unseren Aussprachen nicht doch zur Auffassung gekommen, dass Ihre Handlungsweise gemeinsam mit Ihrem Bruder gerade in der jetzigen Phase des Krieges als ein Verbrechen gegenüber der Gemeinschaft, insbesondere aber unserer im Osten schwer und hart kämpfenden Truppen anzusehen ist, das die schärfste Verurteilung finden muss?«

Sophie sieht, wie Mohr das Blatt sinken lässt und sie fast bittend anschaut. Sie antwortet zunächst nicht. Sophie ringt mit sich.

Sophie Nein, von meinem Standpunkt aus nicht.
Mohr Ihr eigener Verlobter liegt im Lazarett! Einen Fehler einzugestehen heißt nicht seinen Bruder zu verraten …
Sophie … wohl aber die Idee. Ich würde es genauso wieder machen, denn nicht ich, sondern Sie haben die falsche Weltanschauung.

Sophie blickt in das steinerne Gesicht des Gestapo-Beamten.

Sophie Ich bin nach wie vor der Meinung, dass ich das Beste für mein Volk getan habe, ich bereue es nicht und ich will die Folgen auf mich nehmen.

Sophie weiß, dass sie eine große Chance nicht genutzt hat. Mohr seufzt, schüttelt den Kopf. Er nimmt das Telefon ab und wählt.

Mohr Protokollführerin zur Niederschrift … Ja, sagen Sie dem Chef, wir sind dann fertig.

Sophie und Mohr starren sich an. Mohr wendet sich ab und löscht seine Zigarette. Er geht an das Waschbecken und wäscht sich die Hände.

51. WITTELSBACHER PALAIS, FLUR / EINGANGSHALLE, NACHT / INNEN

Sophie wird vom Verhör über die Treppe in den Kerkertrakt geführt. Ihr Schritt ist langsam. Locher lugt sie misstrauisch von der Seite an.

Locher Was ist?

Sophie schweigt. Locher grinst verächtlich, dann schaut er nach vorne. Sophies Stolz strahlt von innen.

52. GEFÄNGNISBAU, ZELLE, NACHT / INNEN

Sophie betritt gefasst und aufrecht die Zelle. Hinter ihr rasselt der Schlüssel im Schloss. Sie sieht, dass Else unruhig auf sie gewartet hat, weil sie Neuigkeiten hat.

Sophie lächelt fast entschuldigend. Else fragt nicht, obwohl ihr die Frage auf der Zunge liegt, was bei diesem Verhör noch passiert ist. Sie spürt Sophies merkwürdige Stimmung und hält erst ihre Nachricht zurück und will Sophie von ihren Problemen ablenken. Sie legt ihr den Arm um die Schulter und führt sie zu dem Tisch. Dort ist liebevoll ein kleines Festessen angerichtet: Tee, Kekse, Zigaretten, Butter, Brot, Käse und Wurst.

Else Das haben dir Mitgefangene geschickt.

Sophie ist stolz und gerührt.

Else Schau her, sogar Wurst!

Sophie betrachtet, was Else für die Kerkerverhältnisse schön drapiert hat.

Else Los, lang zu, Sophie, iss!

Sophie zögert, trotz ihres Hungers, der sich beim Anblick der Speisen meldet. Zu sehr beschäftigt sie noch das Verhör und ihr Geständnis. Else schiebt Sophie fürsorglich die Speisen näher hin, damit sie zugreifen kann.

Else Jeder hat was gegeben.

Sophie muss noch das Erlebte verarbeiten.

Sophie Mohr hat mir eine goldene Brücke gebaut, wenn ich von unserer Idee abschwöre. Aber ich bin nicht darauf eingegangen.

Else fällt aus allen Wolken.

Else Warum denn nicht, in Gottes Namen? (eindringlich) Sophie, du bist noch so jung, du musst für dich und eure Idee *überleben* und für deine Familie. Nimm in Gottes Namen sein Angebot an!

Sophie Es gibt kein Zurück.

Jetzt greift Sophie gerne und hungrig zu. Else versteht, die Entscheidung ist gefallen.

Sophie Herrlich, ein Butterbrot.

Else bleibt fast der Mund offen stehen. Sophie beißt genussvoll hinein und will noch nach einer Scheibe Wurst greifen, doch sie zügelt sich.

Sophie Kann ich davon was zu meinem Bruder hinaufschicken?
Else Ja. Bestimmt. Am Samstag ist die Wache nur mit der halben Mannschaft da.

Sophie beginnt schnell die Hälfte der Reichtümer einzupacken. Dann fragt sie Else:

Sophie Hast du was zu schreiben?
Else Wozu?
Sophie Für Hans und Willi – oder ist das zu gefährlich?

Else kramt einen Stift aus ihrer Schürze, Sophie nimmt zwei Zigaretten und schreibt jeweils auf eine das Wort »Freiheit«. Blickwechsel, Lächeln.

Sophie Kannst du den beiden die Zigaretten schmuggeln?
Else So ein bisschen Freiheit traue sogar ich mir zu.

Fast beiläufig kommt ein kleines persönliches Eingeständnis von Sophie an Else:

Sophie Ich bin froh, dass du da bist, Else.

Else antwortet mit einem freundschaftlich-geschmeichelten Lächeln. Sophie blickt vom Schreiben auf und bemerkt, dass Else herumdruckst.

Sophie Was ist los?
Else Es gibt einen Neuzugang.

Sophie erschrickt.

Sophie Schmorell?
Else Name weiß ich nicht. Aber ich kriege das noch raus. Der Neuzugang wird jedenfalls pausenlos verhört. Dein Bruder ist in seiner Zelle. Mit dem Willi lassen sie sich wohl Zeit, und seine Schwester ist im Sammelgewahrsam drüben bei den Ausländerinnen, das ist kein schlechtes Zeichen.

Plötzlich ist Bombenalarm[23] in München.

Luftschutzsirenen jaulen los. Sophie und Else schrecken hoch. Das Licht in der Zelle geht aus.

Else Fliegeralarm!
Sophie Werden wir evakuiert?
Else Nein, nur die Akten.

Penetrant das Brüllen der Sirenen. Menschen rennen draußen in Luftschutzbunker. Ein Auto fährt mit Vollgas vom Hof. Seine Scheinwerfer streifen das Fenster des Kellers. Auch auf dem Flur im Gebäude hören die Gefangenen hastende Schritte der Bewacher. Die Gittertür knallt zu. Die Sirenen schweigen plötzlich. Gespenstische Stille für einen kurzen Moment. Es bleibt zunächst dunkel. Nun hören Sophie und Else den ersten Motorenlärm der anfliegenden Geschwader. So genannte Christbäume werden von Aufklärern gesetzt, das sind an Fallschirmen herunterschwebende Leuchtkörper, die das Zielgebiet für die Bomber abstecken. Sophie sieht am Boden die bunten und sich bewegenden Lichtreflexe. Noch ist keine Detonation zu hören. Doch der Motorenlärm steigert sich gefährlich.

Else nimmt ihre Decke und hüllt sich hinein und setzt sich eng mit dem Rücken an die Außenwand.

Else Es geht gleich los. Komm runter, an der Mauer ist es am sichersten.

Sophie steigt auf ihre Pritsche und schaut aus dem Souterrainfenster. Mit ihr sehen wir die Silhouette des Hauptgebäudes des Wittelsbacher Palais und vielleicht einen Baum ohne Blätter vor dem dunklen, aber sternenklaren Nachthimmel, in dem die Lichtfinger der Flakscheinwerfer sich suchend bewegen.

Der Motorenlärm steigert sich weiter. Die Flugabwehrgeschütze beginnen nun zu feuern, und fast gleichzeitig fallen Bomben. Beides kann man nur hören. Detonationen überall. Der Himmel über dem Palais färbt sich nun langsam charakteristisch orangerot. Von den nach Bombentreffern aufflackernden Feuern. Die Feuer selbst sieht Sophie nicht.

Else Hör dir das an. So viele Bomber waren es noch nie!
Sophie Wie viele in diesem Moment wieder sterben müssen?
Else Komm endlich runter!

Else steht auf und tritt zu Sophie und versucht sie mit sich zu ziehen.

Sophie (fasziniert) Es brennt überall ...
Else Hoffentlich treffen die Bomben den Adolf im Braunen Haus beim Scheißen.

Der Lärm steigert sich weiter. Der Himmel glüht jetzt fast.

Sophie (mit Galgenhumor) Mein Vater genießt den Fliegeralarm immer im Bett.
Else Komm jetzt endlich runter!

Sophie beginnt in den Lärm hinein die letzte Strophe eines Liedes leise zu rezitieren, das sie bei den »Bündischen« oft mit ihren Freunden gesungen hat:

Sophie Die Stunde kommt, da man Dich braucht,
Dann sei Du ganz bereit,
Und in das Feuer, das verraucht,
Wirf Dich als letztes Scheit.

Endlich folgt Sophie Else in die Deckung. Beide kauern sich unter ihre Decken.

Else Es dauert nicht mehr lang und wir sind frei.

Der Lärm der Motoren und Explosionen steigert sich weiter. Die beiden Frauen halten sich die Ohren zu. Dann abklingender Motorenlärm.

53. GEFÄNGNISBAU, ZELLE, TAG / INNEN

Sonntag, 21.2.1943

Ein friedlicher, fast frühlingshafter Tag, noch schöner als die beiden vorangegangenen. Stundengeläut einer Kirche. Es ist drei Uhr nachmittags. Das Schloss wird geöffnet. Sophie hebt den Kopf und erblickt Else, deren Gesicht sie ansieht, dass sie wohl eine gute Nachricht hat. Else wartet, bis der Wärter hinter ihr die Tür schließt.

Else Der Neuzugang ist nicht Schmorell, (Pause) sondern ein Christoph Probst. Auch wegen Hochverrat.

Sophies Gesicht zeigt Entsetzen. Else sieht sie zum ersten Mal fassungslos. Sophie zieht sich in ihre Decke fast wie in ein Schneckenhaus zurück und kämpft mit den Tränen.

Else Das tut mir Leid … ich dachte …

Sophie kann ihre Tränen nicht mehr zurückhalten.

Sophie Er hat drei Kinder. Das Jüngste ist gerade erst geboren und seine Frau liegt im Kindbettfieber.

Sie versucht, die Tränen zu bändigen. Vergeblich.

Else Er ist verhaftet worden, als er seinen Urlaubschein abholen wollte, um seine Frau zu besuchen.

Sophie Seine Welt bestand nur aus seiner Familie und seinem kleinen Tiroler Dorf. Er hat doch nichts getan, was man als Verrat bezeichnen könnte.

Else Aber sie haben bei deinem Bruder ein Flugblatt von ihm beschlagnahmt?

Sophie Das war nur ein Entwurf, nie gedruckt, nie verbreitet. Menschenskind, wenn Hans das Flugblatt nicht in der Jacke vergessen hätte ...

In tiefer Verzweiflung presst Sophie ihre Hände seitlich an den Kopf und weint nun hemmungslos. Else nimmt sie zögerlich tröstend in den Arm.

Else Noch steht nichts fest. Sie haben das Verhör abgebrochen.

Sophie beginnt, sich mit großer Mühe wieder Mut zu machen.

Sophie Wie oft hat er mit Hans gestritten. Er wurde immer vorsichtiger, hat gebremst, nicht angefeuert.

Else Man kann ihm höchstens eine Freiheitsstrafe geben.

Sophie gewinnt ihre Fassung zurück, richtet sich auch körperlich wieder auf.

Sophie Und die ist ja bald überstanden, und seine Kinder haben ihn wieder. Wenn es noch einen Funken Rechtlichkeit in diesem Staat gibt, dann darf ihm nichts geschehen.

Der Schlüssel dreht sich im Schloss. Die Tür wird geöffnet. Sophie dreht sich langsam Richtung Tür. Mit ihr sehen wir Mohr eintreten. Er lutscht eine Tablette, kommt sehr aufrecht daher, steifer als sonst.

Mohr Guten Tag.

Er hat seine Aktentasche dabei, aus der er die Beweise gezogen hat, jetzt sieht Sophie zu ihrer Verblüffung, dass er Zigaretten, schrumpelige Äpfel und Schokolade auspackt und auf den Tisch legt. Else macht ein verschlossenes Gesicht, weil sie ahnt, dass der Besuch nichts Gutes bedeuten kann.

Mohr Das ist für Sie.
Sophie Danke.

Sophie sieht eine bisher noch nicht bei diesem Mann entdeckte fast zarte, emotionale Bewegung im Gesicht.

Mohr Fräulein Scholl, Sie müssen jetzt zu Ihrem Ankläger.

Sophie blickt Else an, die betroffen wirkt. Auch Sophie ist alarmiert. Nun folgt sie Mohr und verlässt die Zelle.

54. WITTELSBACHER PALAIS, UNTERIRDISCHER GANG, TAG / INNEN

Sophie in Begleitung von Mohr auf dem Weg zum Vernehmungszimmer. Stille, quietschende Sohlen. Ihr kommt CHRISTOPH PROBST entgegen, den Locher gerade von dem Termin beim Reichsanwalt Weyersberg zurück in den Gefängnistrakt bringt. Christel hat im Gehen in Papieren gelesen, von denen er aufblickt. Christel starrt Sophie nur wortlos an, er versucht ein Wort herauszubringen, aber seine Stimme versagt. In seiner Not lächelt er verzweifelt.

Locher Los, weiter.

Christel ist vorbeigegangen, und Sophie blickt sich um und schaut daraufhin im Gehen zu Mohr hinüber.

55. WITTELSBACHER PALAIS, VERNEHMUNGSZIMMER, TAG / INNEN

Sophie steht vor dem jetzt wieder vollkommen leeren Tisch und blickt WEYERSBERG voller misstrauischer Erwartung an.

Der Reichsanwalt, er mag Mitte fünfzig sein, trägt einen Anzug mit Krawatte, aber keine Robe. Am Revers hat er das Parteiabzeichen, sein Blick ist emotionslos. Mohr steht abgesetzt hinter ihm, die Linke auf die Magengegend gepresst, die Protokollführerin sitzt mit durchgedrückten Rücken an ihrem Platz.

Weyersberg gibt Sophie ein Dokument.

Weyersberg Das hier ist meine Anklageschrift. Ihre Verhandlung ist morgen früh vor dem Ersten Senat des Volksgerichtshofs hier in München. Die schriftliche Ladung habe ich beigefügt.

Sophie Morgen schon?

Blickwechsel mit Mohr. Dessen Gesicht bleibt unbewegt.

Weyersberg Die Sache duldet keinerlei Aufschub.

Sophie beginnt die Anklageschrift zu lesen.

Weyersberg Lesen können Sie in der Zelle. (sagt zu Mohr) Abführen! Und jetzt den Hans Scholl.

Mohr geht zur Tür und öffnet sie für Sophie. Blickwechsel von Sophie mit Mohr, der ihren Blick nicht aushält. Sophie geht aufrecht an ihm vorbei. Draußen sieht sie Locher warten.

56. WITTELSBACHER PALAIS, FLUR / EINGANGSHALLE, TAG / INNEN

Sophie wird von Locher zurück in die Zelle geführt.

Sophie liest dabei die Anklageschrift mit gefasster Miene, sie zeigt keine Schwäche gegenüber Locher, der sie von der Seite mustert.

Locher Sehen Sie, den totalen Krieg, den führ'n wir auch gegen euch. Rücksichtslos!

Locher starrt nach vorne und geht stur weiter, während Sophie noch liest und dann von dem Text aufblickt.

Aber ihre Augen zeigen uns, dass die Spirale der Bedrohung wiederum eine weitere Umdrehung genommen hat. Ähnlich wie Christel Probst hat sie schwer mit dem zu kämpfen, was sie in der Anklageschrift liest.

57. GEFÄNGNISBAU, ZELLE, TAG / INNEN

Sophie betritt die Zelle. Hinter ihr rasselt der Schlüssel im Schloss. Der Tag ist vergangen, graues Abendlicht in der Zelle, noch ist die künstliche Beleuchtung nicht eingeschaltet.

Else blickt Sophie beunruhigt und forschend an. Sophie lässt keinen Blick von dem Text in der mehrseitigen Schrift, den sie bis zu Ende liest. Sophies Hände beginnen zu zittern. Sophie gibt Else das Schriftstück, das diese mit entsetzten Augen liest.

Else Mein Gott! Nein!

Sophie tritt an das Fenster und schaut hinaus. Aus ihrer Sicht sieht man die Reflexe der letzten Sonnenstrahlen, die sich auch über ihr Gesicht erstrecken.

Else Hochverrat, Wehrkraftzersetzung und Feindbegünstigung. Und morgen ist schon der Prozess.
Sophie Ich habe Christel gesehen. Sie haben ihn auch angeklagt.

Sophie ist an dieser Stelle das ganze Ausmaß ihres Schicksals klar.

Sophie So ein herrlicher, sonniger Tag, und ich soll gehen!

Sie kämpft mit den Tränen und bekommt nur mühsam heraus:

Sophie Meine arme Mutter. Gleich zwei Kinder verlieren ... und Werner irgendwo in Russland.

Ein Beben geht durch den Körper von Sophie, aber sie weint nicht.

Sophie Mein Vater versteht uns bestimmt besser.

Sophie faltet die Hände und betet. Immer noch steht sie an der Mauer.

Sophie Ich bitte Dich von ganzem Herzen, zu Dir rufe ich, »Du« rufe ich, wenn ich auch nichts von Dir weiß, als dass in Dir allein mein Heil ist, wende Dich nicht von mir, lieber Gott, mein herrlicher Vater!

Das Gebet ist kurz. Leise und nicht heimlich. Else, selbst ein sehr gläubiger Mensch, faltet die Hände.

Else (nur mit Lippenbewegung) Amen.

Ein Blick von Sophie zu Else. Endlich löst sie sich von der Mauer, setzt sich in Kutscherhaltung auf die Kante ihrer Pritsche, den Kopf in die Hände gestützt.

Das Licht in der Zelle wird von außen angeschaltet. Das Schloss rasselt erneut. Sophie blickt auf. Else tritt instinktiv von der Tür zurück. Ein fremder Mann im Anzug tritt ein. Er trägt einen Mantel, hat eine Aktentasche bei sich und seinen Hut in der Hand. Am Revers hat er das NS-Parteiabzeichen. Es ist der Pflichtverteidiger AUGUST KLEIN.

Else (knurrt) Kann man denn nicht mal Ruhe geben!
Klein Guten Abend. Wer von Ihnen ist das Fräulein Scholl?
Sophie Ich.

Sophie steht auf und tritt dem Mann entgegen. Schon wieder ist sie konfrontiert mit dem bürokratischen Räderwerk der Nazi-Justiz.

Klein Ich bin Rechtsanwalt Klein, Ihr Pflichtverteidiger. Haben Sie die Anklageschrift gelesen?
Sophie Ja.

Sophie findet ihre Haltung und Fassung wieder, nicht nur das, ihre Augen beginnen in diesem Dialog wieder zu leben, aus Verzweiflung geborener Mut prägt im Laufe der Auseinandersetzung ihr Auftreten.

Klein Noch Fragen dazu?

Sophie Das Urteil steht doch wohl schon fest.

Klein Das Gericht entscheidet, nicht ich.

Sophie Waren Sie schon bei meinem Bruder oder Probst?

Klein Ihr Bruder kommt noch dran und Probst hat einen eigenen Anwalt bekommen.

Sophie Was geschieht mit meinen Eltern und Geschwistern in Ulm?

Pause. Achselzucken.

Sophie (weich) Bitte!

Klein ist als Pflichtverteidiger ein Scherge des Systems, aber er kann sich der Emotion seiner Zwangsklientin nicht entziehen. Er beißt auf die Zähne und sagt:

Klein Darüber wird an anderer Stelle entschieden.

Sophie (nun mit Nachdruck) Ich will aber wissen, was passiert. Sie sind doch mein Anwalt!

Klein macht seiner Unsicherheit gegenüber Sophie in plötzlich aggressivem Ton Luft.

Klein Sie haben einen Ton in der Stimme, als wäre ich für Ihre Lage verantwortlich.

Sophie (energisch) Es ist mein Recht, zu wissen, was mit meiner Familie passiert. Und Sie wissen das.

Klein (blafft) Sagen Sie mal, Fräulein Scholl, wollen Sie sich morgen auch so aufspielen? Glauben Sie, dass es Ihnen zusteht, Forderungen zu stellen?

Sophie nun drängend und entschlossen:

Sophie Ja. – Egal wie mein Bruder verurteilt wird … ich will keine mildere Strafe bekommen. Ich bin genauso schuldig wie er, wenn man es aus Ihrer Sicht betrachtet.

Schnitt auf Else, die zwischen Entsetzen und Bewunderung schwankt.

Klein Mehr haben Sie nicht zu sagen?
Sophie Nein.

Vor Sophies Augen verliert Klein vollends die Fassung und fährt sie an:

Klein Sie und Ihr Bruder meinen wohl, Sie brauchen sich nicht in das Volksganze einzufügen. Aber da täuschen Sie sich. Morgen kommt sogar der Präsident des Volksgerichtshofs extra aus Berlin. Der treibt Ihnen die Flausen aus, mein Fräulein, der macht Sie und Ihren Herrn Bruder so klein mit Hut. Ich lasse mich da doch in nichts reinziehen!

Sophie widersteht dem aggressiven Anwalt, sie starrt ihn wortlos an. Der Mann fängt sich mit einem kleinen, verzerrten Lächeln.

Klein Ich kenne den Betrieb … *Sie* werden noch um Gnade winseln!

Der Verteidiger geht an die Tür und klopft:

Klein Aufschließen!

Sophie starrt den Mann an und sieht, wie er ungeduldig an der Tür wartet. Und dann nach einer Pause, um die Zeit zu überbrücken, bis der Wärter kommt:

Klein (kalt und distanziert) Haben Sie noch einen Wunsch, Fräulein Scholl?

Sophie Können Sie wenigstens bestätigen, dass mein Bruder das Recht auf Erschießen hat. Schließlich ist er doch Frontkämpfer gewesen und hat diese Ehre verdient.

Die präzise Frage bringt den Verteidiger erneut in Verlegenheit. Er schweigt nur noch und klopft erneut an die Tür.

Klein Aufmachen!

Locher öffnet die Tür.

Locher Ist was?

Klein Nein. (zu Sophie) Wir sehen uns morgen im Gericht.

Eine Pause, um den Auftritt des Verteidigers zu verdauen. Die Frauen sehen sich an.

Else Mieser Feigling. – Der Freisler wird euch morgen als gemeine Verbrecher hinstellen. (abschätzig) Der war früher Sowjetkommissar. Der muss sich an der Heimatfront bewähren.

Sophie hat diese kurze Auseinandersetzung sehr angestrengt. Sie setzt sich.

Sophie Unser Vater hat gesagt: Ich möchte, dass ihr grad und frei durchs Leben geht, auch wenn es schwer ist. – Allen Gewalten zum Trotz sich erhalten.

Lange Pause.

Sophie Ich könnte auch an einer Krankheit sterben, aber hätte das den gleichen Sinn?

Else Nein!

Sophie Was zählt mein Tod, wenn durch unser Handeln Tausende von Menschen aufgerüttelt und geweckt werden?

Else widerspricht ungern.

Else Du weißt nicht, wie feige die Herde Mensch ist.

Sophie lässt sich nicht mehr beeinflussen.

Sophie Ist morgen Publikum zugelassen?

Else Ja, aber das wird ein Schauprozess, um abzuschrecken.

Sophie Dann muss Freisler in aller Öffentlichkeit über unsere Flugblätter reden! Und alle können hören, was wir denken. In der Studentenschaft gibt es bestimmt eine Revolte, wenn sie erfahren, was wegen ein paar Flugblättern passiert ist. Es fallen so viele Menschen für dieses Regime, dann muss auch jemand im Kampf dagegen fallen.

Sophie lässt sich von ihrer Vorstellung einnehmen, den bisher heimlichen Widerstand der *Weißen Rose* in die Öffentlichkeit tragen zu können.

Else antwortet darauf mit einem skeptischen Blick, sie belässt es dabei und kommt auf eher praktische Dinge in dieser Ausnahmesituation zu sprechen.

Else Nach dem Prozess wirst du erst mal verlegt.

Zögern. Pause.

Else Und falls es zum Äußersten kommt: 99 Tage stehen jedem bis zur Vollstreckung zu. Aber bis dahin marschieren die Amis ein. Wir schreiben uns! – Versprochen?!

Sophie Ja.

Nun folgt Sophies Losung wie eine Art Selbstsuggestion:

Sophie Ein harter Geist, ein weiches Herz, sagt mein Bruder.

Sophie findet zunehmend ihre Haltung und Fassung wieder. Sophie schaut zur Lampe, die in dieser Nacht nicht verlöscht.

58. GEFÄNGNISBAU, ZELLE, NACHT / INNEN

Im weißen Licht in der Zelle nah Sophies Gesicht. Sie schläft tief und ruhig, während Else übernächtigt und regungslos wacht, fröstelnd in eine Decke gewickelt, mit dem Rücken an der Wand sitzend, die Arme um die Beine geschlungen, von Schlaflosigkeit und innerer Unruhe die Augen geweitet.

Klappe auf. Jemand schaut nach Sophie. Klappe zu.

Pulsierende Stille.

Nun bemerken wir an Sophies Gesichtszügen, dass sie träumt. Die Augen bewegen sich hinter den Lidern, sie nimmt die Arme an die Brust, als würde sie etwas tragen, es scheint nicht leicht zu sein, Sophie atmet etwas schneller, die Arme schließen sich fester. Dann zuckt sie zusammen, wacht fast auf, doch dann lässt sie die Arme von der Brust über die Decke herabgleiten, ihr Atem wird ruhiger, ihr Gesicht entspannt sich, bis am Ende ein weiches, erlöstes Lächeln sich darüber ausbreitet.

59. GEFÄNGNISBAU, ZELLE, TAG / INNEN

Montag, 22.2.1943

Aus Sophies Perspektive verschwommen Elses Gesicht, ein trauriges, sehr zärtliches Lächeln, spürt Elses Hand, die mütterlich über ihre Haare streicht. Sophie erwacht.

Else Sophie!

Sophies Gesicht ist ruhig, entspannt, klar.

Else Guten Morgen, Sophie, es ist sieben.

Der Kerker arbeitet schon wieder und schickt seine Geräusche[24] in die Zelle von Sophie und Else. Else blickt unruhig zur Tür, die noch geschlossen bleibt. Sophie kommt von weit her, langsam tastet sie sich in die Realität, ohne zu erschrecken und ohne sich von der Nervosität anstecken zu lassen, die auch Else befallen hat. Sophie, die wie an allen Tagen in der Unterwäsche geschlafen hat, tritt ans Waschbecken, um sich mit der Hand die Haare aus dem Gesicht zu wischen und sich, so gut es geht, zu richten.

Sophie Ich habe so tief geschlafen.
Else Das ist wichtig, du brauchst die Kraft.
Sophie Ich hab geträumt.
Else Erzähl!

Beim Ankleiden erzählt Sophie ihren Traum, ihre Züge sind entspannt wie an einem ruhigen, friedlichen Morgen. Sophie lächelt in der Erinnerung. In ihrem Gesicht spiegelt sich erlöste Ruhe.

Sophie Es war so ein schöner Sonnentag, Frühsommer, um mich herum, die Wiesen, der Wald, alles grün wie vor der ersten Heuernte bei uns auf der Alb. Und ich trage ein Kind in einem langen weißen Kleid in meinen Armen. Es war so nah, hat so zu mir gehört … und ich soll das Kind zur Taufe bringen. Ich sehe eine Kapelle, so schön und weit oben an einem steilen Berg im Sonnenlicht.

Sophies Blick folgt noch jetzt dem Weg in ihrer Phantasie.

Sophie Es war so still um mich herum, keine Glocken, keine Vögel – und trotzdem war alles voller Leben. Ich gehe los, genauso wie ich immer mit meinen Geschwistern und unseren Freunden auf die Berge gestiegen bin, und ich trage das Kind fest und sicher, spüre seine Wärme.

Sophie wird ernst, aber dem Ausdruck haftet kein Schreck an, ihre Ruhe bleibt fast vollkommen.

Sophie Plötzlich bewegt sich die Erde und es öffnet sich direkt unter mir eine Gletscherspalte. Ich fange an zu rutschen … ich schaue auf das Kind und habe gerade noch Zeit, es sanft auf die sichere Seite zu legen.

Die strahlende Ruhe von Sophie, ihre leuchtenden Augen!

Sophie Ich stürze und bin trotzdem erlöst und erleichtert, denn ich sehe, wie das Kind sicher an der Stelle bleibt, wo ich es hingelegt habe.

Sophie kostet das Gefühl noch ein paar wenige Sekunden aus.

Sophie Das Kind im weißen Kleid ist unsere Idee, und sie hat überlebt.

Sophie lächelt, Else versucht ebenfalls ein Lächeln, das zuerst misslingt und dann aber klappt. Sophie ist noch nicht fertig angezogen, da wird aufgeschlossen.

Locher reißt die Tür auf.

Locher Scholl, fertig machen zum Abtransport.
Else (brüllt) Tür zu, die Frau muss sich erst richtig anziehen!

Locher gehorcht verdutzt und lehnt die Tür an. Else tritt zu Sophie, die kurz Hände und Gesicht wäscht und sich abtrocknet.

Else Gott mit dir, Sophie!
Sophie Gott mit dir, Else … vielen Dank.

Ein letzter Blickwechsel. Sophie verlässt die Zelle.

Else wendet sich ab. Wir folgen ihrem Blick. Auf dem Bett sieht Else die Anklageschrift, wie hingeworfen, mit der Maschinenschrift nach unten. In großen Buchstaben hat Sophie auf die Rückseite geschrieben:

FREIHEIT

Else in Tränen in die Ferne blickend.

60. WITTELSBACHER PALAIS, GEFÄNGNISBAU, AUFNAHME, TAG / INNEN

Locher übergibt Sophie dem SD-Mann, der in der Aufnahme Dienst tut. Sophie trägt nun Handschellen. Der SD-Mann hat seine Uniformjacke angezogen und die Mütze auf dem Kopf. Locher reicht ihm gleichzeitig Sophies Gefangenenakte vom Tresen.

Locher Runter zum Fahrdienst.
SD-Mann Die warten schon.

Der SD-Mann führt Sophie weg. Wir bleiben bei Locher, der Sophie mit einem zynisch-verächtlichen Grinsen hinterherblickt.

61. WITTELSBACHER PALAIS, TAG / AUSSEN

Herrliches Sonnenwetter.[25] Wir steigen mit Sophie in Begleitung von zwei Gestapomännern in einen Zivilwagen und fahren ab.

Sophie wirkt in hohem Maße konzentriert und gespannt. Ihr Kampf vor Publikum um ihre Sache beginnt.

62. JUSTIZPALAST, TAG / AUSSEN UND INNEN

Vorfahrt. Sophie wird von zwei Beamten der »blauen Polizei«, die vor dem Eingang gewartet haben, aus dem Auto geholt und in das Gebäude geführt und zum Saal 216 gebracht.

63. JUSTIZPALAST, SAAL 216,[26] TAG / INNEN

Sophie wird von den zwei »Blauen Polizisten« in den Gerichtssaal geführt. Sie sieht vor sich die Türen aufschwingen, dann schockartig für sie das folgende Bild: Der Saal ist bis zum Bersten gefüllt. Nur Männer. Überwiegend in Uniform. Viele im Schwarz der SS. Einige Kriegsversehrte sind darunter. Alle Augen fliegen zu ihr. Sophie hört das gespannte Raunen der Menge. Bei Sophies Auftritt kehrt Ruhe ein. Sie ist ernst, bleich, gefasst. Das Gericht ist noch nicht anwesend.

Rechts, seitlich von ihr an der Wand, sitzen schon ihr Bruder und Christoph Probst, jeder von zwei »Blauen« eingerahmt, die volle Uniform tragen, einschließlich Tschako.

Sophies Blick sucht Hans und Christel. Sophie wird von ihren beiden Bewachern zügig dort hingeführt, zunächst vorbei an der Bank der beiden Pflichtverteidiger, die vor der Anklagebank sitzen. Der Rechtsanwalt August Klein vertritt die Geschwister Scholl, Christels Pflichtverteidiger hieß Ferdinand SEIDL. Klein gönnt Sophie einen kurzen Blick, den er sofort abwendet.

Bevor sie Platz nimmt, bemerkt Sophie den Reichsanwalt Weyersberg (nun in dunkelroter Robe), der schon seitlich am Richtertisch Platz genommen hat, neben sich einen männlichen Protokollführer. Blickwechsel mit Weyersberg, der ihr nicht ausweicht wie die Pflichtverteidiger.

Nun wendet sich Sophie den anderen beiden Gefangenen zu. Auf Sophie machen Hans und Christel einen gefassten Eindruck. Sophie weiß, Hans rechnet genau wie sie selbst mit dem Todesurteil. Aber sie werden kämpfen. Christel Probst wirkt auf Sophie sehr viel angespannter als Hans, so aufrecht und starr, wie er sitzt. Er hat eine Chance, mit dem Leben davonzukommen.

Im Saal sehen wir den Referendar SAMBERGER und einen OBERLEUTNANT der Wehrmacht in Uniform mit einem kleinen Trauerflor im Knopfloch, beide so um die 25 Jahre alt.[27]

Sophie wird seitlich neben die anderen platziert. Es ist eng zwischen den Polizisten.

Hans Sophie, wie geht es dir?

Sophie beugt sich vor und lächelt Hans an und fragt fast gleichzeitig.

Sophie ... und dir?

Da fährt ein uniformierter BEWACHER dazwischen:

Bewacher Reden verboten. Nur wer gefragt wird, spricht.

Alle im Publikum starren herüber. Die Angeklagten lassen sich nicht beeindrucken. Christel ist sehr still. Sophie blickt in seine großen Augen.

Sophie Christel, ...
Hans Es war meine Schuld.

Christel (mühsam) Schicksal.
Hans Du musst für dich kämpfen.

Sophie bemerkt erleichtert auf Christels Lippen ein kleines, aber verzweifeltes Lächeln.

Bewacher Ruhe jetzt!

Stille im Saal. Sophie blickt zur Seitentür, die geöffnet wird. Das »Gericht« erscheint.

Als Ersten erkennt Sophie einen Mann mit hageren Zügen in blutroter Robe mit dem Hakenkreuzadler. Es ist Roland FREISLER. Er trägt ein Beffchen als Kopfbekleidung und drei Akten (keine Leitzordner, flache Gerichtsordner) unter dem Arm. Ihm folgen ein Richter namens Stier in einfacher, schwarzer Richterrobe, ebenfalls mit einem Aktenbündel, der SS-General BREITHAUPT und der SA-General Bunge in Uniform mit Mütze und der Bayrische Staatssekretär Kögelmaier ebenfalls in SA-Generalsuniform – trotz der Pracht ihrer Uniformen bleiben diese Männer – bis auf Breithaupt – nur Statisten, sie haben keine Akten dabei, Papier und Bleistift liegen auf dem Tisch.

Sobald der Blutrichter mit seinem Gefolge in den Saal einzieht, sieht Sophie, wie die Zuschauer, einschließlich Reichsanwalt und der beiden Pflichtverteidiger, aus ihren Sitzen hochspritzen. Die Bewacher zerren die Angeklagten von der Bank hoch.

Bewacher Aufstehen!

Das Gericht nimmt die Plätze ein (zunächst stehend hinter dem Stuhl). Alles steht. Ruhe.

Freisler kontrolliert nun mit Blicken nach allen Seiten, ob alles seine Ordnung hat.

Nun ein erster Blickwechsel mit Sophie, stellvertretend für

die drei Angeklagten. Sophies Hände krampfen sich ineinander, aber sie senkt den Blick nicht vor dem Blutrichter.

Dann sieht Sophie, wie Freisler den Arm zum Hitlergruss nach oben reißt und wie das Publikum sofort und mit gleicher Zackigkeit reagiert. Samberger dagegen ist beim Gruß zögerlich, der Oberleutnant voll dabei.

Freisler Heil Hitler.
Allgemein Heil Hitler.

Die Angeklagten haben den Gruß selbstverständlich nicht beantwortet. Sophie sieht, dass Freisler dies registriert. Dass die Angeklagten nicht grüßen, ist nicht verwunderlich. Freisler gestattet sich einen kleinen Seitenblick auf Breithaupt, der leicht nickt. Erst als Freisler Platz nimmt, setzen sich alle.

Freisler sortiert seine Akten. Es ist sehr still im Saal. Dann hebt er den Blick und fixiert Sophie und die anderen Angeklagten.

Blickwechsel zwischen Weyersberg und Freisler, der sich kurz räuspert, bevor er beginnt. Freisler wendet seinen Blick zum Publikum. Alle sehen nun nach vorne. Freisler hat die ungeteilte Aufmerksamkeit.

Freisler Ich eröffne die Verhandlung des Ersten Senats des Volksgerichtshofs gegen Hans Fritz Scholl und Sophia Magdalena Scholl aus München sowie Christoph Herrmann Probst aus Aldrans wegen Hochverrats, Wehrkraftzersetzung und Feindbegünstigung.

Sophie, Hans und Christel erwarten nun einen fast physisch präsenten Angriff, sie sind konzentriert und schauen seitlich nach vorne zum Richtertisch.

64. JUSTIZPALAST, SAAL 216, TAG / INNEN

Als Erster[28] ist Christel Probst an der Reihe. Freisler ruft ihn auf.

Freisler Probst, Christoph.
Christel Jawohl. (leise zu sich) Ich als Erster?

Christel wird vorgeführt. Taxierende Blicke im Publikum. Raunen.

Freisler (Blick in die Akten) Geboren am 6.11.1919 in Murnau, Sohn eines Privatgelehrten. Arbeitsdienst, Militärausbildung?
Christel Jawohl.

Freisler mustert sein Opfer. Sein Ton bleibt bei der Vernehmung von Christel Probst noch eher moderat.

Freisler Sie sind verheiratet und haben drei Kinder?
Christel Ja, von zweieinhalb, eineinviertel Jahren und eines von vier Wochen.
Freisler Und wie wollen *Sie, ausgerechnet Sie* Versager, drei Kinder als richtige Deutsche erziehen?
Christel Ich bin ein guter Vater und …
Freisler Was … und?

Christel wirft einen unsicheren Blick zur Seite. Wir sehen Sophie mit einer Andeutung eines Lächelns. Es fällt Christel ersichtlich schwer zu sagen:

Christel … ein »unpolitischer Mensch« …
Freisler (unterbricht) … also überhaupt kein Mann!

Freisler fischt das zusammengeklebte Flugblatt hervor und hält es in Richtung des Angeklagten.

Freisler Das da ist doch Ihre Schrift?
Christel Ja.

Während Freisler aus dem Flugblatt zitiert, blickt Christel zu Hans, der ihm zunickt. Christel schöpft ein wenig zusätzliche Kraft für seinen eigenen Weg.

Freisler Sie meinen doch den Führer, oder irre ich mich da, wenn Sie schreiben: (zitiert) »Sollen dem Sendboten des Hasses und des Vernichtungswillens alle Deutschen geopfert werden, ihm, der die Juden zu Tode marterte, die Hälfte der Polen ausrottete, Russland vernichten wollte, ihm, der euch Frieden, Freiheit, Familienglück, Hoffnung und Frohsinn nahm und dafür Inflationsgeld gab.«

Während der letzten Sätze ist ein unwilliges Raunen im Publikum zu hören. Der Oberleutnant macht ein empörtes Gesicht und schüttelt den Kopf.

Christel (mit Kraft) Das war nur ein Entwurf, nichts weiter.
Freisler (ins Publikum) Unpolitisch nennt er sich! Dass ich nicht lache! (zu Christel) Weder die Fürsorge des nationalsozialistischen Reichs für Ihre Berufsausbildung noch die Tatsache, dass nur die nationalsozialistische Bevölkerungspolitik es Ihnen ermöglicht hat, als Student eine Familie zu haben, hinderten Sie daran, auf Aufforderung Scholls dieses Manuskript auszuarbeiten, das den Heldenkampf in Stalingrad zum Anlass nimmt, den Führer als militärischen Hochstapler zu beschimpfen, in feigem Defätismus zu machen und zur Kapitulation aufzufordern. – Geben Sie das zu?
Christel Jawohl. Aber es war doch nur ein Entwurf …

Sophie kann, seitlich sitzend, das Publikum während der ersten Tiraden beobachten. Der Oberleutnant lächelt verächtlich. Die Mehrheit im Saal ist eindeutig auf Freislers Seite, wie die leichte Unruhe und die ablehnenden Mienen zeigen.

Freisler Es gibt kein »nur« im Überlebenskampf des deutschen Volkes.

Hans beugt sich vor, um zu Sophie sagen zu können:

Hans So ein Affentheater!
Freisler Und mit den anderen sechs Pamphleten und den Schmierereien wollen Sie nichts zu tun haben?

Christel wirft Hans einen zweiten unsicher-fragenden Blick zu. Hans nickt. Freisler, dem der Blickwechsel nicht entgangen war, faucht:

Freisler Hier spielt die Musik, ja!

Christel blickt wieder Freisler an.

Christel Damit habe ich nichts zu tun, Herr Präsident (kämpft) … mein Entwurf, wurde noch nicht mal vervielfältigt. Ich wollte erst noch besprechen, ob man überhaupt …
Freisler Ach, besprechen … so wie das formuliert ist, ist doch alles klar. Da gibt's doch nichts zu besprechen! (ins Publikum) Dieser Lump belegt die Verheißungen seines Flugblattes durch Bezugnahme auf – Roosevelt! (Raunen bei den Zuhörern) Und hat sein Wissen vom Abhören englischer Sender! (zu Christel) Geben Sie das auch zu?
Christel Jawohl, Herr Präsident. (Pause, er ringt.) Aber ich möchte sagen, dass ich unter einer … »psychotischen Depression« bei Abfassung …

Freisler (unterbricht zynisch) So? Eine (schmetternd) »psychotische Depression« bei Abfassung war an allem schuld?

Christel … dass ich unter einer »psychotischen Depression« bei Abfassung des Entwurfs gelitten habe … der Krieg … das Kindbettfieber meiner Frau, die ja immer noch …

Freisler Ach hören Sie mir damit auf, das entschuldigt doch nicht einen solch üblen Verrat.

Christel gibt nicht auf. Er versucht alles für sich in die Waagschale zu legen. Dabei ein dritter Blickwechsel mit der Anklagebank, wo Sophie und Hans sitzen. Wir sehen Christels schlechtes Gewissen. Hans deutet auf sich, Christel atmet durch.

Christel Ich habe mich gestern doch schriftlich distanziert. Ich muss außerdem darauf bestehen, dass ich auch weder durch finanzielle Unterstützung noch durch Materialbeschaffung, noch durch Anfertigung oder Verbreitung von Schriften ein solches Unternehmen unterstützt habe. Es liegen diesbezüglich keinerlei Beweise gegen mich vor …

Freisler Ich kenne die Akten und Ihren Versuch, alles zu beschönigen.

Christel (verzweifelt) Flugblätter sind doch nur Worte!

Freisler (kalt) Nur Worte? Alle Verräter in der Geschichte haben auch *nur* Worte benutzt.

Christel (kämpft) Aber keiner hat sie gelesen. Ein einziger Entwurf … Meine seelische Verfassung war …

Freisler (kalt und ruhig) Wir haben alle gehört, dass Sie sich als psychopathischen Idioten ausgeben, damit Sie besser davonkommen.

Christel Herr Präsident, meine Kinder brauchen den Vater.

Hans nickt. Auch Samberger im Publikum nickt.

Freisler So ein mieses Vorbild brauchen deutsche Kinder nicht. Sie sind doch unwürdig, Probst.

Sophie entgeht nicht die distanzierte Haltung einiger Männer (ähnlich wie Samberger) im Saal. Freisler muss versuchen, eine negative Stimmung abzufangen, deswegen macht er eine Konzession, ins Publikum sprechend, die unser Zuschauer so deuten kann, dass für Christel noch eine Chance besteht, vielleicht mit dem Leben davonzukommen.

Freisler (ins Publikum) Wenigstens ist er nicht zu feige zu einem Geständnis.

Christel blickt Freisler an und umkrampft mit den Fingern die Stuhllehne, er beißt auf die Zähne, auch wenn er innerlich bebt, und er behält den Kopf oben. Freisler lässt von seinem Opfer ab. Blickwechsel mit Breithaupt, der knapp nickt. Freisler ist mit Christel fertig, für ihn ist der Angeklagte jetzt Luft. Freisler zur Verteidigerbank:

Freisler Verteidigung, noch Fragen?
Seidl Nein, Herr Präsident.
Freisler (Richtung Christel) Abführen. (zur Anklagebank) Scholl, Hans.

Während Christel zurückgeführt wird, zerrt ein »Blauer« Hans nach vorne. Im Publikum tauschen sich tuschelnd ein paar Männer aus. Sophie sieht, wie sich Hans und Christel wegen der Enge aneinander vorbeidrängen, sieht ihren Blickwechsel. Sophie schaut Christel an, wie er sich setzt. Sie ist selbst sehr nervös, lächelt ihn wie zur Aufmunterung an. Christel zuckt mit den Schultern, lächelt dann aber zurück, dann senkt er den Kopf. Er hat sich von der Idee distanziert und deswegen noch nicht völlig resigniert nach der Bemerkung Freislers über sein Geständnis. Freisler nimmt einen Schluck Wasser.

65. JUSTIZPALAST, SAAL 216, TAG / INNEN

Hans vor Gericht, sehr aufrecht, durchaus fast militärisch. Freisler beginnt zunächst in ruhiger Stimmlage, um sich dann, deutlich mehr als bei Christel, in Erregung zu steigern. Das Publikum ist still und blickt gebannt nach vorne.

Freisler Sie studieren seit Frühjahr 1939 Medizin?
Hans Ja.
Freisler Und zwar heute – dank der Fürsorge der nationalsozialistischen Regierung – im achten Semester.
Hans Achtes Semester ist richtig.
Freisler So? Acht Semester? – Auf Kosten des Reiches! Auch noch so ein Schmarotzer. – Zwischendurch waren Sie im Frankreichfeldzug in einem Feldlazarett und vom Juli bis November 1942 an der Ostfront im Sanitätsdienst?
Hans Auch das ist richtig. Aber ich möchte sagen …
Freisler Nichts sagen Sie, bevor ich Sie frage!
Hans (unbeugsam) Ich will sagen, dass ich nicht als Schmarotzer …
Freisler Halten Sie den Mund, sonst lasse ich Sie abführen.
Hans Ich studiere nicht als Schmarotzer; Studium ist Pflicht als Soldat der Studentenkompanie.

Sophie kann genau sehen, wie nun Freisler innerlich Anlauf zu seiner ersten Hasstirade nimmt:

Freisler Ach, dann reden wir doch gleich mal über Pflicht! – Als Student haben Sie die Pflicht vorbildlicher Gemeinschaftsarbeit. Das und die Fürsorge, die gerade Ihnen das Reich angedeihen ließ, hat Sie nicht gehindert, in der ersten Sommerhälfte 1942 (hebt die Stimme) vier Flugblätter der *Weißen Rose* zu verbreiten, die defätistisch Deutschlands Niederlage voraussagen, (hebt weiter die Stimme) zum *allgemeinen passiven Widerstand*, der Sabotage in

Rüstungsbetrieben und überhaupt bei jeder Gelegenheit dazu auffordern, dem Deutschen Volk seine nationalsozialistische Lebensart und seine Regierung zu nehmen.

Während Freisler aus dem Flugblatt zusammenfassend zitiert, werden aus dem Publikum Unmutsäußerungen laut. Stellvertretend:

Oberleutnant Unerhört!
Andere Was bilden die sich ein? Frechheit, so was.

Freisler registriert die Zustimmung zu sich aus dem Augenwinkel und ohne erkennbare Emotion.

Freisler Scholl, geben Sie das zu?
Hans (gerade) Ja.
Freisler Es gibt ja auch Beweise genug. (blättert in den Akten) Die Schablonen, die Schreibmaschine, die Briefmarken, sogar eine Pistole. Und Ihre Schwester haben Sie feige mit hineingezogen?

Unruhe im Publikum.

Sophie Es war meine Entscheidung.

Sophie bemerkt eine weitere Unruhe im Publikum, Blicke treffen sie. Sie sieht die fragenden Blicke von Samberger und des Oberleutnants. Sophie mischt sich deswegen ein, obwohl sie noch auf der Anklagebank sitzt.

Freisler Habe ich Sie gefragt, Angeklagte?
Sophie Ich muss das richtig stellen.
Freisler Verschonen Sie uns mit Ihren Kommentaren!

Sophies Bewacher zerrt an ihrem Arm. Freisler nimmt einen Schluck Wasser, Blick ins Publikum (er scheint sich seiner Sache bei den Zuschauern sicher), und er wendet sich wieder Hans zu.

Freisler Im November 1942 forderten Sie Ihren Freund, den Mitangeklagten Probst auf, Ihnen ein Manuskript zu schreiben, das dem deutschen Volk die Augen öffnen soll! Er lieferte einen Flugblattentwurf Ende Dezember. Ist das richtig?

Hans Nein, er lieferte nichts, sondern äußerte Bedenken.

Freisler hält höhnisch das zusammengepuzzelte Flugblatt hoch.

Freisler Wieso Bedenken? Dieses Pamphlet ist doch von Probst.

Hans Aber ich allein habe ihm gesagt, was er schreiben soll.

Freisler Sie haben also systematisch andere hineingezogen, um den Kreis der Verbrecher zu vergrößern?

Hans (militärisch knapp) *Ich* bin der Alleinverantwortliche.

Nun steigert sich Freisler wieder:

Freisler Sie sind *alle* gesinnungslose Lumpen. Es ist doch richtig, dass Sie, die beiden Geschwister, gemeinsam die sechs Flugblätter und besonders das letzte hier verfasst haben …

Hans Nur ich, nicht meine Schwester …

Freisler (verächtlich) Ach was!

Freisler nimmt einen Schluck Wasser, bevor er sich wieder dem Flugblatt zuwendet. Wenn er zitiert, geht wieder ein Raunen im Publikum durch den Saal.

Freisler Sie sagen der Partei den Kampf an, sprechen von nationalsozialistischem Untermenschentum und schreiben, der Tag der Abrechnung sei gekommen! Dieses widerwärtige Zeug haben Sie unter anderem mit dem Schmorell verteilt.
Hans Das ist nicht richtig.

Hans bleibt unerschütterlich. Sophie folgt mit starr-entschlossenem Gesicht der Vernehmung. Christel ist in sich gekehrt.

Freisler Hören Sie doch auf! Schmorell hat doch zusammen mit Ihnen auch die Wände hier in der Stadt beschmiert – und ist feige geflohen. Das ist doch Schuldeingeständnis genug!
Hans *Ich* stehe hier vor Ihnen und rechtfertige mich, sofern Sie mich ausreden lassen, Herr Präsident.
Freisler Sie reißen hier den Mund auf, weil Sie denken, kein Drohmittel kann Sie schrecken, wie in dem einen Pamphlet zu lesen ist. Das wollen wir doch mal sehen! – Sie haben diese Flugblätter geschrieben, weil Sie sich einbilden, dass das deutsche Volk nur durch Verrat am Führer durch den Krieg kommen könne?

Hans überlegt eine gute Formulierung.

Hans Weil der Krieg nicht mehr …

Freisler unterbricht schreiend:

Freisler Ja oder nein, das kann doch nicht schwer sein!
Hans Gegen Amerika, England und Russland haben wir keine Chance. Blicken Sie doch nur auf die Landkarte! Mit mathematischer Sicherheit führt Hitler das deutsche Volk in den Abgrund. Er kann den Krieg nicht gewinnen, nur noch verlängern!

Freisler Da täuschen Sie sich aber gewaltig über den Kampfeswillen und das Durchhaltevermögen des deutschen Volkes. Durch Ihre terroristische Feindbegünstigung werden nur noch mehr deutsche Soldaten sterben.
Hans (beschwörend) Nur wer den Krieg schnell beendet …
Freisler Krieg beenden? Ja, glauben Sie denn, es steht *Ihnen* zu, über Krieg und Frieden zu entscheiden? Das ganze deutsche Volk will den totalen Krieg.
Hans Das deutsche Volk ist ausgeblutet, es will Frieden. Hitler und seine Helfer sind schuld an einer Metzelei, die in Europa jedes Maß unendlich überschritten hat. Jeder hier …

Erhebliche Unruhe im Saal. Samberger blickt voller Scham auf den Boden.

Freisler Ja, was bilden Sie sich ein? Sie ehrloser Lump haben die Frechheit, noch vor dem Gericht den Führer zu beschimpfen?

Sophie bemerkt, wie Hans plötzlich vor Anstrengung und Konzentration bis zur Ohnmacht blass wird, er greift nach der Stuhllehne vor sich, ein Schütteln durchläuft seinen Körper, er wirft den Kopf zurück und schließt die Augen, aber er knickt nicht ein und gibt seine nächste Antwort mit fester Stimme, aber zunächst noch leiser als bisher. Im Publikum wird es still, weil niemand versäumen will, was Hans sagt.

Hans Jeder hier weiß, dass der Traum einer Herrschaft über Europa und der Endsieg schon lange verspielt sind. Wer kann noch daran glauben, wenn Nacht für Nacht die alliierten Bomber ungehindert ihre Bomben auf deutsche Städte werfen können, weil unsere Luftwaffe am Boden ist?

Hans gewinnt wieder Kraft.

Freisler Die Wehrmacht hat den Russen an der Kehle!
Hans (bitter) Zum Beispiel in Stalingrad?

Sophie blickt im Publikum jetzt nur in nachdenkliche und ernste Gesichter, vielleicht sind einige sogar erschrocken darüber, dass jemand es wagt, an dieser Stelle offen die Wahrheit zu sagen. Der Oberleutnant sieht Samberger von der Seite prüfend an, als wolle er ergründen, wie sein Nachbar denkt.

Freisler Sie und Ihresgleichen sind doch schuld, dass Deutschland so schwer ringt, weil die Unterstützung im Inneren nicht hundertprozentig ist. Jeder weiß, wie hoch der Blutzoll unter den deutschen Soldaten für die Verteidigung des Vaterlandes ist.

Hans holt zu einem wichtigen Schlag gegen Freisler aus.

Hans *Ich* war an der Ostfront, (halb ins Publikum) wie viele der Zuhörer hier. Sie nicht.

Plötzlich erstaunliche Stille im Saal. Ein Zuschauer hüstelt verstohlen. Bevor Hans fortfährt, beobachtet Sophie, wie Freisler unsicher wird. Freisler spürt aus dem Augenwinkel einen prüfenden Blick von Breithaupt, er ist für einen Moment sprachlos. Auch Hans entgeht das nicht. Er setzt nach:

Hans *Ich* habe die Ströme von Blut in Polen und Russland mit eigenen Augen sehen müssen. *Ich* habe sehen müssen, wie Frauen und Kinder von deutschen Soldaten erschossen wurden, (senkt die Stimme) und ich habe auch sehen müssen, wie unsere Soldaten erfrieren und verhungern.
Freisler Frauen und Kinder erschossen? Ja, sind Sie denn so blöde, dass Sie annehmen können, dass nur ein einziger Volksgenosse Ihnen das glaubt?
Hans Wenn Hitler und Sie nicht vor unserer Meinung Angst hätten, würden wir hier nicht stehen.

Freisler Ach, halten Sie doch den Mund ... ach, es ist sowieso ... ehrloser Lump ... Sie sind doch nichts als ein Dummkopf und ein mieser Verräter. Ende der Vernehmung.

Eisiges Schweigen im Saal. Niemand würde wagen, den Kopf über die unglaublich polemische Prozessführung zu schütteln, aber Sophie entgeht nicht die erste innere Abneigung der Zuschauer, die sich in der Körpersprache ausdrückt. Besonders bei Samberger sehen wir Verschränkung der Arme und Beine, bei dem Oberleutnant Blicke nach oben und nach unten, bloß nicht zum Geschehen. Vielleicht auch ein unsicheres Nesteln an einem Orden (EK II). Freisler ist getroffen, nimmt einen Schluck Wasser, jetzt ist er nicht mehr theatralisch-empört, sondern wütend.

Das Verhör durch Freisler ist beendet. Er wendet sich an die anderen Beteiligten.

Freisler Noch Fragen?

Hans blickt sich selbstbewusst, wenn nicht sogar herausfordernd zu Weyersberg um und zu seinem Pflichtverteidiger. Sophie strafft sich, weil sie auf ihren Bruder stolz ist. Christel dagegen verharrt angespannt. Er weiß ja noch nicht, ob sein Leben verwirkt ist, und hofft. Die Gerichtsbeteiligten antworten zügig auf Freislers Frage:

Weyersberg Nein.
Klein Keine Fragen, Herr Präsident.
Freisler Scholl, Hans, zurück auf die Bank. – Und nun nehmen wir uns mal das dritte kriminelle Element vor.

Eine leise Unruhe entsteht im Saal, weil erneut der Gang der Verhandlung hinter vorgehaltener Hand unter dem Publikum erörtert wird. Freisler klopft mit einem Bleistift zweimal kurz und energisch auf den Tisch. Sofort Schweigen. Alle Augen richten sich gehorsam nach vorne. Auf dem Rückweg von Hans zur Anklagebank ein Blickwechsel zwischen den Geschwistern, um sich Mut zu machen. Hans hat sich mehr als tapfer geschlagen, Sophie braucht noch die Kraft, dem Blutrichter zu widerstehen. Die beiden werden aneinander vorbeigeführt.

Hans Allen …!

Sophie nickt.

66. JUSTIZPALAST, SAAL 216, TAG / INNEN

Nun gilt die allgemeine Aufmerksamkeit im Saal Sophie Scholl. Alle Augen ruhen auf ihr. Sophie hat jetzt das Publikum im Rücken, kann also aus eigener Perspektive nur dann Blickkontakt aufnehmen, wenn sie sich halb herumdreht. Sophie spürt, wie Freisler darauf wartet, dass sie – wenigstens sie als Frau – innerlich wankt. Weil sie das nicht tut, wird er sich in ihrem Verhör am meisten in Erregung steigern.

Freisler Sophia Magdalena Scholl, geboren am 9.5.1921?
Sophie Ja.

Freisler mustert sein Opfer. Der erste Angriff:

Freisler Schämen Sie sich denn nicht, dass Sie Flugblätter hochverräterischen Inhalts in der Universität verbreitet haben?
Sophie Nein, ich schäme mich nicht.
Freisler Ach, sie schääämt sich nicht!

Sophie sieht Freisler zu einer weiten Geste des Werfens ausholen.

Freisler In den Lichthof geworfen ... einfach so?
Sophie Nicht einfach so, sondern um auch noch die letzten Flugblätter zu verbreiten, denn wir wollten ...
Freisler Reden Sie lauter, man versteht Sie kaum.

Sophie räuspert sich und wiederholt lauter:

Sophie Ich wollte auch noch die letzten Flugblätter verbreiten, damit unsre Idee ...

Freisler beginnt aufgebracht in seinen Akten nach einem Flugblatt zu suchen.

Freisler Idee? Diesen Dreck hier Idee nennen! Das sieht Vollidioten ähnlich, aber nicht deutschen Studenten.
Sophie Wir kämpfen mit dem Wort.
Freisler Etwa mit solchen Beleidigungen? (zitiert) »Eine Führerauslese, wie sie teuflischer und zugleich bornierter nicht gedacht werden kann, zieht ihre künftigen Parteibonzen auf Ordensburgen zu gottlosen, schamlosen und gewissenlosen Ausbeutern und Mordbuben heran, zur blinden, stupiden Führergefolgschaft.« (überliest und zitiert dann weiter) »... Dilettanten ... die die höchsten Werte einer Nation vor die Säue werfen, (wiehert) »Vor die Säue«, *das* ist die Sprache, die die Studenten verstehen sollen, unsere Elite?

Das Publikum nimmt nunmehr starr und ohne Raunen oder Zwischenrufe diese »hochverräterischen« Worte zur Kenntnis, was Freisler verunsichert. Ein verspäteter Ruf aus dem Publikum

Zuruf Muss man sich das gefallen lassen?

unterstützt eher die skeptisch-ablehnende Stimmung, als dass er Freisler starken würde. Freisler kneift die Augen zusammen, und sein Blick schweift über die Zuhörer. Wartet er auf weitere Unterstützung? Das Publikum schweigt.

Sophie Das stimmt doch.

Freisler nimmt erneut Anlauf zu einer Tirade.

Freisler (erregt) Ja, haben Sie denn jeden Funken von Moral und Sitte verloren? Der Führer des deutschen Volkes, Adolf Hitler, hat den Worten Freiheit und Ehre endlich wieder einen Sinn gegeben, nachdem die plutokratischen Verbrecher der jämmerlichen Republik entmachtet worden sind. Aber das verstehen Sie nicht, Sie können doch nur heimtückisch hetzen.

Sophie Wir hetzen nicht, wir beschreiben die Zustände.

Freisler Da schreiben Sie doch tatsächlich »darum trennt euch von dem nationalsozialistischen Untermenschentum!« Schauen Sie sich doch selber mal an, dann sehen Sie den Untermenschen! – Wo haben Sie eigentlich das Papier für diese Pamphlete her?

Sophie Gekauft und aus der Universität.

Freisler So, aus der Universität? Heimtückischer Diebstahl am Volksgut! Gerade Papier, das so knapp ist! *Das* sieht Hochverrätern ähnlich. – Sagen Sie mal, Sophia Scholl, Ihr Verlobter stand doch als Offizier der Wehrmacht in Stalingrad, ist verwundet worden und gerade noch herausgekommen, dank der Fürsorge seiner tapferen Kameraden. War der Mann auch eingeweiht?

Sophie Nein. Ich habe ihn schon lange nicht mehr gesehen.

Freisler Und Sie feiges Stück fallen ihm an der Heimatfront in den Rücken!

Nun entsteht doch wieder ein Raunen im Publikum. Sophie wendet sich halb um, um dann umso entschiedener fortzufahren.

Sophie Mein Bruder und ich haben mit den Flugblättern versucht, den Menschen die Augen zu öffnen und das bestialische Blutbad an anderen Völkern und den Juden früher zu beenden, als es ohnehin von den Alliierten beendet wird. – Sollen wir denn auf ewig das vor aller Welt gehasste und ausgestoßene Volk sein?

Freisler Ach, ein Herrenvolk interessiert das nicht.

Sophie Ihr Herrenvolk will in Wirklichkeit Frieden und dass wieder die Menschenwürde Achtung findet, es will Gott, Gewissen, Mitgefühl.

Freisler verschlägt es kurz die Sprache. Das Publikum wartet gespannt auf seinen Konter. Freisler wiederholt nur:

Freisler Gott, Gewissen, Mitgefühl? ... ja, was bilden Sie sich denn ein?

Freisler sieht, wie Breithaupt beginnt, etwas auf einen Zettel zu schreiben. Freisler sammelt sich und fährt mit dröhnender Stimme fort:

Freisler Der totale Krieg bringt dem deutschen Volk den Sieg und es geht aus diesen Stahlgewittern gereinigt und groß hervor ...

Sophie Millionen Kriegstote ... die so genannte Entjudung, die Tötung von Geisteskranken, es sind die grauenvollsten, jegliches Maß überschreitenden Verbrechen geschehen ...

Freisler Die Reinigung des Volkes ist radikal und selbstverständlich.

Sophie hebt die Stimme und wendet sich halb zum Publikum.

Sophie Jeder, der hier im Saal sitzt, hat durch den Krieg Angehörige und Freunde verloren. Keiner glaubt, dass das zur Reinigung unseres Volkes notwendig war. Jeder trauert.

Dieses ebenso wahre wie emotionale Argument zeigt Wirkung im Publikum. Wir sehen das besonders bei dem Oberleutnant mit seinem Trauerflor.

Freisler erwidert darauf überraschend leise und unpathetisch:

Freisler Trauer ja … aber *voller* Stolz. – Das verstehen Menschen wie Sie nicht. (Pause) Was haben Sie sich eigentlich überhaupt dabei gedacht?

Sophie (fest) Einer muss schließlich damit anfangen. Es ist der einzig mögliche Weg.

Freisler prallt förmlich zurück vor diesem Satz und flüchtet sich in ein zynisches Lachen. Hans zeigt zum ersten Mal ein kleines Lächeln, mit Stolz für die kämpferische kleine Schwester. Christel nickt. Sophie schleudert Freisler nun entgegen:

Sophie Was wir gesagt und geschrieben haben, denken ja so viele, nur wagen sie nicht, es auszusprechen.

Schweigen im Publikum. Starre. Kaum jemand schaut nach vorne zum Gericht, als könne man sich »mitschuldig« machen, indem man beim Schweigen ertappt wird. Breithaupt schiebt Freisler den Zettel hinüber. Wir lesen mit Freisler das Wort.

Unerträglich.

Nach einem Moment der Unsicherheit und des Schwankens, und weil er erkennt, dass er den Angeklagten nicht beikommen kann, zischt Freisler:

Freisler Ach, schweigen Sie doch endlich.

Sophie dreht sich um und blickt in den Saal, wo vielleicht der ein oder andere die Augen niederschlägt. Samberger streicht mit einer Hand über seinen Mund und schaut zu Sophie, die seinen Blick auffängt. Der Oberleutnant zupft sich verlegen am Ohr und schaut zur Tür, als überlege er, ob er gehen soll. Aber in diesem Prozess geht niemand. Freisler wendet sich an die Beteiligten.

Freisler Fragen?

Keine Antwort ist in diesem Fall auch eine Antwort. Der Reichsanwalt senkt den Blick. Klein schüttelt den Kopf.

Freisler Ende der Beweisaufnahme.

Sophie wird von ihrem Bewacher abgeholt. Keiner tuschelt mehr in dieser Prozesspause.

Wie sie auf die Anklagebank zugeht, blickt sie ihren Bruder und Christel an. Hans ist klar, dass auch Sophie nun ihr Leben verwirkt hat. Stolz auf die Kämpferin und die Trauer der Todesgewissheit mischen sich in ein bitteres Lächeln. Christel wirkt betroffen nach den letzten Sätzen von Sophie.

Freisler Dann zu den Anträgen.

67. JUSTIZPALAST, SAAL 216, TAG / INNEN

Das Publikum bleibt während der gesamten Anträge unbeweglich und still. Sophie blickt zu Freisler, der mit ausholender Geste zu dem Ankläger sagt:

Freisler Herr Reichsanwalt Weyersberg, Ihren Antrag bitte.

Nach dem Getobe Freislers klingen die Worte des Reichsanwalts am Ende der »Beweisaufnahme« sachlich und ruhig:

Weyersberg Hoher Senat. Das in der Beweisaufnahme festgestellte Handeln muss mit dem Tode bestraft werden. Es gibt für die Reichsanwaltschaft zum Schutze des kämpfenden Volkes und Reiches nur diese gerechte Strafe. Die Reichsanwaltschaft weiß sich darin mit unseren Soldaten einig!

Freisler Verteidigung?

Sophie versucht einen Blickkontakt. Vergeblich. Ihr Pflichtverteidiger orientiert sich seitlich zum Gericht und lässt kein Bemühen erkennen, für die Angeklagten etwas in die Waagschale werfen zu wollen.

Klein Ich verstehe einfach nicht, wie Menschen Derartiges machen können, Hoher Senat. Ich beantrage für den Angeklagten Hans Scholl eine gerechte Strafe; für die Angeklagte Sophie Scholl eine mildere Strafe, sie ist nur ein Mädchen.

Klein setzt sich. Nun erhebt sich der Rechtsanwalt Ferdinand Seidl, der Probst »vertritt«.

Seidl Hohes Gericht, ich bitte für den Angeklagten Probst ebenfalls um eine mildere Strafe, weil er psychisch verwirrt war.

Er setzt sich.

Freisler So, und nun kommen wir noch zu den Schlussworten der Angeklagten. (Blick in die Akte) Hans Scholl!

Sophie blickt ihren Bruder an, plötzlich an der Tür ganz in der Nähe der Anklagebank, ein Zwischenfall! Alle Augen wenden sich dorthin.

68. JUSTIZPALAST, SAAL 216, TAG / INNEN

Sophie sieht ihren Vater ROBERT SCHOLL in den Verhandlungssaal eindringen. Die Mutter MAGDALENA SCHOLL[29] folgt, wie auch ein junger Soldat in Wehrmachtsuniform (WERNER SCHOLL). Im Saal entsteht jetzt wieder Unruhe, Gemurmel. Freisler blickt unwirsch von seinen Akten auf und reckt den Hals.

Robert Scholl Ich bin der Vater.
Freisler Ruhe bitte!

Es gibt eine Art Handgemenge an der Tür mit einem Polizisten. Auch ein paar Zuschauer sind aufgesprungen und wollen mithelfen, die Eltern abzudrängen. Nicht der Oberleutnant. Samberger hält einen anderen Zuschauer am Oberarm zurück, mit dem Satz:

Samberger Komm lass. Das sind die Eltern.
Freisler (laut) Entfernen Sie diese Leute aus dem Saal.

Hans und Sophie sind aufgestanden. Christel bleibt sitzen. Die Geschwister werden von den Bewachern auf ihre Plätze gezerrt. Blickwechsel zwischen Sophie und ihrer Mutter. Sophie ist in Sorge. Hans und Christel blicken sich an. Robert Scholl setzt sich durch und wendet sich zunächst an den Pflichtverteidiger.

Robert Scholl Sie sind doch der Anwalt meiner Kinder? Gehen Sie bitte vor zum Präsidenten und sagen Sie, ich will meine Kinder verteidigen.

Sophie sieht, wie der Anwalt verblüfft ihren Vater anschaut, der noch einmal mit einer energischen Geste unterstreicht, was er will. Sie blickt zu Hans, der alarmiert wirkt.

Anhaltende Unruhe im Saal.

Freisler Ruhe!

Klein steht auf, geht sehr rasch vor zum Gericht und sagt, aber so, dass Sophie es hören kann, leise zu Freisler:

Klein Herr Präsident, der Vater meiner Mandanten bittet um das Wort.

Blickwechsel Freislers nicht mit Robert Scholl, sondern mit den Angeklagten. Dann sieht Sophie Freisler zu einer seiner weiten Geste ausholen und rufen:

Freisler Entfernen Sie diese Leute aus dem Saal. Raus hier. Und Ruhe jetzt.

Sophie beobachtet, wie Uniformierte, aber auch Zuschauer nun noch energischer versuchen, sich ihres Vaters zu bemächtigen und ihn ebenso wie seine Frau aus dem Saal zu drängen. Doch Sophie sieht, wie ihr Vater körperlich und in aller Verzweiflung kämpft.[30]

Robert Scholl (ruft) Ich bin Robert Scholl, der Vater von zwei Angeklagten. Ich möchte etwas zur Verteidigung ...
Freisler Ich gestatte das nicht. Entfernen!

Blickwechsel Sophie und Mutter. Magdalene Scholl erleidet einen Schwächeanfall. Ein Teil des Publikums steht und schaut dem Spektakel zu.

Robert Scholl Bei unseren Kindern handelt es sich um arglose Idealisten, die in ihrem Leben noch nie jemandem geschadet haben. Es sind doch blutjunge Menschen ohne Lebenserfahrung.

Freisler antwortet Robert Scholl mit einer unwirschen Handbewegung:

Freisler Schweigen Sie! Sie sind nicht zugelassen.

Werner hilft seiner Mutter, sich zu stabilisieren. Sophies Mutter fängt sich.

Robert Scholl Unsere Kinder haben überall ihre Pflicht erfüllt. Unsere Tochter war beim Arbeitsdienst und unser Sohn stand im aktiven Militärdienst an der Front … beide beste Beurteilungen! Geben Sie meinem Sohn doch die Chance, sich freiwillig an die Ostfront zu melden, wo sein Bruder, (zeigt auf Werner) hier, im Mittelabschnitt liegt …

Freisler Raus hier, rausbringen!

Sophie sieht, wie sich ihr Vater in einem Polizeigriff windet. Ihre Mutter versucht mühsam, ihm zu helfen. Robert Scholl muss erkennen, dass er keine Chance hat, er weicht zurück.

Robert Scholl Es gibt noch eine andere Gerechtigkeit!

Robert Scholl wird nun endgültig niedergerungen und aus der Tür geschoben, die Mutter und der Bruder folgen, von Bewachern geschoben. Die Tür wird zugeworfen.

Freisler Ruhe!

Sophie spürt, wie die harte Abweisung ihrer verzweifelten Eltern durch Freisler beim Publikum Abscheu erzeugt. Ein winziges (aber aus Freislers Sicht gefährliches) Raunen läuft durch die Reihen. Sie sieht, wie Breithaupt sich zu Freisler beugt und ihm etwas zuraunt, dabei blicken beide ins Publikum.

69. JUSTIZPALAST, SAAL 216, TAG / INNEN

Immer noch diese fast unmerkliche Unruhe im Saal. Das kommt weniger von geflüsterten Worten als von körperlicher Unruhe, leichtem Scharren mit den Füssen, so als wollten einige Zuhörer lieber weg. Außerdem schaut nicht jeder nach vorne.

Freisler (unangemessen laut) Ich befehle jetzt: Ruhe!

Freisler schlägt auf den Tisch und wartet auf Ruhe, während er versucht, das Publikum mit Blicken zusätzlich zu beeindrucken. Endlich ist es grabesstill im Saal.

Freisler Jetzt die Schlussworte. Die Angeklagten aufstehen!

Die Polizisten zerren Sophie und die beiden Männer hoch. Sophie steht auf. Die Schlussworte werden von der Bank aus gesprochen.

Freisler Probst?

Christel sammelt sich, steht auf. Mit weichem Unterton sagt er, bittend, nicht flehend:

Christel Ich bitte Sie um mein Leben wegen meiner Kinder. Ich war auch in vollem Umfang geständig.

Freisler bleibt regungslos. Der Saal ist still. Freisler befiehlt Christel mit einer Bewegung seines Zeigefingers sich zu setzen. Dann deutet er auf Hans.

Freisler Und Sie, Scholl?

Hans weiß, dass er nichts zu verlieren hat, er positioniert sich militärisch-gerade. Sein Blick geht von Freisler über das ganze »Gericht« und wieder zu Freisler zurück.

Hans Ich bitte Sie, Hohes Gericht, verschonen Sie diesen Mann und bestrafen sie mich.

Freisler fällt Hans sofort ins Wort.

Freisler Wenn Sie für sich selbst nichts vorzubringen haben, schweigen Sie gefälligst!

Sophie sieht, wie Hans Freisler anstarrt. Dann setzt sich ihr Bruder.

Freisler Sophia Scholl?

Alle sehen zu Sophie herüber. Stille im Publikum. Nun blickt sie Freisler an. Dessen Züge bleiben starr. Sophie sagt ruhig, für alle verständlich mit klarer lauter Stimme.

Sophie Bald werden Sie hier stehen, wo ich jetzt stehe.

Freisler muss diese Worte verdauen. Ein schneller Blick ins Publikum, ob sich dort Empörung regt, aber die Zuschauer schweigen. Er sieht zurück zu Sophie, die einfach nur durch ihre aufrechte Haltung unterstreicht, was sie gesagt hat. Freislers Gesicht vereist. Er versucht seinen Erfolg zu beschwören und macht damit nur sein Scheitern deutlich.

Freisler Jeder anständige Mensch hier im Saal ist empört über das, was Sie sagen! – Das Gericht zieht sich zur Beratung zurück.

Von Empörung erkennt Sophie indes nicht die geringste Spur, sie spürt im Auditorium nur Verlegenheit, Angst vielleicht ... kaum einer blickt nach vorne zum Gericht oder zu den Angeklagten. Der Oberleutnant schaut verstohlen auf seine Armbanduhr.

Freisler geht mit seinen Beisitzern rasch über die Tapetentüre ab. Das Publikum erhebt sich.

Sophie und ihre Mitangeklagten spüren die Veränderung der Atmosphäre bei den Zuschauern im Saal. Während sich die Zuschauer auf den Weg aus dem Saal machen, werfen sie unsichere Blicke zur Anklagebank. Die drei Studenten schauen sich erschöpft an. Christel macht sich Mut. Er schließt die Augen und faltet stumm die Hände.

Das Publikum verlässt nun vollends schweigend, eingeschüchtert und betroffen den Saal. Keiner wagt, laut zu sprechen. Die Angeklagten bleiben auf der Bank.

70. JUSTIZPALAST, SAAL 216, TAG / INNEN

Der Saal ist leer. Die Angeklagten sitzen mit ihren Bewachern stumm wartend auf der Bank. Sophie schaut nun zu Christel hinüber. Sie sieht Christels Nervosität, ein kurz aufflackerndes Lächeln. Nun zu Hans. Der wirkt stoisch.

Gerichtswachtmeister (off auf dem Flur)
(ruft) Bitte zur Urteilsverkündung in Saal 216 eintreten.

71. JUSTIZPALAST, SAAL 216, TAG / INNEN

Das »Gericht« tritt an seinen Platz, wo es stehen bleibt. Das Publikum ist wieder im Saal und steht am Platz, ebenso die Angeklagten. Jemand hüstelt im Saal. Freisler hat sich Notizen gemacht, die er zurechtlegt. Ruhe kehrt ein. Sophie blickt nun zu Freisler und seinen juristischen Mittätern oben am Pult. Er nimmt seine handschriftlichen Notizen auf dem Protokoll[31], kontrolliert mit den Augen, ob das ganze Interesse auf ihn gerichtet ist. Probst ist in unerträglicher, nervöser Hoffnung mit aufgerissenen Augen, Hans gefasst und ernst. Sophie ebenso. Alle stehen sehr aufrecht.

Freisler Im Namen des Deutschen Volkes, in der Strafsache gegen

- den Hans Fritz Scholl aus München,
- die Sophia Magdalena Scholl aus München und
- den Christoph Herrmann Probst aus Aldrans

hat der 1. Senat des Volksgerichtshofs aufgrund der Hauptverhandlung vom 22. Februar 1943 für Recht erkannt: Die Angeklagten haben im Kriege in Flugblättern zur Sabotage der Rüstung und zum Sturz der nationalsozialistischen Lebensform unseres Volkes aufgerufen, defätistische Gedanken propagiert und den Führer aufs Gemeinste beschimpft und dadurch den Feind des Reiches begünstigt und unsere Wehrkraft zersetzt. Probst hat sich eines Rundfunkverbrechens schuldig gemacht.
Sie werden deshalb mit dem *Tode* bestraft.

Sophie und Hans nehmen den Urteilsspruch stoisch auf. Beide blicken dann voller Mitgefühl zu Christel und sehen, wie dessen Hoffnung in sich zusammenstürzt und damit auch die Hoffnung der Geschwister, dass wenigstens er mit dem Leben davonkommt. Christel schließt die Augen, sein Gesicht zuckt, er fängt sich nur schwer, lässt den Kopf hängen.

Im Publikum nicken einige wenige der Anwesenden. Die meisten Gesichter bleiben unbeweglich. Samberger spricht flüsternd aus, was viele denken.

Samberger (leise) Doch nicht den Probst.

Freisler (setzt noch hinzu) Ihre Bürgerehre haben sie für immer verwirkt. Sie tragen die Kosten des Verfahrens.

Sophie Euer Terror ist bald vorbei.
Hans (ruft) Heute hängt ihr uns und morgen werdet ihr es sein!

Sophie beobachtet das Publikum sehr genau: Unruhe ist nun doch entstanden. Nur ein einziger Zwischenrufer:

Unerhört! Aufhängen!
Freisler Abführen!

Freisler reißt den Arm nach oben.

Freisler Heil Hitler.

Anders als zu Beginn der Verhandlung kommt die Antwort des Publikums auf den Hitlergruss Freislers nur mit einem gewissen Zögern, nicht so eindeutig-zackig, was auch Freisler nicht entgeht. Bei anderen – aus Angst – noch zackiger als anfangs. Samberger verzichtet auf den »deutschen Gruß«, und der Oberleutnant neben ihm scheint sich zu schämen, so langsam hebt er die Hand.

Blickwechsel mit dem Blutrichter, der hasserfüllt und etwas verunsichert sich triumphierend gebend vor seinem Abgang zurück zur Anklagebank schaut. Sophie sieht, wie dieser mit seinen Komplizen im Seiteneingang verschwindet. Das Publikum strebt schweigend und bedrückt zum Ausgang.

Sophies Eltern drängen gegen den Strom noch einmal zurück in den Saal, um vielleicht Kontakt mit ihren Kindern aufnehmen zu können. Sophie und ihr Bruder schieben sich, so gut es geht, den Eltern an der nahen Tür entgegen, obwohl die Bewacher dagegenhalten.

Robert Scholl Lassen Sie mich bitte durch, bitte durchlassen, ich will zu meinen Kindern.

Da sieht Sophie, wie ihr Pflichtverteidiger, seine Robe ausziehend, auf die Eltern zutritt, und sie hört ihn sagen:

Klein Ich verstehe nicht, wie man seine Kinder so schlecht erziehen kann.

Sophie drängt zu den Eltern. Sie und ihre Mutter versuchen, mit weit entgegengestreckten Händen einen Kontakt herzustellen.

Bewacher Zurück. Das ist nicht zulässig.

Sophie wird von dem Mann zurückgerissen. Dagegen sieht sie, wie es ihrem Bruder Werner gelingt, trotz der Bewachung, an Hans heranzukommen und ihm die Hand zu drücken. Auf Sophie wirkt Hans hart und kämpferisch. Sie hört Hans sagen, während sie fast mit ihrem Bewacher ringt:

Hans Bleib stark, Werner. – Keine Zugeständnisse.

Sophie schafft es schließlich doch, in Werners Reichweite zu kommen. Auch sie drückt ihm herzlich die Hand und lächelt aufmunternd. Werner erwidert den Händedruck, in seinen Augen stehen Tränen.

Nun werden sie endgültig abgedrängt. Ein letzter, fast sehnsuchtvoller Blickwechsel mit den Eltern. Samberger ist an die Eltern herangekommen.

Samberger Mein Name ist Samberger, ich bin hier Referendar. Sie müssen schnell ein Gnadengesuch einreichen.

72. JUSTIZPALAST, WANDELGANG, HOF, TAG / INNEN UND AUSSEN

Die drei Verurteilten werden von ihren Bewachern aus dem Justizpalast in den von außen nicht einsehbaren Innenhof gebracht. Das Abführen geht schnell, entschlossen, macht Druck.

Polizisten Weiter! Beeilung! Los! Da rein!

Sophie dreht sich trotz des Tempos im Gehen um und blickt noch einmal zu ihrem Bruder und Christel zurück, die hinter ihr kommen. Die Verurteilten wissen nicht, ob dies das letzte Mal ist, dass sie sich sehen. Hans wirkt erschöpft, nach seinem langen Kampf. Mit den inzwischen wieder gefesselten Händen kann Sophie nicht winken. Er hat Tränen in den Augen. Christel weint nicht, er wirkt apathisch, lässt sich einfach von seinem Bewacher mitreißen. Sophie erscheint uns kraftlos und ausgebrannt, ähnlich wie ihr Bruder. Sie weint nicht, lässt aber den Kopf hängen und wird so als Erste in einen Gefängniswagen geschoben.

73. GEFÄNGNISWAGEN, TAG / INNEN

Sophie sitzt in einem geschlossenen Gefängniswagen in einem Abteil. Durch ein Gitter kann sie den Kopf eines Polizisten mit Tschako sehen, der mit dem Rücken zu Sophie vor der Tür sitzt.

Der Wagen hält an.

Kreischend öffnet sich das Tor des Gefängnisses im Off.

Der Wagen fährt kurz darauf weiter.

74. STADELHEIM, VOLLSTRECKUNGSTRAKT, FLUR TAG / INNEN

Die Polizisten übergeben Sophie an eine WÄRTERIN, eine Frau um die Fünfzig in Uniform und mit einem strengen Knoten, auf den ersten Blick die typische NS-Aufseherin. Er händigt ihr gleichzeitig Sophies Akte aus.

Bewacher Scholl Sophie, Volksgerichtshof, Urteil von heute.
Wärterin Kommen Sie. Hier lang.

Sophie geht neben der Wärterin her den Flur hinunter. Auch die Wärterin geht zügig, fast zu schnell für die erschöpfte Sophie, die wegen der Eile überrascht ist.

74. STADELHEIM, TODESZELLE, TAG / INNEN

Sophie betritt die Todeszelle[32]. Sie blickt sich um und sieht[33] noch nicht einmal eine Pritsche, nur einen Tisch und zwei Stühle. Ein halbrundes Fenster oben unter der Decke. Daneben ein manieriert-katholisches Kruzifix und eine Deckenlampe mit bürgerlichem Dekor, ein krasser Kontrast zu der Kargheit der Räumlichkeit. Die Wärterin gibt ihr Briefpapier und Bleistift.

Wärterin Falls Sie Abschiedsworte finden … fassen Sie sich bitte kurz, Fräulein Scholl.
Sophie Heute noch?

Die Wärterin nickt stumm. Dass es nun doch so schnell gehen soll, schockiert Sophie bis ins Innerste. Sie starrt die Wärterin an.

Sophie Ich dachte … 99 Tage …

Die Frau schüttelt den Kopf. Nun gibt es für Sophie keinerlei Hoffnung mehr. Sie wird noch an diesem Tag sterben müssen! Sie schaut die Wärterin offen an, sie klagt nicht, sie bricht nicht zusammen, sie kämpft das würgende Entsetzen nieder.

Wärterin Schreiben Sie lieber.

Sophie muss den Schock verdauen, sie setzt sich schwer atmend, versucht sich zu fassen.[34]

Sophie beginnt schließlich mit noch unsicherer Hand Abschiedsbriefe zu schreiben.

Als Erstes schreibt sie die Worte:

Geliebter Fritz,

Anfangs überlegt sie noch, dann hebt sie den Kopf und schließlich fließen ihr die Worte flüssiger aus dem Stift. Dann schaut sie durch das vergitterte Fenster hinaus in den blassen Abendhimmel.

75. STADELHEIM, TODESZELLE, TAG / INNEN

Es wird aufgeschlossen. Sophie sitzt aufrecht, wartend in der Todeszelle. Die Briefe sind geschrieben. Sophie hat darüber ihre Hände gefaltet. Sophie blickt zur Tür.

Wärterin Kommen Sie. Sie haben noch Besuch.
Sophie Besuch?

76. STADELHEIM, FLUR TODESTRAKT, TAG / INNEN

Sophie tritt mit der Wärterin aus der Todeszelle in den Flur, an dessen Ende sie Mohr stehen sieht. Sie wird an ihm vorbeigeführt. Sophie blickt den Vernehmungsbeamten an. Mohrs Gesicht zeigt keine Regung.

77. STADELHEIM, BESUCHSZELLE, TAG / INNEN

Sophie wird in einen Besuchsraum gebracht. Sie sieht, wie Hans (nun in Sträflingskleidern) gerade von den Eltern weggeführt wird. Blickwechsel zwischen Sophie und Hans. Sein Gang ist leicht und aufrecht. Seine Augen leuchten nun wie nach einem großen Sieg. Ein Strahlen geht von ihm aus. Sophies Mutter kämpft mit den Tränen und versucht ihre Traurigkeit zu verbergen.

Nun tritt Sophie auf ihre Eltern zu. Sophie trägt ihre eigenen Kleider (immer noch dieselben wie bei der Verhaftung), keinen Kerkerdrillich wie ihr Bruder. Sie geht langsam, gelassen und sehr aufrecht. Sophie lächelt, als schaue sie in die Sonne. Sie neigt sich über die trennende Schranke und gibt den Eltern die Hand. Eine kurze Zeit der Sprachlosigkeit, dann:

Magdalena Scholl Sophie!

Der Vater schließt sie in die Arme und sagt:

Robert Scholl Ihr werdet in die Geschichte eingehen, es gibt noch Gerechtigkeit.
Sophie Das muss Wellen schlagen!

Die Mutter nestelt Süßigkeiten aus ihrer Handtasche.

Magdalena Scholl Da, nimm, iss was, Sophie, der Hans hat's nicht mögen.
Sophie Ach ja, gerne, ich habe ja noch nicht zu Mittag gegessen.

Sophie nimmt das Gebäck in die Hand und wird es nicht essen.

Sophie Bitte sorgt euch nicht. Ich würde alles genauso wieder machen.
Robert Scholl Es war alles richtig. Ich bin stolz auf euch.
Sophie (zum Vater) Wir haben alles auf uns genommen.

Die Mutter, kaum noch in der Lage zu sprechen, streicht Sophie über die Wange und flüstert um Fassung ringend:

Magdalena Scholl Deine Haut ... wie blühend und frisch sie ist ...

Sophie tröstet ihre Mutter, selbst am Rande ihrer Fassung, mit erstickter Stimme:

Sophie Mama, wie du so tapfer und gut bei mir stehst.
Magdalena Scholl Nun wirst du also gar nie mehr zur Türe hereinkommen.
Sophie Es dauert ja nicht lange und wir sehen uns in der Ewigkeit wieder.

Um sich einen Halt zu geben, sagt die Mutter stockend, mit einem dicken Kloß im Hals.

Magdalena Scholl Gell ... Sophie, Jesus.

Fast befehlend gibt Sophie zurück:

Sophie Ja, Mutter, aber du auch ...!

Die Wärterin tritt ein. Sophie muss der Frau folgen. Mit Blick auf die Eltern geht Sophie drei Schritte rückwärts. In dem Augenblick, als sich Sophie von ihren Eltern wegdreht, verschwimmt ihr Lächeln und ihre Augen füllen sich mit Tränen. Die Tränen überströmen nun Sophies Gesicht. Die Eltern können das nicht sehen. Sophie wird weggeführt, ohne sich noch einmal umzuwenden.

Wir enden mit den stolz-aufrechten, gefassten und dennoch gebrochenen Eltern, die nicht sehen, dass Sophie weint. Robert Scholl nimmt seine Frau in den Arm.

79. STADELHEIM, FLUR TODESTRAKT, TAG / INNEN

Sophie begegnet weinend auf dem Flur ein letztes Mal dem Vernehmungsbeamten Mohr. Sophie kämpft um ihre Fassung.

Sophie Ich habe mich gerade von meinen Eltern verabschiedet … Sie werden verstehen.

Mohr nickt und weicht Sophies Blick aus und schlägt die Augen nieder.

Wärterin Kommen Sie bitte.

Die Schlösser der Todeszelle werden geöffnet. Wir bleiben auf Mohr, der den Gedanken an das, was er tat, wohl verdrängt haben muss, denn später hat er in seiner Manier andere Widerständler, wie Anneliese Graf, verhört. Noch nicht mal seine Magenschmerzen machen ihm in diesem Augenblick zu schaffen.

Sophie betritt die Zelle.

80. STADELHEIM, TODESZELLE, TAG / INNEN

Wieder alleine in der Zelle. In dem Todestrakt ist es nun buchstäblich totenstill. Sophie steht vor dem Fenster und schaut mit erhobenem Kopf hinaus, erblickt einen Streifen blassblauen Abendhimmels, über den geräuschlos ein Vogel fliegt. Sophie hat nicht nur ihre Fassung und Selbstkontrolle wiedergewonnen, sie strahlt ab jetzt eine unfassliche innere Ruhe und Größe aus, sie hat mit dem Leben abgeschlossen und ihrem Tod fast triumphierend einen Sinn gegeben.

Wieder der Schlüssel. Sophie sieht zur Tür. Doch nicht die Gehilfen des Henkers, sondern der Gefängnisgeistliche DR. KARL ALT tritt ein.

Alt Fräulein Scholl, mein Name ist Alt, ich bin der Gefängnisgeistliche.

Sophie Guten Abend, Herr Pfarrer.

Alt Ich weiß nicht, wie ich Ihnen in dieser allzu kurz bemessenen Frist nahe kommen und Sie und Ihren Bruder auf Ihren letzten Gang vorbereiten soll.

Sophie Ich möchte beten.

Alt ist fast ratlos, ja zitternd, schon jetzt am Rande seiner Nerven. Sophie neigt den Kopf in stiller Andacht, um ihn dann später wieder zu heben. Alt kauert neben ihr mit verkrampften Händen und hört den Text.[35]

Sophie Mein Gott, herrlicher Vater, verwandle Du diesen Boden in eine gute Erde, damit Dein Samen nicht umsonst in sie falle, wenigstens lasse auf ihr die Sehnsucht wachsen nach Dir, ihrem Schöpfer, den sie so oft nicht mehr sehen will.

Alt atmet schwer, er wirkt sehr mitgenommen.

Beide Amen!
Sophie Ich bitte Sie um das heilige Abendmahl.

Alt schaut die vor ihm betende Sophie an.

Alt Es segne dich Gott der Vater,
Der dich nach seinem Ebenbild geschaffen hat.
Es segne dich Gott der Sohn,
Der dich durch seine Leiden und Sterben erlöst hat.
Es segne dich Gott, der Heilige Geist,
Der dich zu seinem Tempel bereitet und geheiligt hat.

Der Pfarrer macht das Kreuzzeichen über Sophies Stirn und fährt fort:

Alt Der dreieinige Gott (er zeichnet mit der rechten Hand das Kreuz) sei dir gnädig im Gericht und bewahre dich zum ewigen Leben.
Beide Amen.

Wieder hört Sophie den Schlüssel. Nun ist es endgültig Zeit. Die Wärterin erscheint, bleibt wortlos in der Tür stehen.

Alt Niemand hat größere Liebe, denn der sein Leben lässt für seine Freunde. Gott ist bei dir.

Sophie geht, Alt bleibt zurück, starr, die Hände im Schoss gefaltet, auf seinem Stuhl sitzend.

81. STADELHEIM, FLUR TODESTRAKT, TAG / INNEN

Sophie geht neben der Wärterin den Flur hinunter. Aufrecht. Stumm. Die Wärterin blickt sich plötzlich sichernd um und winkt Sophie mit einer konspirativen Geste zu einem Gitter, das einen seitlich abgehenden Gang verschließt. Sie öffnet es mit dem Bemerken:

Wärterin Es ist zwar gegen die Vorschrift … aber …

Verblüfft schaut Sophie die Frau an.

Mit Sophie blicken wir durch das sich öffnende Gitter in einen weiteren Flur, der zu einer Tür führt, die eine vergitterte Scheibe hat. Dahinter sind ein kahler Hof und eine Backsteinfassade zu sehen.

82. STADELHEIM, FLUR BEI HINRICHTUNGSSTÄTTE, TAG / INNEN

Sophie sieht, dass Hans und Christel schon in dem Flur stehen und ihr entgegenblicken. Alle drei sind überrascht und zunächst sprachlos über die unverhoffte Begegnung.

Die Wärterin gibt Sophie eine Zigarette und Streichhölzer.

Wärterin Eilen Sie sich bitte.

Sophie zündet die Zigarette an, nimmt einen tiefen Zug und gibt sie weiter an ihren Bruder. Die Wärterin nimmt die Streichhölzer wieder an sich, als Sophie sich die Zigarette angesteckt hat.

Sophie Danke.

Hans nimmt ebenfalls einen tiefen Zug und gibt die Zigarette an Christel weiter. Die Wärterin verlässt unterdessen leise den Raum und zieht das Gitter hinter sich ins Schloss.

Christel Es war nicht vergebens.
Sophie Wir kommen zusammen drüben an.
Hans Ja, zusammen.

Die drei Todeskandidaten lassen nun noch schweigend die Zigarette kreisen, sie stehen aufrecht beieinander.

Sophie und Hans lächeln, es ist alles gesagt und getan für diese drei jungen Menschen.

Sophie macht den ersten Schritt auf die beiden Männer zu, dann treffen sich alle drei in einer kurzen, aber engen Umarmung, vielleicht noch ein allerletztes Festklammern, ein allerletztes Gefühl von Wärme und Nähe. Dann lösen sie sich wieder voneinander, als sollte niemand Zeuge dieser intimen Geste sein.

Stilles, bewegungsloses, sehr aufrechtes Warten auf den Tod. Jeder schaut den anderen an. Alle haben zur selben gelassenen und abgeklärten Ruhe gefunden. Zu sagen ist nichts mehr.

Die letzte Zigarette ist verglüht.

Dann ist es so weit. Schlüsselgeräusch an der Tür zum Hof.

Zwei Männer in schwarzen Anzügen und mit schwarzer Krawatte treten ein. Die Helfer des Henkers. Einer fesselt Sophie die Hände mit einer Handschelle auf dem Rücken. Sophie lässt das geschehen und schaut ihrem Bruder in die Augen, als wolle sie diesen Eindruck für immer festhalten.

Sophie Die Sonne scheint noch.

Sophie muss sich von dem Anblick ihres Bruders losreißen. Die Henkergehilfen nehmen Sophie an den Oberarmen und führen sie nun sehr schnell durch die Tür, eine Treppe hinunter in den Hof. Hans und Christel blicken ihr hinterher.

83. STADELHEIM, HOF, ABEND / AUSSEN

Die Wärter führen Sophie über den kahlen Hof, der im letzten Licht des Februartages liegt, zur Hinrichtungsstätte.

Oben unter dem Himmel sieht Sophie ein sonnenbeschienenes Stück Brandmauer. Sophie blickt hinauf, nicht wie eine Madonna, sondern wie jemand, der noch einen letzten Sonnenstrahl mit jeder Faser genießt.

Dann öffnet einer der Wärter die Tür der Hinrichtungsstätte.

84. STADELHEIM, HINRICHTUNGSSTÄTTE, TAG / INNEN

Sophie tritt ins kalte Licht dieses Raumes.[36] Sofort fällt ihr Blick auf einen schwarzen Vorhang. Sophie weiß immer noch nicht, welchen Tod sie sterben muss.

Sophie sieht mehrere Männer warten. Es sind dies der Reichsanwalt Weyersberg, der Gefängnisvorstand Dr. Koch, der Gefängnisarzt Dr. Grüber im weißen Kittel und der Gefängnisgeistliche. Ihn schaut sie an und sieht, wie er um Fassung ringt. Die Männer starren die Verurteilte an.

Weyersberg Sophia Magdalena Scholl, der Reichsminister der Justiz hat mit Erlass vom 22.2.1943 beschlossen, von seinem Begnadigungsrecht keinen Gebrauch zu machen, sondern der Gerechtigkeit freien Lauf zu lassen.

Sophie sagt nichts. Dann geht alles sehr schnell. Sophies Blick wandert von einem zum anderen, während der Reichsanwalt sagt:

Weyersberg Es ist genau 17 Uhr. Die Vollstreckung ist durchzuführen.

Der restliche Vorgang dauerte laut Protokoll 6 Sekunden. Dennoch dehnt sich die Zeit.

Zwei Gehilfen des Scharfrichters übernehmen Sophie. Sie scheuen fast davor zurück, diese junge, zerbrechlich wirkende Frau zu berühren. Sophie macht es den Henkersknechten leicht, sie tritt mit erhobenem Kopf nach vorne.

Der schwarze Vorhang fällt zur Seite.

Sophie erblickt die Guillotine mit aufgerichtetem Liegebrett für das Opfer, daneben den Scharfrichter Reichhart in schwarzem Anzug mit schwarzer Krawatte, barhäuptig, ein dünner, langer Mann, der mit flinken Augen seine Helfer kontrolliert. Kommandos braucht er nicht zu erteilen.[37] Da sitzt jeder Griff.

Sophies zweiter Blick fällt dann auf drei bereitstehende einfache Särge neben der Guillotine.

Sophie schreitet mit ihren auf dem Rücken gefesselten Händen weiter auf das Fallbeil zu, zwei, drei Schritte noch.

Die beiden Gehilfen fassen schließlich doch Sophie an und führen sie fast sanft den allerletzten Schritt zu dem Liegebrett, auf dem sie mit drei Ledergurten sofort festgeschnallt wird. Das Brett wird dann unverzüglich in die Waagrechte gekippt, Sophies Körper damit ein Stück nach vorne geschoben, so dass ihr Haupt plötzlich über den Rand der Guillotine ragt. Sophie blickt in den Blechtrog für den abgeschlagenen Kopf, das Letzte, was sie von dieser Welt sieht.

Eine Sekunde der Stille.

Das Beil in seiner Halterung oben am Schafott.

Die Hand des Henkers löst mit einem Hebel das Beil aus.

Ein metallisches Zischen.

Das Beil fällt, rast auf die Kamera zu.

Das Bild wird schwarz.

Ein dumpfer Schlag im Off.

Ein zweiter Schlag, der Kopf stürzt in den Trog.

Pause, man hört, wie eine zweite Person hereingebracht wird.

Weyersberg (off) Ich stelle hiermit die Personengleichheit des Vorgeführten Hans Fritz Scholl mit dem Verurteilten fest. Die Vollstreckung ist durchzuführen.
Pause.

Ein Schrei voller wilder Entschlossenheit:

Hans (off) Es lebe die Freiheit.

Zischen. Ein zweiter Doppelschlag.
Zischen, ein dritter Doppelschlag.
Stille.
Brummen von sich nähernden Flugzeugen.

85. SCHLUSSBILD

Aufblende. Ein anfliegendes Geschwader alliierter Bomber. Die Bombenschächte öffnen sich. Heraus fliegen unzählige Flugblätter.

Musik: Sugar

Trickmontage: Die Kamera fährt nach unten und zurück. Die Bomber verschwinden aus dem Bild. Flugblätter schweben durch die Luft wie in der Universität.

Musik wird langsam ausgeblendet.

Darüber gelegt:

Sprecher Durch Helmuth von Moltke gelangt das 6. Flugblatt der *Weißen Rose* über Skandinavien nach England. Hunderttausende davon werden von alliierten Flugzeugen Ende 1943 über Deutschland abgeworfen.

Abblende.

ABSPANN

Stille.

Rolltitel: Die Namen der anderen hingerichteten oder eingesperrten Mitglieder der *Weißen Rose* laufen über das Bild.

Die Urteile des so genannten Volksgerichtshofs gegen die Mitglieder der *Weißen Rose*:

Sophie Scholl	Todesstrafe
Hans Scholl	Todesstrafe
Christoph Probst	Todesstrafe
Kurt Huber	Todesstrafe
Willi Graf	Todesstrafe
Alexander Schmorell	Todesstrafe
Hans Leipelt	Todesstrafe
Marie-Luise Jahn	12 Jahre Zuchthaus
Eugen Grimminger	10 Jahre Zuchthaus
Helmut Bauer	7 Jahre Zuchthaus
Heinrich Bollinger	7 Jahre Zuchthaus
Hans Hirzel	5 Jahre Gefängnis
Franz Müller	5 Jahre Gefängnis
Heinrich Guter	18 Monate Gefängnis
Traute Lafrenz	1 Jahr Gefängnis
Gisela Schertling	1 Jahr Gefängnis
Karin Schüddekopf	1 Jahr Gefängnis
Susanne Hirzel	6 Monate Gefängnis
Josef Söhngen	6 Monate Gefängnis
Willi Bollinger	3 Monate Gefängnis
Harald Dohrn	Freispruch
Manfred Eickemayr	Freispruch
Wilhelm Geyer	Freispruch
Falk Harnack	Freispruch

Es folgen die Zitate über die *Weiße Rose*, geschrieben am 26./27 Juni:

Zunächst ein Ausschnitt einer Ansprache von Thomas Mann über die Geschwister Scholl 1943, in der periodischen Rundfunksendung *Deutsche Hörer* über die BBC London, vermutlich am 12. August 1943 verbreitet:

Sprecher Thomas Mann über die *Weiße Rose* im Juni 1943 in der periodischen Rundfunksendung *Deutsche Hörer* über die BBC London:

»Ja, sie war kummervoll, diese Anfälligkeit der deutschen Jugend – gerade der Jugend – für die nationalsozialistische Lügenrevolution. Jetzt sind ihre Augen geöffnet, und sie legen das junge Haupt auf den Block für ihre Erkenntnis und für Deutschlands Ehre – legen ihn dorthin, nachdem sie vor Gericht dem Nazi-Präsidenten ins Gesicht gesagt: ›Bald werden Sie hier stehen, wo ich jetzt stehe‹; nachdem sie im Angesicht des Todes bezeugt: ›Ein neuer Glaube dämmert an Freiheit und Ehre.‹ Brave, herrliche junge Leute! Ihr sollt nicht umsonst gestorben, sollt nicht vergessen sein.«

Angeblich sagte Winston Churchill 1946 über die *Weiße Rose*:

»In Deutschland lebte eine Opposition, die zum Edelsten und Größten gehört, was in der politischen Geschichte aller Völker hervorgebracht wurde. Diese Menschen kämpften ohne Hilfe von innen und außen – einzig getrieben von der Unruhe des Gewissens, solange sie lebten, waren sie für uns unsichtbar, weil sie sich tarnen mussten. Aber an den Toten ist der Widerstand sichtbar geworden. Diese Toten vermögen nicht alles zu rechtfertigen, was in Deutschland geschah. Aber ihre Taten und Opfer sind das unzerstörbare Fundament des neuen Aufbaus.«

INSPIRATION DURCH FAKTEN –

Bemerkungen zum Konzept des Films

Von Fred Breinersdorfer und Marc Rothemund

Sophie Scholl war eine junge, sensible Studentin, eher schüchtern, aber lebensfroh. Sie kam aus einer großen, protestantischen Familie in Ulm, wo sie und ihre Geschwister liberal erzogen wurden. Moralische und religiöse Werte spielten eine große Rolle. Gegen den Willen des Vaters war sie zunächst mit fast allen ihren Geschwistern Mitglied bei der Hitlerjugend. Eine scheinbar völlig normale Biographie ihrer Zeit.

Dann in München *die Weiße Rose*, studentischer Widerstand im Untergrund, der, wohlgemerkt anders als die Offiziere des 20. Juli 1944, Hitler nur mit Worten und nicht mit Gewalt bekämpfte. Der Kopf der Gruppe war ihr Bruder Hans. Sophie, die Jüngste, kam erst spät in den inneren Kreis der Gruppe, sie war dort eine der wenigen Frauen.

In Sophies letzten Tagen, zwischen dem 18. und dem 22. Februar 1943, kulminierte ihr Schicksal. Für sie wurde in den tagelangen Verhören der Gestapo das Familienmotto »allen Gewalten zum Trotz sich erhalten«, zum konkreten Auftrag. Es ging um die Verteidigung der Idee von Recht und Freiheit für alle Menschen, die Forderung nach sofortiger Beendigung des Krieges und nach einer demokratischen Staatsform und damit nach der grundlegenden Veränderung der politischen Verhältnisse in Deutschland.

Über *die Weiße Rose* und Sophie Scholl gibt es zwei Filme, den von Michael Verhoeven (*Die weiße Rose*) und den von Percy Adlon (*Fünf letzte Tage*). Beide sind Anfang der 80er Jahre gedreht worden und haben ihre eigenen großen Qualitäten. Verhoevens Film ist ein Klassiker des deutschen Kinos geworden.

Dennoch dachten wir, dass sich Sophie Scholls Biographie weder filmisch noch erzählerisch erschöpft hat, da inzwischen neue Dokumente, insbesondere die Protokolle der Gestapo über die Verhöre und Geständnisse, vorlagen, die Anfang der 80er Jahre noch in den Stasi-Archiven unter Verschluss waren. Diese bisher unveröffentlichten Dokumente hatten eine spannende innere Dramaturgie. Sie zeichneten, bürokratisch von der Gestapo registriert, den Weg und den Kampf von Sophie nach.

Besonders beeindruckt waren wir, wie Sophie unter dem massiven Druck der Vernehmungen nicht klein beigab, sondern wuchs, sodass sie dem Blutrichter Freisler die Stirn bieten konnte und vier Tage nach ihrer Verhaftung aufrecht in den Tod ging. In diesen letzten Tagen machte sie eine ungeheuere Wandlung durch. Sophie Scholls letzte fünf Tage, die Spanne vom Vorabend ihrer Verhaftung bis zu ihrem Tod, sind der Stoff für eine ebenso politisch aufrüttelnde wie emotional tief berührende Geschichte – nicht nur für ein deutsches Publikum.

Wir leben in einer Zeit, in der faschistische Parteien in Europa wieder trommeln und in Deutschland rechtsradikale Parteien in die Parlamente gewählt werden – überwiegend von jungen Wählern. Überall wird beklagt, die Jugend habe keine Vorbilder. Doch gleichzeitig bleiben Schüler dem Unterricht fern, um gegen den Krieg im Irak zu demonstrieren, und bunte Fahnen mit der Aufschrift »Peace« flattern an Fenstern und Balkonen. Ein Film über Sophie Scholl, über den letzten Weg einer lebensfrohen jungen Frau, über ihr Wachsen unter zunehmendem Druck, über die Konsequenz ihrer Haltung, ist notwendig in einer solchen Zeit.

Wir haben uns 2002 entschlossen, einen Film über die letzten Tage in Sophie Scholls Leben zu drehen, unser viertes gemeinsames Filmprojekt. Es war Marc Rothemunds Initiative und sein Konzept, die Filmerzählung auf die letzten fünf Tage und die Person Sophies zu verdichten. Er hat den Autor Fred Breinersdorfer schnell von der Qualität und der emotionalen Spannung des Stoffes und des Konzepts überzeugt.

Unsere Arbeitsmethode

Von Anfang an war klar, dass wir für den Film nur ein kleines Budget bekommen würden. Die Aufgabe bestand darin, mit begrenzten Mitteln einen Film mit spannenden, emotionalen Szenen zu entwickeln, in dem uns Sophie Scholl als Mensch und nicht als »Heldin« ans Herz wachsen sollte.

Wir haben viele Tage und Nächte mit Diskussionen über den Stoff, das Drehbuch und die Inszenierung des Filmes verbracht. »Work in progress«, von der beide gleichermaßen profitierten. Der Autor schrieb gut eineinhalb Jahre an der Filmvorlage. Elf Hauptfassungen hatte das Drehbuch, Zwischenfassungen nicht gezählt. Die letzte Fassung stammt vom 16.6. 2004, zwei Tage nach Drehbeginn. Parallel dazu haben sich beim Regisseur Inszenierungsideen und -konzepte, die Bilder und teilweise schon einzelne Einstellungen entwickelt. Für Marc Rothemund war erst »Halbzeit«, als der Film abgedreht war, es folgten Wochen und Monate in der Postproduktion.

Drehbuch-Versionen, die einen neuen, diskutablen Zwischenstand markierten, gaben wir unseren Partnern, Zeitzeugen oder Sachverständigen zur Beurteilung. Deren Anregungen und Kritik wurden diskutiert und aufgenommen, wenn sie uns überzeugten. Durch neue Rechercheergebnisse musste der Text ständig ergänzt und verändert werden. Erst als wir immer häufiger zu Szenen und Dialogen aus älteren Fassungen zurückkehrten und Kürzungen verwarfen, waren wir uns sicher, dass der lange Entwicklungsprozess sich dem Ende näherte.

Fokus auf Sophie

Sophie war unsere Hauptfigur. Aber wie sollten wir sie in Szene setzen? Der Autor hat sich anfangs gefragt, ob wir nur bei ihr bleiben oder uns Schnitte in die Gegenwelt der Gestapo erlauben, um die Spannung noch weiter zu erhöhen? Beide filmischen Erzählprinzipien haben durchaus ihren Reiz.

Das klassische »Suspense-Prinzip«, bei dem der Zuschauer mehr weiß als die Protagonisten, erlaubt die erwähnten Schnitte in die Gegenwelt. Zum Beispiel würde das Publikum sehen, wie sich die Verdachtsmomente verdichten, wenn wir beispielsweise schildern, wie die Gestapo die Wohnung der Geschwister durchsucht. Außerdem könnten wir viel leichter Zeitsprünge durch eingeschnittene Perspektivwechsel erzählen, denn die Verhöre haben in Wirklichkeit Stunden um Stunden gedauert, während wir nur wenige Minuten dafür Zeit haben – was es wiederum schwieriger macht, Sophies wachsende Anspannung, Zermürbung und Kraftanspannung darzustellen.

Eine andere Möglichkeit war, sich alleine auf Sophies Perspektive zu beschränken. Jeder Zuschauer ahnt, dass die Gestapo während der Verhöre intensiv ermittelt. Dass der Vernehmungsbeamte Mohr Informationen über den Stand der Ermittlungen erhält, zeigen wir auch aus Sophies Perspektive. Die Zuschauer ahnen mit Sophie, dass Mohr sein Wissen taktisch und punktgenau einsetzt, um Sophie in die Enge zu treiben und schließlich zu einem Geständnis zu zwingen. Versetzen wir uns und die Zuschauer in die Perspektive von Sophie, wird die Frage, was die Gestapo und Mohr bereits wissen, zur Bedrohung, die mindestens eine so hohe Spannung und Emotionalität erzeugt wie das klassische Suspense-Prinzip. Demgegenüber wiegt die Möglichkeit, Zeitsprünge leichter erzählen zu können, geringer.

Aus diesen Vorüberlegungen folgte, dass der Film dramaturgisch nur aus der Perspektive von Sophie Scholl erzählt werden musste, so subjektiv wie möglich. Von der Struktur des Drehbuchs angefangen bis zu den Auflösungen und den einzelnen Kameraeinstellungen hatte das zur Konsequenz, dass es keinerlei Szenen geben konnte, in denen Sophie nicht von Anfang bis Schluss dabei war. Mit ihr erleben wir das Drucken des letzten Flugblatts, die letzten Stunden in Freiheit, den verhängnisvollen Gang in die Universität, die Verhaftung, die innere Dramaturgie der Verhöre über anfängliches, fast erfolgreiches Leugnen, das dann folgende Geständnis, den Versuch, die Freunde herauszuhalten, und die Ablehnung einer goldenen Brücke. Wir erleben mit ihr die Stunden und Nächte in der Zelle, das menschenunwürdige Schnellverfahren des Dr. Freisler vor dem so genannten »Volksgerichtshof«, den Todestrakt in Stadelheim und die Hinrichtung. Damit verbinden wir den Zuschauer so eng es geht mit unserer Hauptfigur. Je enger die Bindung, umso höher die Identifikation mit ihrem Schicksal, ihrer Haltung, ihren Argumenten und Emotionen.

Verdichtung auf die letzten Tage

Man hätte Sophies Geschichte auch als Kinofilm mit einem breiteren Ansatz erzählen können, also ihre biographische Entwicklung, beginnend mit der ganz jungen Sophie, dem begeisterten »BDM-Mädel« bis in den aktiven Widerstand der *Weißen Rose*. Aber verdichtete sich Sophies Schicksal nicht in den letzten fünf Tagen? Kann man in dieser Zeitspanne nicht dramaturgisch überzeugender ihren Weg vom einigermaßen »normalen« Leben im Krieg bis in die Gefangenschaft und den Tod zeigen?

Verhoeven erzählt in seinem Film relativ wenig aus der Zeitspanne zwischen dem 17. und dem 22. Februar 1943. Sein Film ist breiter angelegt, bei ihm geht es um die *Weiße Rose* als studentische Widerstandsgruppe. Adlon hat sich in *Fünf letzte Tage* zwar auch auf die unmittelbare Zeit vor dem Tod von Sophie beschränkt, er hat sich aber im wesentlichen auf die von Else Gebel berichteten Vorgänge in der Zelle konzentriert und die Verhöre weitestgehend ausgespart. Wir konnten, nicht zuletzt wegen der neu aufgetauchten Dokumente und der besseren Faktenlage, die fünf letzten Tage von Sophie detailliert schildern, einschließlich dessen, was sich außerhalb der Zelle im Verhörzimmer und im Gerichtssaal abspielte.

Uns war sehr wohl bewusst, dass Sophie und ihr Schicksal

nur vor dem Hintergrund der *Weißen Rose*, ihres universitären Umfeldes mit den Professoren Carl Muth und Kurt Huber, ihres protestantisch-bürgerlichen Elternhauses, des Verhältnisses zu ihren Eltern und Geschwistern zu begreifen sind. Besonders Sophies enge Beziehung zu Hans, ihrem älteren Bruder, das Zusammenleben und die geistige Auseinandersetzung mit ihm, prägte ihr Wesen. Dies, wie auch ihr Weg in den Widerstand, ihre privaten Freundschaften und nicht zuletzt ihre Beziehung zu Fritz Hartnagel, all das würde bei der Fokussierung auf Sophies letzte Tage im Off bleiben müssen. Es musste bei diesem Konzept in den Dialogen transportiert werden. Das ohnehin durch Verhör-, Gerichts- und Zellenszenen dialogreiche Drehbuch würde dadurch zusätzlich verlängert werden, was bei einem Kinofilm nicht unproblematisch ist.

Die Verdichtung auf die letzten Tage war für uns dennoch die richtige Lösung. Es ist konsequent und überzeugend, Sophie beispielsweise dabei zu beobachten, wie sie vor der Gestapo einräumen muss, früher für Hitler gewesen zu sein, wie sie ihren Sinneswandel erklärt und dadurch umso glaubhafter am Schluss der Verhöre zu Mohr sagen kann: »Nicht ich, sondern Sie haben die falsche Weltanschauung!« Auch Dialoge können Spannung erzeugen, nicht nur Bilder, solange für die Filmfiguren etwas auf dem Spiel steht.

Ein Kammerspiel

Wenige Spielorte waren von der Faktenlage vorgegeben, wenn wir uns auf die letzten Tage beschränkten. Sieht man von den filmisch noch relativ großen Szenen in der Universität und dem Gerichtssaal ab, sind die übrigen Motive optisch eher eine Herausforderung für Regie, Kamera und Ausstattung: Verhörzimmer, Zelle, Flure, Todestrakt in Stadelheim. Aufwendige Außendrehs würden die Ausnahme bleiben. Es galt innerhalb geschlossener Räume die Spannung zu halten. Eine weitere Verdichtung auf das Wesentliche war die Folge, das filmische

Konzept wurde immer klarer, die Aufgabe für Kamera, Ausstattung, Schauspiel, Regie und Buch immer komplexer.

Fakten und Glaubwürdigkeit

Der Film sollte so glaubwürdig wie möglich sein und sich deswegen, soweit es möglich ist, streng an die historischen Fakten halten.

Zu Sophie Scholls Leben gibt es umfangreiches Material, das uns weitergeholfen hat. Vor allem die Selbstzeugnisse in Briefen und Tagebüchern sowie Filme und Dokumentationen von Zeitzeugen. Es ist schwer zu sagen, ob wir es uns zugetraut hätten, die Geschichte von Sophie Scholl so verdichtet und emotional zu erzählen, wie wir es getan haben, wenn nicht noch zusätzlich die neue Faktenlange, hauptsächlich die unterschiedlichen Protokolle, so spannend und detailreich gewesen wäre.

Imre Török und vor allem Ulrich Chaussy verdanken wir, dass die nach 1990 zugänglichen, bisher noch unpublizierten Dokumente zügig ans Tageslicht kamen und bald durch Protokolle von Durchsuchungen und Festnahmen bis hin zu den bürokratischen Vermerken über den Hinrichtungsvorgang in all seiner Grausamkeit ergänzt werden konnten. Alles Unterlagen, die in verschiedenen Archiven lagerten und bisher noch nicht in dieser Zusammenschau über die Zeit zwischen Festnahme und dem Ende verfügbar waren.

Doch da ahnten wir noch nichts von den zahlreichen weißen Flecken, die wir im Lauf unserer Arbeit noch feststellen würden. Wir wussten auch nicht, welche wichtigen Funde wir noch machen würden, dank derer unser Kammerspiel an Spannung gewann.

Die Protokolle

Wir haben mit einer Mischung aus Abscheu, Spannung und Ehrfurcht die Protokolle der Gestapo über *die Weiße Rose* in die Hand genommen. Eindrucksvoll ist bei genauer Lektüre der Anfang des Verhörs, wie geschickt die Geschwister leugnen und abstreiten, hoch spannend, wie Sophie es fast gelingt, ihren Kopf aus der Schlinge zu ziehen. Dann die erdrückenden Beweise und das Geständnis. Anschließend versucht der Vernehmungsbeamte Mohr die Mittäter herauszubekommen. Es folgen quälende Stunden des verzweifelten Versuchs, möglichst wenige Freunde und Mitverschwörer zu involvieren. Und schließlich zeichnet Sophies Verhörmitschrift auf, wie sie eine »goldene Brücke« ausschlägt, mit der Mohr versuchte, Sophie eine Chance auf ein milderes Urteil zu geben, um den Preis, dass sie ihre Idee verraten sollte.

Unhinterfragt lesen sich die Texte allerdings teilweise so, als hätten die Geschwister schon relativ früh und ohne bedeutende Gegenwehr ihre Freunde preisgegeben. Das ist falsch, denn man darf nicht vergessen, dass wir es hier mit Täterprotokollen zu tun haben. Nach Stil und Diktion sind sie eindeutig von dem Verhörbeamten verfasst. Das entspricht deutscher Gerichts- und Polizeitradition, ist keine Erfindung der Nazis und wird auch heute noch so praktiziert: Der Polizist verhört, macht sich Notizen und diktiert dann zusammenfassend in Anwesenheit des Beschuldigten den Protokolltext. Frage und Antwort wird erst dann hinzugefügt, wenn der Text nach Fertigstellung noch offene Punkte ausweist.

Kurz gesagt: Im Fall von Sophie bestimmt die Stimme Mohrs, seine Sicht der Ergebnisse und nicht ihre Aussage, die den Inhalt des Protokolls. Mohrs Kommentare, seine Gesten, Einschüchterungsversuche und andere Taktiken finden sich dort nicht wieder. Auch nicht Sophies Reaktionen darauf. Wohl aber können wir Teile der politischen Auseinandersetzung und Sophies mutige Erklärungen aus dem Dokument entnehmen.

Verschollene Biographien

Über die Geschwister Scholl, die anderen Mitglieder der *Weißen Rose* und Freisler gibt es zahlreiche, durch Forschung erhärtete Fakten. Doch wer waren eigentlich Robert Mohr oder Else Gebel, Sophies Zellengenossin? Von Else lag ein schriftliches Zeugnis über ihre Haftzeit mit Sophie vor, aber genauso wenig wie bei Mohr fanden wir ein Gesicht und eine Biographie. Diese weißen Flecken konnten wir nicht ohne weitere Recherchen durch Fiktion füllen. Denn beide Menschen waren für Sophie in ihren letzten Tagen von großer Bedeutung. Mohr hat ihr das Grab geschaufelt, Else hat sie fast bis zuletzt begleitet.

Wir fanden einen Robert Mohr. Eine italienische Quelle führt einen Gestapo-Juristen unter diesem Namen, dessen SS-Biografie im September 1942 abbricht – und Ende 1942 tritt ein Robert Mohr in München in der Sonderkommission *Weiße Rose* bei der Gestapo in Erscheinung. Der »italienische« Mohr wird in der Quelle als »virtuoso del massacro« bezeichnet. Er leitete die »Einsatzgruppe C«, die Vergasungs-LKWs testete. Was, wenn Sophie einem Mann gegenüber gestanden wäre, der ein herausragender Vertreter jenes Verbrechersystems gewesen wäre? Doch es gab Zweifel an der Identität. Der »italienische« Mohr war zu alt, war im Rang zu hoch. Der Mohr, den wir suchten, war »nur« Kriminalsekretär. Ulrich Chaussy forschte weiter. Es dauerte lange, bis wir schließlich Namen und Anschrift des Sohnes jenes Münchener Mohr besaßen und ihn vor laufender Kamera über seinen Vater befragen konnten. Es erschloss sich uns plötzlich ein typischer Nazi-Tätertyp, der angepasste Kleinbürger mit seinen Ängsten und Komplexen, bei der Gestapo zu einer fast unkontrollierten Macht über Mitmenschen gekommen. Ein Mann der sich scheinbar freundlich und behutsam, aber sehr systematisch den Beschuldigten näherte, die er zu vernehmen hatte, der auf Folter verzichtete und mit seiner Verhörmethode, insbesondere bei weiblichen

Häftlingen, erfolgreicher war als seine Kollegen. Zu Hause blieb er kalt und zynisch. Mohr war ein Mann, den sein Sohn »Freislers Vorarbeiter« nannte.

Der Fall Gebel erwies sich ebenfalls als schwierig. Zwar ist ihr Bericht über die gemeinsamen Hafttage mit Sophie in mehrere Sprachen übersetzt. Doch von der Autorin fehlte jede Spur. Erst nach einer Art »Rasterfahndung«, wir riefen aus Geradewohl jeden in München und Umgebung an, der mit dem Namen Gebel im Telefonbuch eingetragen war, trafen wir auf den Neffen von Else Gebel.

Zwar hatte Adlon mit ihm gesprochen, aber die Spur war verweht. Nach den Gesprächen mit dem Neffen bekam Sophies letzte Weggefährtin plötzlich ein Gesicht und biographische Konturen, sodass Drehbuch und Film auch bei ihr auf einem besseren Fundament bauen konnten.

Wichtig auch, was Chaussy und wir von weithin bekannten Zeitzeugen wie Anneliese Knoop-Graf oder Franz Müller an neuen Details erfuhren oder dass die letzte noch lebende Schwester von Hans und Sophie, Elisabeth Hartnagel, erstmals vor unserer laufenden Dokumentarkamera über Sophie sprach.

Die Dialoge

Aus dem gesamten historischen Material sollten Dialoge entstehen, die unserem Anspruch auf möglichst große Authentizität ebenso genügen mussten wie unserem Anspruch auf filmische und emotionale Spannung. Bereits in der ersten Fassung des Drehbuchs hat der Autor dafür wesentliche Dialogpassagen aus den Verhörprotokollen zusammengestellt, wohl wissend, dass diese hauptsächlich Mohrs Beamtensprache wiedergeben.

Sophie Sprachduktus ist nicht bekannt, da von ihr keine Tonaufnahmen existieren. Buch, Regie und die Darstellerin mussten ihre Sprechweise glaubhaft neu erfinden. Sophies Dialoge enthalten deswegen gelegentlich kleine Zitate aus ihren Briefen und Tagebüchern, sozusagen als O-Töne. Aber auch das ist Schriftsprache, die erst noch in das gesprochene Wort verwandelt werden musste. Die thematische Breite der Dialogtexte, vom Gebet über sehr persönliche Einlassungen bis hin zum intellektuell-politischen Diskurs, muss im Film sprachlich aus einem Guss sein. Um das zu erreichen, war eine umfangreiche Bearbeitung der Originaltexte unumgänglich.

Ebenfalls deutscher Behörden- und Gerichtstradition folgend gab es kein Wortprotokoll der Verhandlung des »Volksgerichtshofs«. Vor den hohen deutschen Gerichten wird nur ein Ergebnisprotokoll geführt. Hier behalf sich der Autor damit, Freislers Tiraden aus dem von ihm offensichtlich selbst verfassten Urteilstext zu entnehmen und typische Formulierungen aus den Filmaufzeichnungen der Prozesse gegen die Attentäter des 20. Juli zu verschmelzen. Freislers Sprachduktus war ja aus dem Filmmaterial bekannt. Denn wir nehmen an, dass Freisler den Prozess gegen die Scholls und Probst im Februar 1943, zu dem er extra aus Berlin anreiste, als ersten großen Schauprozess für seine eigenen Zwecke und die des Regimes inszenierte, um den studentischen Widerstand vor allen Augen zu diffamieren. Darin haben die drei Angeklagten sicherlich auch eine Chance gesehen, ihre Idee in die Öffentlichkeit zu tragen. Die meisten Flugblätter der *Weißen Rose* waren von den Empfängern bei der Polizei abgeliefert und von der Gestapo sofort konfisziert worden. Freisler dagegen musste sie zum Gegenstand einer öffentlichen Gerichtsverhandlung machen. Plötzlich hatten wir für den Film eine klassische Zweikampfsituation, in der Freisler nicht nur dominieren und terrorisieren kann, sondern reagieren und kämpfen muss.

Ausstattung, Kostüme und Maske

Weder der prunkvolle Saal 216 im Justizpalast, den sich Freisler als Kulisse wählte, noch das Hauptquartier der Gestapo, das Wittelsbacher Palais in der Brienner Straße existieren noch.

Um der vergangenen Realität möglichst nahe zu kommen, zogen wir die alten Baupläne des Palais zu Rate, und die Ausstattung errichtete danach im Studio Verhörzimmer, Aufnahme und Zelle. Über die Einrichtung befragten wir Zeitzeugen. Die Außenansicht des nach dem Krieg abgerissenen Gebäudes ist nach zeitgenössischen Fotos für den Film als Digitaleffekt entworfen worden. Bis nach Prag hat die Ausstattung nach einem geeigneten Raum für die Gerichtsverhandlung gesucht. Am Ende haben wir im Kleinen Rathaussaal der Stadt München gedreht, der etwa aus derselben Zeit stammt und an den Prunk des historischen Gerichtssaales heranreicht.

Genauso wie wir bei der Perspektive kleine, kalkulierte Abweichungen von Sophies Sicht eingebaut haben, haben wir auch bei Kostüm und Maske eine kleine, fast unmerkliche gestalterische Ausnahme von unserem Prinzip möglichst authentischer Erzählung gemacht. Kostüme und Maske der Hauptfiguren sind historisch. Ganze Fotowände in den Produktionsbüros zeugten davon, wie genau sich das Team mit den zeitgenössischen Aufnahmen und Vorlagen beschäftigt hat. Innerhalb des möglichen Spektrums suchten wir nach den jeweils modernsten Masken und Kostümen, um die Zuschauer nach und nach vergessen zu lassen, dass sie in einem historischen Film sind, um die Distanz zwischen Publikum und Hauptfigur noch weiter zu verringern und es buchstäblich so gegenwärtig wie möglich mit Sophie mitfiebern zu lassen.

Die Funktion der Flugblätter

Den Flugblättern der *Weißen Rose* musste eine zentrale dramaturgische Bedeutung zukommen. Ihretwegen wurden die Studenten angeklagt, zum Tode verurteilt und hingerichtet. Den Texten gebührt damit eine Art natürliche Hauptrolle.

Das Problem bestand allerdings darin, die sehr ausgefeilten, intellektuell anspruchsvollen Formulierungen der Flugblätter in einem Spielfilm unterzubringen, ohne ständig Zitate aneinander zu reihen. Dennoch sollten sie eine Art Rückgrat des Drehbuchs bilden. Wer das Buch unter diesem Aspekt liest, wird am Anfang des Films, in der Druckereiszene, ein Kernzitat aus dem sechsten Flugblatt finden, das zugleich dem Zuschauer die damalige historisch-politische Situation erläutert und die Grundidee der *Weißen Rose* verdeutlicht: Der Krieg muss sofort beendet werden. Das Regime muss stürzen! Wir waren uns einig, hier gehört ein wörtliches Zitat her. Es hat den Signalcharakter, den wir dramaturgisch an dieser Stelle brauchen.

Wer die Texte der Flugblätter und das Drehbuch vergleicht, wird im weiteren Verlauf des Buchs Dialogpassagen finden, die zum Teil wörtlich, oft sinngemäß aus dem Gesamtrepertoire der sechs Flugblätter stammen. Was lag näher, als durch die Dialogisierung zu versuchen, die geistige Haltung des studentischen Widerstands der *Weißen Rose* durch die eigenen Worte auszudrücken?

Das Prinzip Hoffnung im Film

Ganz besonders wichtig war das Thema »Hoffnung«, Sophie musste bis zum Schluss hoffen können. Ohne Hoffnung wäre ihr Schicksal in den Augen des Publikums zu früh definitiv besiegelt gewesen. Jeder weiß zwar, dass Sophies Geschichte mit ihrem Tod endet, doch wenn die Zuschauer mit ihr mitfühlen, mit ihr bis zuletzt hoffen können, bleibt die emotionale Spannung erhalten.

Hoffnung war in Sophies Geschichte nicht ein einheitliches Ganzes, sondern hatte mehrere Aspekte, war abgestuft und aufgeteilt, wie ein wichtiger Vorrat, der langsam und vor allem sichtbar zur Neige geht, aber immer noch die Aussicht zulässt, dass sich das Schicksal zum Besseren wenden könnte.

Ohne die grundlegende Hoffnung auf ein baldiges Ende des Krieges und die radikale Veränderung der politischen Verhältnisse ist der Widerstand der *Weißen Rose* nicht denkbar. Daneben gab es natürlich die Hoffung, selbst nicht zum Mordopfer des Systems zu werden. Des Weiteren die Hoffnung, die Freunde der *Weißen Rose* heraushalten zu können. Oder die Hoffnung auf die bevorstehende Invasion der Alliierten und die danach mögliche sofortige Befreiung. Durch Else Gebel ist auch die Hoffnung verbürgt, »nur« ins KZ oder in die Strafkompanie zu kommen oder »nur« ins Zuchthaus. Und schließlich die Hoffnung, durch einen langen Prozess zusätzliche Zeit zu gewinnen.

Wir haben versucht, diese Hoffnungselemente genau zu dosieren und Sophie bis zum Schluss noch einen fast aussichtslos erscheinenden, aber dennoch plausiblen Lichtblick zu bewahren, das im Gefängnis kursierende Gerücht, bis zur Hinrichtung stünde jedem Verurteilten eine Frist von 99 Tagen zu.

Und ganz zum Schluss noch die Hoffnung, dass, trotz ihres Todes, am Ende die Idee siegen wird.

Schluss und Abspann

Und diese letzte Hoffnung ist in Erfüllung gegangen – allerdings erst nach mehr als zwei qualvollen weiteren Kriegsjahren mit Millionen von Opfern. Aber eines ist nicht geschehen, die Deutschen haben sich nicht aufrütteln lassen und sich selbst von dem Terrorregime befreit, wozu *die Weiße Rose* aufgerufen hatte. Die Alliierten haben Deutschland befreien müssen. Erst dann begann der Wiederaufbau einer zweiten Republik, in deren Grundgesetz sich viele der Forderungen aus den Flugblättern der *Weißen Rose* finden lassen.

So dramatisch und traurig die Geschichte von Sophie Scholl ist, sie hat wenigstens dieses eine gute Ende, mit dem wir unser Publikum aus dem Film entlassen: Es lohnt sich, für eine Idee und seine Überzeugung zu kämpfen.

Im Abspann des Films zeigen wir dies symbolisch. 1943 wurden Flugblätter von alliierten Bombern über Deutschland abgeworfen. Hunderttausendfach. Sie enthielten den Text des sechsten Flugblatts der *Weißen Rose* unter der Überschrift »Manifest deutscher Studenten«. Wir schildern das mit digitalisierten Bildern. Um deutlich zu machen, dass Sophie Scholl nicht alleine kämpfte, haben wir sie zusammen mit den anderen Mitgliedern der *Weißen Rose* im Abspann genannt, jeweils mit dem Strafmaß, das der »Volksgerichtshof« aussprach. Und schließlich zitieren wir Thomas Mann und Winston Churchill, dem eine eindrückliche Stellungnahme aus dem Jahr 1946 zum deutschen Widerstand zugeschrieben wird.

BESETZUNG UND TEAM

Sophie Scholl	Julia Jentsch
Hans Scholl	Fabian Hinrichs
Robert Mohr	Alexander Held
Dr. Roland Freisler	André Hennicke
Christoph Probst	Florian Stetter
Alexander Schmorell	Johannes Suhm
Willi Graf	Maximilian Brückner
Else Gebel	Johanna Gastdorf
Jakob Schmied	Wolfgang Pregler
Prof. Wüst	Norbert Heckner
Robert Scholl	Jörg Hube
Magdalena Scholl	Petra Kelling
Gisela Schertling	Lilli Jung
Locher	Klaus Händl
Weyersberg	Christian Hoening
August Klein	Paul Herwig
Wärterin	Maria Hofstätter
Dr. Alt	Walter Hess
Regie	Marc Rothemund
Drehbuch	Fred Breinersdorfer
Produzenten	Goldkind Film / Broth Film, Christoph Müller, Sven Burgemeister, Marc Rothemund, Fred Breinersdorfer
Co-Produzenten	Bayrischer Rundfunk, SWR, arte
1. Regie-Assistenz	Hellmut Fulss und Philip Haucke
Herstellungsleitung	Jo N. Schröder
Produktionsleitung	Patrick Brandt

1. Aufnahmeleitung	Joelle Saba-Suys
Set-Aufnahmeleitung	Carolin von Fritsch
Kamera	Martin Langer
Kamerassistenz	Christian Dlusztus
Steadicam-Operator	Thomas Frischhut
Oberbeleuchter	Wolfgang Dell
Tonmeister	Roland Winke
Ton-Assistenz	Peter Brücklmair
Szenenbild	Jana Karen-Brey
Szenenbild-Assistenz	Maximilian Lange
Außenrequisite	Fritz Galla
Innenrequisite	Manfred Hörmann
Bau	Josef Jakob
Kostümbild	Natascha Curtius-Noss
Kostümassistenz	Claudia Börsch
Maskenbild	Martine Flener, Gregor Eckstein
Cutter	Hans Funck
Cutter-Assistenz	Andschana Eschenbach
Casting	Nessie Nesslauer
Standfotos	Jürgen Olczyk, Erika Hauri, Laurent Trümper
Historische Beratung	Ulrich Chaussy
Recherche	Imre Török, Markus Müller, Dr. Christian Hartmann
Mischtonmeister	Tschangis Chahrokh
Filmverleih	X-Verleih AG

Anmerkungen

1 Der Keller des Ateliers des Münchener Malers Manfred Eickemayr in Schwabing war der geheime Treffpunkt der Studenten der *Weißen Rose,* dort war die Druckmaschine versteckt, dort und in der Wohnung der Geschwister Scholl wurden die Flugblätter hergestellt.

2 Verbürgt ist die Rauschhaftigkeit des Hoffnungszustandes, ja sogar ein Triumphgefühl, in dem sich die Studenten in diesen Tagen nach dem Bekanntwerden des Falls von Stalingrad befanden.

3 Sophie bewohnte im Rückgebäude der Franz-Joseph-Str. 13 ein möbliertes Studentenzimmer, ihr Bruder Hans das Nachbarzimmer. Sie durften die Küche ihrer Wohnungsgeberin benutzen.

4 Die Briefmarke auf dem Brief ist eine andere als die auf den Postwurfsendungen, die die Studenten im Keller fertig gemacht haben. Aber sie trägt nicht das Konterfei Hitlers.

5 Hintergrunddialog, ein Versuch, Huber mit dessen distanziert-ironischem Stil nachzuahmen.

Sprecher Der Vernunftglaube in der europäischen Aufklärung ist faszinierend. Man stelle sich vor, jeder handelt wirklich so, wie er sich wünscht, dass alle Menschen handeln. Jeder werde sich als selbstverantwortliche Einzelwesen, die sich in die Gemeinschaft ihres Volkes einfügen. Theoretisch ist das sehr schön. Aber werden da nicht wesentliche Teile der geistigen Existenz des Menschen geleugnet? Wie ist es mit Gefühlen und Träumen? Sie existieren doch viel realer als die Vernunft. Man muss sich zur Vernunft rufen, sie entsteht nicht von selbst. Gefühle dagegen und Träume, Glaube und Hoffnung sind dem Menschen so selbstverständlich wie Hunger und Durst. Die Aufklärung steht also wie eine Kopfgeburt über dem wahren Inneren der menschlichen Existenz, sagen die Kritiker der Aufklärung. Die Aufklärung müsse deswegen scheitern. Die Berufung auf die Vernunft habe den Terror der Revolutionen ausgelöst. Das Innere des Menschen dagegen verlange schon immer nach Führung und Ordnung. Der Nationalsozialismus als philosophische Idee trage dem Rechnung, als Bewegung habe er sich quasi als praktizierte Philosophie durchgesetzt. Meine Damen und Herren, Sie erkennen in diesem Standpunkt den Versuch, den Führer des Deutschen Reiches neben seinen vielen Verdiensten, nicht zuletzt im Kriege, auch unter die Philosophen einzureihen. Nicht unerwähnt soll bleiben, dass sich die Bewegung des Nationalsozialismus ebenfalls einer Revolution rühmt. Und die Frage ist an dieser Stelle erlaubt, ob nicht mit zweierlei Maß gemessen wird? Nein, Vernunft und Gefühl schließen sich nicht gegeneinander aus, sonst würde der Mensch noch heute im Urwald hausen.

6 Die Gestapomänner tragen die berühmten Ledermäntel, wie Anneliese Knoop-Graf von ihrer eigenen Festnahme berichtet hat. Nur Mohr hat einen Tuchmantel an. Mohrs Sohn hat erklärt, sein Vater habe stets einen Tuchmantel getragen.

7 Das berüchtigte Münchener Gestapo-Hauptquartier war im Wittelsbacher Pa-

lais in der Brienner Straße untergebracht. Das prächtige Gebäude aus dem Jahre 1835 ist 1964 abgerissen worden. Über 150 Beamte arbeiteten hier auf Hochtouren. Dazu kamen zahlreiche Angestellte. Die Gestapo hatte damals alle Hände voll zu tun. Neben Büros und Vernehmungszimmern im ersten Stock des Hauptgebäudes befanden sich in einem 1933/34 errichteten Gefängnisannex 22 Zellen für politische Häftlinge. Der Annex hatte einen Fahrstuhl und war über einen unterirdischen Gang mit dem Haupthaus verbunden. Hunderte sind hier gequält und getötet worden, denn die Gestapo war nach damaliger »Rechtslage« keinerlei gerichtlicher oder sonstiger Kontrolle unterworfen, sie war eine Untergliederung des SS-Reichssicherheitshauptamts, zuständig für alle politischen »Verbrechen« und damit ein Terrorinstrument des NS-Staates.

Die Geschäftigkeit in der Zentrale der Gestapo drückt sich darin aus, dass Zivilisten, aber auch Männer in SS-Uniformen (keine Offiziersränge) über Gänge und Flure im Haupthaus gehen. Je nach Tageszeit haben sie Akten und Papiere, Asservaten oder auch mal eine Schreibmaschine bei sich, um die Mittagszeit auch Essbesteck und Brotzeit.

Vor dem Palais stand ein SS-Mann als uniformierte Wache. Im Haus befanden sich ebenfalls SS-Leute als Wachsoldaten. Die Gestapomänner selbst trugen ausnahmslos Zivil, obwohl alle gleichzeitig SS-Angehörige waren.

Im Hauptgebäude finden die Vernehmungen statt. Der Bürobetrieb prägt auch die Geräuschkulisse. Fernschreiber rattern, Schreibmaschinen klappern, Telefone, Unterhaltungen hinter verschlossenen Türen oder es brüllt auch mal einer einen Anschiss heraus. Gelegentlich hört man auch kurzes Gelächter. Klappernd fällt etwas zu Boden, ratschend wird Papier aus einer Schreibmaschine gezogen. Vielleicht pfeift einer leise vor sich hin, während er über die Treppe eilt. Türen werden geöffnet, geschlossen, auch mal zugeworfen.

Die Verhöre selbst allerdings fanden hinter gepolsterten Türen der Büros der Sachbearbeiter statt. Zu diesen Räumen ging es über ein Vorzimmer, dessen Eintritt über kleine rote oder weiße Lämpchen neben dem Eingang von innen geregelt werden konnte. Wer hineinwollte, musste klingeln.

Die Fußböden bestanden aus altem Parkett, das knarrte, im Neubau aus Beton oder Linoleum. Die Treppen waren sorgsam geölt.

8 Mohrs Büro diente als Vernehmungszimmer. Es lag im ersten Stock des Palais und besaß ein Vorzimmer, in das man nur eingelassen wurde, wenn man klingelte, dort arbeitete ein Assistent (unser Locher), außen an der Tür gab es ein weißes und ein rotes Lämpchen. Bei Rot war der Eintritt verboten. Mohrs Büro hatte zwei gepolsterte Türen. Er arbeitete an einem großen Schreibtisch, auf dem er nur die Papiere und Akten liegen hatte, die zum jeweiligen Fall gehörten. Ein Hitlerporträt gehörte ebenso zur Ausstattung wie Aktenregale. Viele der Akten trugen die Aufschrift *Weiße Rose*. Beim Verhör benutzte Mohr eine Lampe, die er dem Verhörten ins Gesicht richtete. Seitlich im Hintergrund befand sich ein kleiner Schreibmaschinentisch für die Protokollführerin.

9 Auf Sophie und die Zuschauer wirkt Robert Mohr in dieser Phase trotz seiner oberflächlichen Freundlichkeit undurchschaubar – und nicht nur das, er muss die Gefährlichkeit des Gestaposystems und der Situation Sophies für die Zuschauer symbolisieren, denn sonst scheint alles zu harmlos. Sophie und wir dürfen nie sicher sein, was er weiß und will. Umso ungewöhnlicher ist dann im Weiteren seine so human wirkende, aber bis ins Detail berechnende Verhörtaktik, wenn man sich »kneifen muss«, um ihn nicht zu nett zu finden, bis er dann Sophie goldene Brücken zu bauen versucht, und sie schließlich bewundert haben dürfte, obwohl oder weil sie ihrer Idee noch nicht einmal um ihr Leben zu retten abgeschworen hat.

10 Das machte man, weil man den Tabak später in der Pfeife rauchen konnte, was wir noch zeigen.

11 Der BDM wurde bereits 1930 gegründet, um nationalsozialistisch orientierte Mädchengruppen zusammenzufassen, und war seit 1932 einzige parteiamtliche Mädchenorganisation.

12 Der »Sachbearbeiter« führte zunächst das Verhör unter vier Augen mit dem Beschuldigten. Über die Ergebnisse machte er sich Notizen. Am Ende der Vernehmung erst wurde das Protokoll gefertigt, meist ins Stenogramm, möglich auch in die Schreibmaschine. Erst dazu kam der oder die Protokollführerin in den Raum. Der Text wurde zusammenfassend vom Sachbearbeiter diktiert und musste dann vom Beschuldigten unterschrieben werden. Die Gestapo unterlag keiner gesetzlichen Kontrolle, sodass diese »Täterprotokolle« nicht den Anspruch der Richtigkeit und Vollständigkeit erheben können. Dies gilt besonders für das Zustandekommen des Geständnisses.

13 Für die Führung der Figur ist wichtig, dass Mohr (nach dem Krieg) geschrieben hat, dass er nach der ersten Phase des Verhörs davon überzeugt war, dass Sophie mit den Flugblättern nichts zu tun hatte, wovon wir auch hier ausgehen.

14 Im Park des Palais befand sich ein dreistöckiger Zellentrakt, der von den Nazis 1934/35 errichtet wurde. In einem Winkel am Eingang des Zellenbaus (S. Hirzel) stand ein Tresen mit Schreibmaschine und kleiner Registratur (Akten und Karteikasten), an dem Else Gebel arbeitete.

15 Nacktheit war in der Jugendbewegung, in der die Scholl-Geschwister groß geworden waren, als natürlich empfunden worden, zumal gegenüber einer anderen Frau. Allerdings kann Sophie Else nicht genau einschätzen. Immerhin leistet sie Arbeit für die Gestapo. Sophies innere Distanz zu dieser Frau ist momentan sehr groß.

16 Auch Else Gebel war in diesem Augenblick von der Unschuld Sophies überzeugt und schrieb: »Ich fühle den Druck von mir weichen, hier hat man sich gründlich getäuscht. Niemals hat sich dieses liebe Mädel [...] bei solch waghalsigen Unternehmungen beteiligt.«

17 Die Zelle lag im Souterrain und besaß ein vergittertes Fenster in einen Schacht, der nach oben auf den Hof ging. Tagsüber kann schräges Sonnenlicht hereinfallen. Während der Dialoge am Tag in der Zelle hören wir mit den Häftlingen gelegentlich Schritte vorbeigehender Gestapoleute oder Uniformierter und sehen deren Schatten, die das Licht in der Zelle kurz verändern. Autos rangieren. Die Tankstelle arbeitet. Gelegentlich kann man die Pumpe und das Klicken des Zählwerks vernehmen. Es ist kalt im Winter in der Zelle. Aber auch die Geräusche im Haus sind vernehmbar. Aber es ist nicht viel zu hören, gelegentlich eine der schweren Zellentüren, Schritte, rasselnde Schlüssel, ein quietschender Essenwagen. Mag sein, dass ein Wärter mal lacht, wenn er mit einem Kollegen redet. Die Gefangenen verhalten sich still, außer wenn jemand hustet oder niest – es ist Februar und die Zellen sind nicht besonders geheizt in Kriegszeiten. Von der Musikhochschule in der Nähe hörte man gelegentlich Musik, Franz Müller erinnert sich konkret an die *Fledermaus*.

18 Wegen der damals angeordneten Verdunklung, als Schutz vor feindlichen Bomberverbänden, können wir nicht die Fassade gegenüber angestrahlt zeigen. Aber, weil der Mond in der klaren Nacht scheint, können die Konturen des verdunkelten Gebäudes sichtbar sein.

19 Zitiert aus dem Flugblatt »Aufruf an alle Deutsche!«.

20 Nun folgt ein Originalzitat aus dem letzten Flugblatt im Stil einer Brandrede, ein Text, den Sophie Mohr entgegenschleudert.

21 Hitler hat seit 1920 aggressiv in Reden Rassenhass gepredigt. 1924 verfasste er *Mein Kampf* in der Landsberger Haft, mit dem er versuchte, den Antisemitismus theoretisch zu rechtfertigen.

22 Dies schrieb Mohr nach dem Krieg, es ergibt sich auch teilweise aus dem Protokoll.

23 Seit Mitte 1942 gehörte das auch in Süddeutschland zu den Nächten. Es entspricht den historischen Tatsachen, dass München am 20. 2. 1943 von alliierten Bomberverbänden angegriffen wurde.

24 Die Klappen an den Zellentüren fallen, der Essenwagen quietscht. Eilige Schritte sind auf dem Flur zu hören. Zwei Männer reden im Vorbeigehen, einer lacht kurz auf.

25 Bis 16° Grad bei blauem Himmel, laut historischem Wetterbericht.

26 Die Gerichtsverhandlung findet im Münchener Justizpalast in dem vollbesetzten Saal 216 unter dem Vorsitz des berüchtigten »Präsidenten« des »Volksgerichtshofs«, des damals 50-jährigen Dr. Roland Freisler, statt. Dieser Saal war nach Fotodokumenten groß und mit kathedralenähnlicher, barocker Pracht ausgestattet. Er existiert heute in dieser Form nicht mehr.

An die Wand hinter dem Gericht wurde noch schnell eine Hakenkreuzfahne drapiert. Über die Verhandlung wissen wir nicht sehr viel, es fehlen insbesondere Ton- oder Filmdokumente. Das Protokoll verzeichnet – der Prozessordnung folgend – nur die Prozessvorgänge als solche, keine Inhalte.

Die Verhandlungen vor dem »Volksgerichtshof« gegen die Männer des 20. Juli 1944 dagegen sind umfangreich filmisch dokumentiert. Weil ich nicht glaube, dass Freisler seine Rituale verändert hat, orientiere ich die Beschreibung des äußeren Rahmens der Münchener Verhandlung zusätzlich an den Filmdokumenten aus dem Berliner Kammergericht.

Freisler und seinem »Volksgerichtshof« war es bis zum Scholl-Prozess nicht gelungen, sich propagandistisch in Szene zu setzen. Er hatte viele abstoßende Bluturteile gefällt, aber wegen Bagatellen. Der große politische Auftritt war ihm noch versagt geblieben. Nun witterte er seine Chance, sich »an der Heimatfront zu bewähren«, wie ich Else sagen lasse. Diesmal sollte es in einem »Justizverfahren«, dessen Ausgang von vorneherein feststand, darum gehen, das Parteipublikum im Saal mit großem Gestus davon zu überzeugen, dass die Staatsmacht in Gestalt des

Blutgerichts des Roland Freisler rigoros durchgriff; besonders in diesen schweren Zeiten. Freisler und das Naziregime inszenierten diesen ersten großen »Prozess« vor dem »Volksgerichtshof« als propagandistisches Spektakel, um den Angeklagten öffentlich jegliche Würde und jede moralische Legitimation für ihr angeblich verräterisches Handeln zu nehmen. Es ging in diesem »Prozess« auch für Freisler um viel.

Der damalige Rechtsreferendar und spätere Rechtsanwalt Dr. Leo Samberger, Zeuge der Verhandlung, berichtet: »Freisler führte die Verhandlung tobend, schreiend, bis zum Stimmüberschlag brüllend, immer wieder explosiv aufspringend. Sophie und ihr Bruder dagegen bleiben in großartiger, aufrechter Haltung, dem keifenden Freisler trotzend. Probst schweigend, aber ungebrochen. Da stehen Menschen, die offenbar von ihren Idealen durchdrungen und überzeugt davon sind, dass ihr Kampf für Freiheit und Ehre der richtige ist. Ihre Antworten auf die teilweise unverschämten Fragen des Vorsitzenden, der sich nicht wie ein Richter, sondern wie ein Ankläger aufführt, kommen ruhig, gefasst, klar, tapfer. Lediglich an körperlichen Merkmalen kann man das Übermaß an Anspannung erkennen.«

Freisler sprach laut, oft unbeherrscht, mit ungewöhnlich heller Stimme und rheinischer Dialektfärbung, seine Sprache war dennoch fast bühnenhaft klar zu verstehen, im Ausdruck fast immer unjuristisch, teilweise sogar vulgär. Oft wiederholte er sehr prononciert eine Aussage eines Angeklagten wörtlich, zynisch überspitzt, um sie dann noch kurz mit einer Abwertung zu kommentieren. Freisler konnte nicht ruhig sitzen, er bewegte sich ständig auf seinem Platz hin und her, besonders, wenn ein Angeklagter mehr als einen halben Satz sprach, er fuchtelte mit den Händen und schaute gelegentlich Beifall heischend ins Publikum oder zu seinen Beisitzern. Hier befragte kein Richter, hier tobte ein inquisitorischer Ankläger ohne Schranken.

Die Berliner Filme wurden bekanntlich heimlich zu Propagandazwecken gedreht, aber nicht veröffentlicht, weil man die abstoßende Wirkung des Getobes des »Präsidenten« auf die Zuschauer fürchtete. Und genau diese Reaktion sehen wir im Laufe der Verhandlung aus Sophies Perspektive im Publikum wachsen.

Niemand, weder der Reichsanwalt Weyersberg, die Beisitzer noch gar einer der Pflichtanwälte, macht auch nur den geringsten Versuch, Freisler zu unterbrechen oder gar zu dämpfen. Nur die drei Angeklagten trotzen dem Mann mit dem Hakenkreuz an der Robe. Eine Ausnahme bildet allerdings der SS-General Bunge, der für Freisler so wichtig ist, dass dieser sich an Bunge orientiert, wenn er aus dem Konzept gerät. Im Film symbolisiert Bunge die Tatsache, dass Freisler nur eine Marionette des Systems war, wenngleich eine grausame.

Wir überspringen die Eingangsformalien des Prozesses, wie die Verlesung der Anklageschrift. In den Filmen über die Berliner Prozesse kann man eindrücklich studieren, dass sich Freisler danach jeden Angeklagten einzeln vornahm. Dazu brachte ein »Blauer« den Betreffenden regelrecht nach vorne vor den Richtertisch, wo ein einfacher kleiner Tisch und ein Stuhl standen. Die Angeklagten durften sich auf die Lehne stützen, wenn es ihnen übel wurde, sich aber nicht setzen.

Bei dem nun folgenden Kampf Freisler versus Scholl ringen der Blutrichter Freisler und die standhafte Sophie und ihre beiden Mitverschwörer miteinander.

Die Angeklagten bleiben stoisch, während sich Freisler in Beleidigungen, Tiraden und Anschuldigungen ergeht, kaum einmal jemanden ausreden lässt.

27 Samberger steht für eine distanziert-ablehnende Haltung dem Verfahren und Freisler gegenüber. Samberger war es, der den Eltern später noch verzweifelt half, ein Gnadengesuch einzureichen. Der Oberleutnant steht für das Parteipublikum, in seinem Gestus und seinem Gesicht spiegelt sich der informelle Ausgang des Verfahrens wider, an diesen beiden Personen zeigen wir besonders, wer den Schaukampf gewinnt und wer verliert.

28 Die Haltung der Angeklagten in diesem Prozess ist unterschiedlich. Probst kann aufgrund seines geringfügigen »Tatbeitrages« und seiner familiären Situation aus seiner Sicht noch verzweifelt hoffen, mit dem Leben davonzukommen. Er wird deshalb um sein Leben kämpfen, ohne die Sache zu verraten. Hans dagegen weiß genauso wie Sophie, dass er mit dem Todesurteil rechnen muss. Als der intellektuelle und kämpferische Kopf der *Weißen Rose* wird er sich ein Wortgefecht mit Freisler liefern, auch wenn dieser ihn beschimpft und unterbricht, um seine moralische Haltung zu erläutern. Sophie dagegen wird im Angesicht des sicheren Todesurteils emotionaler reagieren und argumentieren, ihr bleiben – nicht nur als Heldin unseres Films, sondern auch nach der Quellenlage – neben Hans die entscheidenden Sätze vorbehalten, die Freisler von den Angeklagten entgegengeschleudert wurden.

29 Sophies Mutter litt unter Brechdurchfall und eilte praktisch vom Krankenbett in den Gerichtssaal.

30 Argumente aus seinem späteren schriftlichen Gnadengesuch.

31 Freisler notierte das Urteil und die Gründe mit großer Handschrift auf dem amtlichen Protokoll, das überliefert ist (Requisite).

32 Allerdings kann sie nicht wissen, dass dieser Raum den Todeskandidaten vorbehalten ist. Noch hat ihr niemand gesagt, wann die Hinrichtung bevorsteht und wie man sie töten wird.

33 Nach einem zeitgenössischen Foto.

34 Franz Schubert, *Streichquartett d-Moll, D 810*, 1. Satz (Allegro). (Das Stück beginnt eruptiv, zerfließt nach etwa fünf Sekunden in diverse Stränge, differenziert, aufgewühlt, bis hin zum Ende der ersten Minute dann abgeklärt, ruhig, klar, in den nächsten Sekunden fast triumphal; so stelle ich mir Sophies Stimmung vor – wichtig der Kontrast zu der Abschlussmusik *Sugar*.)

35 Aus einer Tagebuchaufzeichnung von Sophie.

36 Die Beschreibung der Exekutionsstätte ergibt sich aus dem amtlichen Protokoll, wo es heißt: »Der Hinrichtungsraum war gegen den Einblick und Zutritt Unbeteiligter vollständig gesichert. Die Fallschwertmaschine war durch einen schwarzen Vorhang verdeckt, verwendungsfähig aufgestellt.«

37 Reichhart selbst hat für drei Regierungen über 3000 Urteile vollstreckt.

V. Die Vernehmungsprotokolle von Mitgliedern der *Weißen Rose*

Von Gerd R. Ueberschär

Anmerkungen für das folgende Kapitel
›Anmerkungen zu historischen Quellenstücken der Gestapo‹
auf den Seiten 352–355.

Anmerkungen zu historischen Quellenstücken der Gestapo

Einige zeitgeschichtliche Quellen bedürfen besonderer Vorsicht und Sorgfalt bei ihrer Auswertung im Rahmen historischer Forschung und Darstellung. Zu dieser Quellengattung gehören auch Protokolle von Verhören durch die Geheime Staatspolizei (Gestapo) oder den Sicherheitsdienst (SD) des Reichsicherheitshauptamtes der SS in der Zeit des Dritten Reiches von 1933 bis 1945, die im Zusammenhang mit Vernehmungen von Verhafteten und Verdächtigten des deutschen Widerstandes gegen Hitler und sein Regime angefertigt wurden.[1] Denn gerade bei der Heranziehung von Verhörprotokollen als »echte Dokumente« für eine Darstellung oder Inhaltswiedergabe von oppositionellen Handlungen gegen das NS-Regime muss die Eigenart dieser Schriftstücke berücksichtigt werden. Sicher können sie in einigen Fällen Auskünfte und Hinweise auf bestimmte historische Ereignisse geben. Allerdings bieten diese Dokumente allein betrachtet noch kein Abbild der historischen Wahrheit, da sie nicht von den Aussagenden oder Vernommenen, sondern von den vernehmenden und protokollierenden Kriminalbeamten oder deren Mitarbeiterinnen und Mitarbeitern bzw. von SD-Leuten angefertigt wurden.

In der Regel hatte der Beschuldigte keine Möglichkeit, darauf zu bestehen, ihm wichtig erscheinende Erklärungen oder Feststellungen zusätzlich oder gesondert aufnehmen zu lassen. Vielmehr wurden Protokolle der Verhöre in der Sprache der Verfolger bzw. vernehmenden Gestapo-Beamten, d. h. der Täter des NS-Regimes, formuliert und von ihnen dabei entsprechende Deutungen darin festgehalten. Meist diktierte der vernehmende Kriminal- oder Gestapo-Beamte die Verhörniederschrift – quasi als Ergebnisprotokoll – anhand von Notizen, die er sich während eines vorausgegangenen Frage- und Antwort-Gesprächs mit dem Beschuldigten gemacht hatte. Die das Protokoll aufnehmende Mitarbeiterin oder der entsprechende Mitarbeiter des Vernehmenden wurden erst am Schluss des Verhörs hinzugezogen, um den diktierten Text dann mit der Schreibmaschine aufzunehmen. Am Schluss wurden gelegentlich noch einige Fragen und Antworten in der Niederschrift direkt festgehalten. Die Verhörprotokolle sollten vor allem im Sinne der Anklage in einem bevorstehenden Prozess präzise und gesicherte Tatbestände des Hochverrats, der Feindbegünstigung oder der Wehrkraftzersetzung festhalten. Deshalb führen im Falle von Verhörniederschriften erst deren Einordnung in den Entstehungszusammenhang und eine vorsichtige, kritische Bewertung zur Annäherung an die tatsächlichen Begebenheiten und den Ablauf der Ereignisse.

Im besonderen Maße muss dabei das »verständliche taktische Verhalten der Beschuldigten im Verhör, der Versuch sich zu retten oder andere zu schonen«[2], beachtet werden. Nicht unbedeutend ist auch der Hinweis auf möglichen psychologischen Druck, Tortur und übliche Folterungen der Vernommenen, die durch die Gestapo angewandt wurden und dann die Aussagen des Beschuldigten in den Verhören wie auch die Protokollinhalte beeinflussten. Deshalb ist zu prüfen, unter welchen Bedingungen und unter welchen »extremen Zwangssituationen«[3] die Aufzeichnung von Vernehmungen zustande gekommen ist.

Zweifellos gab es ein taktisches Verhalten der Beschuldigten, sich bei den Vernehmungen anders zu zeigen, als sie selbst im zurückliegenden Widerstand agierten, um zuerst einmal sich oder wenigstens andere Gesinnungsfreundinnen und -freunde vor der Gestapo zu schonen bzw. zu verbergen, zumal sie am Beginn der Verhöre nicht abzuschätzen vermochten, wie weit die Kenntnisse der vernehmenden Kriminalpolizisten über das Ausmaß der Widerstandshandlungen reichten.

Darüber hinaus ist auch nicht auszuschließen, dass die ermittelnden Gestapo- und SD-Leute bestimmte Aussagen hervorhoben und andere Äußerungen zurückstellten, um die eigene Rolle bei der Aufdeckung der Widerstandsaktionen gegen die NS-Regierung besonders herauszustellen. Wenn man diese Absicht der vernehmenden Beamten nicht beachtet, besteht die Gefahr der Verzerrung bei der Rekonstruktion bestimmter Ereignisabläufe im Zusammenhang mit der Aufdeckung von Widerstandshandlungen. Insofern kann der Inhalt von Gestapo-Verhörprotokollen allein genommen nicht als singuläre oder sichere Quelle für eine Beschreibung der Abläufe oder politischen Intentionen beim Kampf im Widerstand gegen Hitler dienen. Ihr Wahrheitsgehalt muss durch ergänzende Studien anhand anderer Quellen überprüft bzw. »herausgefiltert« werden.[4] Berücksichtigt man die grundsätzlichen Besonderheiten von Vernehmungsprotokollen, so ist generell festzustellen, dass es sich bei ihnen nicht um ein Spiegel- oder alleiniges Bild des Widerstandskampfes gegen das NS-Regime handelt. Andererseits können Verhörprotokolle, »mit kritischer Vorsicht gelesen«[5], eine der Quellen zur Rekonstruktion der Ereignisse um den deutschen Widerstand gegen Hitler sein.

Mit dieser generellen Quellenproblematik behaftet sind auch die Protokolle der Vernehmungen der am 18. Februar 1943 in München unmittelbar bei einer antinationalsozialistischen Flugblattaktion verhafteten Geschwister Scholl sowie der in den folgenden Tagen ebenfalls festgenommenen weiteren Mitglieder der Widerstandsgruppe *Weiße Rose,* wie u. a. von Christoph Probst, Alexander Schmorell, Willi Graf und Professor Dr. Kurt Huber. Sie waren Mitglieder der *Weißen Rose,* einer der inzwischen bekanntesten im Widerstand gegen die NS-Herrschaft stehenden Münchener Jugend- und Studentengruppe.[6] Ihre Vernehmungen begannen sogleich am Tag ihrer Festnahme. Die dabei von der Gestapo für das beabsichtigte Gerichtsverfahren angefertigten Aufzeichnungen der Verhöre gelten – »mit Bedacht und Sorgfalt« gelesen – als »eine wahre Fundgrube an Informationen und Fakten«[7].

Die Verhörprotokolle der Mitglieder der *Weißen Rose* standen allerdings lange Zeit der westdeutschen und internationalen Geschichtsschreibung als Quelle für die Erforschung und Darstellung der Hintergründe, Motive und Ziele sowie für das Denken und Handeln einzelner Mitglieder dieser Widerstandsgruppe nicht zur Verfügung. Sie lagen bis zur Auflösung der DDR im Zentralen Parteiarchiv des Instituts für Marxismus-Leninismus der SED bzw. zuletzt im Archiv des Ministeriums für Staatssicherheit in Dahlwitz-Hoppegarten und wurden erst nach dem Ende des ostdeutschen Staates 1989/90 als Bestand des Bundesarchivs frei zugänglich.

Möglicherweise wollte die SED-Führung in Ostberlin durch die Zurückhaltung der Dokumente umfängliche Studien und größere Publikationen zur Geschichte der *Weißen Rose* vermeiden, da sie die vielgepriesene Besonderheit und »herausragende Stellung« des kommunistischen Widerstandes relativiert hätten. Im Parteiarchiv standen die Protokolle viele Jahre nur einigen DDR-Historikern zur Verfügung[8] oder wurden nur nach parteipolitischer Hilfe und besonderer Genehmigung des damaligen DDR-Staatsratsvorsitzenden Erich Honecker westdeutschen Publizistinnen und Forschern über die *Weiße Rose* – wie z. B. Anneliese Knoop-Graf – zugänglich gemacht;[9] dadurch konnten sie auch bis dahin in zentralen Quelleneditionen zur *Weißen Rose*, die in der Bundesrepublik erschienen, nicht abgedruckt werden.[10]

Stattdessen zog man in der westlichen Widerstandshistoriographie die Aussage des vernehmenden Gestapobeamten, Kriminalobersekretär Robert Mohr, von 1951 als Quelle heran.[11] Er bezeugte Hans und Sophie Scholl eine beeindruckende Haltung während ihrer Verhöre und beschrieb, wie sie – nach anfänglicher Verleugnung der Widerstandstat – sehr bald konsequent zu ihrer Widerstandsaktion und Handlungsweise standen.[12] In seiner Niederschrift schilderte Mohr auch, dass es Sophie Scholl im Verhör abgelehnt habe, ihre eigene Rolle in der *Weißen Rose* gering einzustufen, und dadurch gleichsam eine von ihm bei der Vernehmung gemachte »goldene Brücke ausschlug«, durch die sie möglicherweise bei der bevorstehenden Verurteilung ein milderes Urteil erlangt hätte.

Die Ziele und Handlungen der *Weißen Rose* gegen Hitlers Diktatur sind mittlerweile durch zahlreiche Studien und Dokumentationen umfassend belegt; auch die Verhörprotokolle wurden dabei ab 1990 mit ausgewertet.[13] Die Aktivitäten der Gruppe beunruhigten schon 1942 die NS-Führung. Angesichts der militärischen Krisensituation in Stalingrad, nachdem die 6. Armee ab November 1942 eingekesselt worden war und in der Wolga-Metropole vor der Kapitulation stand, verstärkten die Studenten im Januar 1943 ihre Flugblattaktivitäten und formulierten neue Blätter, die sie nicht nur in München, sondern auch in Linz, Wien und Salzburg in die Briefkästen der Reichspost einwarfen. Ende Januar verteilten sie rund 5000 Flugblätter mit dem Titel »Aufruf an alle Deutschen!« im Stadtgebiet von München und verschickten weitere Exemplare per Post nach Augsburg, Salzburg, Frankfurt / Main, Stuttgart, Linz, Wien und München. Anfang und Mitte Februar brachten sie zudem an etwa 30 Stellen des Münchner Stadtgebietes und an Universitätsgebäuden die Parolen »Nieder mit Hitler«, »Massenmörder Hitler« und »Freiheit« sowie mit Farbe durchgestrichene Hakenkreuze an.[14]

Bei der Auslegung und Verteilung des sechsten Flugblattes, das hauptsächlich von Professor Kurt Huber formuliert und in insgesamt 3000 Exemplaren hergestellt worden war, wurden Hans und Sophie Scholl dann allerdings am 18. Februar von einem Hausmeister der Münchener Universität beobachtet und verhaftet. Die herbeigerufene Staatspolizei konnte schon sehr bald nach einer Wohnungsdurchsuchung bei den Vernehmungen und Befragungen die Beteiligung der Geschwister Scholl nachweisen, so dass der Gestapo der Kern der Oppositionsgruppe deutlich wurde. Nachdem Hans und Sophie Scholl zuerst eine Verbindung zu den in der Universität verteilten Flugblättern abstritten, legten sie im Verlauf der weiteren Verhöre das Geständnis ab, sie allein seien für Herstellung und Verteilung der Flugschriften verantwortlich, um den Verdacht von weiteren Mitgliedern der *Weißen Rose* abzuwenden. Namen anderer Mitglieder ihrer Gruppe gaben sie trotz weiterer Verhöre nicht preis. Da aber bei Hans Scholl ein neuer Flugblattentwurf von Christoph Probst gefunden wurde, konnte auch er am 19. Februar 1943 in Innsbruck verhaftet werden. Er wurde nach München gebracht und zusammen mit den Geschwistern Scholl vernommen und angeklagt. Willi Graf wurde verhaftet, als er die Münchner Wohnung der Geschwister Scholl aufsuchte.

Die NS-Führung in Berlin wurde von den Verhaftungen umgehend unterrichtet, nachdem sie bereits zuvor auf die antinationalsozialistischen Flugblätter und Wandparolen in München mit höchster Aufmerksamkeit und Beunruhigung reagiert hatte.[15] Denn dass diese Äußerungen von Hitlergegnern gerade in der »Stadt der Bewegung« München auftauchten, war für sie – auch angesichts der zur gleichen Zeit erfolgten schweren militärischen Niederlage in Stalingrad – sehr beunruhigend. Eine von Reichsjustizminister Otto Thierack eingesetzte Arbeitsgruppe bemühte sich eiligst um weitere Klarheit über das Ausmaß der Studentenaktion und über mögliche Verbindungen zu den seit Wochen in München beobachteten Wandparolen gegen Hitler oder zu studentischen Unmutsäußerungen gegenüber dem NSDAP-Gauleiter Paul Giesler bei der Festveranstaltung zur 470. Jahresfeier der Universität im Deutschen Museum Mitte Januar 1943.

Auch die Reichskanzlei und Hitler persönlich wurden eingeschaltet. Der »Führer« entschied, die Aburteilung der verhafteten Geschwister Scholl und von Christoph Probst wegen Vorbereitung zum Hochverrat, landesverräterischer Feindbegünstigung und Wehrkraftzersetzung »schnellstens durch den Volksgerichtshof« durchführen zu lassen, wie von NSDAP-Reichsleiter Martin Bormann und Gauleiter Giesler sogleich vorgeschlagen worden war,[16] obwohl die zuerst verdächtigten

Hans Scholl und Christoph Probst als Sanitätsfeldwebel der Militärgerichtsbarkeit unterstanden. Die NS-Führung fürchtete bei längerer Verzögerung eine »starke Beunruhigung der Zivilbevölkerung Süddeutschlands«[17]; sie erkannte offensichtlich die große Gefahr für den geforderten Durchhaltewillen bis zum angeblichen Endsieg, die aus dieser grundsätzlichen Auflehnung gegen das NS-Regime hervorging, und verlangte eine möglichst rasche Aufklärung des Falles sowie einen ebenso schnellen Abschluss der Ermittlungen und Verhöre. Generalfeldmarschall Wilhelm Keitel, der Chef des Oberkommandos der Wehrmacht (OKW), war nur zu gerne bereit, diese »Münchener Vorfälle« von einem Zivilgericht ahnden zu lassen, um sie quasi von der Wehrmacht fern zu halten.

Die Reaktion der NS-Staatsführung sollte jedenfalls rasch erfolgen. Die Verhöre im Wittelsbacher Palais, der Gestapo-Zentrale in München, mussten deshalb unter großem Zeitdruck vorgenommen werden. Noch während am 20. Februar, einem Samstag, die Vernehmungen in München von der Gestapo in Tages- und Nachtstunden durchgeführt wurden – nach Aussage des Sophie Scholl vernehmenden Gestapo-Beamten kamen sowohl die Beschuldigten als auch die vernehmenden Kriminalpolizisten »in diesen Tagen kaum zur Ruhe«[18] –, formulierte die Reichsanwaltschaft die Anklageschrift und erließ die Haftbefehle.[19] Bereits am 21. Februar 1943 reiste der Präsident des »Volksgerichtshofes«, Roland Freisler, mit Landgerichtsdirektor Stier vom ersten Senat von Berlin nach München. Am Montag, dem 22. Februar, begann der Prozess um 10.00 Uhr gegen die Geschwister Hans und Sophie Scholl sowie gegen Christoph Probst. Nach etwa dreieinhalb Stunden war die Gerichtsverhandlung vorbei, und die Todesurteile wurden wegen landesverräterischer Feindbegünstigung, Vorbereitung zum Hochverrat und Wehrkraftzersetzung verkündet.[20] Schon um 17.00 Uhr vollstreckte man die Urteile mit der Guillotine im Gefängnis in München-Stadelheim an dem 25-jährigen Hans Scholl, seiner 22-jährigen

Schwester Sophie sowie an dem 24-jährigen, dreifachen Familienvater Christoph Probst.

Wie die Vernehmungsprotokolle zeigen, erklärten Hans und Sophie Scholl in ihren Verhören, die Flugblätter allein verfasst und hergestellt zu haben. Dennoch gelang es der Gestapo, weitere Mitglieder und Sympathisanten der Gruppe aufzudecken; sie wurden in einem zweiten und dritten Prozess angeklagt und verurteilt. Als Alexander Schmorell am 24. Februar verhaftet und ebenfalls mehreren Verhören unterzogen wurde, waren seine früheren Gesinnungsfreunde im Kampf gegen den NS-Staat schon tot. Der zweite Prozess gegen 14 weitere Mitglieder der *Weißen Rose*, unter ihnen Kurt Huber, Alexander Schmorell und Willi Graf, sollte eigentlich in Berlin stattfinden, wie der Justizstaatssekretär Curt Rothenberger am 27. Februar angeordnet hatte. Doch erreichte es NSDAP-Gauleiter Giesler, dass auch dieser Prozess des »Volksgerichtshofes« am 19. April 1943 ebenso wie eine dritte Gerichtsverhandlung vor einem Sondergericht am 13. Juli 1943 in München durchgeführt wurde, um dadurch die lokale Stärke der NSDAP in der bayerischen Hauptstadt demonstrieren zu können.

Bei weiteren Verhören stellte sich heraus, dass die nach dem zweiten Prozess noch lebenden Schmorell, Graf und Huber wichtige Zeugen und Aussagende gegen über 50 weitere Verdächtige sein konnten, zumal die NS-Stellen mittlerweile vom Umfang der *Weißen Rose* überrascht waren. Mit ihrer Hilfe wollte die Gestapo durch zusätzliche Vernehmungen Verbindungen zu anderen Hitlergegnern und deren Namen in Erfahrung bringen. Die Vernommenen hielten aber stand und widersetzten sich dem Gestapo-Verlangen, andere Mitwirkende und Beteiligte zu nennen.[21] Zusammen mit der »Kanzlei des Führers« drängte Giesler zudem darauf, dass die zum Tode Verurteilten alsbald hingerichtet wurden. Man wünschte weder besondere »Gnadenerweise« noch zeitliche Verschiebungen bei den Vollstreckungen der Todesurteile. Schließlich wurden Kurt Huber und Alexander Schmorell am 13. Juli und

Willi Graf am 12. Oktober 1943 durch das Fallbeil hingerichtet.[22]

In den Verhörprotokollen wird erkennbar, dass die zuerst Beschuldigten versuchten, »die Gefährten zu schützen und zu entlasten«[23]. Erstaunlicherweise finden sich in den Niederschriften der Verhöre von Seiten der vernehmenden Polizeibeamten keine Hinweise auf die Ermittlungen und Verfahren, die Ende 1937 und Anfang 1938 von der Gestapo und vor einem Sondergericht in Mannheim gegen Willi Graf und Hans Scholl wegen Mitgliedschaft in der katholischen Gemeinschaft »Grauer Orden« und wegen »bündischer Umtriebe« eingeleitet worden waren und die nach dem von Hitler erlassenen Amnestiegesetz aufgrund des erfolgreichen Anschlusses von Österreich im März 1938 wieder eingestellt worden waren, so dass Scholl und Graf damals straffrei blieben. Offensichtlich hatten die Gestapobeamten in München bei der Eile ihrer Vernehmungen darüber keine Information erhalten. Allerdings führte Sophie Scholl diese Ermittlungen als Grund an, warum sie nichts mehr mit dem Nationalsozialismus zu tun haben wolle.

Scholl und Probst verteidigten in den Verhören nachhaltig ihre politischen Ziele und Widerstandshandlungen.[24] Wie schon in ihrem letzten Flugblatt, in dem sie die deutsche Bevölkerung vor dem Hintergrund der Judenmorde und der erschütternden militärischen Katastrophe an der Wolga zum Sturz Hitlers und zur »Brechung des nationalsozialistischen Terrors« aufriefen, da der »deutsche Name [...] für immer geschändet [bleibe], wenn nicht die deutsche Jugend endlich aufsteht, rächt und sühnt zugleich, ihre Peiniger zerschmettert und ein neues geistiges Europa aufrichtet«[25], hielten sie auch in den Vernehmungen an ihrer Überzeugung fest, dass nur eine neue Regierung einen politischen Wechsel und das rasche Ende des Krieges herbeiführen könne. Dabei prangerten sie auch das sinnlose Morden an den Juden an. Die Protokolle der Vernehmungen von Sophie und Hans Scholl sowie Christoph

Probst und Alexander Schmorell bezeugen deren mutige Haltung, auch gegenüber den Gestapobeamten die Forderung nach Recht und Freiheit sowie nach grundlegender Veränderung der politischen Verhältnisse in Deutschland als vorrangiges Ziel ihrer Widerstandsaktionen zu bezeichnen und konsequent daran festzuhalten.

Ein am 17. und 18. Februar 1943 von der Gestapo in Auftrag gegebenes sprachlich-wissenschaftliches Gutachten zu den Flugblättern, das der Münchner Professor Richard Harder verfasste, bescheinigte den Verfassern ein »außergewöhnlich hohes« intellektuelles Niveau. Gegenstand und Forderung – d. h. das Verlangen nach »Freiheit und Ehre« für jeden Einzelnen in der Diktatur Hitlers – seien »fest und zielsicher« durchdacht und stark christlich geprägt. In dem Gutachten wird allerdings bezweifelt, dass die Flugblätter »in breiteren Kreisen der Soldaten oder Arbeiter« Widerhall finden könnten.[26]

Die Vernehmungsprotokolle belegen die inzwischen in mehreren Studien – zuletzt insbesondere in der historischen Untersuchung von Detlef Bald – betonte besondere Bedeutung der militärischen Einsätze der männlichen Mitglieder der Widerstandsgruppe im Kriegsdienst, die sie während ihres Medizinstudiums im Rahmen von »Famulaturen« als Sanitätsunteroffiziere in verschiedenen Lazaretten an der Front im Westen und Osten abzuleisten hatten.[27] Dies gilt insbesondere für die Erlebnisse und Erfahrungen von Hans Scholl, Willi Graf, Alexander Schmorell, Hubert Furtwängler und Jürgen Wittenstein beim Einsatz in Sanitätskompanien im Osten vom Juli bis November 1942. Die Einschätzung und Bewertung der Kriegserlebnisse als besonderer Anstoß für den weiteren Widerstand führten neuerdings zu kontroverser Forschungsdiskussion.[28] Wie Alexander Schmorell in seinem späteren Verhör bezeugt, wurden die Kriegseinsätze zu ihren »härtesten Lehrmeistern«, und sie hatten besondere Bedeutung für ihre konsequente und zunehmende Widerstandshaltung gegen Hitlers Herrschaft. Die Eindrücke von der Ostfront 1942 wurden für den Kern der Mitglieder der *Weißen Rose* zu einem »tiefgreifenden Wendepunkt«[29]. Denn dort sahen sie grauenhafte Verbrechen und Kriegsgräuel. Besonders Alexander Schmorell, der 1917 in Orenburg in Russland geboren worden war und eine russische Mutter hatte sowie »eine Liebe zu Russland« empfand, wie er in mehreren Verhören erklärte, trafen die NS-Verbrechen in den besetzten sowjetischen Gebieten schwer. Aus »Liebe zum russischen Volk« wünschte er auch ein baldiges Ende des deutsch-sowjetischen Krieges und hoffte, dass Russland nach dem Krieg ein Landverlust erspart bleibe.[30] In den Vernehmungen betonte Schmorell wiederholt, dass er gerade diese »Gedankengänge« durch die Flugblätter dem deutschen Volk verständlich machen wollte, um insbesondere gegen Hitlers Vernichtungskrieg um deutschen »Lebensraum im Osten« zu argumentieren; daraus erklärte sich auch seine Gegnerschaft zum Nationalsozialismus und die Forderung nach Freiheit,[31] für die er wie Hans und Sophie Scholl sowie Christoph Probst und Willi Graf mit dem Leben bezahlte.

Anmerkungen

1 Vgl. die Hinweise bei Hans Booms: Bemerkungen zu einer fragwürdigen Quellenedition. Die Veröffentlichung der »Kaltenbrunner-Berichte« vom »Archiv Peter«. In: Der Archivar. Mitteilungsblatt für deutsches Archivwesen 15 (1962), Spalte (Sp.) 105–112, hier Sp. 106.

2 Ebenda, Sp. 107.

3 Anneliese Knoop-Graf: Hochverräter? Willi Graf und die Ausweitung des Widerstands. In: Hochverrat? Die »Weiße Rose« und ihr Umfeld. Hrsg. v. Rudolf Lill. Konstanz 1993, S. 43–88, hier S. 48.

4 Vgl. Hans-Adolf Jacobsens Vorbemerkung zu »Spiegelbild einer Verschwörung«. Die Opposition gegen Hitler und der Staatsstreich vom 20. Juli 1944 in der SD-Berichterstattung. Geheime Dokumente aus dem ehemaligen Reichssicherheitshauptamt. Hrsg. v. Hans-Adolf Jacobsen. 2 Bde. Stuttgart 1984, hier Bd. 1, unpaginierte Vorbemerkung zur Edition.

5 Booms: Bemerkungen zu einer fragwürdigen Quellenedition (wie Anm. 1), Sp. 111.

6 Zur Einordnung als Jugendwiderstand vgl. Wilfried Breyvogel: Die Gruppe »Weiße Rose«. Anmerkungen zur Rezeptionsgeschichte und kritischen Rekonstruktion. In: Piraten, Swings und Junge Garde. Jugendwiderstand im Nationalsozialismus. Hrsg. v. Wilfried Breyvogel. Bonn 1991, S. 159–201, hier S. 160 ff., 198 f.; zur Wirkung nach 1945 s. Barbara Schüler: »Im Geiste der Gemordeten ...«. Die »Weiße Rose« und ihre Wirkung in der Nachkriegszeit. Paderborn 2000.

7 Detlev Bald: Die »Weiße Rose«. Von der Front in den Widerstand. Berlin 2003, S. 15.

8 Vgl. die Zitatstellen aus den Verhör- und Prozessunterlagen bei Karl-Heinz Jahnke: Jugend im Widerstand 1933–1945. 2. Aufl. Frankfurt am Main 1985 (zuerst Berlin-Ost 1970 u.d.T.: Entscheidungen – Jugend im Widerstand 1933–1945), S. 108 ff., 116 f.; ferner: Wir schweigen nicht! Eine Dokumentation über den antifaschistischen Kampf Münchner Studenten 1942/43. Hrsg. v. Klaus Drobisch. Berlin-Ost 1968, 1977, 1983.

9 Siehe die Angabe bei: Willi Graf. Briefe und Aufzeichnungen. Hrsg. v. Anneliese Knoop-Graf und Inge Jens. Frankfurt am Main 1988, Neuauflage als Taschenbuchausgabe 1994, S. 252.

10 Als zentrale Publikation siehe Inge Scholl: Die Weiße Rose. Frankfurt am Main 3. Aufl. 1952, 1955, erweiterte Neuausgaben ab 1982 und 1993 sowie Taschenbuchausgabe 1983 mit Abdruck der beiden Urteile des »Volksgerichtshofes« v. 22.2. 1943 und 19.4.1943 sowie mehrere Augenzeugenberichte, jedoch ohne Wiedergabe der Verhörprotokolle.

11 Siehe Christian Petry: Studenten aufs Schafott. Die Weiße Rose und ihr Scheitern. München 1968, S. 124 f., und Scholl, Die Weiße Rose (wie Anm. 10), hier erweiterte Neuausgaben ab 1982 und 1993, S. 212 f. und 178 f.

12 Vgl. ebenda (wie Anm. 10), S. 212–225; ferner Michael Verhoeven/Mario

Krebs: Die Weiße Rose. Der Widerstand Münchner Studenten gegen Hitler. Informationen zum Film. Frankfurt am Main 1982, S. 172 f.

13 Siehe dazu generell den Archivbestand Walter Hammer im Archiv IfZ München, ED 106 / 101; ebenda, Fa 215 / 1–5 Prozessakten, Flugblätter, Korrespondenzen und Sammlungen betr. »Weiße Rose«; Gedenkstätte Deutscher Widerstand (GDW) Berlin, Sammlung »Weiße Rose«; BA Berlin (Hoppegarten), ZC 13267, Bd. 1–16; ZC 14116, Bd. 1–2; ZC 19601; NJ 1704, Bd. 1–33; NJ 6136; auch im Russischen Staatlichen Militärarchiv (RGVA) Moskau, 1361–1-8808, befinden sich Verhörprotokolle u. Verhandlungsunterlagen u.a. gegen Alexander Schmorell. Weiterführende Literaturhinweise bei Ernst Fleischhack: Die Widerstandsbewegung »Weiße Rose«. Literaturbericht und Bibliographie. In: Jahresbibliographie der Bibliothek für Zeitgeschichte. Weltkriegsbücherei 42 (1970, erschienen 1971), S. 459–507; Michael Kißener: Literatur zur Weißen Rose 1971–1992. In: Hochverrat? Die »Weiße Rose« und ihr Umfeld. Hrsg. v. Rudolf Lill. Konstanz 1993, S. 159–179; Tatjana Blaha: Willi Graf und die Weiße Rose. Eine Rezeptionsgeschichte. München 2003. Zur Darstellung und Dokumentation siehe: Scholl, Die Weiße Rose (wie Anm. 10); Klaus Vielhaber: Widerstand im Namen der deutschen Jugend. Willi Graf und die Weiße Rose. Eine Dokumentation. Würzburg 1963 (Neuausgabe u. d. T.: Gewalt und Gewissen); Petry, Studenten aufs Schafott (wie Anm. 11); Karl Heinz Jahnke: Weiße Rose contra Hakenkreuz. Der Widerstand der Geschwister Scholl und ihrer Freunde. Frankfurt am Main 1969; ders.: Weiße Rose contra Hakenkreuz. Studenten im Widerstand 1942 / 43. Einblicke in viereinhalb Jahrzehnte Forschung. Rostock 2003; Verhoeven / Krebs, Die Weiße Rose (wie Anm. 12); Hans Scholl und Sophie Scholl. Briefe und Aufzeichnungen. Hrsg. v. Inge Jens. Frankfurt am Main 1984, Neuauflage als Taschenbuchausgabe 1988, 1993; Willi Graf. Briefe und Aufzeichnungen (wie Anm. 9); Annette E. Dumbach / Jud Newborn: Wir sind euer Gewissen. Die Geschichte der Weißen Rose. Stuttgart 1988, Freiburg 2002; Anneliese Knoop-Graf: »Jeder Einzelne trägt die ganze Verantwortung«. Willi Graf und die Weiße Rose. Berlin 1991; dies.: »Jeder trägt die ganze Verantwortung«. Widerstand am Beispiel Willi Graf. In: Piraten, Swings und Junge Garde. Jugendwiderstand im Nationalsozialismus. Hrsg. v. Wilfried Breyvogel. Bonn 1991, S. 222–240; dies.: Hochverräter? (wie Anm. 3); Richard Hanser: Deutschland zuliebe. Leben und Sterben der Geschwister Scholl. Die Geschichte der Weißen Rose. München 1979, 1982; Hermann Vinke: Das kurze Leben der Sophie Scholl. Ravensburg 1980, 6. Aufl. 1991; Wir schweigen nicht! (wie Anm. 8); Gerhard Schott: Die Weiße Rose. Studentischer Widerstand im Dritten Reich 1943. Gedenkausstellung der Universitätsbibliothek München 1983. München 1983; Hochverrat? Die »Weiße Rose« und ihr Umfeld. Hrsg. v. Rudolf Lill. Konstanz 1993; Breyvogel: Die Gruppe »Weiße Rose« (wie Anm. 6); Harald Steffahn: Die Weiße Rose. Reinbek 1992; Die Weiße Rose und das Erbe des deutschen Widerstandes. Münchner Gedächtnisvorlesungen. München 1993; Michael C. Schneider / Winfried Süß: Keine Volksgenossen. Studentischer Widerstand der Weißen Rose. München 1993; Sippenhaft. Nachrichten und Botschaften der Familie in der Gestapo-Haft nach der Hinrichtung von Hans und Sophie Scholl. Hrsg. v. Inge Aicher-Scholl. Frankfurt am Main 1993; Barbara Leisner: »Ich

würde es genauso wieder machen«. Sophie Scholl. München 2000, 4. Aufl. 2001, 5. Aufl. 2003; Bald: Die »Weiße Rose« (wie Anm. 7); Luise Schultze-Jahn: »Und der Geist lebt trotzdem weiter!« Widerstand im Zeichen der Weißen Rose. Berlin 2003; Werner Milstein: Mut zum Widerstand. Sophie Scholl – Ein Porträt. Neukirchen 2003. Zu weiteren Literaturhinweisen siehe die ›Kommentierte Auswahlbibliographie‹, Seite 469 bis 476.

14 BA Berlin (Hoppegarten), ZC 13267, Bd. 1: Bericht der Gestapo München v. 20.2.1943 und Vermerk v. 19.2.1943; ebenda, Bd. 2: Vernehmungsprotokolle Hans Scholl v. 18. und 20. 2. 1943; zur Beeinflussung durch die Ereignisse in Stalingrad siehe ebenda, Bd. 4: Vernehmungsprotokoll Christoph Probst v. 20. / 21.2.1943.

15 Bald: Die Weiße Rose (wie Anm. 7), S. 156.

16 BA Berlin (Hoppegarten), ZC 13267, Bd. 1: Fernschreiben v. Giesler an Bormann v. 19. 2. 1943 und Fernschreiben v. Bormann an Giesler v. 19. 2. 1943; zu den Verhandlungen des »Volksgerichtshofs« siehe: Widerstand als »Hochverrat« 1933 bis 1945. Die Verfahren gegen deutsche Reichsangehörige vor dem Reichsgericht, dem Volksgerichtshof und dem Reichskriegsgericht. Hrsg. v. Institut für Zeitgeschichte München. Mikrofiche-Edition und Erschließungsband. Bearb. v. Jürgen Zarusky und Hartmut Mehringer. München 1997–1998.

17 BA Berlin (Hoppegarten), ZC 13267, Bd. 1.

18 Aussage von Robert Mohr in: Scholl, Die Weiße Rose (wie Anm. 10), S. 220.

19 Siehe BA Berlin (Hoppegarten), ZC 13267, Bd. 1: Anklageschrift v. 21.2.1943.

20 Siehe BA Berlin (Hoppegarten), ZC 13267, Bd. 1: Urteil v. 22.2.1943; ferner Widerstand als »Hochverrat« 1933–1945 (wie Anm. 16); Abdruck der Urteile in: Wir schweigen nicht! (wie Anm. 8), S. 129–142; Scholl, Die Weiße Rose (wie Anm. 10), S. 137 ff.

21 Vgl. BA Berlin (Hoppegarten) u. GDW Berlin Sammlung »Weiße Rose«, ZC 13267, NJ 1704, ebenso Sonderarchiv Moskau, 1361–1-8808: Schmorells Vernehmung v. 1.3.1943; Willi Graf. Briefe und Aufzeichnungen (wie Anm. 9), S. 22.

22 Siehe Widerstand als »Hochverrat« 1933–1945 (wie Anm. 16); Kurt Huber zum Gedächtnis. Bildnis eines Menschen, Denkers und Forschers. (»... der Tod war nicht vergebens«). Hrsg. v. Clara Huber. Regensburg 1947, Neuauflage München 1986, S. 32 ff. (1947), S. 53–55 (1986); Scholl: Die Weiße Rose (wie Anm. 10), S. 143 ff.

23 Bald: Die »Weiße Rose« (wie Anm. 7), S. 158.

24 Vgl. BA Berlin (Hoppegarten): ZC 13267, Bd. 1: Vernehmungsprotokolle von Hans und Sophie Scholl v. 18./19./20.2.1943 sowie Christoph Probst v. 20./21. 2. 1943.

25 Abdruck der Flugblätter in: Aufstand des Gewissens. Militärischer Widerstand gegen Hitler und das NS-Regime 1933–1945. Katalog zur Wanderausstellung des Militärgeschichtlichen Forschungsamtes. Hrsg. v. Heinrich Walle. 4. durchges. Aufl. Herford 1994, S. 116, 118; ferner Steffahn: Die Weiße Rose (wie Anm. 13), S. 131–144; Wir schweigen nicht! (wie Anm. 8), S. 65–99; Scholl: Die Weiße Rose (wie Anm. 10), S. 96–121; siehe besonders sechstes Flugblatt, ebenda (wie Anm. 10), S. 120.

26 BA Berlin (Hoppegarten), ZC 13267, Bd. 1: Prof. Richard Harder, München, v.

17.2.1943 und 18.2.1943; Abdruck der Gutachten in: Hochverrat? (wie Anm. 3), S. 209 ff., S. 213 ff.

27 Auf die Erfahrungen bei diesen Famulatur-Einsätzen an der Front wiesen u. a. besonders hin: Karl Heinz Jahnke: Weiße Rose contra Hakenkreuz, 1969 (wie Anm. 13); ders.: Antifaschistischer Widerstand an der Münchener Universität. Die Studentengruppe Scholl / Schmorell. In: Zeitschrift für Geschichtswissenschaft 16 (1968), H. 7, S. 874 ff.; Christiane Moll: Die Weiße Rose. In: Widerstand gegen den Nationalsozialismus. Hrsg. v. Peter Steinbach und Johannes Tuchel. Bonn 1994, S. 443–467; ebenso in: Widerstand gegen die nationalsozialistische Diktatur 1933 bis 1945. Hrsg. v. Peter Steinbach und Johannes Tuchel. Bonn 2004, S. 375–395; Gerd R. Ueberschär: Zum »Rußlandbild« in deutschen Widerstandskreisen gegen Hitler. In: Jahrbuch 1997. Dokumentationsarchiv des österreichischen Widerstandes. Redaktion: Siegwald Ganglmair. Wien 1997, S. 69–82, hier S. 77; und besonders Bald: Die »Weiße Rose« (wie Anm. 7).

28 Siehe Johannes Tuchel: »Von der Front in den Widerstand?« Kritische Überlegungen zu Detlef Balds Neuerscheinung über die »Weiße Rose«. In: Zeitschrift für Geschichtswissenschaft 51 (2003), S. 1022–1045; Armin Ziegler: Widerstand in Sachen »Weiße Rose«. Kritische Anmerkungen zu dem Buch von Detlef Bald: »Die Weiße Rose – Von der Front in den Widerstand«. Selbstverlag Schönaich 2003; Karl Heinz Jahnke: Jüngste Auseinandersetzungen um die Geschichte der Münchener Widerstandsgruppe Weiße Rose. In: Informationen – Studienkreis Deutscher Widerstand Frankfurt / Main 29. Jg., Nr. 59 v. Mai 2004, S. 33–35. Die besondere Wirkung der Kriegserfahrungen an der Ostfront im Sommer 1942 für die Widerstandsaktionen der »Weißen Rose« wurde von Detlef Bald bei der Herausgabe seiner Studie als Taschenbuch erneut deutlich dargestellt, siehe die Taschenbuchausgabe u. d. T.: Die »Weisse Rose«. Von der Front in den Widerstand. Berlin 2004, S. 11, 14 f., 22 ff.

29 So Bald: Die »Weiße Rose« (wie Anm. 7), S. 14; Jahnke, Jüngste Auseinandersetzungen (wie Anm. 27), S. 33, nennt sie ein »Schlüsselereignis« für die Weiterentwicklung ihres Widerstandes.

30 GDW Berlin Sammlung »Weiße Rose«, und Russisches Staatliches Militärarchiv Moskau, 1361-1-8808: Vernehmungsprotokolle v. 25.2., 26.2., 1.3., 11.3., 13.3. und 18.3.1943, Schmorells politisches Bekenntnis v. 8.3.1943 sowie weitere Verhandlungsunterlagen gegen Alexander Schmorell; siehe auch Abdrucke in diesem Band.

31 Ebenda: Schmorells Vernehmung v. 26.2.1943. Für den unermüdlichen Einsatz für die »Sache der Freiheit« wird denn auch Sophie Scholl stellvertretend für *Die Weiße Rose* in der »Hall of Freedom« im Schweizer Jungfrauenjoch weltweit gewürdigt.

Hinweise zum Abdruck der nachfolgenden Dokumente

Die vier Formblätter der Vernehmungen wurden nach grafischer Gestaltung und Anordnung der Vorlage wiedergegeben. Die damals noch übliche Frakturschrift wurde einheitlich in Antiquaschrift gesetzt. Es handelt sich bei der Wiedergabe der Formulare jedoch um keinen Faksimile-Abdruck.

Unterstreichungen in den Vernehmungsprotokollen wurden weggelassen bzw. in einigen Fällen kursiv gesetzt. Alle gesperrt geschriebenen Namen wurden in normaler Schrift gesetzt. Zeichensetzung und Schreibweise nach der früheren Rechtschreibung wurden nicht verbessert, auch wenn sie nach den damaligen Regeln Fehler enthalten oder nicht einheitlich bei allen Vernehmungen angewandt wurden (wie z. B. die parallele Schreibweise von daß und dass). Nur in geringem Umfange sind einige Korrekturen und Ergänzungen bei offensichtlichen Schreibfehlern vorgenommen worden; sie sind durch eckige Klammern gekennzeichnet, wie z. B. beim Namen Schmorel[l]. Der früher in der Schreibmaschinenschrift verwendete Großbuchstabe J an Stelle des großen I in der Antiquaschrift wurde am Wortanfang jeweils als I gesetzt. Die handschriftlichen Unterschriften unter den Protokollen sind – soweit lesbar – aufgelöst und in kursiver Schrift gesetzt. Die Flugblätter und -schriften der *Weißen Rose* wurden in den Vernehmungen von den Gestapobeamten wiederholt als Propagandabriefe und Propagandaschriften bezeichnet.

In den Protokollen verwendete Abkürzungen:

a.A.	am Ammersee
a.d.D.	an der Donau
Ar 7	Artillerieregiment bzw. Artillerie-Kommandeur 7 (in München)
b.	bei
B. Ang.	Büroangestellte
bezw.	beziehungsweise
cand. med.	Student der Medizin im höheren Semester (candidatus medicinae)
d.h.	das heisst
D.	Donau
Dez.	Dezember
DR.	Deutsches Reich (Staatsangehörigkeit)
Dt.	Deutsche(r)
ev.	evangelisch
Fa.	Firma
Fabr.	Fabrikat
Febr.	Februar
Feldp. Einh.	Feldposteinheit
Frl.	Fräulein
geb.	geboren(e)
HJ	Hitlerjugend
I.A.	Im Auftrag
i.T.	in Tirol
Kav. Regt.	Kavallerieregiment
KK., K.K.	Kriminalkommissar
KOS.	Kriminalobersekretär
Krim. Sekr.	Kriminalsekretär
KS.	Kriminalsekretär
K.S.O.B.	Kriegssanitätsoffizierbewerber
led.	ledig
Lt.	Laut
M.	Main
Ma.	Mahler (Name)
Mitgl.	Mitglied
Mo.	Mohr (Name)
Mot. Feld. Laz.	Motorisiertes Feldlazarett
Mü.	München
Nat. Soz.	Nationalsozialismus
Nov.	November
Nr.	Nummer
NSDAP	Nationalsozialistische Deutsche Arbeiterpartei
P. Ass.	Polizeiassistent
Pfg.	Pfennig
Pl.	Platz
RAD	Reichsarbeitsdienst
RM	Reichsmark
San.	Sanitäts
Schm	Schmauß (Name)
Sdkdo	Sonderkommando
s.g.u.	Selbst gelesen und …
Sond.	Sonder
Sonderk.	Sonderkommission
U.	Unterschrift
VA.	Verwaltungsangestellte
v.g.u.u.	vorgelesen und unterschrieben
Wilh.	Wilhelm
z. Zt.	zur Zeit

Vernehmung von Sophie Scholl

Sophie Scholl, die im Protokoll auch als Sofia Scholl bezeichnet wird, wurde nach ihrer vorläufigen Festnahme zusammen mit ihrem Bruder am 18. Februar 1943 gegen 11.00 Uhr in der Universität sogleich in der Münchener Staatspolizeileitstelle vernommen.

Geheime Staatspolizei
Staatspolizeileitstelle München

Fingerabdruck genommen*)
Fingerabdrucknahme nicht erforderlich*)
Person ist – nicht – festgestellt*)

Datum: ....

Name: ....

Amtsbezeichnung: ....

Dienststelle: ....

(Dienststelle des vernehmenden Beamten) München, am 18. 2. 1943

~~Auf Vorladung~~ – Vorgeführt*) – erscheint

Sofia Magdalena Scholl

und erklärt, zur Wahrheit ermahnt:

I. Zur Person:

1. a) Familienname, auch Beinamen (bei Frauen auch Geburtsname, ggf. Name des früheren Ehemannes)	a) Scholl
b) Vornamen (Rufname ist zu unterstreichen)	b) Sophia Magdalena
2. a) Beruf Über das Berufsverhältnis ist anzugeben, – ob Inhaber, Handwerksmeister, Geschäftsleiter oder Gehilfe, Geselle, Lehrling, Fabrikarbeiter, Handwerksgehilfe, Verkäuferin usw. – bei Ehefrauen Beruf des Ehemannes – – bei Minderjährigen ohne Beruf der der Eltern – – bei Beamten und staatl. Angestellten die genaueste Anschrift der Dienststelle – – bei Studierenden die Anschrift der Hochschule und das belegte Lehrfach – – bei Trägern akademischer Würden (Dipl.-Ing., Dr., D. pp.), wann und bei welcher Hochschule der Titel erworben wurde –	a) Studentin der Naturwissenschaften und Philosophie
b) Einkommensverhältnisse	b) 150.– RM pro Monat Unterstützung durch die Eltern
c) Erwerbslos?	c) Ja, seit ./. nein
3. Geboren	am 9.5.21 in Forchtenberg Verwaltungsbezirk Öringen Landgerichtsbezirk ~~Württemberg~~ Stuttgart Land Württemberg

*) Nichtzutreffendes durchstreichen.

4. Wohnung oder letzter Aufenthalt	in München 23, Franz-Josef-Str. 13/0 Gartenhaus b.Schmidt Verwaltungsbezirk …… Land …… …… Straße/Platz Nr. …… Fernruf 35227
5. Staatsangehörigkeit Reichsbürger?	DR. ja
6. a) Religion (auch frühere) 1) Angehöriger einer Religionsgemeinschaft od. einer Weltanschauungsgemeinschaft, 2) Gottgläubiger, 3) Glaubensloser b) sind 1. Eltern / 2. Großeltern } deutschblütig?	a) ev. 1) ja – welche? …… nein 2) ja – nein 3) ja – nein b) 1. ja 2. ja
7. a) Familienstand (ledig – verheiratet – verwitwet – geschieden – lebt getrennt) b) Vor- und Familiennamen des Ehegatten (bei Frauen auch Geburtsname) c) Wohnung des Ehegatten (bei verschiedener Wohnung) d) Sind oder waren die Eltern – Großeltern – des Ehegatten deutschblütig?	a) led. b) ./. c) …… d) ……
8. Kinder	ehelich: a) Anzahl: ./. b) Alter: …… Jahre unehelich: a) Anzahl: …… b) Alter: …… Jahre
9. a) Des Vaters Vor- und Zunamen Beruf, Wohnung b) der Mutter Vor- und Geburtsnamen Beruf, Wohnung (auch wenn Eltern bereits verstorben)	a) Robert Scholl Wirtschaftstreuhänder in Ulm Münsterplatz 33. b) Magdalena Sch., geb. Müller wie oben.
10. Des Vormunds oder Pflegers Vor- und Zunamen Beruf, Wohnung	./. .

11. a) Reisepaß ist ausgestellt	a) von Polizeipräs. Ulm am Juni 1939 Nr.
b) Erlaubnis zum Führen eines Kraftfahrzeuges – Kraftfahrrades – ist erteilt	b) von ./. am Nr.
c) Wandergewerbeschein ist ausgestellt	c) von ./. am Nr.
d) Legitimationskarte gemäß § 44a Gewerbeordnung ist ausgestellt	d) von ./. am Nr.
e) Jagdschein ist ausgestellt	e) von ./. am Nr.
f) Schiffer- oder Lotsenpatent ist ausgestellt	f) von ./. am Nr.
g) Versorgungsschein (Zivildienstverordnungsschein) ist ausgestellt	g) von ./. am Nr.
Rentenbescheid?	
Versorgungsbehörde?	
h) Sonstige Ausweise?	h) ./.
12. a) Als Schöffe oder Geschworener für die laufende oder die nächste Wahlperiode gewählt oder ausgelost? Durch welchen Ausschuß (§ 40 GVG.)?	a) ./.
b) Handels-, Arbeitsrichter, Beisitzer eines sozialen Ehrengerichts?	b) ./.
c) Werden Vormundschaften oder Pflegschaften geführt? Über wen?	c) ./.
Bei welchem Vormundschaftsgericht?	./.
13. Zugehörigkeit zu einer zur Reichskulturkammer gehörigen Kammer (genaue Bezeichnung)	./.
14. Mitgliedschaft a) bei der NSDAP.	a) seit ./. letzte Ortsgruppe
b) bei welchen Gliederungen?	b) seit ./. letzte Formation oder ähnl.

15. Reichsarbeitsdienst Wann und wo gemustert?	März 1941 in Ulm
Entscheid	
Dem Arbeitsdienst angehört	von April 1941 bis März 1942
	Abteilung 13/122 ? Ort Sigmaringen Blumberg
16. Wehrdienstverhältnis a) Für welchen Truppenteil gemustert oder als Freiwilliger angenommen?	a) ./.
b) Als wehrunwürdig ausgeschlossen?	b) ./.
Wann und weshalb?	
c) Gedient:	c) von … bis …
Truppenteil	
Standort	
entlassen als	
17. Orden- und Ehrenzeichen? (einzeln aufführen)	./.
18. Vorbestraft? (Kurze Angabe des – der – Beschuldigten. Diese Angaben sind, soweit möglich, auf Grund der amtlichen Unterlagen zu ergänzen)	./.

Anfangs wurden bei Sophie Scholls erster Vernehmung Angaben zur Person und Familie, zum Lebensunterhalt, zum Studium sowie zu Freundinnen und Bekannten erfragt und festgehalten. Sehr früh bekundete die Studentin dabei, dass sie »mit dem Nationalsozialismus nichts zu tun haben will«. Sie erklärte ferner, »nicht das Geringste« mit den in der Universität gefundenen Flugblättern zu tun zu haben. Sie habe sie auch nicht ausgelegt oder verteilt. Vielmehr habe sie die Blätter dort zufällig gesehen und »im Vorbeigehen« den »auf dem Geländer im zweiten Stock aufgeschichteten Flugblättern mit der Hand einen Stoss gegeben, sodass diese in den Lichthof hinunterflatterten«. Sie gab zu, dies sei eine »Dummheit« gewesen. Der bei ihrer Festnahme mitgeführte leere Koffer sei zur Aufnahme von Wäschestücken bei der beabsichtigten Fahrt zu den Eltern nach Ulm gedacht gewesen. Wie ihr Bruder leugnete Sophie Scholl, eine größere Menge an Briefmarken für einen eventuellen Versand von Flugblättern gekauft zu haben. Ihre Darstellung und Aussage schien die Gestapo anfangs zu glauben. Nach kurzer Vernehmungspause und nach Hinweis des Gestapo-Beamten Mohr, ihr Bruder habe bereits gestanden, sagte Sophie Scholl, sie sei bereit, ein Geständnis abzulegen.

[…]

Geheime Staatspolizei
Staatspolizeileitstelle München

Fortsetzung der Vernehmung der Beschuldigten
Sophie Scholl

Nachdem mir eröffnet wurde, dass mein Bruder Hans Scholl sich entschlossen hat, der Wahrheit die Ehre zu geben und von den Beweggründen unserer Handlungsweise ausgehend die reine Wahrheit zu sagen, will auch ich nicht länger an mich halten all das was ich von dieser Sache weiss zum Protokoll zu geben. Nochmals eingehend zur Wahrheit ermahnt habe ich das folgende Geständnis abzulegen:

»Es war unsere Überzeugung, dass der Krieg für Deutschland verloren ist, und dass jedes Menschenleben das für diesen verlorenen Krieg geopfert wird, umsonst ist. Besonders die Opfer die Stalingrad forderte bewogen uns, etwas gegen dieses unserer Ansicht nach sinnlose Blutvergiessen zu unternehmen.

Die ersten Gespräche die sich mit diesem Problem befassten, fanden im Sommer 1942 zwischen meinem Bruder und mir statt. Eine Möglichkeit diesem Lauf der Dinge entgegenwirken zu können, fanden wir vorläufig nur in einer Auseinandersetzung mit unseren ernst-zunehmenden Bekannten über das, was uns am tiefsten bewegte. Sehr bald mussten mein Bruder und ich einsehen, dass durch dieses Vorgehen unsererseits eigentlich nichts getan sei, das geeignet sein könnte den Krieg auch nur um einen Tag abzukürzen. Bei der gegenseitigen Aussprache mit meinem Bruder kamen wir schliesslich im Juli vorigen Jahres überein, Mittel und Wege zu finden auf die breite Volksmasse in unserem Sinne einzuwirken. Es tauchte damals auch der Gedanke auf Flugblätter zu verfassen, herzustellen und zu verbreiten, ohne die Verwirklichung dieses Planes schon ins Auge zu fassen. Ob der Gedanke der Flugblattherstellung von meinem Bruder oder mir ausging, weiss ich heute nicht mehr genau. Etwa im Juni 1942 haben wir Alexander Schmorell, mit dem wir schon seit längerem befreundet sind und den wir gesinnungsmässig für zugänglich hielten, ins Vertrauen gezogen. Hier möchte ich erwähnen, dass der Vater des Schmorell Deutsch-Russe und seine Mutter Russin ist (letztere ist bereits gestorben). Vor Ausbruch des Krieges gegen Sowjetrussland war Schmorell politisch vollkommen uninteressiert. Erst später d. h. nach Beginn der Feindseligkeiten mit Russland begann er sich für den Verlauf des Krieges zu interessieren, besonders für die militärischen Ereignisse. Schmorell hängt mit grosser Liebe an Russland, obwohl seine Eltern seinerzeit aus Russland flüchten mussten, nach Deutschland emigrierten, hier die deutsche Staatsangehörigkeit erwarben, die auch der Sohn Schmorell heute besitzt. Wenn er auch innerlich ein absoluter Gegner des Bolschewismuses ist, hegt er dennoch Gefühle für sein Vaterland, das ihn in politischer Hinsicht unsicher macht. Bei den ersten Besprechungen mit Schmorell, hat dieser verschiedene Einwände gegen unsere Pläne erhoben indem er darauf hinwies, das gäbe sich alles von selbst und bedürfe keines Zutuns. Wenn Schmorell sich schliesslich bereit erklärte mit uns der Verwirklichung unserer Pläne näher zu treten, dann in erster Linie deshalb, weil er politisch nicht nüchtern genug denkt und sehr begeisterungsfähig ist.

Nach vielen und langen Unterredungen über dieses Thema zwischen meinen Bruder und mir, reifte im Dezember 1942 bei uns der Entschluss, ein Flugblatt zu verfassen in grösserer Zahl herzustellen und zu verbreiten. Schmorell hat wohl um diese Zeit von unserem feststehenden Plan gewusst, trat jedoch aktiv nicht in Erscheinung, sondern war vielmehr zuerst Mitwisser und Zuhörer.

Das erste Flugblatt mit der Überschrift »Flugblätter der Widerstandsbewegung in Deutschland. Aufruf an alle Deutsche!« und dem Schlussatz »Unterstützt die Widerstandsbewegung, verbreitet die Flugblätter!«, hat mein Bruder zusammen mit mir verfasst und zwar kurz nach Neujahr 1943. Der Text des Flugblattes in Form eines Probeentwurfs auf der Schreibmaschine haben wir »Alex« gezeigt, der den Inhalt hinnahm ohne irgendwelche Ergänzungs- oder Abänderungsvorschläge zu machen. Nachdem die Sache soweit gediehen war, bestand die nächstliegende Aufgabe darin das nötige Abzugspapier, Briefumschläge und Matritzen beizuschaffen. Mein Bruder und ich machten uns auf den Weg und kauften in den hiesigen Papierwarengeschäften zusammen etwa 10000 Blatt Abzugspapier, ferner zusammen etwa rund 2000 Briefumschläge. Weiter hat mein Bruder bei einem hiesigen Fachgeschäft einen neuen Verfielfältigungsapparat (Marke unbekannt), zum Preise von RM 200.– gekauft. Auch die Matritzen, etwa 20 Stück hat mein Bruder gekauft.

Die Matritzen zu den einzelnen Flugblättern hat mein Bruder auf der Schreibmaschine, die uns »Alex« zur Verfügung stellte, in meinem Beisein geschrieben. Die Abzüge haben wir dann gemeinsam auf unserem Verfielfältigungsapparat hergestellt. Die Adressen wurden nur und zwar ausschl.[ießlich] von meinem Bruder und mir geschrieben. Ich benützte meistens die Schreibmaschine der Frau Schmidt und schrieb jene Adressen, bei denen Anrede, Name und Wohnort nicht untereinander, sondern auf dem Briefumschlag nach rechts abgestuft, niedergeschrieben sind. Mein Bruder dagegen benützte die Schreibmaschine des »Alex« und schrieb auf den Umschlägen Anrede, Name und Ort genau untereinander. Die notwendigen Adressen von Wien, Salzburg, Linz, Augsburg, Stuttgart und Frankfurt haben in der Hauptsache mein Bruder und ich im Deutschen Museum aus dem dort aufliegenden Adressbüchern der Städte, Jahrgänge 39–41 herausgeschrieben. Einmal hat auch »Alex« solche Adressen mit herausgeschrieben. Die Briefe mit Flugblättern zur Verbreitung in den Städten ausserhalb Münchens, haben wir in einem Zeitraum von etwa 14 Tagen postversandtfertig gemacht und erst dann die Briefe an den einzelnen Orten aufgegeben. Am 25. Januar 1943 fuhr ich nachmittags um 15 Uhr mit dem Schnellzug nach Augsburg, wo ich eine Stunde später ankam. In einer Aktentasche führte ich rund 250 Briefe an in Augsburg wohnende Adressaten mit. Da etwa 100 dieser Briefe nicht frankiert waren kaufte ich mir beim Bahnpostamt in Augsburg 100 Briefmarken à 8 Pfennig und habe die unfrankierten Briefe mit Marken versehen und bei der Bahnpost eingeworfen. Ungefähr die Hälfte der Briefe habe ich in den Schalterbriefkasten geworfen und die andere Hälfte in den Hausbriefkasten vor dem Postgebäude. Darnach fuhr ich am gleichen Abend um 20 Uhr 15 von Augsburg zurück nach München wo ich mit dem um 21 Uhr 6 ankommenden Schnellzug eintraf. Am nächsten Vormittag. (26.1.43) etwa um 6 Uhr fuhr Schmorell mit dem Schnellzug über Salzburg, Linz nach Wien und hat auf der Strecke in Salzburg und Linz die Briefe für diese Städte aufgegeben und schliesslich in Wien jene für Wien und Frankfurt. Für Salzburg waren 200, für Linz 200, für Wien 1000, für Frankfurt 300 hergerichtet. Nur die für Frankfurt bestimmten Briefe mussten noch frankiert werden. Ursprünglich beabsichtigten wir, auch die Frankfurter Briefe aus Portoersparnisgründen in Frankfurt selbst aufzugeben. Von diesem Plan kamen wir schliesslich ab, weil wir errechneten, dass das Fahrgeld nach Frankfurt mehr ausmachte als wir an Porto hätten sparen können, wenn jemand nach Frankfurt gefahren wäre. Aus diesem Grunde wurden die für Frankfurt bestimmten Briefe voll frankiert und von »Alex« in Wien aufgegeben.

Die für Stuttgart bestimmten Briefe zwischen 600 und 700 Stück, habe ich nach Stuttgart gebracht und dort aufgegeben. Ich fuhr am Mittwoch, den 27.1.43 um 16 Uhr 30 mit dem Schnellzug hier ab und traf um 19.55 Uhr in Stuttgart-Hauptbahnhof ein. Von den in einem kleinen Koffer mitgeführten Briefen, alle frankiert für den Ortsverkehr, habe ich noch am Abend des 27.1.43, alsbald nach meiner Ankunft, nicht ganz die Hälfte zum Teil am Bahnhof und in Stuttgart Süd, in Briefkästen eingeworfen. Den Rest habe ich am 28.1.43 im Laufe des Tages in den Vororten von Stuttgart in Briefkästen geworfen. In der Nacht vom 27./28. hielt ich mich im Wartesaal 2. oder 3. Klasse auf. Übernachtet habe ich jedenfalls nicht. Die Rückreise nach München trat ich am 28.1.43 um 23 Uhr 25 an und kam in München am 29.1.43 um 3 Uhr 5 an. Weil um diese Zeit noch keine Strassenbahn ging, musste ich den Weg zu meiner Wohnung zu Fuss zurücklegen.

Wenn ich zuerst, wenn auch nur bei der Unterhaltung, angegeben habe, bei der Flugblattaktion in München in der Nacht von 28./29. gemeinsam mit meinen Bruder, die hier zur Verbreitung gelangten, etwa 2000 Flugblätter, ausgestreut zu haben, so muss ich nun zugeben, dass dies nicht richtig ist, denn in der Nacht v. 28./29. befand ich mich, während hier in München die Flugblätter ausgestreut wurden, auf dem Wege von Stuttgart nach München. Die Verbreitung bezw. Ausstreuung der Flugblätter in München wurde von meinen Bruder und Schmorell durchgeführt. Wie man mir mitteilte, haben beide abends am 28.1.43 um 11 Uhr mit der Verbreitung begonnen und bis kurz vor 4 Uhr etwa 2000 Flugblätter ausgestreut. Mein Bruder hat angeblich vom Bahnhof aus in nördlicher Richtung die Flugblätter verteilt, während Schmorell den südlichen Teil der Stadt bearbeitete.

Nach der mir bekanntgegebenen Beschreibung eines Mannes, etwa 30 bis 35 Jahre alt, etwa 1,70 m gross, schlank, usw., der am Vormittag des 4.2.43 zwischen 7 und 8 Uhr im Hauptpostamt München in der Vorhalle, Flugblätter der Widerstandsbewegung in Deutschland in dort aufliegende Telefonverzeichnisse gelegt haben soll, kann ich nur angeben, dass ich mir nicht denken kann, wer dies gewesen sein könnte, sofern nicht mein Bruder in Betracht kommt. Mein Bruder ist allerdings grösser als 1,70 m, besitzt keinen grauen Gummimantel mit breitem Kragen und trug noch nie ein sogen. Lippen- oder Menjou-Bärtchen. Auch aus meinen übrigen Bekanntenkreis ist mir niemand bekannt, auf den diese Beschreibung auch nur annähernd passen könnte.

Ich gebe auch zu, bei meinen Besorgungen in der Stadt, in der Zeit vom 30.1.–6.2.43 etwa, in 4 oder 6 Fällen Flugblätter »der Widerstandsbewegung« in Telefonkabinen, parkenden Autos etc. abgelegt zu haben. Wo dies im einzelnen war, weiss ich heute nicht mehr. Jedenfalls führte ich zu dem angegebenen Zweck, bei meinen Gängen durch die Stadt, jeweils einige Flugblätter in meiner Handtasche bei mir, um gegebenenfalls bei günstigen Gelegenheiten davon Gebrauch machen zu können.

Der Student Willi Graf, wohnhaft in München, Mandelstr. 1, war an der Herstellung und Verbreitung der Flugblätter in keiner Weise beteiligt. Ich nehme an, dass er von unserer Flugblattaktion Kenntnis hatte, muss jedoch erwähnen, dass er von mir nicht unterrichtet war. Aus Bemerkungen von ihm bei gelegentlichen Gesprächen, habe ich geschlossen, dass er wissen musste und den Umständen nach angenommen hat, dass wir uns mit der Herstellung und Verbreitung von Flugblättern befassen. An einzelne Bemerkungen solcher Art, kann ich mich heute nicht mehr erinnern.

In München haben wir neuerdings etwa 1200 Flugblätter mit der Überschrift »Kommilitoninnen! Kommilitonen!« in der Zeit vom 6.–15.2. verfielfältigt, die Briefumschläge bezw. Wurfsendungen mit Anschriften versehen und versandfertig gemacht. Bei dieser Arbeit hat neben meinem Bruder und mir Schmorell lediglich beim zukleben der Briefe mitgewirkt. Den braunen Klebestreifen zum Verschliessen der Wurfsendungen hat er zur Verfügung gestellt und die Wurfsendungen zugeklebt.

Auch bezüglich des Vorganges heute Vormittag in der Universität München möchte ich nun die Wahrheit sagen, wobei ich bekennen muss, dass diese Flugblätter durch meinen Bruder und mich in dem, bei meiner Festnahme sichergestellten Koffer, in die Universität gebracht und dort ausgestreut wurden. Es handelte sich meiner Schätzung nach um 1500–1800 Flugblätter mit der Überschrift »Kommilitoninnen! Kommilitonen!« und etwa 50 Stück mit der Überschrift »Aufruf an alle Deutsche!«. Diese Flugblätter transportierten wir zum grösstenteil in dem erwähnten Koffer, aber auch die Aktentasche meines Bruders war mit solchen Flugblättern angefüllt. Innerhalb des Universitätsgebäudes trug mein Bruder den Koffer, während ich die Flugblätter an den verschiedensten Orten ablegte, oder ausstreute. In meinem Übermut oder meiner Dummheit habe ich den Fehler begangen, etwa 80 bis 100 solcher Flugblatter vom 2. Stockwerk der Universität in den

Lichthof herunterzuwerfen, wodurch mein Bruder und ich entdeckt wurden.

Ich war mir ohne weiteres im Klaren darüber, dass unser Vorgehen darauf abgestellt war, die heutige Staatsform zu beseitigen und dieses Ziel durch geeignete Propaganda in breiten Schichten der Bevölkerung zu erreichen. Unsere Absicht war ferner, in geeigneter Weise weiter zu arbeiten. Wenigstens vorerst und auch für später hatten wir nicht die Absicht, noch weitere Personen ins Vertrauen zu ziehen und zur aktiven Mitarbeit zu gewinnen. Dies schon deshalb nicht, weil uns dies zu gefährlich schien. Gerade diese Frage habe ich vor einiger Zeit mit meinem Bruder besprochen, kam jedoch nach Abwägung von Vor- und Nachteilen zu der Überzeugung, dass dies zu gefährlich sei.

Wenn die Frage an mich gerichtet wird, ob ich auch jetzt noch der Meinung sei, richtig gehandelt zu haben, so muss ich hierauf mit ja antworten, und zwar aus den Eingangs angegebenen Gründen. Ich bestreite ganz entschieden, von dritter Seite gemeinsam mit meinem Bruder zu unserem Vorgehen veranlasst, aufgefordert oder finanziell unterstützt worden zu sein. Mein Bruder und ich haben vollkommen aus idiellen Gründen gehandelt und alle entstandenen Unkosten, die sich meiner Schätzung nach auf ungefähr 800–1000 RM belaufen haben dürften, aus eigener Tasche bestritten. Schmorell hat uns zur Durchführung der Flugblattaktion einen Betrag von 150.– bis 200 RM geliehen, den wir im Laufe der nächsten Monate zurückerstatten wollten.

Den Vervielfältigungsapparat, welcher von meinem Bruder eigens zum Zwecke der Herstellung von Flugblättern gekauft wurde, haben wir vor 14 Tagen oder 3 Wochen in dem Atelier des Kunstmalers Eyckemeir, Leopoldstr. 38, Rckg., hinterstellt. Eyckemeir befindet sich z. Zt. als Architekt in Krakau und hat seit einiger Zeit das Atelier an den Kunstmaler Wilh. Geyer aus Ulm, Syrlinstr. Nr.?, vermietet. Geyer übergab uns den Schlüssel zu diesem Atelier um dadurch in die Lage versetzt zu sein, unseren Freunden und Bekannten einige Bilder vorzuzeigen die Geyer in diesen Räumen aufgehängt hat. Geyer hat keine Ahnung davon, dass wir unseren Vervielfältigungsapparat im Keller des erwähnten Atelier's hinterstellt haben. Hierzu kommt, dass sich Geyer nur einige Tage in der Woche zur Arbeit in München aufhält und die andere Zeit in Ulm tätig, ist.

Zum Schlusse möchte ich noch erwähnen, dass unsere Mietgeberin, Frau Schmidt, gut nationalsozialistisch eingestellt ist und von unserem Tun und Treiben keinerlei Ahnung hat. Soweit notwendig, bitte ich, der Frau Schmidt und deren Tochter das Vorgefallene schonend beizubringen, zumal die Tochter Schmidt sich in gesegneten Umständen befindet und demnächst der Niederkunft entgegensieht. Ich möchte daher jede Aufregung bei diesen Leuten vermeiden.

Aufgenommen: *Mohr* KOS.

selbst gelesen u. unterschrieb.: *Sophie Scholl*

Anwesend:
[ohne Unterschrift]
Verw.Ang.

II A / Sond. / Mo. München, den 20.2.43

Fortsetzung der Vernehmung Sophie Scholl

Frage: Seit wann kennen Sie den San. Feldw. Willi Graf, in welchem Verhältnis standen Sie zu ihm und in welcher Weise war dieser an der Flugblattaktion beteiligt? Sie haben sich zu dieser Frage bei Ihrer früheren Vernehmung schon einmal kurz geäussert, es ist jedoch der dringende Verdacht gegeben, dass Sie gerade in diesem Punkte, aus welchen Gründen sei dahingestellt, noch nicht die volle Wahrheit gesagt haben.

Antwort: Feldwebel Graf habe ich erstmals gesehen und vielleicht auch kurz gesprochen, als mein Bruder Hans Scholl Mitte Juli 1942 zusammen mit der Studentenkomp. nach Russland abgestellt wurde. Zur Verabschiedung von meinen Bruder begab ich mich zum Ostbahnhof, wo mir Graf durch meinen Bruder vorgestellt wurde. Ob ich mich bei dieser Gelegenheit mit Graf unterhielt weiss ich heute nicht mehr.

Graf hab ich dann erst wiedergesehen, nachdem er Mitte November 1942, wie auch die übrigen Angehörigen der Studentenkomp., aus Russland zurückgekommen war und sich wieder in München aufhielt. Die zweite Begegnung mit ihm erfolgte meines Wissens Anfang Dezember 1942, gelegentlich eines Konzert's, wo weiss ich nicht mehr.

Bis Ende Juli 1942 wohnte ich in München, Mandelstr. 1/1 b. Berrsche. Ich habe diese Wohnung aufgegeben, weil mir das zur Verfügung stehende Zimmer zu klein war. Andere Gründe die mich zu einem Wohnungswechsel veranlasst hätten, waren nicht gegeben, schliesslich nur noch, dass ich nach einer Gelegenheit suchte, mit meinem Bruder in ein und derselben Wohnung unterzukommen. Ich erwähne ausdrücklich, dass um die damalige Zeit von einer etwaigen Propaganda gegen den heutigen Staat zwischen meinen Bruder und mir in keiner Weise die Rede war. Um wieder auf mein früheres Zimmer im Hause Mandelstr. 1 zurückzukommen, muss ich noch hinzufügen, dass Graf nach seiner Rückkunft aus Russland ein Zimmer suchte und ihn mein Bruder auf mein früheres Zimmer Mandelstr. 1, aufmerksam machte, das um diese Zeit noch frei war, weil die Vermieterin eine weitere Vermietung gar nicht mehr beabsichtigte. Graf hat dieses Zimmer dann auch bekommen, wo er bis zum Schluss wohnte. Auch die Schwester des Graf, die Studentin Anneliese Graf, kam Anfang Januar bei der Familie Berrsche in Untermiete.

Willi Graf kam in der Zeit von Anfang Dez. 42 bis zuletzt ungefähr 10–12 × zu einen kürzeren oder längeren Besuch zu meinem Bruder und mir nach Franz-Josef-Str. 13. Es handelte sich meistens um kürzere Besuche und nur 4 oder 5x hielt er sich in den Abendstunden länger als eine Stunde, höchstens bis 2 ½ Stunden auf. Ich erkläre ausdrücklich, dass Graf an der von meinem Bruder und mir, unter Mitbeteiligung des Schmorell, durchgeführten Propagandatätigkeit (Abfassung, Herstellung und Verbreitung von Flugblätter) in keiner Weise aktiv tätig war. Auch haben mein Bruder und ich es gemieden, andere Personen in diese Angelegenheit einzuweihen, dies schon aus Sicherheitsgründen, nicht zuletzt aber um andere Menschen bezw. Freunde und Bekannte nicht auch mit zu belasten. Ich versichere wiederholt, dass Willi Graf und dessen Schwester Anneliese weder durch mich, noch in meinem Beisein von meinem Bruder Hans, nicht einmal andeutungsweise, von unserer Propaganda-Tätigkeit unterrichtet wurde. Richtig ist dagegen, dass wir (mein Bruder und ich) mit Graf offen und frei Tagesfragen oder die politische bezw. militärische Lage besprachen. Graf hat unsere Meinung, dass wir den Krieg nicht gewinnen könnten und sich dadurch die heutige Regierungsform nach einem Zusammenbruch automatisch ändern müsse und auch ändern werde, weitgehendst geteilt. Oft haben wir uns auch über allgemeine Fragen unterhalten, zwischendurch jedoch auch über Politik, philosophische oder theologischen Fragen. Einmal erinnere ich mich, haben wir uns eingehend mit der Frage befasst, ob die christliche und nationalsozialistische Weltanschauung miteinander in Einklang gebracht werden könnten. Nach einer längeren Debatte waren wir schliesslich der übereinstimmenden Meinung, dass der christliche Mensch Gott mehr als dem Staat verantwortlich sei. Ein andermal wurde zwischen uns (mein Bruder, Graf und mir) ausgehend von den heutigen Kriegsereignissen, die Frage erörtert, ob der Mensch, besonders aber der christliche Mensch, der an die Gebote Gottes gebunden ist, töten dürfe, wie dies von den Soldaten an der Front verlangt wird. Hier kamen wir zu dem Ergebnis, dass auch der christliche Mensch im Kampf gegen den Feind töten dürfe, weil der Kämpfer nicht als Einzelperson für sein Tun verantwortlich sei, denn er handle ja als unselbstständiges Glied einer übergeordneten Macht. Solche und ähnliche Themen wurden gemeinsam mit Graf des öfteren besprochen, wobei ich feststellen konnte, dass im allgemeinen unsere Meinung übereinstimmte.

Nach dem Umfang und der verhältnismässig grossen Zahl von Flugblättern die fast gleichzeitig an verschiedenen Orten Süddeutschlands auftauchten, konnte man als Uneingeweihter zweifellos der Meinung sein, es handle sich um eine grössere Organisation, die diese Propaganda planmässig betreibe. Wenn wir die Flugblätter z. B. in Wien, Salzburg, Linz, Augsburg und Stuttgart an dort wohnende Adressaten an Ort und Stelle bei der Post aufgaben, dann geschah dies nicht nur aus Ersparnisgründen, sondern wir wollten dadurch den Eindruck erwekken, als befände sich an Ort und Stelle eine Organisation, die sich in ihrer Propaganda gegen den heutigen Staat wendet. Der Gedanke durch dieses Vorgehen von München, d. h. den Ort unserer Tätigkeit, abzulenken, lag uns dabei vollkommen fern.

Mit meinem Bruder hab ich auch einmal darüber gesprochen, dieses Thema wurde sogar öfters behandelt, dass die Gestapo nach dem Auftauchen der Flugblätter, insbesondere fast gleichzeitig an verschiedenen Orten und der verhältnismässig grossen Zahl, der Meinung sein wird, dass hier eine grössere Organisation am Werk sein wird. Wir haben uns über diese Irreführung sogar öfters lustig gemacht, und zwar hauptsächlich dann, wenn mein Bruder und ich zu später Nachtstunde einmal etwa 6000 Flugblätter herstellten. Die gesamten, von uns zur Verbreitung gebrachten Flugblätter, wurden einzig und allein durch meinen Bruder und mich in 2 verschiedenen Nächten hergestellt. Im ersteren Falle handelte es sich um etwa 6000 Flugblätter mit der Überschrift: »Flugblätter der Widerstandsbewegung in Deutschland« und der Überschrift »Aufruf an alle Deutsche!«, die entweder in der Nacht vom 21./22. oder 22./23.1.43 hergestellt wurden. Auf einem Teil dieser Flugblätter, die textlich alle gleich sind, fehlt lediglich die Überschrift »Flugblätter der Widerstandsbewegung in Deutschland«; dies kam daher, dass die Matrize während unserer Arbeit oben abriss und an der Abrisstelle verklebt werden musste, wodurch die Überschrift nicht mehr auf den Abzügen erschien, weil sie verklebt war.

Wenn mir vorgehalten wird, dass zur Herstellung dieser Flugblätter mindestens 3 verschiedene Matrizen verwendet wurden, so muss ich dies zugeben, denn beim Herstellen der Abzüge ist uns die Matrize immer wieder zerrissen, musste verklebt und schliesslich wegen Unbrauchbarkeit neu geschrieben werden.

Von der zweiten Art von Flugblättern wurden insgesamt rund 3000 hergestellt. Diese tragen die Überschriften »Kommilitoninnen! Kommilitonen!« und »Deutsche Studentin! Deutscher Student!«. Auch diese Flugblätter sind textlich vollkommen gleich, nur die Überschrift wurde einmal geändert. Diese Änderung ist darauf zurückzuführen, dass die Matrize nach der Herstellung von schätzungsweise etwas mehr als die Hälfte der Flugblätter vollkommen unbrauchbar war, von meinem Bruder neu geschrieben werden musste, welche Gelegenheit er dazu benützte die Überschrift zu ändern. Diese Herstellung erfolgte ebenfalls wieder durch meinen Bruder und mich, etwa in der Nacht von 4./5.2.43. Im ersteren Falle begannen wir etwa um 20 Uhr und waren um 3 oder 4 Uhr fertig und im zweiten Falle, arbeiteten wir ungefähr von 21 Uhr bis 1 Uhr.

Ich erwähnte dies alles so ausführlich um zu zeigen, dass die beim Herstellen der Flugblätter zu bewältigende Arbeit bei der uns zur Verfügung stehenden Einrichtung von meinem Bruder und mir ohne weiteres bewältigt werden konnte. Mehr Arbeit und Zeitaufwand war notwendig, all die vielen Briefumschläge zu besorgen und zu adressieren. Lediglich beim Zukleben der Wurfsendungen war uns Schmorell am letzten Sonntag (14.2.43) in soweit behilflich, als er die zusammengefalzten und mit einer Adresse versehenen Flugblätter auf der Rückseite mit braunem Klebestreifen verschloss. Eine andere Person als Schmorell hat bei dieser Arbeit nicht mitgewirkt, besonders auch Graf hatte damit nichts zu tun.

Ich erwähnte schon einmal, dass ich der Meinung bin, dass Graf den Umständen nach wissen oder vermuten musste, dass wir als Hersteller und Verbreiter dieser Flugblätter in Betracht kommen. Es ist dies allerdings nur eine Annahme von mir, denn sicher bin ich mir in diesem Punkte nicht. Mit aller Bestimmtheit kann ich jedoch sagen, dass er durch mich über unsere Tätigkeit in keiner Weise, nicht einmal andeutungsweise orientiert wurde.

Frage: In welchem Verhältnis stehen sie zu der Schwester des Willi Graf, Anneliese Graf, bezw. in welcher Weise steht sie im Zusammenhang mit Ihrer Propagandatätigkeit?

Antwort: Anneliese Graf habe ich erstmals gesehen, als ich im Dezember 1942 (es war zu Anfang des Monats) einen Koffer bei meiner früheren Wirtin, Frau Berrsche, abholte. Bei dieser Gelegenheit wurde mir die Graf von ihrem Bruder vorgestellt. Ich hab mich auch kurz mit ihr unterhalten, jedoch nur über Fragen ihres Studiums. Insgesamt bin ich 8–10× mit der Anneliese Graf in Berührung gekommen. Unsere Unterhaltung bezog sich durchwegs auf literarische, musikalische oder andere Gebiete der Wissenschaft, niemals jedoch auf Politik. Die Graf halte ich, ohne mir ein abschliessendes Urteil erlauben zu wollen, für vollkommen unpolitisch. Ich bleibe nach wie vor darauf bestehen, dass die Anneliese Graf mit unserer propagandistischen Tätigkeit, dem Herstellen der Flugblätter, dem Besorgen oder Schreiben der Briefumschläge nicht das Geringste zu tun hat. Ich bin sogar der festen Meinung, dass sie davon nicht einmal eine Ahnung hatte.

Frage: Bei Durchsuchung der Räume des Ateliers Eickemeyer, bezw. der Kellerräume desselben wurde u. a. eine Schablone zur Fertigung der Schrift »Nieder mit Hitler!« gefunden. Dabei befanden sich 1 Paar Handschuhe, Farbe und Pinsel etc. Was ist Ihnen über die Beschaffung der Schablone und des Zubehörs und über deren Verwendung bekannt?

Antwort: Die mir vorgezeigte Schablone sehe ich jetzt zum ersten Mal, von deren Vorhandensein war mir bisher nicht das Geringste bekannt. Im Zusammenhang mit dieser Frage erinnere ich mich nun, vor etwa drei Wochen auf dem Schreibtisch meines Bruders kleine etwa 6 bis 8 mm breite Blechstreifen vorgefunden zu haben, über deren Herkunft ich mir damals keine Vorstellung machen konnte. Weil ich mir weiter nichts dabei dachte, habe ich meinen Bruder nicht darüber befragt, wo diese Blechstreifen hergekommen seien. Nachdem ich aber nun diese Schablone gesehen habe, bin ich der Meinung, dass es sich bei diesen Blechstreifen um die Buchstabenausschnitte der in Frage stehenden Schablone waren. Auch bei diesen Blechstreifen handelte es sich um Weissblech von der Art, der mir vorgezeigten Schablone.

Im Laufe unserer propagandistischen Tätigkeit haben wir vornehmlich in der letzten Zeit den Gedanken erwogen, uns mit Flugblättern an die Studenten zu wenden, weil wir die Auffassung vertraten, dass die meisten der Studenten revolutionär und begeisterungsfähig sind, sich vor allem aber etwas zu unternehmen getrauen. Wenn ich in diesem Zusammenhang von revolutionären spreche, dann ist das nicht so aufzufassen, als seien die Studenten in Revolutionsstimmung gegen den heutigen Staat, was ja keinesfalls zutrifft. Jedenfalls habe ich meinem Bruder bei Erwägung dieser Gedanken den Vorschlag gemacht, man solle an der Universität und deren Umgebung Farbaufschriften anbringen, welche Aufschriften zeigen sollten, dass noch Kräfte vorhanden seien, die gegen den heutigen Staat arbeiten. Bestimmte Vorschläge textlicher Art habe ich meinem Bruder nicht gemacht. Mein Bruder gab mir auf meinen Vorschlag hin zur Antwort, wir wollten uns vorerst einmal an die Verbreitung von Flugblättern halten, die Wirkung abwarten und sehen, was man weiter unternehme. Nebenbei erwähnte mein Bruder, wenn man Aufschriften anbringen wolle, müsse man zuerst Farbe herbeischaffen, was jedenfalls einige Schwierigkeit bereiten würde, da heute Farbe schwer zu bekommen ist.

Als ich am Donnerstag, den 4.2.43 gegen 10 Uhr zur Universität kam, um dort bei Professor Huber die Vorlesung zu besuchen, sah ich, dass an der rechten Seite des Einganges zur Universität zweimal in grosser Schrift das Wort »Freiheit« angeschrieben war. Ferner sah ich, dass verschiedene Stellen an Häusern in der Ludwigstrasse mit weissem Papier überklebt waren. An einer Stelle haben Strassenpassanten ein solches Papier weggerissen, worauf ich mich davon überzeugen konnte, dass jedenfalls mittels Schablone die Aufschrift »Nieder mit Hitler« und ein mit zwei Strichen durchkreuztes Hakenkreuz aufgemalt war.

Als ich nach der Vorlesung nach Hause kam, gab ich meinem Bruder von meinen Wahrnehmungen Kenntnis. Mein Bruder war über meine Mitteilung nicht überrascht, hat sie als interessante Neuigkeit hingenommen und sogleich die Frage an mich gerichtet, ob die Aufschrift schon weggemacht sei oder nicht und wie diese Aufschrift von den Studenten aufgenommen worden sei. Ich erzählte meinem Bruder, dass zahlreiche Putzfrauen damit beschäftigt seien die Aufschrift abzuwaschen, was aber einige Schwierigkeiten verursachte. Bezüglich der Studenten sagte ich, einige hätten die Aufschrift als eine »Schweinerei« bezeichnet, während andere darüber gelacht hätten.

Am Abend vor diesem Vorfall hat mein Bruder bereits beim Abendessen etwa um 7 Uhr (19 Uhr) gesagt, er müsse noch zur Frauenklinik zu einer Entbindung. Nach dem Abendessen begaben sich mein Bruder, meine Schwester Elisabeth, die sich damals vorübergehend bei uns aufhielt und ich zum Bayerischen Hof, wo wir einem Konzert beiwohnten. Nach dem Konzert begleitete uns unser Bruder nach Hause und ging nach ½ Stunde, etwa um 11 (23 Uhr) in seiner alltäglichen Kleidung von zu Hause weg. Ob er eine Aktenmappe oder ein anderes

Beförderungsmittel mitgenommen hat, weiss ich nicht. Auch kann ich nicht angeben, wann mein Bruder in jener Nacht (3./4.2.43) nach Hause kam. Ich habe ihn erst wieder gesehen, als ich am nächsten Vormittag aus dem Bett aufstand. Ob wir an Vortage Herrenbesuch hatten, weiss ich nicht mehr genau, glaube dies aber nicht.

Frage: In ihrer Wohnung wurde ein Notizbuch (Notenheft) gefunden, in welchem sich eine grössere Anzahl von Adressen und anderer Aufzeichnungen befinden. Was haben Sie dazu anzugeben?

Antwort: Die Zeichen und Zahlen auf der ersten Seite dieses Notizbuches enthalten Ausgaben (geldlicher Art) die ich für persönliche Dinge und die Beschaffung von Papier, Briefumschläge, Briefmarken etc. zur Herstellung der Flugblätter und deren Versand aufgewendet habe. Die nunmehr rot unterstrichenen Zeichen und Zahlen beziehen sich auf Ausgaben für Zwecke der Propaganda. Die Gesamtsumme beläuft sich auf RM 385.–, soweit es meine Aufstellung betrifft, bezw. soweit überhaupt von mir etwas aufgeschrieben wurde. Hier möchte ich erwähnen, dass in dem soeben festgestellten Betrag nur ein Teil unserer Gesamtausgaben für Zwecke der politischen Propaganda enthalten sind. Unsere Gesamtausgaben dürften sich nach meiner Schätzung auf etwa RM 800.– bis 1000.– belaufen, einschliesslich der Bahnfahrten.

Dieses Notizbuch enthält ferner 272 Adressen von Personen in Augsburg und 14 Adressen von Personen in München. Diese Adressen habe ich selbst aus Adressbüchern, (Jahrgang ist mir nicht bekann) die im Deutschen Museum aufliegen, herausgeschrieben. – Die Adressaten von Augsburg erhielten bis auf etwa 12 Propagandabriefe der sogenannten »Widerstandsbewegung in Deutschland«. Nur Personen, deren Anschrift ich beim Schreiben der Adresse nicht mehr gut lesen konnte, habe ich ausgelassen, dies waren ungefähr 12. Die Münchner Adressaten, die in diesem Buch verzeichnet sind, erhielten überhaupt keine Briefe.

Frage: In Ihrer Wohnung wurde auch ein Verzeichnis der Studenten der Universität München für das Wintersemester 1941/42 vorgefunden. Wie kamen Sie zu diesem Verzeichnis und in welcher Weise haben Sie davon Gebrauch gemacht?

Antwort: Dieses Verzeichnis hat mein Bruder am letzten Sonntag (14.2.43) bei Vorbereitung von Propagandabriefen mit der Überschrift »Kommilitoninnen! Kommilitonen!« oder »Deutsche Studenten! Deutsche Studentin!« beigebracht. Ob mein Bruder dieses Verzeichnis schon früher im Besitz hatte, weiss ich nicht. Jedenfalls haben wir aus diesem Verzeichnis und zwar wahllos etwa 1500 Adressen von Studenten herausgeschrieben, die auf dem Postwege mit den erwähnten Propagandaschriften versorgt wurden.

Frage: U. a. wurden auch Angehörige von Studentenkompanien mit Propagandabriefen ihrer Art versorgt. Woher hatten Sie diese Adressen und wer hat sie geschrieben?

Antwort: Mir ist nur bekannt, dass verschiedene Angehörige der in der Bergmannschule untergebrachten Studentenkompanie Propagandabriefe von uns erhielten. Die Adressen hat mein Bruder, der dieser Kompanie angehört, geschrieben. Wieviel Briefe an Angehörige der Studentenkompanie hinausgingen, weiss ich nicht. Auch vermag ich nicht anzugeben, ob auch Angehörige anderer Studentenkompanien mit solchen Briefen bedacht wurden. An die Front wurden meines Wissens, ich kann das sogar bestimmt sagen, keine Briefe mit Flugblättern geschickt.

Frage: Nach den Sachverständigenfeststellungen ist anzunehmen, dass bei der Beschriftung der Briefe bezw. beim Schreiben der Anschriften mehr als zwei verschiedene Schreibmaschinen benützt wurden. Ferner möchte ich von Ihnen wissen, wie Sie zu der Remington-Schreibmaschine gekommen sind.

Antwort: Hier kann ich nur wiederholten, dass zum Schreiben der Anschriften bei den zahlreichen Briefen (zwischen drei- und viertausend) nur zwei verschiedene Schreibmaschinen und zwar jene der Frau Schmitt (kleine Erica) und die Schreibmaschine, die Schmorell besorgt hat, benützt wurden.

Auch zu der Frage, wo Schmorell die Remington-Schreibmaschine hergebracht hat, kann ich mich nur auf meine früheren Angaben berufen. Es war Mitte Januar 1943, als Schmorell eines Tages während meiner Abwesenheit die in Frage kommende Remington-Schreibmaschine gebracht hat. Ich habe Schmorell nicht aufgefordert eine Schreibmaschine zu besorgen und nehme daher an, dass die Anregung dazu von meinem Bruder ausging. Wem diese Schreibmaschine gehört, weiss ich nicht. Ich nehme jedoch an, dass sie Schmorell bei einem Freund oder Bekannten geliehen hat. Genau weiss ich dies allerdings nicht.

Frage: Wann und durch wen erhielten Sie Kenntnis von dem Flugblatt »Die Weisse Rose«? Was hatten Sie selbst mit dieser Sache zu tun?

Antwort: Im vorigen Sommer etwa Mitte Juli hat mir Frl. Traute Lafrenz, Studentin der Medizin, (Wohnung in München unbekannt) mit der ich gut bekannt bin, während einer Vorlesungspause in der Universität ein Flugblatt mit der Überschrift »Flugblätter der Weissen Rose« zum Lesen gegeben. Meines Wissens war dieses Flugblatt am Kopf mit der Zahl IV (römische Zahlen) versehen. Ich glaube mich auch erinnern zu können, dass mir die Lafrenz bei der Übergabe dieser Druckschrift mitteilte, sie habe diese am gleichen Tage oder einige Tage vorher erhalten. Die Schrift wurde ihr in einem Briefumschlag durch die Post zugesandt. Als ich diese Flugschrift durchgelesen habe, standen mein Bruder und meines Wissens auch der Student Hubert Furtwängler (ein Neffe des bekannten Dirigenten) aus dem Schwarzwald, nähere Anschrift unbekannt, neben mir und haben die Schrift über meine Schulter hinweg mitgelesen. Mein Bruder hat weder durch Minen, Gebärden oder Bemerkungen erkennen lassen, dass er mit dieser Schrift, d. h. mit der Herstellung und Verbreitung irgendetwas zu tun hatte. Noch während des Lesens habe ich an die umstehenden Personen die Frage gerichtet, was wohl die Überschrift »Die Weisse Rose« zu bedeuten habe. Meines Wissens gab mein Bruder zur Antwort, dass seiner Erinnerung nach während der franz. Revolution die verbannten Adeligen eine weisse Rose als Symbol auf ihren Fahnen geführt hätten. Wenige Tage später habe ich mich mit meinem Bruder nochmals über dieses Flugblatt unterhalten, wobei er auf meine Frage, wer wohl als Verfasser dieses Flugblattes in Frage komme zur Antwort gab, es sei nicht gut nach dem Verfasser zu fragen, weil man diesen dadurch nur gefährde.

In sonstiger Weise habe ich von dem Flugblatt »Die Weisse Rose« nichts gesehen und nichts gehört. Ich muss ganz entschieden bestreiten, sowohl mit der Abfassung der Herstellung oder Verbreitung dieser Schrift auch nur das Geringste zu tun zu haben. Noch im Juli 1942 ging unter den Studenten das Gerücht, wer mir das damals gesagt hat, weiss ich nicht mehr, die Verbreiter der »Weissen Rose« habe man gefasst, d. h. verhaftet, abgeurteilt und hingerichtet.

Frage: Den Umständen nach ist anzunehmen, dass Sie zur Bestreitung der Ihnen zur Durchführung der Flugblattpropaganda entstehenden Kosten von dritter Seite finanzielle Zuwendungen erhielten.

Antwort: Ich habe schon einmal angegeben, dass dies nicht der Fall ist. Sämtliche entstandenen Unkosten zur Beschaffung des nötigen Materials, des Verfielfältigungsapparates, der Briefmarken, Reisekosten usw., wurden einzig und allein von meinem Bruder und mir bestritten. Richtig ist allerdings, dass die uns zur Verfügung stehenden Geldbeträge zur Bestreitung unseres Lebensunterhaltes, Bezahlung der Vorlesungsgebühren, Beschaffung des zur Herstellung der Flugschriften notwendigen Materials etc. nicht ausreichte, weshalb ich gezwungen war, bei verschiedenen Freunden und Bekannten Geld zu leihen. So habe ich mir von Schmorell kurz vor Weihnachten 1942 einen Betrag von RM 200.– und vor etwa 4 Wochen nochmals RM 45.– geliehen. Schmorell habe ich nicht gesagt, dass diese Geldbeträge zur Bestreitung der durch die Herstellung der Flugblätter notwendigen Auslagen seien, doch konnte oder musste er dies den Umständen nach annehmen. Ich bin seit 1 Jahr mit Schmorell bekannt, mein Bruder etwa seit 2 Jahren. Zu früheren Zeiten habe ich von Schmorell nie Geld geliehen.

Seit 8 oder 9 Jahren bin ich mit Fritz Hartnagel, 26. Jahre alt, aus Ulm, bekannt. Genannter ist aktiver Offizier der Luftwaffe (Hauptmann), befand sich bei der 6. Armee in Stalingrad, hat starke Erfrierungen erlitten und wurde dieserhalb noch vor Beendigung der Kämpfe mit dem Flugzeug abtransportiert und befindet sich nunmehr in einem Lazarett in Lemberg. Mit Hartnagel verbindet mich seit 1937 ein Liebesverhältnis und hatten wir auch die Absicht, uns später einmal zu heiraten. Im Mai 1942 hat mir Hartnagel während eines kurzen Urlaubs einen Betrag von RM 200.– für meine Zwecke zur Verfügung gestellt. Später und zwar im Juli erhielt ich nochmals 100.– RM. Von diesem Betrag von insgesamt RM 300.– habe ich für Hartnagel ungefähr 40.– RM zum Ankauf von Büchern für ihn ausgegeben. Den Restbetrag von RM 260.– habe ich seit Beginn unserer Flugblattaktion verbraucht.

Zur Berichtigung obiger Angaben möchte ich nachtragen, dass die Vorlesungsgebühren für mich und meinen Bruder von meinem Vater bezahlt werden.

Frage: Seit wann sind Sie mit dem Student der Medizin Christof Probst aus Lermoos bei Garmisch bekannt und in welchem Verhältnis standen Sie zu ihm? Was hatte er mit der Flugblattaktion zu tun, bezw. in welcher Weise war er beteiligt?

Antwort: Im Mai 1942 wurde mir Probst bei einem Konzert durch Schmorell oder meinen Bruder vorgestellt. In der Folgezeit kam ich und zwar bis Beendigung des Sommersemesters wöchentlich etwa 2 bis 3 mal bei Konzerten oder in seiner bezw. unserer Wohnung mit ihm zusammen und habe mich mit ihm unterhalten. Verschiedentlich war mein Bruder zugegen, oft aber auch nicht. Die politische Einstellung des Probst deckt sich im Wesentlichen mit der meines Bruders und der meinen. Auch er vertrat die Meinung, dass wir diesen Krieg nicht mehr gewinnen könnten. In seinen Äusserungen gegenüber den heutigen Staat hat er sich uns gegenüber zurückgehalten, wohl mit Rücksicht auf seine zahlreiche Familie. Seine Frau wurde erst unlängst von dem dritten Kind entbunden und hat jetzt noch Wochenbettfieber. Mit der Abfassung der Flugblätter, deren Herstellung und Verbreitung hat er meines Wissens nicht das Geringste zu tun.

Wenn mir vorgehalten wird, dass Probst erst unlängst einen Entwurf zu einem neuen Flugblatt geliefert habe, so muss ich der Wahrheit gemäss angeben, davon bis jetzt nichts gewusst zu haben.

Mit Probst und dessen Frau bin ich eng befreundet. Bei der Frau des Probst habe ich im Laufe des letzten Jahres etwa viermal einen Wochenendbesuch gemacht. Bei Probst handelt es sich nach meiner Meinung charakterlich und geistig um einen über dem Durchschnitt gefestigten bezw. begabten Menschen, der verantwortungsbewusster zu sein scheint, als Schmorell. Die Frau des Probst lebt ganz ihrer Familie und geht vollkommen in der Sorge um ihre Kinder auf. Meines Erachtens ist diese Frau vollkommen unpolitisch.

Frage: Nennen Sie der Reihe nach Ihre gut Bekannten und befreundeten Personen.

Antwort: Ausser den bereits besprochenen Freunden und Bekannten etc. wären hier noch folgende nachzutragen:

Muth Karl, Professor, wohnt München-Solln, Dittlerstr. 10, durch Otto Aicher vor 1 Jahr kennengelernt, komme selten zu ihm zur Erkundigung seines Wohlergehens. Sehr religiöser Mann, politische Gespräche wurden bisher nicht geführt. 77 Jahre alt, körperlich sehr schwach.

Aicher Otto, Wehrmachtangehöriger, z. Zt. wegen Krankheit Genesungsurlaub, Truppenteil unbekannt. Aicher ist aus Ulm, wo seine Eltern Glockengasse 10 wohnen.

Ist der Geliebte der Schwester Inge, hat 8 Klassen Realschule, jedoch nicht das Abitur, weil er nicht der HJ angehört hat. Er ist sehr religiös und nicht nationalsozialistisch eingestellt, sonst aber unpolitisch, da er ganz andere (philosophische und künstlerische) Interessen verfolgt.

Reiff Erika, Ulm, Weinsteige 8.

Abiturientin, im 7. oder 8. Semester als Medizinstudentin an der Universität München seit Dezember 1942. Hier einmal im Konzert getroffen, sonst keinen Umgang mit ihr. Politisch gut nationalsozialistisch eingestellt.

Remppis Lisa, wohnt Leonberg b[ei] Stuttgart Adolf Hitlerstrasse 16.

Jugendfreundin, 19 Jahre alt, Schülerin des Fröbelseminars in Stuttgart. Regen Schriftwechsel, persönlicher Natur. Selbst unpolitisch, ihr Verlobter, ehem. Offizier, (Kriegsbeschädigter) positiv für den heutigen Staat eingestellt.

Andere Freundschaften unterhalte ich nicht.

Frage: Im Laufe der Verhandlung habe ich Ihnen zwischendurch einen Schal vorgezeigt und die Frage an Sie gerichtet, ob er Ihnen oder Ihrem Bruder gehöre oder ob Sie sonst wüssten, wer der Eigentümer desselben sei.

Antwort: Dieser Schal gehört weder meinem Bruder noch mir, ferner ist mir nicht bekannt, wessen Eigentum er sonst sein könnte. Ich kann mit bestem Gewissen zu dieser Frage keine positiveren Angaben machen.

Wenn mir vorgehalten wird, dass in diesen Schal Flugblätter eingewickelt waren, die kurz nach unserer Festnahme im Universitätsgebäude gefunden wurden, so kann ich mir die Zusammenhänge nicht erklären.

Frage: Was wissen Sie von einem Flugblatt mit der Überschrift: »10 Jahre Nationalsozialismus!«?

Antwort: Ein Flugblatt mit diesem Titel war mir bis jetzt vollkommen fremd. Nachdem mir dieses Flugblatt im Original vorgezeigt wurde, kann ich mit Sicherheit sagen, dass dieses Flugblatt weder von meinem Bruder noch von mir stammt.

Über den Hersteller oder Verbreiter vermag ich keinerlei Angaben zu machen.

Frage: Wann ist Schmorell zur Besorgung der Propagandapost nach Salzburg, Linz und Wien gefahren, wann kam er zurück und wo hat er gegebenenfalls übernachtet?

Antwort: Schmorell ist am 26.1.43 (an einem Dienstag) vormittags um 6 Uhr mit dem Schnellzug von München nach Salzburg, Linz und Wien gefahren und kam am 28.1.43 vormittags um 4 Uhr wieder nach München zurück. Ob er in einer dieser Städte übernachtete, weiss ich nicht, nehme es aber nicht an, da Schmorell sehr wenig Geld bei sich hatte, weshalb er vielleicht gar nicht übernachten konnte, selbst wenn er dies gewollt hätte.

Frage: Ich habe schon einmal die Frage an Sie gerichtet, was die benützte Vervielfältigungsmaschine gekostet hat. Sie sagten 200.– RM, ist das richtig?

Antwort: Mein Bruder hat den Vervielfältigungsapparat gekauft und ich weiss nicht genau, was er gekostet hat, ich glaube aber etwa RM 200.– vielleicht auch etwas mehr.

Frage: Zum Schlusse Ihrer nun umfangreichen Vernehmung habe ich die Frage an Sie zu richten, ob Sie nicht aus eigenem Entschluss etwas anzugeben haben, was zur Klärung der Sache beitragen kann oder noch nicht aufgeklärt ist.

Antwort: Auf diese Frage möchte ich noch angeben, dass ich am 5. oder 6. Februar 1943, nachdem ich am 4.2. an der Universität die Aufschrift »Freiheit« gesehen hatte, meinen Bruder unter vier Augen mit den Worten zur Rede stellte: »Das stammt wohl von Dir?« ich meinte damit, das Anschreiben des Wortes »Freiheit«, worauf ich von ihm lachend die Bestätigung erhielt. Ich weiss nicht mehr ob er nur mit [dem] Kopf nickte, oder meine Frage mit »ja« beantwortete. Ich habe meinem Bruder in diesem Zusammenhang den Rat gegeben, mich bei ähnlichen Schmierereien mitzunehmen, um ihn vor evtl. Überraschungen zu schützen. Ich erwähnte noch, dass wir gegebenenfalls im Falle einer Überraschung Arm in Arm weitergehen könnten und wir dann nicht auffallen würden. Mein Vorschlag leuchtete ihm wohl ein, er hat sich jedoch nicht einverstanden erklärt, weil er die Meinung vertrat, solche Arbeiten seien für ein Mädchen nicht geeignet.

Auch in einem anderen Punkt habe ich nicht die Wahrheit gesagt, was ich vor Abschluss meiner Vernehmung berichtigen möchte. Die auf Seite 1 des bei mir vorgefundenen Notizbuches vorgetragenen Geldbeträge wurden restlos und ausschliesslich für Zwecke der politischen Propaganda (Herstellung von Flugblättern) verwendet. Auf der linken Seite oben befindet sich der Buchstabe E, soll heissen Einnahmen und auf der rechten Seite der Buchstabe A, soll heissen Ausgaben. Der Gesamtbetrag von E (Einnahmen) beläuft sich auf RM 1103,50 und jener der Ausgaben auf RM 690,50. Ich muss hier betonen, dass ich nicht alle Auslagen notiert habe. Ausserdem glaube ich, dass ich unter der Rubrik Einnahmen den einen oder anderen Betrag entweder doppelt aufgeschrieben habe, oder dass Einzelbeträge in anderen grösseren Summen bereits enthalten waren, also doppelt verbucht wurden. Die Einnahmen und Ausgaben müssen sich ungefähr auf gleicher Höhe bewegen, denn andere Beträge als angegeben, standen mir nicht zur Verfügung und unsere Kasse ist bis auf einen Restbetrag von rund RM 40.– aufgebraucht.

Zum Schlusse meiner Angaben möchte ich noch anführen, dass ich nun alles angegeben habe, was mir von dem Ermittlungsgegenstand überhaupt bekannt ist. Ich habe mit Wissen nichts verschwiegen oder etwas hinzugesetzt, das nicht der Wahrheit entspricht. Sollte mir noch nachträglich etwas einfallen, was mit der Sache in Zusammenhang steht und noch nicht eingehend geklärt und besprochen ist, so werde ich mich freiwillig zur weiteren Vernehmung melden.

Schlussfrage: Während der Gesamtvernehmung, die sich über zwei volle Tage erstreckte, haben wir zwischendurch, wenn auch nur streiflichtartig, verschiedene politische und weltanschauliche Fragen besprochen. Sind Sie nach diesen

Aussprachen nun nicht doch zu der Auffassung gekommen, dass man Ihrer Handlungsweise und das Vorgehen gemeinsam mit Ihrem Bruder und anderen Personen gerade in der jetzigen Phase des Krieges als ein Verbrechen gegenüber der Gemeinschaft insbesondere aber unserer im Osten schwer und hart kämpfenden Truppen anzusehen ist, das die schärfste Verurteilung finden muss.

Antwort: Von meinem Standpunkt muss ich dies Frage verneinen. Ich bin nach wie vor der Meinung, das Beste getan zu haben, was ich gerade jetzt für mein Volk tun konnte. Ich bereue deshalb meine Handlungsweise nicht und will die Folgen, die mir aus meiner Handlungsweise erwachsen, auf mich nehmen.«

Aufgenommen:
Mohr
KOS.

Laut diktiert und auf nochmalige Nachlesung und Überprüfung verzichtet:
Sophie Scholl

Anwesend:
[unleserliche Unterschrift]
VA.

Quelle: Bundesarchiv Berlin, ZC 13267, Bd. 3

Vernehmung von Hans Scholl

Nachdem Hans Scholl zusammen mit seiner Schwester Sophie am 18. Februar 1943 gegen 11.00 Uhr in der Universität vorläufig festgenommen worden war, fand alsbald die erste Vernehmung in der Staatspolizeileitstelle München statt.

Geheime Staatspolizei

Staatspolizeileitstelle München

Fingerabdruck genommen*)
Fingerabdrucknahme nicht erforderlich*)
Person ist – nicht – festgestellt*)

Datum: ……………

Name: ……………

Amtsbezeichnung: ……………

Dienststelle: ……………

(Dienststelle des vernehmenden Beamten) München, am 18. Febr. 1943.

Auf Vorladung – Vorgeführt*) – erscheint

Hans Fritz Scholl,

und erklärt, zur Wahrheit ermahnt:

I. Zur Person:

1. a) Familienname, auch Beinamen (bei Frauen auch Geburtsname, ggf. Name des früheren Ehemannes)	a) Scholl
b) Vornamen (Rufname ist zu unterstreichen)	b) Hans Fritz
2. a) Beruf Über das Berufsverhältnis ist anzugeben, – ob Inhaber, Handwerksmeister, Geschäftsleiter oder Gehilfe, Geselle, Lehrling, Fabrikarbeiter, Handwerksgehilfe, Verkäuferin usw. – bei Ehefrauen Beruf des Ehemannes – – bei Minderjährigen ohne Beruf der der Eltern – – bei Beamten und staatl. Angestellten die genaueste Anschrift der Dienststelle – – bei Studierenden die Anschrift der Hochschule und das belegte Lehrfach – – bei Trägern akademischer Würden (Dipl.-Ing., Dr., D. pp.), wann und bei welcher Hochschule der Titel erworben wurde –	a) cand.med. an der Universität München
b) Einkommensverhältnisse	b)
c) Erwerbslos?	c) Ja, seit nein
3. Geboren	am 22.9.18 in Ingersheim Verwaltungsbezirk Crailsheim Landgerichtsbezirk Stuttgart Land Württemberg

*) Nichtzutreffendes durchstreichen.

4. Wohnung oder letzter Aufenthalt	in München, Verwaltungsbezirk München Land Bayern Franz Josef- Straße/Platz Nr. 13 bei Dr. Schmidt. Fernruf
5. Staatsangehörigkeit Reichsbürger?	D.R.
6. a) Religion (auch frühere) 1) Angehöriger einer Religionsgemeinschaft od. einer Weltanschauungsgemeinschaft, 2) Gottgläubiger, 3) Glaubensloser b) sind 1. Eltern / 2. Großeltern } deutschblütig?	a) evangelisch 1) ja – welche? nein 2) ja – nein 3) ja – nein b) 1. ja 2. ja
7. a) Familienstand (ledig – verheiratet – verwitwet – geschieden – lebt getrennt) b) Vor- und Familiennamen des Ehegatten (bei Frauen auch Geburtsname) c) Wohnung des Ehegatten (bei verschiedener Wohnung) d) Sind oder waren die Eltern – Großeltern – des Ehegatten deutschblütig?	a) ledig b) c) d)
8. Kinder	ehelich: a) Anzahl: – b) Alter: Jahre unehelich: a) Anzahl: – b) Alter: Jahre
9. a) Des Vaters Vor- und Zunamen Beruf, Wohnung b) der Mutter Vor- und Geburtsnamen Beruf, Wohnung (auch wenn Eltern bereits verstorben)	a) Robert Scholl Wirtschaftstreuhänder i. Ulm Münster-Pl. 33 b) Magdalene Scholl, geb. Müller Ulm, Münster-Pl. 33
10. Des Vormunds oder Pflegers Vor- und Zunamen Beruf, Wohnung	–

11. a) Reisepaß ist ausgestellt	a) von Pol.Dir.Ulm am 4.8.1936 Nr. 723
b) Erlaubnis zum Führen eines Kraftfahrzeuges – Kraftfahrrades – ist erteilt	b) von Mot.Feld.Laz.615 am 15.8.40 Nr. Liste 1940/30
c) Wandergewerbeschein ist ausgestellt	c) von – am Nr.
d) Legitimationskarte gemäß § 44a Gewerbeordnung ist ausgestellt	d) von – am Nr.
e) Jagdschein ist ausgestellt	e) von – am Nr.
f) Schiffer- oder Lotsenpatent ist ausgestellt	f) von – am Nr.
g) Versorgungsschein (Zivildienstverordnungsschein) ist ausgestellt	g) von – am Nr.
Rentenbescheid?	–
Versorgungsbehörde?	
h) Sonstige Ausweise?	h) – Mitgl.Karte d. Dt. Alpenvereins – Zweigverein Mü. Nr. 20 045.
12. a) Als Schöffe oder Geschworener für die laufende oder die nächste Wahlperiode gewählt oder ausgelost? Durch welchen Ausschuß (§ 40 GVG.)?	a) –
b) Handels-, Arbeitsrichter, Beisitzer eines sozialen Ehrengerichts?	b) nein
c) Werden Vormundschaften oder Pflegschaften geführt? Über wen?	c) nein
Bei welchem Vormundschaftsgericht?	./.
13. Zugehörigkeit zu einer zur Reichskulturkammer gehörigen Kammer (genaue Bezeichnung)	
14. Mitgliedschaft a) bei der NSDAP.	a) seit nicht Mitglied der NSDAP letzte Ortsgruppe
b) bei welchen Gliederungen?	b) seit War von März 1933 bis März 1937 Mitglied des Jungvolkes und von 1935 oder 1936 an Fähnleinsführer im Jungvolk. Jetzt ist er nicht Mitglied eines NS-Verbandes. letzte Formation oder ähnl.

15. Reichsarbeitsdienst Wann und wo gemustert?	
Entscheid	
Dem Arbeitsdienst angehört	von März 1937 bis September 1937 Abteilung 3/265 Ort Göppingen
16. Wehrdienstverhältnis a) Für welchen Truppenteil gemustert oder als Freiwilliger angenommen?	a) Kavallerie, am 1.11.1937 freiwillig zum Kav.Regt. 18 in Cannstadt eingerückt
b) Als wehrunwürdig ausgeschlossen?	b) nein
Wann und weshalb?	./.
c) Gedient:	c) von November 1937 ~~Mai~~ April 40 bis März 1937 heute
Truppenteil	zuletzt Feldp.Einh. 33 194
Standort	
entlassen als	z.Zt. Feldwebel und K.S.O.B.
17. Orden- und Ehrenzeichen? (einzeln aufführen)	Westwallabzeichen
18. Vorbestraft? (Kurze Angabe des – der – Beschuldigten. Diese Angaben sind, soweit möglich, auf Grund der amtlichen Unterlagen zu ergänzen)	angeblich nicht vorbestraft.

II. Zur Sache:

Vermerk:
Scholl wurde am 18.2.1943 gegen 11 Uhr in der Universität in München wegen Verdachts der Verbreitung der Flugblätter

"Kommilitoninnen! Kommolitonen!"

vorläufig festgenommen und anschließend in das Hausgefängnis der Staatspolizeileitstelle München eingeliefert.

[handschriftl. Unterschrift]
SS-Hauptsturmführer, u.K.K.

Anfangs wurden Angaben zur Person und Familie, zum Lebensunterhalt, Studium, Kriegseinsatz sowie zum Kameraden- und Freundeskreis erfragt und festgehalten. Hans Scholl leugnete, die Flugblätter hergestellt und in der Universität ausgelegt oder verteilt zu haben; vielmehr habe er die ausgestreuten Blätter zufällig gesehen. Den an ihm bei der Festnahme gefundenen und von ihm rasch zerrissenen Flugblattentwurf von Christoph Probst »Stalingrad! 200000 deutsche Brüder wurden geopfert« wollte Hans Scholl in seinem Briefkasten beim Verlassen der Wohnung am Morgen gefunden haben. Erst als ihm das Ergebnis der inzwischen von der Gestapo durchgeführten Wohnungsdurchsuchung und Aussagen seiner Schwester Sophie vorgehalten wurden, gestand Scholl seine Widerstandstat in weiteren Verlauf des Verhörs.

[...]
Nachdem nun mir die in meinem Schreibtisch vorgefundenen Briefe usw. vorgelegt wurden, unter denen sich ein Briefumschlag mit 140 8 Pfg. Briefmarken befanden und ich wiederholt und eingehend zur Wahrheitsangabe ermahnt wurde, bin ich nun bereit, die volle Wahrheit zu sagen. Meine bisherigen Angaben stimmen nur teilweise und ich will nun eine zusammenhängende Darstellung meiner Tätigkeit geben. Im einzelnen möchte ich folgendes angeben:

»Ich erkläre ausdrücklich, dass Frl. Gisela Schärtling mit der ganzen Sache nichts zu tun hat. Nachdem ich geglaubt hatte, dass die militärische Lage nach der Niederlage an der Ostfront und dem ungeheueren Anwachsen der militärischen Macht Englands und Amerikas eine siegreiche Beendigung des Krieges unsererseits unmöglich sei, gelangte ich nach vielen qualvollen Überlegungen zu der Ansicht, dass es nur noch ein Mittel zur Erhaltung der europäischen Idee gebe, nämlich die Verkürzung des Krieges. Andererseits war mir die Behandlung der von uns besetzten Gebiete und Völker ein Greuel. Ich konnte mir nicht vorstellen, dass nach diesen Methoden der Herrschaft eine friedliche Aufbauarbeit in Europa möglich sein wird. Aus solchen Erwägungen heraus, wuchs in mir die Skepsis gegen diesen Staat und weil ich bestrebt sein wollte, als Staatsbürger dem Schicksal meines Staates nicht gleichgültig gegenüber zu stehen, entschloss ich mich, nicht nur in Gedanken, sondern auch in der Tat meine Gesinnung zu zeigen. So kam ich auf die Idee Flugblätter zu verfassen und zu verfertigen.

Das erste Flugblatt war das mit der Überschrift »Aufruf an alle Deutsche!« das zweite war das mit dem Aufruf an die Studenten. Der Text stammt von mir. Den Text verfaßte ich allein zuhause in meinem Zimmer. Den Entwurf habe ich mit der Hand geschrieben und anschließend vernichtet. Ich hatte zunächst mir eine Schreibmaschine geliehen, die mir Alexander Schmorell beschaffte. Von wem Schmorell diese Maschine hatte, weiß ich nicht. Es war eine Remington-Reiseschreibmaschine mit versenkbarem Typenkorb. Die Matrizen habe ich im Schreibwarengeschäft Kauth und Bullinger, Dienerstraße, gekauft. Es war ein voller Karton mit glaublich 10 Stück. Bei der Fa. Beyerle, Sendlingerstraße habe ich mir einen Vervielfältigungsapparat, Marke unbekannt, für 240.– RM gekauft. Dieser Apparat befindet sich jetzt im Keller meines Freundes

Eickemayr Manfred

in München, Leopoldstraße 38 / Atelieurgebäude. Letzterer befindet sich seit Weihnachten 1942 in Krakau als Architekt bei der Gouvernementsregierung. Der jetzige Wohnungsinhaber ist der Maler

Wilhelm Geyer,

aus Ulm, welcher z. Zt. hier bei der Fa. Mayer Glasfenster malt. Geyer weiß von der ganzen Sache absolut nichts. Er fährt jeden Sonntag mit Dienstag nach Hause und überläßt mir für diese Zeit seine Wohnungs- und Kellerschlüssel. Den Vervielfältigungsapparat habe ich vor etwa 5 Tagen in diesen Keller verbracht. Der Apparat ist dort leicht zu finden. Die Vervielfältigung habe ich in meiner Wohnung allein gemacht. Alles, was zur Vervielfältigung dient, habe ich selbst besorgt, auch das Saugpapier, nur die Briefumschläge habe ich mir durch andere Personen besorgen lassen. Meine Schwester Sophie, dann die Gisela, Alex Schmorell und Willi Graf haben mir die Briefumschläge besorgt. Alle zur Vervielfältigung nötigen Dinge hatte ich solange in der Wohnung, als ich sie benötigte. Ich hatte sie nicht in andere Wohnungen verteilt. Das Saugpapier hatte ich in verschiedenen Geschäften eingekauft, und zwar in kleineren Mengen. Ich bekam sie ohne weiters, vielleicht weil ich meist in Uniform gegangen bin. Zum Beispiel bei Kaut und Bullinger bekam ich auf einmal 2000 Stück Saugpapier, bei Baierle bekam ich etwa 3000, am Odeonsplatz, gegenüber dem Heller, bekam ich 1000 Stück. Von dem Flugblatt »Aufruf an alle Deutschen« habe ich etwa 5000 Stück hergestellt; von dem »Kommilitonen« 2000 Stück. In einer mir augenblicklich nicht genau erinnerlichen Nacht Ende Januar 1943 habe ich im Stadtkern von München etwa 5000 Flugblätter »Aufruf an alle Deutschen« verteilt. Auch hierbei hat mir niemand geholfen. Ich habe diese Flugblätter in dem heute von mir mitgeführten Koffer und in meiner Aktenmappe verwahrt. Mit dem Auslegen der Flugblätter begann ich in Schwabing, die Strasse kann ich nicht angeben, und zwar kurz nach 23 Uhr. Ich bin auf Umwegen über die Schelling- und Theresienstrasse in Richtung Maximiliansplatz und dann weiter Ritter-von Epp-Pl., Kaufingerstrasse, Stachus, Bahnhof, dann Kaufingerstr. wieder zurück, Marienplatz, die Gegend zum Sendlingertorpl., die vom Sendlingertorplatz ausgehenden Seitenstrassen, runter zur Kanalstrasse und allmählich wieder über Ludwigstrasse, Kaulbachstrasse zurück nach Schwabing. Meine Schwester hat von dieser nächtlichen Zettelverteilung kein Wissen gehabt, weil ich ihr vormachte, in der Frauenklinik Nachtdienst verrichten zu müssen. Ich habe bei dieser Zettelherstellung und Verteilung vollständig allein gehandelt in der Annahme, dass ich so am sichersten sei.

Als etwa um den 10. Febr. herum unsere Rückschläge im Osten bekannt wurden und sich infolgedessen die Stimmung innerhalb der Studentenschaft sehr verschlechterte, kam ich auf den Gedanken, dieser Situation gerecht zu werden und ein neues Flugblatt herauszugeben. Ich machte einen Entwurf mit der Überschrift »Studentinnen! Studenten!« und zog davon etwa 200 Stück ab. Dieses habe ich mit dem gleichen Vervielfältigungsapparat in meiner Wohnung getan. Ich konnte das ohne Wissen meiner Schwester erledigen, weil diese in dieser Woche verreist war.

Als ich von diesem ersten Flugblatt »Studentinnen! Studenten!« etwa 200 Stück abgezogen hatte, ist mir die Matrize abgerissen. Ich habe mich, um an der weiteren Herstellung von Flugblättern nicht behindert zu sein, entschlossen, den ganzen Text nochmal zu schreiben mit der Abweichung, dass ich als Überschrift »Kommilitoninnen! Kommilitonen! gewählt habe. Von diesem neuen Text habe ich etwa 2000 vervielfältigt. Als ich mit dieser Arbeit fertig war, habe ich etwa 800 Flugblätter (in weisse und andere Farben) in Briefumschläge gesteckt und diese an Hand eines Studentenverzeichnisses des Wintersemesters 1941/42 adressiert. Ich ging dann zum Postamt München 23, an der Leopoldstrasse und kaufte dort auf einmal 1200 8 Pfg. Marken, die mir ein Postbeamter, der das Parteiabzeichen und einen Schnurrbart getragen hat, verabfolgt hat. Mit diesen Marken habe ich die mit Adressen versehenen Flugblätter beklebt und zur Post getragen. Aufgegeben habe ich diese Briefe beim Postamt an der Veterinärstr., an der Hauptpost, am Postamt in der Kaufingerstrasse und beim Telegrafenamt am Hauptbahnhof. Geteilt habe ich die Postsendungen deshalb aufgegeben, weil ich damit an einem einzigen Postamt einerseits nicht auffallen und verhindern wollte, dass diese etwa nicht befördert werden sollten. Ich bleibe unter allen Umständen darauf bestehen, dass mir auch bei der Herstellung und Versendung dieser Flugblätter niemand behilflich war. Ich bin auch in diesem Falle von dem Gedanken ausgegangen, dass es am sichersten sei, wenn dritte Personen nicht ins Vertrauen gezogen würden. Die beiden Matrizen habe ich, nachdem ich mit dem Abziehen fertig war, verbrannt.

Nachdem ich mit der Versendung fertig war und mich davon überzeugen konnte, dass ich mit meinem Vorhaben keinen Erfolg hatte (ich habe mir selbst geschrieben und würde zumindestens von Schmorell und Graf verständigt worden sein) kam ich auf den Gedanken, die noch übrigen Flugblätter selbst innerhalb der Studentenschaft bezw. Universität zu verteilen. Als meine Schwester am Sonntag, den 14.2.43 nach München zurückkam, habe ich ihr die von mir hergestellten Flugblätter gezeigt und festgestellt, dass sie mit dem Inhalt einverstanden war. Ich liess die noch übrigen Flugblätter bis zum Donnerstag, den 18.2.1943 in meinem Schreibtische liegen. An diesem Tage habe ich in den Morgenstunden die Verteilung der Flugblätter in der Universität besprochen, habe die Blätter in einen Koffer und die Aktenmappe verpackt und sind damit um ½ 11 Uhr gemeinschaftlich zur Universität gegangen. Dort angekommen wollte ich zunächst meine Schwester unten am Eingang warten lassen. Schliesslich habe ich es aber doch für zweckmässig gehalten mit meiner Schwester gemeinsam in das Universitätsgebäude hineinzugehen und dort die Verteilung der mitgebrachten Flugblätter vorzunehmen. Wir gingen rechts den Gang entlang, die Treppe hoch und haben dann vor dem Hörsaal 201 80–100 Stück zerstreut abgelegt. Wir gingen dann den Gang herum. Unterwegs habe ich mich nach vorheriger Vergewisserung, ob ich nicht beobachtet werde, jeweils eine ähnliche Menge zerstreut abgelegt. Nachher gingen wir in Richtung Ausgang zur Amalienstrasse, wo ich auf der Treppe, kurz vor der Ausgangstüre, einen grösseren Posten Flugblätter abgelegt habe. Ich kehrte mit meiner Schwester an dieser Stelle um und gingen wieder zum 1. Stock, wo ich ebenfalls stossweise Flugblätter ablegte. Wir gingen von da weg zum 2. Stock (linke Seite) wo ich über die Brüstung weg, den Rest meiner Flugblätter in den Lichthof geschüttet habe.

Ich war damit noch kaum fertig, als ich die Beobachtung machte, daß der Hausmeister uns zum zweiten Stock folgen würde. Tatsächlich war ich mit meiner Schwester nur wenige Meter von der Abwurfstelle entfernt, als dieser Mann auf uns zu kam, uns die Festnahme ankündigte und uns auf den Kopf zusagte, daß wir soeben Flugblätter in den Lichthof geworfen hätten.

Der von mir heute morgen nach meiner Festnahme zerissene Zettel stammt von

Christof Probst,

wohnhaft in Innsbruck, Studen[ten]kompanie der Luftwaffe. Mit Probst unterhalte ich schon seit einigen Jahren ein freundschaftliches Verhältnis. Ich habe ihm eines Tages den Vorschlag gemacht, er solle mir seine Gedanken zu den Tagesereignissen schriftlich formulieren. Es war dies nach Neujahr 1942/43, wo mich Probst in München besucht hat und wir dabei über diese Angelegenheit gesprochen haben, und zwar in meiner Wohnung. Schmorel[l], ich und Probst bilden schon seit Jahren einen Freundeskreis. Schmorel[l] war bei dieser letzten Zusammenkunft nicht dabei. Er weiß von dieser ganzen Sache nichts. Probst stand in politischer Hinsicht unter meinem Einfluß und wäre zweifellos ohne diesen nicht zu diesem Entschluß gekommen. Ich habe mit diesem Eingeständnis deswegen solange zurückgehalten, weil die Ehefrau des Probst z. Zt. nach der Geburt des dritten Kindes mit Kindbettfieber darniederliegt. Dies hat er mir selbst gesagt, und zwar bei der letzten Zusammenkunft. Ich muß mich nun berichtigen, daß ich Probst den Auftrag mir seine Gedankengänge schriftlich aufzuzeichnen, schon früher gegeben habe und daß er den von mir heute zerrissenen Zettel bei der letzten Zusammenkunft (anfangs Januar 1943) übergeben hat. Ich muß dazu ausdrücklich bemerken, daß ich zu Probst nichts davon gesagt habe, daß ich seine schriftlichen Aufzeichnungen zur Herstellung von Flugblättern verwenden werde. Darüber habe ich auch mit ihm nicht gesprochen. Demnach nehme ich auch an, daß Probst über die von mir begangene Handlungsweise absolut im Unklaren war. Probst ist ein Jahr jünger wie ich und hat bis zum Jahre 1942 in München Medizin studiert. Er hat hier, Kaiserplatz 2 bei Kaminsky gewohnt.

Ich erkläre noch einmal, daß mir bei der Herstellung und Verbreitung der fraglichen Flugblätter niemand behilflich war. Ich muß auch nach Vorhalt der Angaben meiner Schwester Sophie darauf bestehen bleiben, daß sie lediglich am 18.2.43 gesehen hat, wie ich die Flugblätter in der Universität abgelegt habe. Alle weiteren Personen außer Probst sind nach meiner Meinung unschuldig. Die Briefumschlagbesorger haben den Zweck nicht gewußt.

Ich will abschließend aber auch noch angeben, daß ich meine Flugblätter nicht nur in München, sondern auch in anderen Städten des Reiches verbreitet habe. So bin ich Ende Januar 1943 von München aus mit etwa 1500 Flugblättern »Flugblätter der Widerstandsbewegung in Deutschland«, die ich vorher im einzelnen vorher adressiert hatte, nach Salzburg gefahren und habe beim Bahnpostamt in Salzburg 100 bis 150 Briefsendungen mit den Flugblättern aufgegeben. Die Adressen habe ich hier im Deutschen Museum aus den auswärtigen Adressbüchern herausgeschrieben. Ich bin dabei wahllos vorgegangen. Was ich hinsichtlich dieser Reise nach Salzburg angegeben habe, entspricht nicht den Tatsachen. Ich habe diese unwahren Angaben gemacht, um den mit mir befreundeten Schmorell und meine Schwester Sophie Scholl zu decken. Nachdem mir nun aber vorgehalten wurde, daß diese Personen an der Verbreitung meiner Flugblätter beteiligt waren, will ich wahrheitsgetreue Angaben machen. Die Adressen hat außer mir auch noch Schmorell geschrieben. Beim Herausschreiben der Auswärtigen Adressen im Deutschen Museum waren mir Schmorell und meine Schwester behilflich. Schmorell ist Ende Januar 1943 in meinem Auftrage mit etwa 1500 Flugblättern der »Widerstandsbewegung in Deutschland« nach Salzburg, Linz und Wien gefahren und hat in diesen 3 Städten jeweils in der Nähe des Bahnhofes die Briefsendungen aufgegeben. In Linz wurden etwa 100 Personen, in Salzburg 100 bis 150 Personen und in Wien etwa 1000 Personen angeschrieben. Die restlichen etwa 250 Briefe hatten wir schon in München für Frankfurt/Main vorbereitet, die Schmorell in Wien zur Post gegeben hat. Die Fahrtkosten nach Wien haben wir gemeinschaftlich bestritten, ebenso die übrigen Auslagen für Porto, Papier, Abziehapparat usw. Ich stelle auf Befragen ausdrücklich fest, daß andere Personen an der Finanzierung nicht beteiligt waren. Als Schmorell glaublich schon wieder von Wien zurück war, ist meine Schwester Sophie Scholl in meinem Auftrag mit etwa 1000 Flugblättern, die wir ebenfalls schon in München adressiert und frankiert hatten, nach Augsburg und Stuttgart gefahren. Für Augsburg waren etwa 200 Briefe und für Stuttgart etwa 800 Briefe vorbereitet, die meine Schwester in diesen Städten zur Post gegeben hat.

Als ich mich zur Herstellung und Verbreitung von Flugblättern entschlossen habe, war ich mir darüber im Klaren, daß eine solche Handlungsweise gegen den heutigen Staat gerichtet ist. Ich war der Überzeugung, daß ich aus innerem Antrieb handeln mußte und war der Meinung, daß diese innere Verpflichtung höher stand, als der Treueid, den ich als Soldat geleistet habe. Was ich damit auf mich nahm, wußte ich, ich habe auch damit gerechnet, dadurch mein Leben zu verlieren.«

Aufgenommen
A.[nton] Mahler
Krim. Sekr.

selbst gelesen und unterschrieben:
Hans Scholl

Anwesend:
Schmauß
Krim. Sekr.

II A / So / Schm. München, den 20. Febr. 1943.

Fortsetzung der Vernehmung.

Aus der Haft vorgeführt, machte Hans Scholl nach Ermahnung zur Wahrheitsangabe, folgende Angaben:

»Wenn ich heute darüber befragt werde, inwieweit die angeführten Personen, darunter meine Schwester Sophie Scholl, Gisela Schertling, Alexander Schmorell und Willy Graf, an der von mir begangenen Straftat beteiligt waren, so gebe ich folgendes an:

Meine Schwester hat mir zwar Briefumschläge und Briefpapier besorgt, wußte aber nicht was ich damit vorgehabt habe. Das zu den Flugblättern verwendete Saugpapier habe ich in verschiedenen Geschäften gekauft. Das von meiner Schwester besorgte Papier war dazu gar nicht geeignet.

Ebenso verhält sich die Sache bei Gisela Schertling, die mir im Februar 1943 etwa 10 Briefumschläge besorgt hat. Jch habe der Schertling kein Wort davon gesagt, daß ich diese Briefumschläge zur Versendung von staatsfeindlichen Flugblättern verwenden werde. Die Gründe, warum ich mich in dieser Beziehung ausgeschwiegen habe, habe ich bei meiner ersten Vernehmung schon angegeben. Ich bestreite nicht, zur Schertling gesagt zu haben, sie solle mir Briefumschläge besorgen. Den Zweck habe ich dabei nicht genannt. Auf diese Weise konnte und mußte sie annehmen, daß ich diese Briefumschläge zu privaten Zwecken verwenden werde. Da ich die Schertling erst einige Wochen näher gekannt habe, konnte ich sie ja gar nicht in meine Pläne einweihen. Die Schertling ist vollkommen unschuldig.

Über die Mitbeteiligung des Willy Graf kann ich ebenfalls nur angeben, dass er an meiner Straftat nicht beteiligt ist. Ich habe ihn zwar Ende Dezember 1942 oder im Januar 1943 darum angegangen, er möchte mir Briefumschläge und Papier besorgen, doch habe ich ihm gegenüber nichts von meinen Absichten erwahnt, weil ich, wie schon gesagt, allein arbeiten wollte, um nicht gefährdet zu werden. Graf hat mir im Januar 1943 auch etwa 50 Briefumschläge besorgt, um die ich ihn angegangen habe. Ob er mir auch Briefpapier übergeben hat, weiß ich nicht mehr genau. Wenn ich erfahre, daß gegenwärtig fast immer nur Briefumschläge und ebenso viel Briefpapier in den Geschäften abgegeben werden, so wird wohl auch Graf neben den Briefumschlägen Briefpapier mitgekauft haben. Ich habe ihm alles bezahlt. Graf ist vollkommen unschuldig, denn ich habe ihm von meinem Tun und Treiben nichts gesagt, weil ich allein mit mir fertig werden wollte.

Ebenso verhält sich die Sache auch mit der Anneliese Graf, die in letzter Zeit einige Male mit ihrem Bruder in meine Wohnung gekommen ist. Ich kann mich, was diese beiden Personen anbelangt, sehr kurz fassen, wenn ich die Erklärung abgebe, daß beide unschuldig sind.

Anders verhält sich die Sache mit Alexander Schmorell. Dieser ist schon seit vielen Jahren sozusagen mein Freund. Trotzdem habe ich ihm aber erst Ende Januar 1943 in meinen Plan eingeweiht. Zunächst habe ich ihn nur um Geld angegangen, ohne ihm zu sagen, zu welchem Zweck ich solches nötig habe. Schmorell hat mir Ende Januar und in der ersten Hälfte des Februar 1943 auf 3mal insgesamt etwa 500 RM. übergeben. Eine Quittung habe ich dafür nicht geleistet. Ich habe es aber auch gemieden, Schmorell bei der Anfertigung meiner Flugblätter mithelfen zu lassen.

Ende Januar 1943 habe ich dann zu Schmorell gesagt, dass ich Flugblätter gedruckt habe und ich diese in mehreren Städten innerhalb des Reiches versenden möchte. Immerhin habe ich dem Schmorell dann auch nur den Inhalt meines Flugblattes angedeutet, d.h. ich habe es ihm nicht lesen lassen. Auf sein Begehren, ihm ein solches Flugblatt lesen zu lassen, habe ich ihm gesagt, dass ich die Sache gerne für mich behalten möchte. Damit gab er sich auch zufrieden. Wir gingen schliesslich gemeinschaftlich in das Deutsche Museum und schrieben dort Adressen von auswärtigen Städten wie Salzburg, Linz/D.,

Wien, Frankfurt/M., Augsburg und Stuttgart heraus. Diese Adressen haben wir dann auf Briefumschläge geschrieben. Das geschah alles in meiner Wohnung, wo wir 2 allein waren. Als wir mit dieser Arbeit fertig waren (1500–2000 Exemplare), ist Schmorell auf seine eigenen Kosten über Salzburg nach Wien gefahren, um unterwegs und auch in Wien die versandbereiten Flugblätter der Post zu übergeben. Schmorell verpackte diese Briefsendungen in seinem Koffer.

Glaublich einen Tag später ist dann meine Schwester Sophie Scholl mit etwa 2000 versandbereiten Flugblättern über Augsburg nach Stuttgart gefahren, um dort die Flugblätter der Post zu übergeben.«

Aufgenommen: Lt. U.
Schmauß, KS. *Hans Scholl*

In einer Vernehmung am 20. Februar 1943 bestritt Hans Scholl eingangs die Beteiligung oder Unterstützung von Professor Dr. Carl Muth und Professor Dr. Kurt Huber bei den Aktionen der Weißen Rose *und machte weitere Ausführungen zu den von ihm und Alexander Schmorell am 3., 8. und 15. Februar 1943 nächtlich angebrachten Anschriften gegen Hitler und den Nationalsozialismus an verschiedenen Hauswänden in Münchens Straßen sowie über die Anfertigung der Flugblätter.*

[...]
Nach meiner ersten Flugblattaktion, die in der Nacht vom 28./29.1.1943 in München durch mich und Schmorell durchgeführt wurde, konnte ich keine besondere Wirkung dieser Flugblätter feststellen. Ich habe von keiner Seite zu dieser Aktion einen Widerhall gefunden. Ich habe mir damals noch Gedanken gemacht, darüber, welche Möglichkeiten der Pro-

paganda mir noch gegeben sind. So kam ich auf die Idee, Anschriften an Hauswänden anzubringen. In den ersten Februartagen 1943 sagte ich zu Schmorell, dass wir nun durch Anbringen von Anschriften Propaganda machen würden. Ich gab ihm den Auftrag eine Schablone anzufertigen, die den Text »Nieder mit Hitler« trägt und gleichzeitig ein durchgestrichenes Hakenkreuz zeigt. Die Schablone wurde durch Schmorell in seiner Wohnung angefertigt. Ich selbst war nicht dabei. Dies weiss ich deswegen, weil er es mir gesagt hat. Ebenso hat Schmorell Farbe und Pinsel besorgt. Ich weiss nicht, in welchen Geschäften er diese Sachen gekauft hat. Danach habe ich ihn nicht gefragt. Wenn nun die Ansicht besteht, dass die fragliche Schablone durch einen Fachmann angefertigt worden ist, so ist diese nicht richtig. Schmorell hat sehr gute handwerkliche Fähigkeiten und er hat diese Schablone bestimmt selbst angefertigt. Vorläufig hatten wir nicht die Absicht noch andere Schablonen mit ähnlichen Texten anzufertigen. Entsprechend einer Vereinbarung trafen sich Schmorell und ich am Abend des 3.2. 1943 in meiner Wohnung. Dabei hat Schmorell die Schablone, Farbe und Pinsel mitgebracht. Kurz nach Mitternacht verliessen wir mit diesen Dingen meine Wohnung in der Absicht an jeder geeigneten Stelle einen Abdruck unserer Schablone anzubringen. In dieser Nacht benützten wir schwarze Teerfarbe. Welchen Weg wir gegangen sind, weiss ich nicht mehr. Wir hatten keinen festen Plan an welchen Häusern bezw. welchen Stellen wir die Schrift anbringen wollten. Wir haben nur den Verputz jeweils abgetastet, ob er zur Anbringung einer Schrift geeignet ist. Es war ursprünglich nicht einmal geplant, an der Universität eine Hetzschrift anzubringen. Auf diesem Gedanken sind wir erst auf dem Rückweg gekommen und zwar zu einem Zeitpunkt, als unsere Aktion als abgeschlossen betrachtet wurde. Dort haben wir dann allerdings zahlreiche Anschriften angebracht. An allen mir eben genannten Gebäuden haben Schmorell und ich die Anschriften angebracht, doch ist es nicht richtig, dass wir auch am Braunen Haus die Schmiererei anbrachten. Es handelt sich hierbei um ein Haus der Reichsleitung, die Strasse weiss ich nicht, jedenfalls sind wir von der Kaufingerstrasse nach links abgebogen. Ich entsinne mich genau, dass wir die Anschrift auf einem Schild anbrachten, auf dem wir »Reichsleitung« gelesen hatten. Wie oft wir diese Anschrift insgesamt angebracht haben, weiss ich nicht mehr. Am nächsten Tage konnte ich feststellen, dass die Schrift an einem Absperrbalken Ecke Ludwig- von der Tannstrasse noch vorhanden war. Auch in der Ludwigstrasse habe ich gesehen, dass verschiedene Anschriften überklebt worden waren. Zu dem Anbringen der Schriften haben wir von 0.30–3.30 Uhr gebraucht. In dieser Nacht ist der Mond um 3.30 Uhr aufgegangen, anfangs hat es etwas geregnet und ich kann nicht sagen, dass es in dieser Nacht besonders hell war. Schmorell hat nach der Aktion in meiner Wohnung geschlafen. Meine Schwester Sofie Scholl hatte bestimmt keine Kenntnis von dieser Aktion. Sie war bereits im Bett als wir die Wohnung verliessen. Ich hatte ihr gesagt, dass ich zur Geburtenhilfe in die Frauenklinik an der Maistrasse gehen werde. Während der Aktion trugen Schmorell und ich Zivilkleidung. Ich möchte ausdrücklich erklären, dass meine Schwester auch die Schablone, die Farben und die Pinsel nicht gesehen hat, da Schmorell diese Sachen verpackt mitgebracht hat. In dieser Nacht habe ich auch rechts und links des Einganges zur Universität mit der gleichen schwarzen Teerfarbe, aber ohne Verwendung einer Schablone mit ziemlich grossen Buchstaben viermal das Wort »Freiheit« angebracht. Schmorell ist dabei neben mir gestanden und hat dabei nicht mitgeholfen. Während Schmorell und ich die Anschriften angebracht haben, hat niemand Schmiere gestanden, weil ich dies für völlig überflüssig gehalten habe. Vorweg nehmen möchte ich gleich, dass ich nur mit schwarzer Teerfarbe, mit grüner Lackfarbe gearbeitet habe. Mit weisser Kreide oder sonstigen Farbstiften haben wir nicht gearbeitet. Auch haben wir nur die Texte »Freiheit« und »Nieder mit Hitler« verwendet. Falls andere Schmierereien in letzter Zeit in München angebracht wurden, stammten sie nicht von Schmorell und mir. Ich würde dies heute ohne weiteres zugeben.

Am 8.2.1943 verlies ich mit Schmorell um 23.30 Uhr meine Wohnung. Wir hatten vor, an der Universität neuerlich eine Anschrift anzubringen. Wir haben dann unter Verwendung von grüner Lackfarbe an der Universität mehrere Abdrücke gemacht, und zwar von der bereits bekannten Schablone. Ausserdem habe ich das Wort »Freiheit« fünfmal an der Wand und auf der Freitreppe angebracht. Auch hierbei habe ich keine Schablone verwendet. Schmorell hat mir dabei zugesehen. An anderen Stellen haben wir in dieser Nacht keinerlei Anschriften angebracht. Auch von dieser Aktion hatte meine Schwester Sofie Scholl keine Kenntnis, da wir sie mit dieser Sache nicht vertraut gemacht haben. Ich wollte sie mit dieser Sache nicht belasten. Bei dem mir eben vorgezeigten Papier mit dem Aufdruck »Nieder mit Hitler« usw. handelt es sich um einen Probedruck, den ich angefertigt und in der Nacht vom 3./4.2. 1943 in der Ludwigstrasse angefertigt habe. Die in der Nacht vom 3./4.2.1943 am Haus der Dresdner Bank mit roter Schrift angebrachten Worte »Nieder mit Hitler« stammen nicht von Schmorell und mir. Die am 8.2.1943 entdeckte Aufschrift »Nieder mit Hitler« am Anwesen Herzog-Spital-Str. 15 wurde wohl von Schmorell und mir angebracht, doch bestimmt aber schon in der Nacht vom 3./4.2.1943. Ich kann mich genau entsinnen, dass wir in dieser Nacht in der Herzog-Spital-Strasse waren, nicht aber in der Nacht vom 7./8.2.1943. In der Nacht vom 7./8.2.1943 war es sehr mondhell, sodass uns der am gegenüberliegenden Gebäude befindliche Posten, falls dort nachts überhaupt einer steht, hätte beobachten können.

In der Nacht vom 15./16.2.1943 haben wir auf dem Rückweg am Telegrafenamt, wo wir den letzten Rest unserer Flugblätter in den Briefschalter geworfen hatten, einige Anschriften mittels Schablone »Nieder mit Hitler« angebracht. Wir verwendeten schwarze Teerfarbe. Es handelt sich hierbei um die gleiche Farbe, wie wir sie bei der ersten Aktion verwendeten. Die Aufdrücke haben wir in den [von] mir eben genannten Strassen bezw. Häusern (siehe Vermerk vom 16.2.1943) angebracht. Bei der Firma Hugendubel haben wir an der Wand zwischen zwei Schaufenstern ohne Schablone die beiden Anschriften angebracht »Nieder mit Hitler« und »Massenmörder Hitler«. Schmorell hat die erste und ich die zweite Anschrift angebracht. Auch in dieser Nacht war es sehr hell. Posten hatten wir auch hierbei nicht aufgestellt. Auch in diesem Falle war meine Schwester zuhause und sie wusste nur, dass wir beide die Flugschriften zur Post brachten.

Bei dem Anbringen der Aufschriften und beim Verteilen der Flugschriften haben Schmorell und ich nie eine Schusswaffe oder eine sonstige Verteidigungswaffe bei uns geführt. Wir hatten vereinbart, dass wir sofort davonlaufen würden, falls wir durch die Polizei oder eine andere Person angehalten werden sollten. Wir waren der Ansicht, dass dies jedenfalls besser sei als eine Knallerei zu veranstalten.

Vermutlich am 24.1.1943, eventl. auch ein oder zwei Tage vorher habe ich beim Postamt 23, 2000 8 Pfg. und auf dem Hauptpostamt 2000 8 Pfg. und 300 12 Pfg. Briefmarken gekauft. Diese Briefmarken waren für die nach Salzburg, Linz, Wien, Augsburg, Stuttgart und Frankfurt/Main zu versendenden Flugblätter bestimmt. Die Flugblätter nach Frankfurt/Main haben wir deswegen nicht in München zur Post gegeben, um die Polizei dadurch irre zu führen. Wir hatten uns errechnet, dass eine Frankierung mit 12 Pfg. billiger kommt, als wenn eines von uns mit der Bahn dorthin gefahren wäre, weshalb sie durch Schmorell in Wien zur Post gegeben wurden. Wie bereits angegeben, habe ich am 16.2.1943 beim Postamt 23 an der Leopoldstrasse weitere 1200 8 Pfg. Briefmarken gekauft, die zur Frankierung der Schrift »Kommilitoninnen! Kommiltonen!« verwendet wurden.

Die zum Schreiben der Flugschriften verwendete Remingtonmaschine bekam ich Anfang Januar 1943 von Schmorell; den ich ersucht hatte, mir eine Maschine zu besorgen. Zum Besorgen der Maschine benötigte er höchstens eine Woche. Ich kann mich nicht erinnern, dass er mir gesagt hätte, von wem oder woher er die Maschine habe; und ich habe ihn auch gar nicht danach gefragt. Ich glaube nicht, dass er eine Maschine in Besitz hatte, da er, soweit ich mich erinnere, sagte, er glaube er werde mir eine besorgen können.

Von der Flugschrift »Weisse Rose« habe ich zum erstenmal durch den Dichter Dr. Schwarz in Solln erfahren. Dieser hat es anonym durch die Post zugeschickt bekommen und hat es, nachdem er es erhalten hatte, bei der Geheimen Staatspolizei abgeliefert. An den Inhalt des Flugblatts kann ich mich im einzelnen nicht mehr erinnern. Es handelt sich jedenfalls um das erste Flugblatt, falls er ein zweites zugestellt erhalten hat. Ich wusste bisher nicht, dass er auch ein zweites bekommen haben soll. Von einem Kollegen Jörgen Wittenstein, z. Zt. Studentenkompagnie, Bergmannschule, habe ich von der Verbreitung dieses Flugblatts gehört. So viel ich weiss, hat mein Kollege Hubert Furtwängler, z. Zt. Studentenkompagnie Bergmannschule, auch von diesem Blatt gehört. Wenn mir nun vorgehalten wird, dass mir durch die Studentin Traude Lafrans, Steinsdorfstr. 7, in München wohnhaft ein solches Flugblatt in der Universität gezeigt wurde, so mag das wohl richtig sein, doch kann ich mich augenblicklich nicht daran erinnern. Es mag auch sein, dass ich dieses Flugblatt zusammen mit anderen Personen auf einem Gang der Universität gelesen habe; doch weiss ich auch das heute nicht mehr.

Auf dem Vorhalt, dass die Flugblätter »Die weisse Rose« und die Flugblätter der Widerstandsbewegung »Aufruf an alle Deutsche« und »Kommilitoninnen! Kommilitonen« auf denselben Verfasser schliessen lassen, weil einmal die beiden Flugblätter auf ein und derselben Schreibmaschine geschrieben worden sind, zum andern, weil die politische Konzeption aller Flugblätter übereinstimmt und sich daraus zwingend der Schluss ergibt, dass der Beschuldigte auch das Flugblatt der »Weissen Rose« verfasst hat, erklärt er sich bereit, zu diesem Punkt ein offenes und umfassendes Geständnis abzulegen.

Ich bin der Ansicht, dass in Deutschland in der Zeit von 1918–1933 und vor allem 1933 nicht zu sehr die Masse des Deutschen Volkes politisch versagt hat, sondern gerade diejenige Schicht, eines Staates, der ein Volk politisch führen sollte, die Intelligenz. Obgleich sich in Deutschland ein Gelehrten- und Spezialistentum auf allen Gebieten des geistigen Lebens zu voller Blüte entwickelte, waren gerade diese Menschen nicht in der Lage, die einfachsten politischen Fragen richtig zu beantworten. Nur aus diesem Grunde ist es erklärlich, dass Massenbewegungen mit ihren einfachen Parolen jede tiefere Gedankenarbeit übertönen konnten. Ich empfand, dass es höchste Zeit war, diesen Teil des Bürgertums auf seine staatspolitische Pflichten aufs Ernsteste hinzuweisen. Hätte die aussenpolitische Entwicklung zunächst noch friedlichere Bahnen verfolgt, so wäre ich sicher nicht vor die Alternative gestellt worden: Soll ich Hochverrat begehen oder nicht? Sondern ich hätte versucht, innerhalb dieses Staates die positiven Kräfte derart zu mobilisieren, dass sie im Laufe der Zeit alles Negative überflügelt hätten und zu einem Staatswesen übergeleitet hätten, welches erstrebenswert geworden wäre.

Den Vervielfältigungsapparat besorgte ich mir kurz vor der Herausgabe des ersten Blattes und zwar bei der Firma Beierle. Es war ein Greif-Vervielfältiger mit Handabzug für 32 RM. Papier und Matrizen habe ich mir – soweit ich mich erinnern kann – bei der Fa. Kaut und Bullinger besorgt. Die Schreibmaschine hat mir Alexander Schmorell verschafft, ohne dass er aber von meinem Vorhaben etwas gewusst hatte. Wo er die Schreibmaschine herhatte, weiss ich nicht. Ich kann zu diesem Punkt auch auf nochmaligen Vorhalt keine anderen Angaben machen.

Der Entwurf des Flugblattes – wie auch seine Ausführung und Verschickung – stammt von mir. Ich habe diese Arbeit in meinem damaligen Zimmerchen am Athenerpl. 4 ausgeführt.

Ich habe damals allein gewohnt, d. h. meine Schwester studierte noch nicht in München. Ich habe von jedem Flugblatt der »Weissen Rose« etwa 100 Stück hergestellt, in Briefumschläge verschlossen und an ganz bestimmte – aus dem Telefonbuch Münchens – ausgewählte Adressen versandt. Im ganzen erschienen vier verschiedene, nummerierte (I–IV) Auflagen. Der Gesichtspunkt nach welchem ich die Adressen auswählte, erklärt sich aus dem Motiv meiner Handlung. Ich wollte die intelligentere Schicht aufrufen und wandte mich daher hauptsächlich an Akademiker usw. Auch an einige Münchener Wirte habe ich diese Blätter adressiert. Ich wollte dadurch erreichen, dass sie populär werden, denn ich hoffte, dass die Wirte es an ihre Gäste weitererzählen würden. Das benutzte Telefonbuch habe ich mir zu diesem Zwecke neu besorgt. Ich habe es beim Umzug vernichtet. Ich habe mir die Namen – wie es auch in einem der Flugblätter angegeben ist – nicht notiert und daher kommt es auch, dass nicht alle Abonennten gleichmässig beliefert wurden, obwohl dies ursprünglich in meiner Absicht gelegen war. Ich habe bei der Versendung der späteren Ausgabe die Leute nicht mehr so genau im Gedächtnis gehabt. Die Leute, die ich angeschrieben habe, sind mir größtenteils unbekannt. Darunter befinden sich jedoch einige wenige Professoren, die ich von den Vorlesungen her kenne und zwei oder drei persönliche Bekannte. Von den Bekannten fallen mir jetzt nur zwei ein, nämlich der Gastwirt Josef Poschenrieder in Tölz, den ich aber nur als Wirt kenne und der Dichter Hermann Claudius mit dessen Tochter Ursula ich längere Zeit befreundet war. Claudius wollte ich mit diesem Blatt ärgern, weil er nationalsozialistisch gesinnt ist. Mir ist bekannt, daß er vor längerer Zeit in München im Rahmen der Kdf-Veranstaltungen aus eigenen Werken gelesen hat, doch weiß ich nichts davon, daß er vor Studenten ebenfalls aus eigenen Werken lesen sollte. Jedenfalls habe ich ihn dazu nicht aufgefordert. Über den Gesundheitszustand des Claudius bin ich unterrichtet. Mit dem Dichter Benno v. Mechow, wohnhaft in

Brannenburg hatte ich kurz nach dem Frankreichfeldzug einen kurzen Briefwechsel über eine Novelle von ihm, die um diese Zeit in der Frankfurter Zeitung veröffentlicht wurde. Den Titel kann ich augenblicklich nicht angeben. Eben fällt er mir ein, er lautet: Novelle auf Sizilien. Weiter habe ich in Tölz den Dr. med. vet. Josef Schneider, dort Bahnhofstraße 13 wohnhaft kurz kennen gelernt und sandte ihm ein Flugblatt der Ausgabe I, II und III zu. An das Polizeipräsidium München habe ich keine solchen Flugblätter geschickt. Wenn mir gesagt wird, die Postsendung wäre unter »Einschreiben« gelaufen, so kann ich nur sagen, daß ich es ganz bestimmt nicht gemacht habe. Ich vermute, daß sich ein von mir Angeschriebener auf diese Weise der Schriften entledigt hat. Auf den Namen Franz Monheim in Aachen bin ich gekommen, weil ich seinen Sohn in einem Lazarett kennen gelernt hatte. Ich habe auch nach Zell bei Ruhpolding einigemale Schriften geschickt. Die Empfänger sind entweder Besitzer von Cafes oder Krämereien, die ich während meiner dortigen Aufenthalte kennen lernte.

Durch meine Abberufung nach Rußland am 20.7.1942 wurde ich an der Herausgabe weiterer solcher Schriften gehindert. Ob ich andernfalls weiterhin solche Schriften hergestellt und verbreitet hätte weiß ich nicht mehr, weil ich damals schon im Zweifel war, ob dies der rechte Weg sei.

Den zum Herstellen dieser Schriften benützten Abzieappart habe ich an die Fa. Bayerle wieder verkauft. Glaublich habe ich dafür 15 oder 20.– RM bekommen. Die Schreibmaschine habe ich an Alexander Schmorell zurückgegeben. Auf Befragen betone ich nochmals, daß Schmorell mit der Herstellung und Verbreitung dieser Schriften nichts zu tun hatte und davon auch nichts wußte. Er hat zwar von diesen Flugblättern später erfahren, nicht aber durch mich, sondern von anderen Studenten. Ich habe mich wohlweislich gehütet, anderen Studenten zu sagen, daß ich der Hersteller und Verbreiter dieser Flugblätter bin und ich habe auch anderen Studenten oder Außenstehenden diese Flugblätter nicht gezeigt. Meine Schwestern, übrigens alle Familienangehörigen wußten von dieser meiner Tätigkeit gar nichts.

Mit der mir eben vorgezeigten Schrift »Sieg um jeden Preis« habe ich nichts zu tun. Ich will damit sagen, daß ich von deren Herstellung und Verbreitung nie etwas gehört habe. Ich würde es nun jedenfalls zugeben, wenn ich auch diese Schrift hergestellt und verbreitet hätte.

Ebenso verhält es sich mit der mir eben vorgezeigten Schrift »30.1.1933 – 10 Jahre Nationalsozialismus! – 30.1.1943« von deren Existenz ich bisher nichts gewußt habe. Zu den Bayerischen Motoren-Werken in München habe ich keinerlei Beziehungen, war noch nie in diesem Betrieb und kenne von dort keinen Arbeiter oder Angestellten.

Ich habe bei irgendeiner Unterhaltung erfahren, daß die Predigten des Bischofs von Münster, Graf von Galen, vervielfältigt und verbreitet worden sind. Ich weiß heute bestimmt nicht mehr, bei welcher Gelegenheit und wann ich davon hörte. Ein Exemplar dieser Schrift ist mir aber nie zu Gesicht gekommen.

Auf Befragen erkläre ich ausdrücklich, daß ich außer den von mir jetzt zugegeben Schmier- oder Propagandaaktionen weitere nicht ausgeführt habe. Ich habe nie Plakate oder dergleichen mit irgendwelchen Vermerken versehen.

Von einer angeblich in München stattgefundenen V-Propaganda habe ich nichts gehört und stehe damit auch in keinerlei Zusammenhang.

Zurückkommend auf meine Schrift »Die weiße Rose« möchte ich auf Befragen, warum ich diesem Flugblatt gerade diese Überschrift gegeben habe, folgendes erklären: Der Name »die Weise Rose« ist willkürlich gewählt. Ich ging von der Voraussetzung aus, daß in einer schlagkräftigen Propaganda gewisse feste Begriffe da sein müssen, die an und für sich nichts besagen, einen guten Klang haben, hinter denen aber ein Programm steht. Es kann sein, daß ich gefühlsmäßig diesen Namen gewählt habe, weil ich damals unmittelbar unter dem Eindruck der spanischen Romanzen von Brentano »Die

Rosa Blanca« gestanden habe. Zu der »Weissen Rose« der englischen Geschichte bestehen keine Beziehungen. Daß früher einmal eine Mädchenorganisation unter diesem Namen bestanden hat, wußte ich gar nicht. Die Flugblätter, welche mit Maschine geschrieben und inhaltlich mit der »Weissen Rose« identisch sind, stammen nicht von mir.

Von dem Gedanken, eine schlagkräftige Organisation zu schaffen, bin ich bald wieder abgekommen, weil ein solches Unternehmen nicht zeitgegeben ist. Ich hatte diesen Gedanken im Anfang des Januar 1943 nur ganz flüchtig gefaßt. Ich habe darüber mit niemanden gesprochen und es ist nicht der geringste Versuch zur Bildung einer solchen Organisation unternommen worden.

Bei dem Vervielfältigungsapparat den ich bei der Aktion im Januar und Februar 1943 im Dezember 1942 bei der Fa. Bayerle gekauft habe, handelt es sich um einen gebrauchten »Roto Preziosa-Apparat«, Fabr. Nr. 13101. Er kostetete 240.– RM. Er wurde zusammen von Schmorell und mir bezahlt, da mir Schmorell etwa 500.– RM zur Verfügung stellte. Beim Einkauf desselben befand ich mich in Uniform (Feldwebel) und auf die Frage des Geschäftsinhabers, zu welchem Zweck ich diesen benötige, erklärte ich kurz für studentische Zwecke.

Beim Anbringen der Schriften »Nieder mit Hitler« haben Schmorell und ich abgewechselt. Es hat also Schmorell eine Zeitlang den Farbkübel getragen und ich habe den Pinsel gehabt und umgekehrt.

An Soldaten, die sich an der Front befinden, habe ich keine von mir hergestellten Schriften geschickt. Aus grundsätzlichen Erwägungen habe ich davon Abstand genommen, weil ich die psychologische Verfassung eines Frontsoldaten durch eigene Erfahrung kenne und der Überzeugung bin, daß man an der Front nicht mit solchen Dingen kommen darf.

Bei den litherarischen Briefen, die ich geschrieben habe, handelt es sich um einen Rundbrief mit dem Titel: »Das Windlicht«. Diese Briefe wurden an einen ehemaligen Ulmer Freundeskreis, der jetzt durch den Krieg auseinandergerissen worden ist, versandt, um auf diese Weise eine geistige Brücke zu schlagen. Er war unpolitischer Art und steht mit den Flugblättern in keinem Zusammenhang. Der Rundbrief enthielt in einem Heft mehrere Aufsätze von meiner Schwester Inge Scholl, Otto Aicher und mir verfaßt. Von den Empfängern sind mir augenblicklich folgende Namen in Gedächtnis:

Oberfeldwebel Ernst Reden, gefallen,
Hauptmann Fritz Hartnagel (Stalingrad)
Gefreiter Werner Scholl (Bruder) und
Gefreiter Wilhelm Habermann.

Glaublich wurden diese Rundbriefe nur an 8 Mann versandt.

Diese Briefe sind im Frühjahr 1942 in Ulm von meiner Schwester Inge Scholl geschrieben worden.

An den Studentenkundgebung im Deutschen Museum in München, in deren Anschluß es zu einer Demonstration gekommen ist, habe ich entgegen einem Befehl meines Truppenteils (Studentenkomp.) nicht teilgenommen, weil mich die Rede des Gauleiters nicht interessierte. Ich war auch nicht Teilnehmer der erwähnten Demonstration und habe davon erst am folgenden Tage durch verschiedene Studenten erfahren.

Im Hauptpostamt habe ich nie Flugblätter ausgelegt, insbesondere hatte ich dabei nie einen Zusammenstoß mit einem Wehrmachtangehörigen. Ich kenne auch niemand, der nach der Beschreibung in Frage kommen könnte.

Die in meiner Wohnung vorgefundene 08-Pistole habe ich nie bei meinen nächtlichen Aktionen mitgeführt. Diese habe ich mir in Rußland organisiert.

Aufgenommen: selbst gelesen und unterschrieben:
Mahler [?] *Hans Scholl*
Krim. Sekr.

Bei einem weiteren Verhör am 21. Februar 1943 wurde Hans Scholl zu einigen Bekannten, Carl Muth und Traute Lafrenz befragt. Deren Beteiligung bei seinen Handlungen stritt er aber ab. Bei der Fortsetzung der Vernehmung wurde Hans Scholl erneut zur Herstellung und Verbreitung der Flugblätter vernommen.

Geheime Staatspolizei München, den 21. Febr. 1943.
Staatspolizeileitstelle München
II A Sondk. / Ma

Weiter vernommen macht der led. Student cand. med.
Hans Fritz Scholl,
geb. 22.9.1918 in Ingersheim, folgende Angaben:

Nach Vorzeigung des Abschnittes eines Posteinlieferungsscheines wonach am 30.6.42 an die Fa. Franz Baier in München, Sendlingerstr. 49, ein Betrag von RM 36.-- einbezahlt und ich neuerdings zur Wahrheitsangabe ermahnt wurde, will ich nun auch hinsichtlich der Herstellung und Verbreitung der Flugblätter »Die Weisse Rose« die volle Wahrheit sagen.

Bei meiner letzten Vernehmung habe ich erklärt, dass ich diese Schriften allein hergestellt und verbreitet habe. Dies ist nicht richtig, denn auch dabei war mir Schmorell behilflich. Ich will nun die Sache zusammenhängend schildern:

Den Entwurf haben wir in gemeinschaftlicher Arbeit gefertigt. Die erste Anregung hierzu ging von mir aus. Schmorell hat sich sofort zur Mitarbeit bereit erklärt. Das erste Blatt habe ich entworfen. Das zweite Blatt stammt zur Hälfte von mir, den zweiten Teil von »Nicht über die Judenfrage …« an, hat Schmorell verfasst. Vom dritten Blatt habe ich den ersten Teil bis »höher und immer höher …«, Schmorell den Rest verfasst. Der vierte Teil stammt ganz von mir. Wir haben zu unseren Ausführungen keine Quellen gebraucht. Den Abziehapparat Marke Greif, habe ich bei der Fa. Baier gekauft. Er kostete nicht

RM 32.–, sondern 36.– RM. Dieser Apparat wurde in die Wohnung von Schmorell verbracht; ob wir beide ihn dorthin beförderten weiss ich heute nicht mehr. Auch kann ich nicht sagen, ob wir oder ich allein diesen zunächst in mein Zimmer verbrachte. Jedenfalls wurden die Flugblätter »Die Weisse Rose«, und zwar Teil I bis IV jeweils im Zimmer des Schmorell von beiden gemeinschaftlich angefertigt. Die Schreibmaschine, Marke Remington, hat Schmorell von einem seiner Bekannten geliehen, von wem weiss ich nicht mehr genau, aber ich glaube, er hat einmal den Namen eines mit ihm befreundeten Chemikers (Michl mit Vorname) welcher in seiner unmittelbaren Nachbarschaft wohnt, genannt.

Von »Michl« weiss ich nur, aber auch nicht genau, dass er ein Klassenkamerad von Schmorell war. Ich habe ihn einmal nur ganz flüchtig bei Schmorells gesehen und ich will ihn heute nicht wieder erkennen.

Das zum anfertigen der insgesamt etwa 400 Stück Flugblätter benötigte Papier, sowie die Briefumschläge und Briefmarken hat Schmorell besorgt. Die Abzüge haben wir gemeinsam hergestellt, ebenso wurden die Anschriften abwechslungsweise auf der fraglichen Remington-Maschine gemacht. Die Adressen haben wir jeweils aus dem Telefonbuch des Schmorell (Vater) entnommen. Meines Erinnerns war dieses Telefonbuch aus dem Jahre 1942. Dies nehme ich an, weil Schmorell sicher die neueste Ausgabe besass. Die Flugschriften haben wir jeweils bei verschiedenen Postämtern eingeworfen. Die Angehörigen des Alexander Schmorell haben von dem Unternehmen nichts bemerkt. Es ist nie einer seiner Angehörigen in das Zimmer gekommen, wenn wir dort gearbeitet haben.

Wenn mir vorgehalten wird, dass ich mit den Herstellern und Verbreitern der Schrift »Grundsätzlicher Befehl« vom 11.1.1940, herausgegeben vom »Der Generalbevollmächtigte des Führers im geheimen Auftrag in Obersalzberg« am 24.2.42 in irgend einer Beziehung stehe, so habe ich dazu zu erklären: Ich kenne diese Sache nicht und habe noch nie von ihr gehört. Ich kann mir nicht denken, von wem sie ausgegangen ist.

Aufgenommen:	S. g. u. unterschrieben:	Anwesend:
Mahler	*Hans Scholl*	*Grünhofer* [?]
KS.		P.Ass.

Quelle: Bundesarchiv Berlin, ZC 13267, Bd. 2

Vernehmung von Christoph Probst

Nachdem Christoph Probst aufgrund des bei Hans Scholl aufgefundenen und von ihm verfassten Entwurfs für ein weiteres Flugblatt nach der Niederlage in Stalingrad als Luftwaffen-Sanitätsfeldwebel bei der Luftgau-Sanitätsabteilung 7 in Innsbruck verhaftet und nach München gebracht worden war, wurde er ab 20. Februar in der dortigen Staatspolizeileitstelle verhört.

Geheime Staatspolizei

Staatspolizeileitstelle München

Fingerabdruck genommen*)
Fingerabdrucknahme nicht erforderlich*)
Person ist – nicht – festgestellt*)

Datum: München, den 20.2.43
Name: Hermannsdörfer
Amtsbezeichnung: KS.
Dienststelle: II A (Sdkdo)

(Dienststelle des vernehmenden Beamten) München, am 20.2.1943.

~~Auf Vorladung~~ – Vorgeführt*) – erscheint

der Nachgenannte

und erklärt, zur Wahrheit ermahnt:

I. Zur Person:

1. a) Familienname, auch Beinamen (bei Frauen auch Geburtsname, ggf. Name des früheren Ehemannes)	a) Probst
b) Vornamen (Rufname ist zu unterstreichen)	b) <u>Christoph</u> Hermann
2. a) Beruf Über das Berufsverhältnis ist anzugeben, – ob Inhaber, Handwerksmeister, Geschäftsleiter oder Gehilfe, Geselle, Lehrling, Fabrikarbeiter, Handwerksgehilfe, Verkäuferin usw. – bei Ehefrauen Beruf des Ehemannes – – bei Minderjährigen ohne Beruf der der Eltern – – bei Beamten und staatl. Angestellten die genaueste Anschrift der Dienststelle – – bei Studierenden die Anschrift der Hochschule und das belegte Lehrfach – – bei Trägern akademischer Würden (Dipl.-Ing., Dr., D. pp.), wann und bei welcher Hochschule der Titel erworben wurde –	a) Student der Medizin z.Zt.Sanitätsfeldwebel bei der Luftwaffe in Innsbruck
b) Einkommensverhältnisse	b) 255.-RM netto monatlich 54.- " Wehrsold
c) Erwerbslos?	c) Ja, seit 90.- " Verpflegsgeld nein
3. Geboren	am 6.11.19 in Murnau Verwaltungsbezirk Weilheim Landgerichtsbezirk München II Land Bayern

*) Nichtzutreffendes durchstreichen.

4. Wohnung oder letzter Aufenthalt	in Aldrans bei Innsbruck Verwaltungsbezirk Innsbruck Land Tirol Straße/Platz Nr. Fernruf
5. Staatsangehörigkeit Reichsbürger?	D.R.
6. a) Religion (auch frühere) 1) Angehöriger einer Religionsgemeinschaft od. einer Weltanschauungsgemeinschaft, 2) Gottgläubiger, 3) Glaubensloser b) sind 1. Eltern / 2. Großeltern } deutschblütig?	a) gottgläubig 1) ja – welche? nein 2) ja – nein 3) ja – nein b) 1. ja 2. ja
7. a) Familienstand (ledig – verheiratet – verwitwet – geschieden – lebt getrennt) b) Vor- und Familiennamen des Ehegatten (bei Frauen auch Geburtsname) c) Wohnung des Ehegatten (bei verschiedener Wohnung) d) Sind oder waren die Eltern – Großeltern – des Ehegatten deutschblütig?	a) verh. b) Herta Probst, geb. Dohrn c) Leermoos i.T., Untergarten 10 d) ja
8. Kinder	ehelich: a) Anzahl: 3 b) Alter: 2 1/2, 1 1/4 u.4 Wochen Jahre unehelich: a) Anzahl: b) Alter: Jahre
9. a) Des Vaters Vor- und Zunamen Beruf, Wohnung b) der Mutter Vor- und Geburtsnamen Beruf, Wohnung (auch wenn Eltern bereits verstorben)	a) † Dr. Hermann Probst Privatgelehrter in Ruhpolding b) Dr. Karin Kleeblatt, Tegernsee-Süd Nr. 187 1/4
10. Des Vormunds oder Pflegers Vor- und Zunamen Beruf, Wohnung	./.

11. a) Reisepaß ist ausgestellt	a) von nein am …… Nr. ……
b) Erlaubnis zum Führen eines Kraftfahrzeuges – Kraftfahrrades – ist erteilt	b) von …… am …… Nr. ……
c) Wandergewerbeschein ist ausgestellt	c) von …… am …… Nr. ……
d) Legitimationskarte gemäß § 44 a Gewerbeordnung ist ausgestellt	d) von …… am …… Nr. ……
e) Jagdschein ist ausgestellt	e) von …… am …… Nr. ……
f) Schiffer- oder Lotsenpatent ist ausgestellt	f) von …… am …… Nr. ……
g) Versorgungsschein (Zivildienstverordnungsschein) ist ausgestellt	g) von ./. am …… Nr. ……
Rentenbescheid?	……
Versorgungsbehörde?	……
h) Sonstige Ausweise?	h) ./.
12. a) Als Schöffe oder Geschworener für die laufende oder die nächste Wahlperiode gewählt oder ausgelost? Durch welchen Ausschuß (§ 40 GVG.)?	a) ./.
b) Handels-, Arbeitsrichter, Beisitzer eines sozialen Ehrengerichts?	b) ./.
c) Werden Vormundschaften oder Pflegschaften geführt? Über wen?	c) ……
Bei welchem Vormundschaftsgericht?	……
13. Zugehörigkeit zu einer zur Reichskulturkammer gehörigen Kammer (genaue Bezeichnung)	nein
14. Mitgliedschaft a) bei der NSDAP.	Angehöriger der HJ. a) seit vom Dez.34 – März 37 letzte Ortsgruppe Unterschondorf a.A.
b) bei welchen Gliederungen?	b) seit …… letzte Formation …… oder ähnl. ……

15. Reichsarbeitsdienst Wann und wo gemustert? Entscheid Dem Arbeitsdienst angehört	 von März 1937 bis Novbr.37 Abteilung Arbing Ort b.Osterhofen
16. Wehrdienstverhältnis a) Für welchen Truppenteil gemustert oder als Freiwilliger angenommen? b) Als wehrunwürdig ausgeschlossen? Wann und weshalb? c) Gedient: Truppenteil Standort entlassen als	a) bei der Flak München-Freimann in November 1937 b) c) von Nov.1937 bis heute z.Zt.Schülerkp.3/7 in Innsbruck Luftgau Sanitätsabt.7
17. Orden- und Ehrenzeichen? (einzeln aufführen)	nein
18. Vorbestraft? (Kurze Angabe des – der – Beschuldigten. Diese Angaben sind, soweit möglich, auf Grund der amtlichen Unterlagen zu ergänzen)	nein

II. Zur Sache:

Zur Person:

Ich habe keine Volksschule besucht, sondern wurde bis zu meinem 10. Lebensjahre von meiner Mutter, die das Lehrerinnenexamen gemacht hatte, unterrichtet. Anschliessend besuchte ich 3 Jahre lang das humanistische Gymnasium in Nürnberg. Von 1932 bis 1936 befand ich mich im Landerziehungsheim in Marquartstein. Von Ostern 1936 bis 1937 besuchte ich den Unterricht im Landerziehungsheim in Unterschondorf, wo ich auch absolvierte. Nach Beendigung meiner Schulzeit meldete ich mich freiwillig zum Reichsarbeitsdienst. Vom Frühjahr bis Herbst 1937 befand ich mich beim RAD im Lager Arbing bei Osterhofen. Nach Ableistung meiner Arbeitsdienstpflicht meldete ich mich freiwillig zur Wehrmacht und zwar zur Luftwaffe. Im November 1937 wurde ich dann zu Flak nach München-Freimann eingezogen. Dort leistete ich 1 Jahr aktiven Wehrdienst und kam dann als Sanitätsgefreiter zum Fliegerhorst Schleissheim. Dort blieb ich bis zum März 1939, wo ich nach meiner Ausbildung zum Sanitätsdienst entlassen wurde. Nach meiner Entlassung begann ich mit meinem Studium als Mediziner an der Universität München. Im Oktober 1939 wurde ich als Unteroffizier zur Luftgausanitätsabteilung eingezogen und wurde zum nebendienstlichen Studium abkommandiert. Zwischen den Semestern befand ich mich mehrmals bei der Truppe im Reichsgebiet. Im Winter 1941/42 wurde ich zum Studium nach Strassburg versetzt. Das Sommersemester 1942 besuchte ich an der hiesigen Universität. Nach viermonatigen Truppendienst in den Semesterferien wurde ich Ende November 42 zur Schülerkomp. Innsbruck versetzt, wo ich z. Zt. in meinem 8 Semester steh.

Am 19.8.41 schloss ich mit der led. kaufm. Angestellten Herta Dohrn in Ruhpolding meine Ehe. Aus dieser sind bisher 3 Kinder im Alter von 4 Wochen bis 2 ½ Jahren hervorgegangen.

Politisch:

Im Dezember 1934 wurde ich in Marquartstein in die HJ aufgenommen und habe dieser bis zum Jahre 1937 angehört. Mit Abschluss meiner Schulausbildung im Jahre 1937 in Unterschondorf war auch meine Zugehörigkeit zur HJ abgeschlossen. Bei der HJ habe ich keinen führenden Posten eingenommen. Der NSDAP oder einer sonstigen Gliederung ausser der HJ habe ich nicht angehört. Mitarbeiter der Partei oder einer ihrer Gliederungen war ich nicht. Meine freie Zeit habe ich nur dem Studium und meiner Familie gewidmet. Ich bin eigentlich in politischer Hinsicht uninteressiert, erkenne jedoch die Notwendigkeit der heutigen Regierungsform an.

Zur Sache:

Frage: Waren sie in politischer Hinsicht immer für die nationalsozialistische Regierung eingestellt oder waren sie schon gegen sie eingestellt oder hiezu von irgend einer Seite in dieser Beziehung beeinflusst?

Antwort: Ich lebe innerlich vollkommen für meine Familie. Ich hatte eine Zeit in der ich in der Angst lebte, daß Deutschland den Krieg verlieren könnte und dadurch insbesondere meinen Kindern ein Leid geschehe.

Frage: In welcher Weise hat sich diese Depression bei ihnen in politischer Hinsicht und in ihrer Einstellung ausgewirkt.

Anwort: Ich habe das Vertrauen zur deutschen Führung vorübergehend verloren, als die militärische Lage in Stalingrad sich für uns ungünstig gestaltete. Mein innerer Zusammenbruch wurde noch durch die damalige schwere Erkrankung meiner Frau gefördert. Über meinen Depressionszustand habe ich mich äußerlich dadurch aktiv bemerkbar gemacht, daß ich mich nach dieser Richtung mit Freunden ausgesprochen habe. Eigentlich habe ich über die mißliche Lage nur mit meinem Freund Hans Scholl gesprochen. Am 31.1.43 bin ich von

Tegernsee über München nach Innsbruck zurückgefahren. In München kam ich etwa um 20 Uhr an. Ich hatte die Absicht, unmittelbar die Rückfahrt nach Innsbruck fortzusetzen, rief vom Hauptbahnhof aus Hans Scholl in seiner Wohnung an, um ihn lediglich kurz zu grüßen. Scholl drang in mich ein, ihn unbedingt am gleichen Abend in seiner Wohnung zu besuchen, um gemeinschaftlich die Geburt meiner Tochter zu feiern. Ich glaubte durch den Besuch bei Scholl eine kleine Aufmunterung zu gewinnen. Etwa 1 Stunde waren ich und Scholl allein in seiner Wohnung. Während dieser Stunde habe ich Scholl gegenüber meine Depression zum Ausdruck gebracht. Wir sprachen insbesondere über die kritische Lage in Stalingrad. Ich habe bei dieser Aussprache mit Scholl insbesondere meiner Meinung dahingehend Ausdruck verliehen, daß ich an der absoluten richtigen mitlitärischen Führung in diesem Falle zweifle. Scholl erzählte mir dann, er hätte einen Luftpostbrief aus Stalingrad erhalten, in der die Aussichtslosigkeit in kras[s]ester Weise geschildert war. Den Feldpostbrief habe ich selbst nicht gesehen und weiß auch nicht, von wem er stammen soll. Scholl hat mir nur gesagt, daß er ihn von einem Bekannten erhalten hat. Weiter unterhielten wir uns noch über Philosophie und andere belanglose Dinge. Nach etwa 1 Stunde kam die Schwester Sofie Scholl mit einer Freundin, deren Namen ich nicht weiß. Weiter war auch noch eine weitere Schwester der Sofie Scholl mit dabei. In der Folgezeit unterhielten wir uns nurmehr über die Geburt meiner Tochter und Erkrankung meiner Frau. Politisch wurde überhaupt im Beisein der Mädchen nichts gesprochen. In der gleichen Nacht blieb ich bei Scholl, schlief in dessen Bett und verließ die Wohnung am folgenden Tag um 4 Uhr. Um 4.50 Uhr fuhr ich dann nach Innsbruck zurück.

Frage: Wie oft waren Sie schon in der Wohnung des Scholl?

Antwort: Scholl suchte ich in seiner Wohnung in der Franz-Joseph-Str. im Ganzen etwa 3 mal auf.

Frage: Waren es immer nur vorübergehende Besuche?

Antwort: Ich besuchte Scholl immer nur, wenn ich auf der Durchreise war.

Frage: Welche Personen haben sie bei diesen gelegentlichen Besuchen bei Scholl angetroffen?

Antwort: In der Wohnung des Scholl traf ich seine Schwester Sofie, eine Freundin von ihr, sowie auch meinen Freund Alex Schmorell an. An weitere Personen kann ich mich nicht entsinnen.

Frage: Wurden politische Gespräche, insbesondere in Anwesenheit des Schmorell geführt?

Antwort: Es wurde im Beisein des Schmorell überwiegend nur von anderen Dingen gesprochen wie z. B. Philosophie, Wissenschaft u. Kunst. In politischer Hinsicht wurden nur die augenblicklichen militärischen Lagen besprochen.

Frage: Welche Personen gehören zu ihrem engeren Freundschaftskreis?

Antwort: Zu meinem engeren Freundschaftskreis zählen Alex Schmorell, Hans Scholl, Sofie Scholl. Einen weiteren engeren Freundschaftskreis habe ich eigentlich nicht mehr.

Frage: Unterhalten sie mit Scholl auch Briefverkehr?

Antwort: Ich habe Hans Scholl einen einzigen Brief nach Rußland geschrieben. Weiterhin verkehrte ich mit Scholl bis heute brieflich überhaupt nicht.

Frage: Haben sie Post von Scholl erhalten und wie oft?

Antwort: Ich habe von Scholl während er in Rußland war einen Brief bekommen. Weitere Post habe ich weder in Lermoos noch in Innsbruck von ihm bekommen.

Frage und Vorhalt: Ihre gemachten Angaben hinsichtlich des Briefverkehrs mit Scholl sind unrichtig. Sie haben erst in jüngster Zeit an Scholl einen Brief gesandt. Welchen Inhalts war der Brief?

Antwort: Den Vorhalt habe ich richtig verstanden und kann darauf nur antworten, daß mir von einem Brief aus jüngster Zeit an Scholl nichts bekannt ist.

Frage: Erkennen sie das Ihnen vorgezeigte Manuskript als ihr eigenes Werk an?

Antwort: Das mir vorgezeigte Manuskript in Original erkenne ich als mein Werk an. Es ist eigenhändig von mir geschrieben.

Frage: Sind sie bereit, über das Zustandekommen dieses Manuskripts genaue und wahrheitsgetreue Angaben zu machen?

Antwort: Ich bin bereit, über das Zustandekommen dieses Manuskripts ausführliche und unumstößliche Angaben darzulegen. Dieses Manuskript ist von mir verfaßt. Ich habe es allein in einer verzweifelten Nacht in Tegernsee in der Wohnung meiner Mutter abgefaßt. Verfaßt habe ich das Manuskript am 28. oder 29. Januar 1943. Ich hatte vom 23.1. bis 31.1. Sonderurlaub wegen Erkrankung meiner Frau. Den Urlaub verbrachte ich ausschließlich in Tegernsee. Wahrend dieser Zeit wohnte ich in Tegernsee bei meiner Mutter. Ich bewohnte bei meiner Mutter während dieser Zeit das sog. Gastzimmer. Bei der Abfassung des Manuskripts war ich allein und ich versichere, daß mir bei der Abfassung selbst niemand behilflich war. Etwa Mitte November 1942, als Hans Scholl aus Rußland zurückkehrte, trat er an mich heran ihm etwas zu verfassen um damit Propaganda zu treiben. Ich war mir nicht im Unklaren darüber, daß es sich hier nur um illegale Propaganda handeln kann. Seinerzeit war niemand mehr dabei. Die Aussprache fand in der Wohnung des Scholl statt. Scholl ersuchte mich um ein Manuskript, dessen Inhalt geeignet ist, dem deutschen Volk dahingehend die Augen zu öffnen, daß uns von dem Verlust des Krieges nur eine Annäherung an die angloamerikanischen Staaten und England retten kann. Es war mir völlig klar, daß Scholl gegen die derzeitige Regierungsform eingestellt ist. Was mit dem Manuskript geschehen sollte und wie es von ihm später ausgewertet oder verwertet werden sollte, darüber hat sich Scholl mir gegenüber in keiner Weise ausgesprochen. Wie und auf welche Weise er das Manuskript verwerten will, hat mir Scholl nicht gesagt. Er gab mir lediglich zu verstehen, daß es mich weiter nichts angehe, was er mit dem Manuskript mache. Bei dem Besuch am 31.1.1943 übergab ich Scholl in seiner Wohnung das Manuskript. In meinem Beisein hat Scholl das Manuskript durchgelesen. Scholl hat etwa gesagt: »Mal sehen.« In Bezug auf das Manuskript habe ich von Scholl nichts mehr gehört. Ich habe ihn auch seit dieser Zeit nicht mehr gesehen. Daß Scholl sich mit Abfassung bezw. Verfertigung von Hetzschriften in Form von Flugblättern befaßt, war mir nicht bekannt. Ich habe für Scholl und überhaupt nur das einzige Manuskript abgefertigt. Es ist auch weder Scholl noch eine andere Person noch nie an mich herangetreten, Manuskripte politischer Tendenz abzufassen. Flugblätter unter dem Motto: »Aufruf an alle Deutschen«, »Kommilitonninnen! Kommilitonnen!« sind mir völlig unbekannt. Ich habe auch bis heute noch nie etwas davon gehört, daß solche Flugschriften existieren. Wie ich bereits eingangs ausgeführt habe, bin ich politisch uninteressiert und ich kann mir heute selbst nicht mehr erklären, wie ich überhaupt mich veranlassen konnte, ein derartiges Manuskript herzustellen. Über die Herstellung von Flugblättern nach der technischen Seite hat Scholl mit mir nie gesprochen. Schmorell kenne ich seit 1935. Er ist mein bester Freund. Soweit ich Schmorell kenne, ist er politisch völlig desinteressiert. Über Sofie Scholl kann ich in politischer Hinsicht nichts sagen. Ich habe mit Scholl in dessen Wohnung wohl in Gegenwart von Sofie Scholl über Politik gesprochen, jedoch hat sich Sofie Scholl nie an diesen Gesprächen beteiligt. Im Grunde habe ich es vermieden in Gegenwart von Mädchen über Politik zu sprechen. Die gleiche Einstellung hatte auch Hans Scholl.

Daß Scholl auch einen Freund in der Leopoldstraße hat, ist mir bekannt. Ich weiß allerdings dessen Namen nicht und kann auch nicht genau sagen, wo dieser wohnt. Ich war wohl selbst schon mit Scholl und dessen Schwester Sofie bei diesem Freund zum Tee eingeladen. Bei diesen Einladungen waren auch gleichzeitig noch mehrere Freunde oder Bekannte des Gastgebers anwesend. Ich kenne auch von diesen niemand mit dem Namen. Gelegentlich dieser Einladungen wurde ausschließlich über Kunst, Literatur und Philosophie gesprochen. Der Gastgeber ist meiner Erinnerung nach Kunstmaler und Architekt. Die Einladungen fanden auch in seinem Atelier statt.

Was meinen Freund Schmorell anbetrifft, so muß ich noch anfügen, daß ich diesen letztmals am 31.1.1943 in der Wohnung des Scholl ganz kurz gesehen habe. Seit dieser Zeit habe ich von Schmorell in keiner Weise etwas gehört. Es ist mir bekannt, daß Schmorell bei Studentenkompagnie-Heer in München ist. Wenn ich gefragt werde, ob und inwieweit ich die Geschwister Scholl finanziell unterstützen mußte, so kann ich hierauf nur antworten, daß ich ihnen ein einziges mal einen Geldbetrag von 5 bis 20 RM. für ihren augenblicklichen Bedarf geliehen habe. Soviel ich mich noch entsinnen kann war es im Anfang Januar 1943. Ich vermute, daß ich etwa 5 RM. und wenn Hans Scholl überhaupt, höchstens einen Betrag von 10–15 RM. gegeben habe. Ich bin jedenfalls der felsenfesten Überzeugung, daß das Geld nur zum Lebensunterhalt ausgeliehen wurde. Von Sofie Scholl habe ich das geborgte Geld glaublich beim letzten Zusammensein am 31.1.43 wieder zurückerhalten. Von Hans Scholl habe ich meiner Erinnerung nach nichts zurückerhalten und ich konnte und kann ihn schließlich gar nicht fordern, weil ich mir nicht bestimmt darüber bewußt bin, ob ich ihm überhaupt welches gegeben habe. Soviel ich erwägen kann, leben die Geschwister in einer durchschnittsfinanziellen Situation. Daß sie anderweitig Geld zu ihrem Lebensunterhalt schon ausleihen mußten, ist mir nichts bekannt. Ich muß auf alle Fälle auf das Entschiedenste bestreiten, daß ich Hans Scholl zur Bestreitung von Materialien zur Herstellung von Flugschriften oder zur Beschaffung sonstigen Propagandamaterials zu seiner illegalen Tätigkeit finanziell unterstützt habe. Woher Hans Scholl nun Geld sich zur Beschaffung der Materialien beschafft hat, ist mir nicht erklärlich. Ich kann mir jedenfalls darüber kein klares Bild machen.

Mir gegenüber hat Scholl auch nie etwas darüber verlauten lassen, daß er irgendwoher Geld haben könne. Die Eltern des Schmorell sind finanziell gut situiert. Ich weiß aber bestimmt, daß Schmorell seine Eltern sehr ungern um Geld bat. Ich glaube daher nicht, daß Schmorell für die Finanzierung der Anschaffungen des illegalen Propagandamaterials in Frage kommen kann. Ich wurde von meinen Freunden noch nie aufgefordert Materialien irgendwelcher Art, die zur Herstellung oder zum Versand von Propagandamaterial benötigt sind, zu besorgen und ihnen auf irgend eine Weise zukommen zu lassen. Wenn an mich ein derartiges Ansinnen gestellt worden wäre, so hätte ich Scholl gebeten, mir derartige Aufträge nicht zu erteilen. Wenn ich vor die Frage gestellt werde, was ich getan hätte um meinen Freund von seinem Vorhaben abzuhalten, so hätte ich erwidert, daß er das tun müsse was er für richtig hält.

Hinsichtlich des Personenkreises mit dem Scholl in Verbindung steht, ist mir in der Zwischenzeit der Architekt Eikemaier, München, Leopoldstraße, der Kunstmaler Geyer, Wilhelm Graf, ein Frl. Gisela, eingefallen. Nur vom Hörensagen durch Hans Scholl weiß ich von seiner Bekanntschaft mit einem Prof. von Martin. Diesen Mann habe ich selbst nie gesehen. Ich weiß, daß sich Scholl für das Thema Humanismus, das Prof. Martin bearbeitet, interessiert. In politischer Hinsicht ist er mir vollkommen unbekannt. Im Kreise Eikemaier wurden wohl politisch-militärische Tagesfragen besprochen, aber ich kann über die politische Einstellung des Eikemaier und Geyer keinen Aufschluß erteilen. Ich glaube nicht, daß Eikemaier unter einem politischen Einfluß von seiten Scholls steht. In der mir erst hier bekanntgewordenen Unterstellung von Gerätschaften im Atelier Eikemaier, das z. Zt. von Geyer bewohnt wird, vermute ich keinen politischen Akt von seiten des Geyer. Es kam zu keinem persönlichen Gespräch zwischen Geyer und mir. Mit Herrn Graf, den ich im Sommer 1942 kennenlernte, war ich immer nur in größeren Kreisen zusammen.

Mit dem Begriff größeren Kreis wollte ich zum Ausdruck bringen, daß es sich hier auch wieder nur um die bereits benannten Personen handelt.

Frage: Was haben sie sich bei der Abfassung und der Weitergabe des Entwurfs an Hans Scholl gedacht?

Antwort: Ich befand mich in der Nacht, als ich den Entwurf schrieb, in einer furchtbaren seelischen Depression, die ihren allgemeinen Ursprung in den Ereignissen an der Ostfront, im besonderen aber in der schweren Erkrankung meiner Frau hatte. Mein Nervensystem war derartig angespannt, daß ich in der Nacht meine Nerven irgendwie abreagieren mußte. Ich schrieb deshalb ohne tief darüber nachzudenken meine Gedanken nieder. Dabei handelt es sich nicht um einen allgemeinen politischen Gedanken, wie auch mein ganzes Inneres meiner Frau zugewandt war, sondern um die ausschließlich stimmungsmäßig bedingte Auslösung der über mich hereingebrochenen politischen und persönlichen Skepsis. Ich hatte zu diesem Zeitpunkt nicht den Vorsatz, mich mit diesem primitiven Entwurf an die Öffentlichkeit zu wenden. Ich trug das Blatt einige Tage unbewußt mit mir herum und gab es, als ich mit Scholl zusammentraf diesem mit den Worten: »Da schau das mal an.« Scholl gab darauf eine allgemein belanglose Antwort. Ich hatte auch jetzt nicht die Absicht, daß Hans Scholl den Entwurf zu einem Flugblatt verwerte. Diesen Gedanken konnte ich schon deswegen nicht haben, weil ich bei einem ernsthaften derartigen Vorsatz nicht ein derartiges in einer Augenblicksstimmung niedergeschmiertes Produkt meinem Freunde weitergegeben hätte. Ich habe auch nicht damit gerechnet, daß Hans Scholl diesen Entwurf verwertet, da er ein sehr selbständiger Denker ist. Wenn Hans Scholl mir gesagt hätte, er wolle den Entwurf zu einem Flugblatt verwerten, hätte ich ihm bestimmt abgeraten, weil das nichts war womit der mich peinigenden Situation abgeholfen werden könnte.

Ich konnte mit meiner Frau über die sich bewegenden politischen Dinge nicht sprechen, weil es ihr Zustand verbot, sie seelisch zu erregen. Meine Niederschrift hatte deshalb vorwiegend den Zweck, mir etwas von der Leber wegzureden, was mich bedrückte. Es ist deshalb meiner Erachtens nun natürlich, daß ich mein Mitteilungsbedürfnis an einen meiner nächsten Freunde richtete. Ich erkläre nocheinmal ausdrücklich, daß ich keinesfalls die Absicht hatte, meinem Freunde Hans Scholl ein Schriftstück in die Hand zu geben, dessen Inhalt dieser in Form eines Flugblattes in die Öffentlichkeit bringen sollte. Daß Hans Scholl Flugblätter verfertigt und verbreitet hat, habe ich bis zum heutigen Tage nicht gewußt und habe auch bisher keines gesehen. Wohl aber ahnte ich, daß irgend etwas im Gange war, weil mich Hans Scholl schon anfangs Dezember einmal gebeten hatte, ihm einmal meine eigenen Gedanken zu unterbreiten. Ich bin dieser Forderung nicht nachgekommen bis zum Zusammentreffen der oben geschilderten Umstände ich zu der – übrigens nach meiner Auffassung inhaltlich und stilistisch ausgesprochen primitiven – Niederschrift mich veranlaßt sah. Auch die Weitergabe der Niederschrift an Hans Scholl erfolgte unter demselben Eindruck und ich möchte fast sagen in derselben psychiologischen Situation, wie das Niederschreiben, ohne Überlegung.

Abschließend erkläre ich, daß mein Verhalten keineswegs meiner Wesensart entspricht, die nicht zum Aktivismus neigt. Ich bin im allgemeinen ein unpolitischer Mensch, und habe deshalb seit Kriegsausbruch unter den Kriegserscheinungen seelisch gelitten.

Geschlossen:	V.g.u.u.
[ohne Unterschrift]	[ohne Unterschrift]

Quelle: Bundesarchiv Berlin, ZC 13267, Bd. 4

In einer weiteren Vernehmung hat Christoph Probst den Text seines Manuskript-Entwurfs mit der Überschrift »Stalingrad! 200000 deutsche Brüder wurden geopfert für das Prestige eines militärischen Hochstaplers«, das von der Gestapo nach dem Zerreißen durch Hans Scholl teilweise wieder zusammengeklebt worden war (siehe BA Berlin, ZC 13267, Bd. 5), rekonstruiert. (Die Rekonstruktion dieses Entwurfes ist als Faksimile abgedruckt bei Detlef Bald: Die »Weiße Rose«. Von der Front in den Widerstand. Berlin 2003, S. 152 f.)

Vernehmung von Alexander Schmorell

Nachdem bei Alexander Schmorell am 19. Februar 1943 eine Durchsuchung seines Zimmers in der elterlichen Wohnung in München vorgenommen und er nach seinem vorübergehenden Untertauchen am 24. Februar gegen 23.30 Uhr in der Nähe des Schönererplatzes in München festgenommen worden war, wurde er ab 25. Februar in der Staatspolizeileitstelle mehrfach vernommen. Bei der Wohnungsdurchsuchung wurden gemäß »Suchungsbericht« der Gestapo vom 19. Februar mehrere Matrizen, verschiedene Papiermengen und -arten für die Flugblätter sowie zahlreiche Briefmarken für deren Versand sichergestellt.

Geheime Staatspolizei
Staatspolizeileitstelle München

II A-So.

Fingerabdruck genommen*)
Fingerabdrucknahme nicht erforderlich*)
Person ist – nicht – festgestellt*)

Datum: 25.2.43

Name: Schmauß,

Amtsbezeichnung: Krim.Sekr.

Dienststelle:

(Dienststelle des vernehmenden Beamten) München, am 25.Febr. 1943.

~~Auf Vorladung~~ – Vorgeführt*) – erscheint

der Nachgenannte

und erklärt, zur Wahrheit ermahnt:

I. Zur Person:

1. a) Familienname, auch Beinamen (bei Frauen auch Geburtsname, ggf. Name des früheren Ehemannes) b) Vornamen (Rufname ist zu unterstreichen)	a) Schmorell b) Alexander
2. a) Beruf Über das Berufsverhältnis ist anzugeben, – ob Inhaber, Handwerksmeister, Geschäftsleiter oder Gehilfe, Geselle, Lehrling, Fabrikarbeiter, Handwerksgehilfe, Verkäuferin usw. – bei Ehefrauen Beruf des Ehemannes – – bei Minderjährigen ohne Beruf der der Eltern – – bei Beamten und staatl. Angestellten die genaueste Anschrift der Dienststelle – – bei Studierenden die Anschrift der Hochschule und das belegte Lehrfach – – bei Trägern akademischer Würden (Dipl.-Ing., Dr., D. pp.), wann und bei welcher Hochschule der Titel erworben wurde – b) Einkommensverhältnisse c) Erwerbslos?	a) cand.med. b) etwa 200.-RM. c) Ja, seit nein
3. Geboren	am 16.9.17 in Orenburg Verwaltungsbezirk " Landgerichtsbezirk " Land Russland

*) Nichtzutreffendes durchstreichen.

4. Wohnung oder letzter Aufenthalt	in München Verwaltungsbezirk Land Benediktenwand- Straße/Platz Nr. 12 Fernruf 492531
5. Staatsangehörigkeit Reichsbürger?	DR. ja
6. a) Religion (auch frühere) 1) Angehöriger einer Religionsgemeinschaft od. einer Weltanschauungsgemeinschaft, 2) Gottgläubiger, 3) Glaubensloser b) sind 1. Eltern / 2. Großeltern } deutschblütig?	a) [...] 1) ja – welche? [...] nein 2) ja – nein 3) ja – nein b) 1. [...] 2. [...]
7. a) Familienstand (ledig – verheiratet – verwitwet – geschieden – lebt getrennt) b) Vor- und Familiennamen des Ehegatten (bei Frauen auch Geburtsname) c) Wohnung des Ehegatten (bei verschiedener Wohnung) d) Sind oder waren die Eltern – Großeltern – des Ehegatten deutschblütig?	a) led. b) ./. c) ./. d) [...]
8. Kinder	ehelich: a) Anzahl: ./. b) Alter: Jahre unehelich: a) Anzahl: b) Alter: Jahre
9. a) Des Vaters Vor- und Zunamen Beruf, Wohnung b) der Mutter Vor- und Geburtsnamen Beruf, Wohnung (auch wenn Eltern bereits verstorben)	a) [Dr. Hugo Schmorell] [...] Bendiktenwandstr. 12 b) Natalie, geb. Wedenskaja
10. Des Vormunds oder Pflegers Vor- und Zunamen Beruf, Wohnung	./.

11. a) Reisepaß ist ausgestellt	a) von .... am .... Nr. ....
b) Erlaubnis zum Führen eines Kraftfahrzeuges – Kraftfahrrades – ist erteilt	b) von .... am .... Nr. ....
c) Wandergewerbeschein ist ausgestellt	c) von .... am .... Nr. ....
d) Legitimationskarte gemäß § 44 a Gewerbeordnung ist ausgestellt	d) von .... am .... Nr. ....
e) Jagdschein ist ausgestellt	e) von .... am .... Nr. ....
f) Schiffer- oder Lotsenpatent ist ausgestellt	f) von .... am .... Nr. ....
g) Versorgungsschein (Zivildienstverordnungsschein) ist ausgestellt	g) von .... am .... Nr. ....
Rentenbescheid?	....
Versorgungsbehörde?	....
h) Sonstige Ausweise?	h) ....
12. a) Als Schöffe oder Geschworener für die laufende oder die nächste Wahlperiode gewählt oder ausgelost? Durch welchen Ausschuß (§ 40 GVG.)?	a) ....
b) Handels-, Arbeitsrichter, Beisitzer eines sozialen Ehrengerichts?	b) ....
c) Werden Vormundschaften oder Pflegschaften geführt? Über wen?	c) ....
Bei welchem Vormundschaftsgericht?	....
13. Zugehörigkeit zu einer zur Reichskulturkammer gehörigen Kammer (genaue Bezeichnung)	....
14. Mitgliedschaft a) bei der NSDAP.	a) seit ..nein........ letzte Ortsgruppe ....
b) bei welchen Gliederungen?	b) seit ....nein........ letzte Formation .... oder ähnl. ....

15. Reichsarbeitsdienst Wann und wo gemustert?	
Entscheid	
Dem Arbeitsdienst angehört	von Frühjahr 37 bis Herbst 37 Abteilung – Ort Wangen
16. Wehrdienstverhältnis a) Für welchen Truppenteil gemustert oder als Freiwilliger angenommen?	a)
b) Als wehrunwürdig ausgeschlossen? Wann und weshalb?	b)
c) Gedient:	c) ~~xx~~ seit Herbst 1937 ~~bis~~
Truppenteil	2. Studenten-Kompanie
Standort	München
entlassen als	ist San.-Feldwebel
17. Orden- und Ehrenzeichen? (einzeln aufführen)	keine
18. Vorbestraft? (Kurze Angabe des – der – Beschuldigten. Diese Angaben sind, soweit möglich, auf Grund der amtlichen Unterlagen zu ergänzen)	keine

II. Zur Sache:

Vermerk:

Alexander Schmorell wurde am 24. Februar 1943 gegen 23,30 Uhr im Kellerraum des Anwesens Schönererplatz 2 auf Grund der öffentlichen Ausschreibung erkannt, seine Festnahme veranlasst und über das zuständige Pol.Revier zur Stapoleitstelle München verbracht.

I.A.
[Unterschrift]
SS-Hauptsturmführer u.KK.

Persönliche Verhältnisse:

Ich bin am 16. September 1917 zu Orenburg/Russland geboren. Soweit als Geburtstag auch der 3.9.17 genannt wird, hängt das mit dem Russischen Kalender zusammen. Mein Vater hat sich zur Zeit meiner Geburt in Russland als Arzt aufgehalten. Wann meine Eltern geheiratet haben, weiß ich nicht. Als ich 2 Jahre alt war, ist meine Mutter Natalie, geb. Wedenskaja, an Typhus gestorben. Weitere Geschwister habe ich nicht. Glaublich im Jahre 1920 hat sich mein Vater mit der Brauereibesitzerstochter Elisabeth Hoffmann (deutsche Abstammung) wiederverehelicht. Es war dies in Orenburg. Aus dieser Ehe sind 2 Kinder hervorgegangen. Diese sind in Deutschland geboren, weil meine Eltern im Jahre 1921 nach München übersiedelten. Mein Stiefbruder Erich Schmorell ist im Jahre 1921 in München geboren. Er befindet sich z. Zt. als Medizinstudent in Freiburg. Meine Schwester Natalie Schm. ist im Jahre 1925 geboren, wohnt bei den Eltern und ist z. Zt. im Josefinum tätig. Meine Eltern sind Eigentümer des Anwesens Benediktenwandstr. 12 in München. Mein Vater hat in der Weinstrasse 11 seine Praxis.

Von 1924 bis 1928 habe ich in München die Privatschule Engelsperger, (Geiselgasteig) besucht. Von 1928 bis 1937 besuchte ich in München das Gymnasium. Die zweite Klasse musste ich wegen mangelhaften Kenntnissen in Latein wiederholen. Das Abitur legte ich 1937 in München ab. Im Frühjahr 1937 kam ich zum Arbeitsdienst nach Wangen. Ich bin freiwillig eingerückt. Im Nov. 1937 rückte ich zum Ar. 7 in München, ein. Ich wurde 1 Jahr als Kanonier ausgebildet und kam dann auf ½ Jahr zur Sanitätsschule. Im März 1939 wurde ich als Unteroffizier entlassen, weil ich mich gemeldet hatte, Arzt zu werden. Zu Ostern 1939 nahm ich mein Studium in Hamburg auf. Nachdem ich dort 1 Semester studiert hatte, kam ich wieder nach München um hier mein Studium fortzusetzen. Im Frühjahr 1940 wurde ich zur Sanitätsabteilung München eingezogen und nach Frankreich abgestellt. An der Westfront habe ich als Sanitätsunteroffizier gedient. Im Herbst 1940 wurde ich von der Sanitätsabteilung aus beurlaubt um mein Studium fortsetzen zu können. Während der Ferien 1942 war ich 3 Monate als Sanitätsfeldwebel an der Ostfront. Im November 1942 kam ich wieder nach München zurück und stehe jetzt im 9. Semester. Im Sommer ds. Jhrs. hätte ich mein Studium als Arzt beendet.

Zu diesem Studium wurde ich der 2. Studentenkompagnie zugeteilt und habe bis jetzt einen monatlichen Kriegssold von RM 135.–, einen Wehrsold von monatlich RM 54.– und ein monatliches Verpflegungsgeld von RM 64.–, = 253.– RM, erhalten. Das Studium selbst bezahlte mein Vater, bei dem ich bis jetzt auch gewohnt habe.

Während ich anfänglich allen Ernstes bestrebt war, einmal Arzt zu werden, kam ich in letzter Zeit mehr auf den Gedanken, mich mit Bildhauerei zu befassen.

Ausserhalb der Zeit, die ich meinem Studium widmete, unterhielt ich einen kleineren Freundeskreis. Dazu zählt insbesondere Hans Scholl und Christoph Probst, die ebenfalls Medizin studierten.

Auf die Frage, welcher politischen Richtung ich angehöre bezw., wie ich zum Nationalsozialismus stehe, gebe ich ohne weiteres zu, dass ich mich nicht als Nationalsozialist bekennen kann, weil ich mehr für Russland interessiert bin. Meine Liebe zu Russland gestehe ich ohne weiteres zu. Dagegen stehe ich dem Bolschewismus ablehnend gegenüber. Meine Mutter war Russin, ich bin dort geboren und kann nicht umhin für dieses Land zu sympathisieren. Ich bekenne mich ganz offen als Monarchist. Dieses Bekenntnis will ich nicht auf Deutschland, sondern auf Russland beziehen. Wenn ich von Russland spreche, so will ich damit nicht den Bolschewismus verherrlichen oder mich als Anhänger bezeichnen, sondern ich habe dabei nur das russische Volk und Russland als solches im Auge. Aus diesem Grunde bereitet mir der Krieg zwischen Deutschland und Russland die grössten Sorgen. Ich würde es also gerne sehen, wenn dieser Kampf in irgend einer Weise möglichst rasch zu Ende geführt werden würde. Ich will es auch gar nicht verschweigen, dass es mir leid tun würde, wenn Russland durch diesen Krieg etwa viel Land einbüssen würde. Diese Einstellung mag ja etwas sonderbar klingen, ich bitte aber zu berücksichtigen, dass meine Mutter Russin war und ich anscheinend ziemlich viel Erbgut von ihr habe.

Als ich im Jahre 1937 zum deutschen Heer eingezogen wurde (ich rückte freiwillig ein), habe ich den Treueid auf den Führer geleistet. Ich gestehe ganz offen, dass ich schon damals innerliche Hemmungen hatte, diese aber auf das ungewohnte Militärleben zurückführte und hoffte in der Folgezeit eine andere Gesinnung zu bekommen. In dieser Hoffnung habe ich mich bestimmt getäuscht, denn ich geriet schon nach der kürzesten Zeit in Gewissenskonflikte, wenn ich überlegte, dass ich einerseits den Rock des deutschen Soldaten trage und andererseits für Russland sympathisierte. An den Kriegsfall mit Russland habe ich damals nicht geglaubt. Um meinen Gewissenskonflikten ein Ende zu bereiten, habe ich mich zu einer Zeit, wo ich etwa 4 Wochen deutscher Soldat war, an meinen Abteilungskommandeur, Oberstleutnant v. Lancelle gewendet und ihm gemeldet was mein Herz bewegte. Diese Aussprache fand in der Artilleriekaserne VII im Beisein des Batterieführers Hauptmann Mayer, Leutnant Scheller und Hauptfeldwebel (Name ist mir entfallen), statt. Mit der Bekanntgabe meiner politischen Gesinnung und meiner Bitte um Entlassung aus dem Heeresdienst, hatte ich keinen Erfolg. Man führte meine Bitte auf die Entwicklungsjahre oder auch auf eine Nervenkrise zurück. Um eine Klärung zu schaffen, hat mein damaliger militärischer Vorgesetzter auch meinen Vater zur Beratung beigezogen. Soviel mir dieser zu verstehen gegeben hat, fühlt sich mein Vater durch meine Einstellung zu Russland als Deutscher beleidigt. Mein Vater hat mir das gerade in letzter Zeit sehr deutlich zu verstehen gegeben, sodass es zwischen uns beiden sogar schon zu kleinen Auseinandersetzungen gekommen ist. Nachdem ich mit meiner Bitte um Entlassung im Jahre 1937 keinen Erfolg hatte, habe ich sozusagen widerwillig den Rock des Deutschen Soldaten weitergetragen. Ich habe es aber unterlassen gegenüber meinen Kameraden für Russland Propaganda zu machen. Ich habe mich in der Zwischenzeit viel mit russischer Literatur befasst und muss sagen, dass ich da sehr vieles vom russischen Volk erfahren habe, was mir in meiner Liebe zu diesem Volk nur angenehm erscheinen konnte. Diese Liebe zum russischen Volk wurde durch meinen Osteinsatz im Sommer 1942 noch sehr gesteigert, weil ich mit eigenen Augen gesehen habe, dass die Grundzüge und der Charakter des russischen Volkes vom Bolschewismus nicht viel verändert wurden. Unter diesen Umständen wird es wohl begreiflich erscheinen, wenn mich der Kriegszustand zwischen dem russischen und deutschen Volk schmerzlich berührte und bei mir der Wunsch hervorgetreten ist, Russland möge mit geringen Verlusten aus diesem Krieg hervorgehen. In eine Situation, wo sich meine Einstellung zu Russland etwa nachteilig für Deutschlands Interessen hätten auswirken können, bin ich während meines Osteinsatzes im Sommer 1942 nicht gekommen. Wenn ich als Soldat mit der Waffe in der Hand gegen die Bolschiwisten kämpfen hätte müssen, dann hätte ich vor Ausführung dieses Befehls meinen Militärischen Vorgesetzten darauf aufmerksam gemacht, dass ich das nicht kann. In meiner Stellung als Sanitätsfeldwebel ist mir eine solche Meldung erspart geblieben. Wenn ich gelegentlich der deutschen Propaganda über das russische Untermenschentum dies und jenes gehört habe, so habe ich mich davon niemals ganz überzeugen können, sondern habe mir vorgestellt, dass es, wie überall, auch beim russischen Soldaten Ausnahmen geben würde. Ich habe mich am Verbandsplatz »Blankenhorn« verschiedentlich mit einem russ. Offizier unterhalten und von diesem gesagt bekommen, dass die deutschen Erfolge hauptsächlich auf den Verrat russ. Generäle zurückzuführen seien. Diese Meinung habe ich auch aus dem Munde von gefangenen Bolschewisten gehört. Obwohl ich gelegentlich meines Fronteinsatzes in meiner Liebe zu Russland bestärkt worden bin, habe ich keineswegs den Gedanken verfolgt, bei meiner Rückkehr nach Deutschland in den Fortbestand oder zum Ausgang dieses Krieges etwas beizutragen.

Zur Sache:

Von der Ostfront zurückgekehrt, habe ich in München mein Studium als cand. med. fortgesetzt. Eine besondere Freundschaft unterhalte ich seit etwa 2 Jahren mit Hans Scholl, der zuletzt in München, Franz-Josef-Str. Nr. unbekannt, gewohnt hat. Seit etwa einem Jahr ist mir auch seine Schwester Sophie Scholl bekannt. In die Wohnung des Scholl kam in letzter Zeit auch der Student Christoph Probst, Willi Graf und seine Schwester. Christoph Probst hat seinen Wohnsitz in Innsbruck. Er ist vor etwa 14 Tagen oder 3 Wochen das letzte Mal in der Wohnung des Scholl gewesen. Von Scholl weiss ich, dass er ein Gegner des Nationalsozialismus ist. Seit seiner Rückkehr vom Fronteinsatz hat er meines Wissens auch gegen den Nationalsozialismus gehandelt. Dazu war ich ihm behilflich. Ausser mir hat auch Willi Graf in technischer Hinsicht mitgearbeitet. Was Sophie Scholl anbelangt, kann ich nur angeben, dass sie keinen besonderen Beitrag geleistet haben dürfte. Ich werde im Einzelnen schildern wie sich unsere staatsfeindlichen Handlungen abgespielt haben.

Erstmals im Sommer 1942 kamen Hans Scholl und ich überein, eine Schrift gegen den Nationalsozialismus herauszugeben. Jeder von uns beiden machte sich daran einen Entwurf anzufertigen, den wir später gegenseitig verglichen und schliesslich als Ergebnis dieser Gedankengänge das Flugblatt »Weisse Rose« herauszugeben. Da wir zur Herstellung eines solchen Flugblattes keine Schreibmaschine hatten, habe ich mir eine solche von meinem Schulkameraden Michael Pötzel, Harthauserstr. 109 wohnhaft, ausgeliehen. Ich hebe hervor, dass ich dem Pötzel vorgemacht habe, die Maschine zu Studienarbeiten zu benötigen. Pötzel hat also kein Wissen davon, was ich in Wirklichkeit bei der Herausgabe dieser Maschine verfolgt habe. Nachdem wir dieses Flugblatt geschrieben hatten, habe ich die Maschine, Marke Remington, wieder an Pötzel zurückgegeben. In der Folgezeit habe ich mir die gleiche Maschine noch einigemale ausgeliehen. Wenn am 18.2. in der Wohnung des Scholl diese Maschine sichergestellt worden ist, dann ist eben die Zurückgabe an Pötzel unterblieben. Um das Flugblatt »Weisse Rose« massenhaft herstellen zu können, hab ich im Sommer 1942 in der Sendlingerstr. (glaublich Fa. Baierl) einen Vervielfältigungsapparat gekauft. Diesen verbrachte ich in meine Wohnung, wo wir – also Scholl und ich – gemeinschaftlich etwa 100 Abzüge hergestellt haben. Aus Telefon- und Adreßbüchern haben wir dann ziemlich wahllos Adressen herausgeschrieben und so per Post unser Flugblatt vertrieben. Ich kann heute das Postamt nicht mehr nennen, wo wir die Flügblätter als Massensendung aufgegeben haben. So viel ich mich erinnern kann, haben wir beide von Bekannten erfahren, dass sie teils dafür und teils gegen unser Flugblatt waren.

Auch bei der Herstellung und Verbreitung des Flugblattes »Weisse Rose«, Ausgabe 2 und 3, haben wir in der gleichen Weise verfahren. Ich bezeichne also auch diese beiden Ausgaben als mein und Scholl's geistiges Eigentum, weil wir alles gemeinschaftlich getan haben. Wir haben uns in der Wohnung meiner Eltern, wo ich ein eigenes Zimmer im 2. Stock habe, so verhalten, dass meine Eltern unmöglich etwas davon gemerkt haben konnten.

Die Kosten zur Herstellung des Flugblattes haben wir gemeinschaftlich getragen. Das Papier usw. haben wir ebenfalls zusammen gekauft, wo wir gerade etwas bekommen konnten. Was die Stückzahl anbelangt, so erinnere ich mich, dass wir von jeder Serie ungefähr 100 Abzüge gefertigt haben. Ich muss noch nachtragen, dass wir nicht 3, sondern 4 Serien hergestellt haben. Bei der Auswahl der Adressen sind wir davon ausgegangen, unsere Flugblätter einem Personenkreis zugehen zu lassen, der allem Anschein nach für unsere Sache sympathisieren würde. Ein Namensverzeichnis haben wir nicht aufgestellt, sondern wir haben bei der Serie 2 usw. jene Personen wieder angeschrieben, die uns aus dem Gedächtnis und an Hand des Telephonverzeichnisses von der Serie I her noch in Erinnerung waren. Auf diese Weise haben weitaus die meisten Personen die vier Serien zugeschickt bekommen. Wir waren insbesondere bestrebt es zu vermeiden, dass wir in unserem Bekanntenkreis als Herausgeber dieser Flugblätter erkannt würden. Um eine Kolltrolle zu haben, ob unsere Flugblätter durch die Post auch zugestellt werden, haben wir uns selbst angeschrieben und festgestellt, dass unser Verfahren funktionierte. Zwischen den einzelnen Serien liegt eine verhältnismässig kurze Zeit, ich glaube mich erinnern zu können, dass wir die 4 Schriften von innerhalb 14 Tagen verfasst und verbreitet haben. Welche Gründe Scholl und ich um diese Zeit hatten, in besonders gehässiger Form unseren Führer herabzusetzen, vermag ich heute nicht mehr anzugeben. Ich kann nur zum Ausdruck bringen, dass dieses Vorgehen mit unserer politischen Einstellung vereinbart werden kann. Wir sahen um diese Zeit im sogen. passiven Widerstand und in der Verübung von Sabotageakten die einzige Möglichkeit den Krieg zu verkürzen.

Nach dem wir (Scholl und ich) Ende 1942 wieder in München waren, sind wir hier öfters zusammengekommen und haben neben wissenschaftlichen Angelegenheiten auch politische Dinge erörtert. Wir kamen etwa Mitte Januar auf den Gedanken neuerdings ein Flugblatt herauszugeben. Zu diesem Zwekke machten wir uns beide zunächst einen sogenannten Entwurf, den wir schliesslich gemeinsam durchgesprochen und schliesslich das Flugblatt »Aufruf an alle Deutsche!« hergestellt haben. Im Gegensatz zum Flugblatt »Weisse Rose« haben wir das Flugblatt »Aufruf an alle Deutsche« in der Wohnung des Scholl verfasst, vervielfältigt und vertrieben. Bei der Abfassung dieses Flugblattes handelt es sich lediglich um eine Fortsetzung unserer politischen Umsturzbewegungen, die sich naturgemäss gegen den Führer richteten.

In der Wohnung des Scholl haben wir gemeinsam auf der besagten Schreibmaschine, Marke Remington, den Text des Flugblattes »Aufruf an alle Deutsche« niedergeschrieben. Ausser mir und Scholl war bei der Niederschrift niemand zugegen. Im Zimmer des Scholl haben wir diesen Flugblattext mit einem Vervielfältigungsapparat massenhaft hergestellt. Diese massenhafte Herstellung haben wir jedoch nicht mit jenem Vervielfältigungsapparat vorgenommen, der uns zum Flugblatt »Weisse Rose« zur Verfügung stand, sondern ich habe im gleichen Geschäft in der Sendlingerstrasse einen neuen Apparat um etwa RM 200.– gekauft. Wo der alte Apparat hingekommen ist, weiss ich nicht. Wenn dieser nicht mehr da ist, wird ihn wohl Scholl verkauft oder hergegeben haben. Beim Abziehen des Flugblattes »Aufruf an alle Deutschen!« hat uns weiter niemand geholfen. Die Adressen für den Stadtbezirk München haben wir gemeinsam dem Münchener Adressbuch entnommen. Die Adressen auf die Briefumschläge haben Scholl und ich geschrieben. Von dieser Schrift dürften wir einige Tausend (ca. 2–3000) hergestellt haben. Die Marken zur Frankierung der Postsendungen haben wir grösstenteils beim Postamt 23 an der Leopoldstrasse gekauft. Die Kosten für Papier usw. haben wir gemeinsam getragen. Wer von uns beiden finanziell am stärksten beteiligt ist, vermag ich nicht anzugeben. Um mit dem Flugblatt »Aufruf an alle Deutsche!« auch auswärts in Tätigkeit treten zu können, sind Scholl und ich in das Deutsche Museum gegangen und haben uns dort von den dort aufliegenden auswärtigen Adressbüchern für die Städte Salzburg, Linz, Wien die Adressen herausgeschrieben. Um diese auswärtigen Sendungen nicht mit 12 Pfg.-Marken versehen zu müssen, haben wir uns entschlossen, diese in Briefform gefalteten und teilweise in Umschläge gesteckten Flugblätter auf dem Kurierwege in den betreffenden Städten zu verbreiten. Zu diesem Zwecke fuhr ich Ende Januar (die Versendung erfolgte in Salzburg am 26.1.43) 1943 mit einigen hundert Stück mit dem Schnellzug von München nach Salzburg; dort kam ich im Laufe des Vormittags am Bahnhof an. Ich ging durch die Bahnsteigsperre in Richtung zur Stadt und habe die für Salzburg bestimmten Sendungen in zwei verschiedene Briefkästen nächst des Bahnhofes eingeworfen. Wenn mir gesagt wird, dass in Salzburg am 26.1. 57 solche Flugblätter abgesetzt wurden, so bekenne ich mich, dass ich es war, der das getan hat.

Ich fuhr am gleichen Tage mit dem nächsten Zug nach Linz a. d. D. weiter, wo ich ungefähr eine gleiche Menge und unter den gleichen Umständen unsere Flugblätter zur Post gegeben habe.

Ich bin am gleichen Tage in den späten Abendstunden mit dem Schnellzug nach Wien gefahren, um dort den Rest der Flugblätter abzusetzen. Ich mietete mich in Wien in einem mir namentlich nicht mehr bekannten Hotel ein und machte mich am nächsten Tage daran, meine Briefsendungen in verschiedene Postkästen einzustecken. Es werden wohl 100–200 solche Sendungen in Frage kommen. In Wien habe ich aber auch etwa 50 bis 100 Flugblätter »Aufruf an alle Deutsche!« in Briefform zur Post gegeben, die von uns für die Stadt Frankfurt a. M. vorbereitet waren. Soviel ich mich erinnern kann, hat Scholl zur Bestreitung dieser Fahrt nach Wien auch einen Teil beigetragen. Näheres weiss ich darüber nicht mehr. Über die Wirkung der von uns verfassten Flugblätter bin ich nicht unterrichtet, denn wir hatten keine Gelegenheit uns mit jemanden zu unterhalten und deren Urteil zu hören. Die Briefumschläge zur Versendung dieses Flugblattes haben Scholl, ich und Willi Graf nach und nach zusammengekauft. Auf meiner Fahrt von München nach Wien habe ich einen Koffer bei mir gehabt. In diesem Koffer hatte ich meine Flugblätter verwahrt. Es handelt sich um jenen Koffer, der nach der Festnahme des Scholl in der

Wohnung meiner Eltern vorgefunden und sichergestellt wurde. Bei meiner Übernachtung in Wien habe ich mich unter meinem richtigen Namen eingetragen. Den Namen dieses Hotels kann ich augenblicklich nicht nennen.

Durch die Ereignisse in Stalingrad sahen Scholl und ich eine neue Veranlassung ein Flugblatt herauszugeben. Während Scholl über die Ereignisse in Stalingrad sehr bedrückt war, habe ich mich als für Russland sympathisierend über die nun für die Russen geschaffene Kriegslage förmlich gefreut. Wir gingen nun beide daran das neue Flugblatt »Studentinnen, Studenten« zu entwerfen und zu verbreiten. Ich habe in der Wohnung des Scholl das Flugblatt »Studentinnen, Studenten!« auf der dort vorhandenen Remington-Schreibmaschine geschrieben. Den Text dazu haben Scholl und ich gemeinsam verfasst, unsere Entwürfe ausgeglichen und den Inhalt für unsere Sache als passend befunden. Als wir von diesem Flugblatt etwa 50 Stück vervielfältigt hatten, ergaben sich technische Schwierigkeiten beim Abziehen. Die Matrizze war für das uns zur Verfügung stehende Saugpapier etwas zu lang. Um ein leichteres Arbeiten zu haben, habe ich den Text dieses Flugblattes auf eine neue Matrizze geschrieben und dabei die Überschrift: »Kommilitoninnen! Kommilitonen!« gewählt. Diese Änderung hat keine besondere Bedeutung, sie wurde eben von mir und Scholl für passender gefunden. Das Abziehen dieses Flugblattes wurde von Scholl, von Willi Graf und mir vorgenommen. Bevor wir den Willi Graf dazu angehalten haben, liessen wir ihn den Text dieses Flugblattes lesen und fragten ihn schliesslich, ob er uns bei der Vervielfältigung behilflich sein wolle. Ich erwähne ausdrücklich, dass Graf mit der Abfassung dieses Flugblattes nichts zu tun, also in keiner Weise mitgewirkt hat. Eine besondere Einladung ist an Graf nicht ergangen. Er kam m. W. zufällig, wie an den übrigen Tagen auch, in die Wohnung des Scholl um sich mit uns zu unterhalten. Ich kann mich nicht erinnern, dass Graf beim Durchlesen des von uns verfertigten Flugblattes etwa Einwände gemacht hätte. Er ist vielmehr unserem Ansinnen beim Abziehen dieser Flugblätter mitzuhelfen, nachgekommen. Ich glaube mit ruhigem Gewissen angeben zu können, dass wir von diesem Flugblatt etwa 3000 Stück hergestellt haben. Mit der Vervielfältigung dieser Flugblätter haben wir einige Tage vor dem 16.2.43 schon im Laufe des Nachmittags begonnen. Mit dieser Arbeit wurden wir gegen Abend fertig. Solange ich bei der Vervielfältigung dabei war, waren ausser mir im Zimmer des Scholl Willi Graf und Scholl selbst zugegen. Ob dabei auch Sofie Scholl mitgeholfen hat, kann ich nicht sagen, weil ich gegen Abend weggegangen bin. Um diese Zeit haben Hans Scholl und Willi Graf noch gearbeitet. Es wäre möglich, dass sich die Sofie Scholl nach meinem Weggehen daran beteiligt hat. Die Schwester des Willi Graf habe ich an diesem Nachmittag in der Wohnung der Geschwister Scholl nicht zu sehen bekommen. Die Studentin Graf hat mit der Herstellung und Verbreitung unserer Flugblätter bestimmt nichts zu tun. Auch die Geliebte des Scholl, namens Gisela Schertling, hat mit unserer Sache nichts zu tun.

Am nächsten oder übernächsten Tage machten sich Hans Scholl und ich daran unsere Flugblätter zur Versendung zu bringen. Wir nahmen dazu ein älteres Studentenverzeichnis her (ich glaube Scholl besass ein solches) und schrieben daraus die Adressen der in München wohnhaften Studenten wahllos ab. Solange wir Briefumschläge zur Verfügung hatten, nahmen wir diese her. Als diese nicht mehr ausreichten, falteten wir die Flugblätter zusammen und schrieben auf der Aussenseite die Adressen darauf. Zum Beschriften dieser Flugblätter verwendeten wir in der Wohnung des Scholl zwei Schreibmaschinen und zwar die Remington-Maschine und eine Erika-Reisemaschine, die m. W. der Hauswirtin des Scholl gehört. Diese Frau Schmidt weiss nichts davon, dass wir in ihrer Wohnung staatsfeindliche Flugblätter hergestellt und verbreitet haben. Wahrscheinlich weiss Frau Schmidt gar nicht, dass Scholl die Maschine benutzte. Beim Zusammenfalten bezw.

Verkleben der Flugblätter hat uns Willi Graf geholfen. Auch einen Teil der Marken hat Willi Graf aufgeklebt. Hans Scholl, Willi Graf und ich haben die von uns verfertigten Flugblätter gemeinsam zu verschiedenen Postämtern getragen und dort am 15.2.43 in den späten Abendstunden aufgegeben. Es mag ungefähr 22^{00} Uhr gewesen sein. Wir gingen zunächst von Scholl's Wohnung weg zum Postamt in der Vetrinärstrasse, wo einer von uns seine Flugblätter in den Kasten warf. Wer das als erster war, weiss ich nicht mehr. Wir gingen von der Vetrinärstrasse aus durch die Kaulbachstrasse zur Hauptpost an der Residenzstrasse, wo der zweite von uns seine Sendung in den Kasten warf. Von der Residenzstrasse aus gingen wir durch die Maffeistrasse zur Neuhauser-Post, wo der Dritte seine Post absetzte. Einer von uns hatte dann noch einen kleinen Rest in seiner Aktenmappe. Um auch diese Flugschriften los zu werden, gingen wir zum Telegraphenamt am Hauptbahnhof, wo wir den Rest in den Kasten warfen.

Bei diesen Sendungen haben wir uns (Scholl Hans, Graf und ich) zur Kontrolle selbst angeschrieben. Ob Hans Scholl bezw. Willi Graf das sich selbst zugeschickte Flugblatt erhalten haben oder nicht, kann ich nicht sagen. Ich kann mich jedenfalls nicht erinnern, vor meiner Flucht diese Sendung erhalten zu haben.

Nach der Versendung der Flugblätter durch die Post blieb uns noch ein Rest davon übrig. Es können dieses 15–1800 Blätter gewesen sein. Um auch diese los zu werden verabredeten Scholl und ich, dass wir den Rest dieser Flugblätter in der Universität kurz vor Beendigung der Vorlesungen vor die Türen der Hörsäle legen werden. Dieser Gedanke ging entweder von mir oder von Scholl aus. Jedenfalls waren wir uns über dieses Vorhaben vorläufig einig. Bei dieser Unterredung war weder die Sofie Scholl noch Graf anwesend. Ich kann nicht angeben, ob Willi Graf etwa nachträglich von Hans Scholl von unserem Plan erfahren hat.

Als wir mit dem Abziehen unserer Flugblätter fertig waren

haben wir den Vervielfältigungsapparat aus reinen Sicherheitsgründen in das Anwesen Leopoldstr. 38, Ateliergebäude, in den Keller verbracht. Es wurde dies von mir u. Hans Scholl vorgenommen. Wir waren uns dabei einig, die Herstellung von Flugblättern nur vorübergehend einzustellen und das bei passender Gelegenheit zu wiederholen.

In diesem Kellerraum haben wir ausserdem auch noch die Remington-Schreibmaschine und das Schmiermaterial verwahrt.

Ende Januar kamen Hans Scholl und ich auf den Gedanken eine staatsfeindliche Propaganda auch noch durch Anschmieren mit »Nieder mit Hitler!« und »Freiheit!« zu verstärken. Zu diesem Zwecke fertigte ich eine Schablone »Nieder mit Hitler!« in meiner Wohnung an und verbrachte diese zu Scholl, um diese in den darauffolgenden Nächten zu verwenden. In der Nähe vom Hofbräuhaus kaufte ich in einem Fachgeschäft (glaublich Finster und Meissner) eine Dose Teerfarbe. Die grüne Frage entnahmen wir dem Atelier des Eickemair, der von der ganzen Geschichte nichts weiss. Auch die Pinsel konnten wir diesem Atelier entnehmen. Eines Nachts, es war ungefähr Mitte Februar, sind wir (Scholl Hans und ich) von der Franz-Josefstr. weg zum Universitätsgebäude gegangen, wo ich an mehreren Stellen etwa in Brusthöhe die Aufschrift »Nieder mit Hitler« anbrachte, während Hans Scholl den Aufpasser spielte. Wir gingen von dort aus auf Umwegen zur Innenstadt und kamen dabei bis zum Viktualienmarkt. Unterweg habe ich an verschiedenen Stellen wahllos geschmiert. Auch in diesen Fällen hat Hans Scholl aufgepasst. Wegen Übermüdung und weil es auch allmählich hell wurde, haben wir dort unsere Schmieraktion abgebrochen und sind in die Wohnung des Scholl zurückgekehrt. Unterwegs kamen wir nochmals am Universitätsgebäude vorbei und konnten es nicht unterlassen, dort auch noch zusätzlich die Aufschrift »Freiheit« (ohne Schablone) anzubringen.

Einige Tage später war ich wiederum in der Wohnung des

Scholl. Als ich gegen Abend wegging, hat mir Hans Scholl gesagt, dass er in der folgenden Nacht wiederum Schmieren gehen werde. Die Tags vorher von uns angebrachten Schmierereien waren um diese Zeit längst weggemacht. Bei diesen Andeutungen sagte mir Hans Scholl, dass er in der folgenden Nacht seinen Freund Willi Graf mitnehmen werde. Ich habe am nächsten Tag tatsächlich die Wahrnehmung gemacht bezw. von Scholl selbst erfahren, dass er in der vergangenen Nacht mit Willi Graf seinen Plan in die Tat umgesetzt hat. Dabei wurde mit grüner Farbe geschmiert. Ich hebe das besonders hervor, weil ich damit nichts zu tun habe. Ein drittes Mal haben Hans Scholl, Willi Graf und ich in der Nacht vom 15./16.2.43 geschmiert, als wir vom Telegraphenamt weg in die Wohnung des Scholl gegangen sind. Ich habe noch gut in Erinnerung, dass wir damals am Gebäude der Buchhandlung Hugendubel die Aufschrift »Nieder mit Hitler!« und »Massenmörder Hitler!« angebracht haben. In diesem Falle haben Hans Scholl und ich geschrieben, während Graf nur aufgepasst hat, um uns vor Überraschungen zu schützen. Mit diesen Schmierereien wollten wir uns mit unserer Propaganda hauptsächlich an die Masse des Volkes wenden, was uns bei der Verbreitung von Druckschriften nicht in diesem Masse möglich war.

In der Nacht vom 27./28.1.43 begaben sich Hans Scholl, Graf und ich von der Wohnung des Scholl aus in verschiedene Stadtteile, um dort innerhalb der Stadt das Flugblatt »An alle Deutschen!« zu verstreuen. Wir hatten insgesamt etwa 1500 solcher Flugblätter bei uns, die wir gleichmässig verteilt haben. Ich z. B. ging mit meiner Mappe, worin ich die Flugzettel verwahrt hatte, durch die Kaulbachstrasse, Tal, Kanalstrasse und Amalienstrasse, wo ich unterwegs meine Flugblätter niedergelegt habe. In der Kaulbachstrasse bin ich auch einige Male in Hofräume hineingegangen, um meine Flugblätter abzulegen. In das Gebäude der Hauptpost (Residenzstrasse) bin ich dabei nicht hineingekommen.

Soviel ich weiß, sollte Willy Graf zum Sendlingertorplatz und Umgebung gehen, während sich Scholl in Richtung zum Hauptbahnhof begab, um dort seine Flugblätter abzulegen. Diese Streuaktion nahmen wir in der Zeit von 23–1 Uhr vor. Kurz nach 1,30 Uhr sind wir am Hause des Scholl zusammengetroffen. Willy Graf kam von seiner Tour eine halbe Stunde später zu uns. Er ging dann in seine Wohnung, während ich bei Scholl geschlafen habe. Bei dieser Streuaktion hat es sich um die gleiche Art der Propaganda gehandelt, zu der wir hauptsächlich deshalb gezwungen waren, weil wir um diese Zeit keine Briefumschläge bekommen konnten. An weiteren Tagen haben wir keine Flugblätter mehr ausgestreut.

Wenn ich über die Beteiligung der Sofie Scholl an unserer staatsfeindlichen Propaganda befragt werde, so gebe ich wahrheitsgetreu an, dass diese um die gleiche Zeit wie ich nach Augsburg gefahren ist, um dort das Flugblatt »Aufruf an alle Deutsche!« zu verbreiten. Ich weiss nichts davon, dass sie von Augsburg aus auch noch andere Städte bereisen sollte. Ich war nämlich bei der Adressierung unseres Flugblattes zugegen bezw. habe die Adressen für die Bewohner in Augsburg gesehen. Wer diese Adressen an die Bewohner in Augsburg geschrieben hat, weiss ich nicht. Ich war jedenfalls nicht zugegen als diese geschrieben wurden. Wenn über diesen Rahmen hinaus in anderen Städten z. B. in Stuttgart von 3. Personen unser Flugblatt »An alle Deutschen« verbreitet worden ist, dann kann das nur von den Geschwistern Scholl ohne mein Wissen veranlasst worden sein.

Hinsichtlich des Christoph Probst habe ich folgendes anzugeben: Probst ist mit Hans Scholl und mir schon seit längerer Zeit befreundet. Ich selbst kenne ihn schon aus der Schulzeit her. Er kam gelegentlich seiner Durchreise vor etwa 3 Wochen zufällig über München, wo er die Geschwister Scholl in ihrer Wohnung besuchte. Bei dieser Gelegenheit habe ich Probst nur ganz kurz gesprochen. Um Weihnachten 1942 habe ich Probst in München getroffen und mich mit ihm unterhalten. Da ich

Probst als einen Mann kenne, der ebenfalls dem Nat. Soz. ablehnend gegenüber steht und ich mit ihm gut befreundet bin, habe ich ihm es gesagt, dass als Hersteller der Flugschrift »Weisse Rose« Hans Scholl und ich in Frage kommen. Ich konnte dabei die Wahrnehmung machen, dass Probst dies längst vermutet hatte und ich ihm also keine Neuigkeit sagen konnte. Probst wusste aber auch, dass wir uns mit der Herstellung des Flugblattes »Weisse Rose« nicht begnügten, sondern uns (Hans Scholl und ich) mit der Herstellung weiterer Flugblätter befassen würden. Ich selbst habe keine Anhaltspunkte dafür, dass Hans Scholl bei der Abfassung des letzten Flugblattes etwa von Christoph Probst unterstützt worden wäre. Von Hans Scholl habe ich kürzlich erfahren, dass ihm Christoph Probst wohl einmal zur Herstellung eines Flugblattes behilflich sein wollte und irgendwelche Unterlagen geliefert habe. Näheres hat mir in dieser Beziehung Hans Scholl nicht mitgeteilt.

Wenn ich befragt werde, welcher Personenkreis von der Handlungsweise der Geschwister Scholl Kenntnis gehabt hat, so glaube ich Professor Huber, den ich in der Universität München kennen gelernt habe, nennen zu können. Vor etwa 4 Wochen hat Prof. Huber den Geschwistern Scholl in ihrer Wohnung einen Besuch abgestattet. Bei dieser Gelegenheit haben wir (Hans Scholl und ich) Prof. Huber, den wir ebenfalls für einen Mann halten, der dem Nat. Soz. feindlich gegenüber steht, in unsere Pläne eingeweiht. Wir haben Prof. Huber gesagt, dass wir die Hersteller der Flugblätter »Weisse Rose« und »Aufruf an alle Deutsche!« sind und diese Flugblätter auch verbreiten. Prof. Huber hat uns gewarnt, auf die Gefährlichkeit unserer Handlungsweise hingewiesen, im übrigen jedoch zu erkennen gegeben, dass er uns nicht verraten wird. Ich nehme auch an, dass Prof. Huber uns bis jetzt nicht verraten hat.

Scholl ist in der letzten Zeit auch öfters mit einem gewissen Furtmeier zusammengekommen. Die Zusammenkünfte dienten mehr wissenschaftlichen Zwecken, denn Furtmeier ist ein belesener Mann, an dem Hans Scholl schon aus diesem Grunde ein besonderes Interesse hatte. Ich halte es für ausgeschlossen, dass Hans Scholl gerade den Furtmeier in unseren gemeinsamen Plan eingeweiht hat.

Eine Studentin Lafrenz, die aus Hamburg stammt und gegenwärtig in München studiert, kenne ich flüchtig von Hamburg her. Ich habe die Lafrenz mit den Geschwistern Scholl zusammengebracht. Sie ist in der Wohnung der Geschwister Scholl öfters verkehrt, glaube aber nicht, dass sie von den Geschwistern Scholl Kenntnis von unserer staatsfeindlichen Propaganda erhalten hat. Ich kenne die Lafrenz nur flüchtig und würde mich hüten, ihr derartiges anzuvertrauen.

Mit der Herstellung und Verbreitung unserer Flugblätter wollten Hans Scholl und ich einen Umsturz herbeiführen. Wir waren uns darüber im Klaren, dass unsere Handlungsweise gegen den heutigen Staat gerichtet ist und wir im Ermittlungsfalle mit den schwersten Strafen rechnen müssen. Wir haben uns aber trotzdem nicht davon abhalten lassen in der Weise gegen den heutigen Staat vorzugehen, weil wir beide der Ansicht waren, damit den Krieg verkürzen zu können.«

Aufgenommen:	Anwesend:	gel. u. unterschrib.:
Schmauß	*Brugger*	*Schmorell*
Krim.Sekr.	B.Ang.	

Geheime Staatspolizei
Staatspolizeileitstelle München
II A/Sond.

München, den 26. Febr. 1943.

Weiterverhandelt:

Aus der Haft vorgeführt, gab Alexander Schmorell folgendes an:

»Wenn mir vorgeworfen wird, dass ich durch die Herstellung und Verbreitung meiner Druckschriften mit Gewalt die

Verfassung des Reiches ändern wollte, so gebe ich dazu folgendes an:

Vorweg will ich wieder unterstreichen, dass ich meinem Denken und Fühlen nach mehr Russe als Deutscher bin. Ich bitte aber zu beachten, dass ich deshalb Russland nicht mit dem Begriff Bolschewismus gleichsetze, im Gegenteil ein offener Feind des Bolschewismus bin. Durch den gegenwärtigen Krieg mit Russland geriet ich in eine sehr verwickelte Lage, denn es lag mir daran, wie die Vernichtung des Bolschewismus möglich und die Verhinderung von Landverlust für Russland möglich wäre. Nachdem die Deutschen soweit in das russische Land hinein vorgedrungen sind, sah ich für Russland eine sehr gefährliche Situation. Ich fasste deshalb den Gedanken, wie ich dieser Gefahr für Russland begegnen könnte. Schliesslich habe ich auch einen Teil deutschen Blutes in mir, das im gegenwärtigen Krieg massenhaft zugrunde gerichtet wird. Es waren also zwei Momente, die mich veranlassten etwas zu unternehmen um einerseits das deutsche Volk vor den Gefahren einer grösseren Landeroberung und Erwachsung von weiteren Konflikten zu schützen und Russland den grossen Landverlust zu ersparen. Meine Gedankengänge oder besser gesagt meine Idee wollte ich durch die später hergestellten Flugblätter der Masse des deutschen Volkes verständlich machen. Dabei war ich mir von Anfang an klar darüber, dass sich das deutsche Volk, solange es von Adolf Hitler geführt wird, meiner Idee nicht restlos anschliessen kann. So erklärt sich auch meine Gegnerschaft zum Nationalsozialismus. In der gegenwärtigen Zeit konnte ich mich also nicht damit begnügen nur ein stiller Gegner des Nationalsozialismus zu sein, sondern ich sah mich in der Sorge um das Schicksal zweier Völker verpflichtet, meinen Teil zur Veränderung der Verfassung des Reiches beizutragen. In der Person des Scholl erblickte ich einen Mann, der sich rückhaltslos meiner Idee angeschlossen hatte. Wir zwei versuchten deshalb durch die Herstellung und Verbreitung unserer Druckschriften das deutsche Volk auf die Möglichkeit einer Kriegsverkürzung hinzuweisen. Wenn wir in unseren Flugblättern zur Sabotage aufforderten, so gingen wir von dem Gedanken aus, dadurch den deutschen Soldaten zum Zurückgehen zu zwingen. Wir haben darin die günstigste Lösung für beide Teile (für Deutschland und Russland) gesehen und überhaupt nicht daran gedacht, dass wir der feindlichen Macht jetzt im Kriege Vorschub leisten und der Kriegsmacht des Reiches einen besonderen Nachteil zufügen würden. Wir waren uns jedoch darüber klar, dass die Herstellung von staatsfeindlichen Druckschriften eine Handlung gegen die nationalsozialistische Regierung darstellt, die im Ermittlungsfalle zu schwersten Bestrafungen führen würde. Was ich damit getan habe, habe ich nicht unbewusst getan, sondern ich habe sogar damit gerechnet, dass ich im Ermittlungsfalle mein Leben verlieren könnte. Über das alles habe ich mich einfach hinweggesetzt, weil mir meine innere Verpflichtung zum Handeln gegen den nationalsozialistischen Staat höher gestanden ist.

Ich will nun auf den 18.2.43 zurückkommen, wo Hans Scholl in der Universität wegen Verdachts der Verbreitung von staatsfeindlichen Flugblättern festgenommen wurde. Wie ich schon angegeben, haben Scholl und ich einen oder zwei Tage vorher darüber gesprochen, dass man die restlichen Flugblätter – etwa in der Universität in München ablegen könnte. Etwas Näheres, insbesondere wann das geschehen und von wem das durchgeführt werden soll, ist zwischen uns beiden nicht vereinbart worden. Ich war also sehr erstaunt, als ich am 18.2.43 mittags gegen 12 Uhr mit der Strassenbahn zur Universität gekommen bin und zufällig von dem Medizinstudenten Eichhorn erfahren habe, dass soeben in der Universität zwei Studenten wegen Verbreitung von staatsfeindlichen Druckschriften verhaftet worden seien. Den Namen der festgenommenen Studenten konnte mir Eichhorn nicht nennen. Ich habe aber trotzdem sofort an Hans Scholl gedacht und versuchte von einer Telefonzelle aus mit ihm zu sprechen. Ich konnte aber keine Verbindung bekommen. Auch meine weiteren Versuche Scholl zu erreichen, blieben ohne Erfolg. Als ich etwa um 15 Uhr nochmals bei Scholl angerufen habe, meldete sich dort ein unbekannter Mann, der mir angab, dass Scholl nicht zuhause sei. Es war mir dies eine Bestätigung, dass mit ihm etwas passiert sein müsse. Es gab für mich nun keine andere Möglichkeit mehr, als München zu verlassen.

[...]

Im weiteren Verlauf der Vernehmungen vom 26. Februar, 1., 11., 13. und 18. März schilderte Alexander Schmorell den Weg seiner vorübergehenden Flucht während der steckbrieflichen polizeilichen Verfolgung nach Thalkirchen, Ebenhausen, Kochel am See, Walchensee, Krün, Elmau, Mittenwald und über Kochel erneut zurück nach München. Ferner beschrieb er seinen Werdegang in der Hitlerjugend, im SA-Reitersturm und bei Reserveübungen in der Wehrmacht sowie seine Bekanntschaften mit Prof. Dr. Carl Muth, Prof. Dr. Kurt Huber, Falk Harnack sowie anderen Kommilitonen und Kommilitoninnen. Er erläuterte die Herstellung der verschiedenen Entwürfe und Fassungen der Flugblätter und deren Verteilung bzw. Versendung, ebenso die finanzielle Unterstützung ihrer Aktionen durch Dr. Eugen Grimminger in Stuttgart. Im Verlauf der Verhöre bekannte sich Alexander Schmorell »zum Hochverrat«, bestritt aber, sich »auch landesverräterisch betätigt zu haben«. Deutlich wies er in der Vernehmung vom 13. März darauf hin, das er nicht in der Lage sei, »einen weiteren Personenkreis namhaft zu machen«, der von seiner Straftat gewusst haben könnte. Er erklärte zudem, dass seine Eltern von seinen strafbaren Handlungen »keine Ahnung hatten«. Ein von ihm am 8. März 1943 handschriftlich abgefasstes »politisches Bekenntnis«, das von der Gestapo in Schreibmaschinenschrift übertragen wurde (beide Ausfertigungen sind in den Ermittlungsakten überlie-

fert), gab detailliert Auskunft über seine politischen Vorstellungen, seine Liebe zu seinem Heimat- und Geburtsland Russland und seine Haltung zum Nationalsozialismus:

München, den 8. März 1943

Politisches Bekenntnis
Angaben des Alexander Schmorell:

Wenn Sie mich fragen, welche Staatsform ich bevorzuge, so muss ich antworten: Jedem Land die seine, die seinem Charakter entsprechende. Eine Regierung ist doch meiner Ansicht nach lediglich die Vertreterin des Volkswillens – sie soll es jedenfalls sein. In einem solchen Falle findet sie dann auch selbstverständlich das Vertrauen des Volkes, das Volk hat sie gerne – es ist ja seine Vertreterin, die Vertreterin seiner Gedanken und seines Willens – das Volk selber. Gegen eine solche Regierung kann das Volk gar nicht sein. Aber sie soll auch seine Führerin sein, denn der einfache Mann kann nicht alles selbst begreifen, selbst entscheiden, er masst es sich auch gar nicht an, er vertraut seinen Führern, der Intelligenz, die es besser versteht, als er. Unbedingt muss aber diese Intelligenzschicht verwachsen sein mit ihrem Volk, muss dasselbe denken und fühlen, wie dieses denn sonst begreift sie ihr Volk nicht und treibt ihre eigene Politik, ohne auf das einfache Volk zu achten, ohne seine Interessen zu verfolgen, von jenem Volk, das doch die jedem Falle die Mehrzahl bildet. Ich bin deshalb auf keinen Fall ein entschiedener Verfechter der Monarchie, der Demokratie, des Sozialismus, oder wie alle die verschiedenen Formen heissen mögen. Was für das eine Land gut ist, sogar das beste, ist für das andere Land vielleicht das verkehrteste, das ihm am wenigsten entsprechende. Überhaupt sind ja alle diese Regierungsformen nur Äusserlichkeiten.

Wenn ich mich schon öfter als Russen bezeichnet habe, so sehe ich für Russland als die einzig mögliche Staatsform unbedingt den Zarismus an. Ich will damit nicht sagen, dass die Staatsform wie sie in Russland bis 1917 geherrscht hat, mein Ideal war – nein. Auch dieser Zarismus hatte Fehler, vielleicht sogar sehr viele – aber im Grunde war er richtig. Im Zaren hatte das russische Volk seinen Vertreter, seinen Vater, den es heiss liebte – und mit Recht. Man sah in ihm nicht sosehr das Staatsoberhaupt, als vielmehr den Vater, Fürsorger, Berater des Volkes – und wiederum mit vollem Recht, denn so war das Verhältnis zwischen ihm und dem Volk. Nicht in Ordnung war in Russland fast die ganze Intelligenz, die die Fühlung mit dem Volke vollständig verloren hatte und sie nicht mehr fand. Aber trotz dieser todkranken Intelligenz, also auch der Regierung halte ich für Russland als die einzig richtige Form den Zarismus.

Selbstverständlich wird es in einem Staate, wie ich ihn mir vorstelle, auch eine Opposition geben, immer wird es diese geben, da selten ein ganzes Volk nur einer Meinung ist – aber auch diese muss geduldet und geachtet werden. Denn diese deckt die Fehler der bestehenden Regierung auf – und, welche Regierung macht keine Fehler – und übt Kritik. Diese Fehler gezeigt zu bekommen, um sie gut zu machen, dafür müsste die Regierung direkt dankbar sein.

Sie fragen mich weiter, warum ich mit der nat. soz. Regierungsform nicht einverstanden bin. Weil sie meinem Ideal, wie mir scheint, nicht entspricht. Meiner Ansicht nach stützt sich die nat. soz. Regierung zu sehr auf die Macht, die sie in Händen hat. Sie duldet keine Opposition, keine Kritik, deshalb können die Fehler, die gemacht werden, nicht erkannt, nicht beseitigt werden. Dann glaube ich, dass sie nicht eine reine Ausdrucksform des Volkswillens darstellt. Sie macht es dem Volk unmöglich, seine Meinung zu äussern, sie macht es dem Volke unmöglich, etwas an ihr zu ändern, wenn es (das Volk) auch damit nicht einverstanden ist. Sie ist geschaffen worden, und an ihr darf nicht kritisiert, nichts mehr geändert werden – und das finde ich nicht richtig. Sie müsste mit dem Volksdenken mitgehen, elastisch – nicht nur befehlen. Meiner Ansicht nach müsste eine Regierung, wenn sie sieht, dass das Volk mit ihr in irgend einem Punkt nicht einverstanden ist, es erstens dem Volk ermöglichen, sich zu äussern und zweitens dann diesen Fehler auch ausbessern. Denn sonst entspricht sie ja dem Volkswillen nicht, arbeitet ihm manchmal vielleicht sogar entgegen – und dann ist es keine Vertretung des Volkes mehr. Meiner Ansicht nach hat jetzt jeder Bürger direkt Angst, irgendetwas bei den Regierungsbehörden auszusetzen, weil er sonst bestraft wird. Und das müsste vermieden werden. Ich bin sogar geneigt, der autoritären Staatsform fast immer vor der demokratischen den Vorzug zu geben. Denn wohin uns die Demokratien geführt haben, hab[en] wir alle gesehen. Eine autoritäre Staatsform bevorzuge ich nicht nur für Russland, sondern auch für Deutschland. Nur muss das Volk in seinem Oberhaupt nicht nur den politischen Führer sehen, sondern vielmehr seinen Vater, Vertreter, Beschützer. Und das, glaube ich, ist im nat. soz. Deutschland nicht der Fall.

Und als der Krieg begann, hatte ich das Gefühl, dass die deutsche Regierung auf eine Vergrösserung seiner Landbesitzungen durch Gewalt hinarbeitet. Das entspricht auf keinem Fall meinem Ideal. Ein Volk ist wohl berechtigt, sich an die Spitze aller anderen Völker zu stellen und sie anzuführen zu einer schliesslichen Verbrüderung aller Völker – aber auf keinen Fall mit Gewalt. Nur dann, wenn es das erlösende Wort kennt, es ausspricht, und dann alle Völker freiwillig folgen, indem sie die Wahrheit einsehen und an sie glauben. Auf diesem Wege wird, dessen bin ich sicher, schliesslich eine Verbrüderung ganz Europas und der Welt kommen, auf dem Wege der Brüderlichkeit, des freiwilligen Folgens. Sie können sich vorstellen, dass es mich besonders schmerzlich berührte, als der Krieg gegen Russland, meine Heimat, begann. Natürlich herrscht drüben der Bolschewismus aber es bleibt trotzdem meine Heimat, die Russen bleiben doch meine Brüder. Nichts sähe ich lieber, als wenn der Bolschewismus verschwände, aber natürlich nicht auf Kosten des Verlustes so wichtiger Gebiete, wie sie Deutschland bisher erobert hat, die ja eigentlich fast das ganze Kernrussland umfassen. Ich glaube, sie würden als Deutscher nicht anders denken, wenn angenommen Russland einen so grossen Teil Deutschlands erobert hätte, wie es Deutschland im Osten getan hat! Das ist doch ein ganz selbstverständliches Gefühl – es ist direkt ein Verbrechen, wenn man seinem Vaterlande gegenüber in einem solchen Falle andere Gefühle entgegenbrächte. Das würde doch besagen, dass man ein heimatloser Mensch ist, irgendein internationaler Schwimmer, bei dem es sich nur darum dreht, wo es ihm am besten geht.

Alexander Schmorell

Quelle: Russisches Staatliches Militärarchiv (RGVA) Moskau, 1361-1-8808; auch in: Gedenkstätte Deutscher Widerstand, Sammlung »Weiße Rose«; Weiße Rose Stiftung e.V., München.

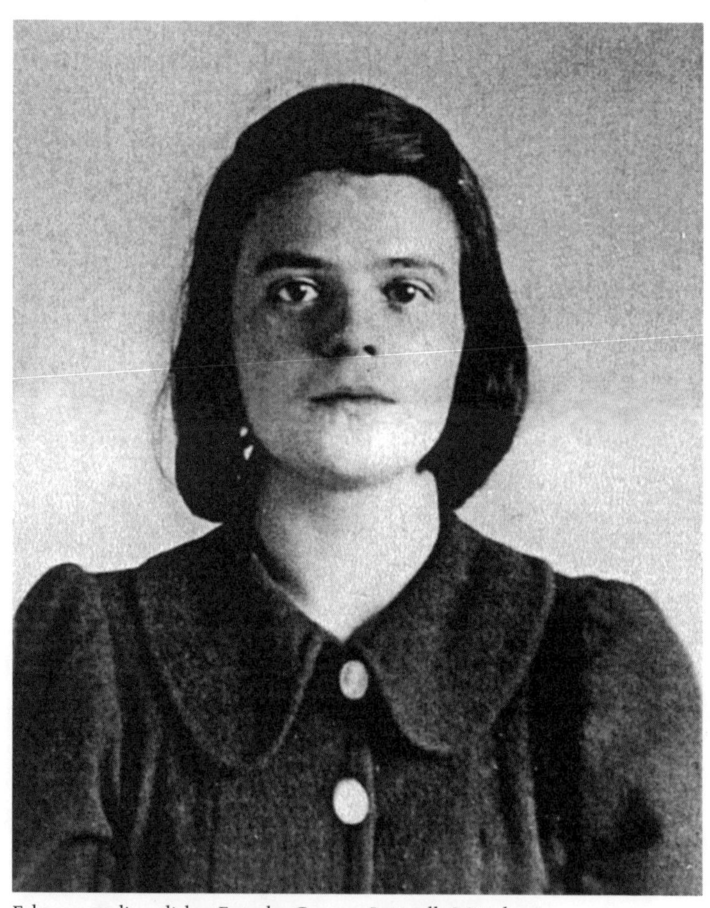

Erkennungsdienstliches Foto der Gestapo-Leitstelle München. Die Aufnahme vom 20. Februar 1943 ist wahrscheinlich die letzte Aufnahme von Sophie Scholl.

Erkennungsdienstliches Foto der Gestapo-Leitstelle München.
Die Aufnahme vom 20. Februar 1943 ist wahrscheinlich
die letzte Aufnahme von Hans Scholl.

VI. Kommentierte Auswahlbibliographie zur *Weißen Rose*

Nur wenige der angeführten Titel sind im Buchhandel erhältlich, es empfiehlt sich also der Gang in eine größere Bibliothek

Aicher, Otl: innenseiten des kriegs, Frankfurt 1985

Autobiographischer Bericht des 1922 in Ulm geborenen Graphikers, Designers und Gestalters. Er war eng mit Hans und Sophie Scholl befreundet und heiratete Inge Scholl. Aicher schildert die geistige, politische und kulturelle Entwicklung im Ulmer Freundeskreis um die Familie Scholl, an der er regen Anteil hatte. Er knüpfte die Kontakte zu älteren Mentoren wie den Publizisten Theodor Haecker und Carl Muth. Ergiebige Quelle für die literarischen, philosophischen und religiösen Debatten in dem Freundeskreis, aus dem heraus *die Weiße Rose* entstand, in die Aicher jedoch nicht eingebunden war.

Aicher-Scholl, Inge (Hrsg.): Sippenhaft. Nachrichten und Botschaften der Familie in der Gestapo-Haft nach der Hinrichtung von Hans und Sophie Scholl, Frankfurt 1993

Die mit geschmuggelten Kassibern vom 24. Februar bis 21. Dezember 1943 geführte Korrespondenz der Eltern Robert und Magdalene Scholl, der Kinder Inge, Elisabeth und Werner Scholl und von Fritz Hartnagel und Otl Aicher.

Chaussy, Ulrich: Die Weiße Rose. Eine multimediale Dokumentation deutschen Widerstandes. CD-ROM, München 1995

CD-ROM mit u. a. den eingescannten Tagebüchern von Willi Graf, Briefen von Alexander Schmorell, dem ›Katalog der *Weißen Rose*-Ausstellung‹ der *Weißen Rose*-Stiftung, dem Hörbild (Produktion Bayerischer Rundfunk) ›Allen Gewalten zum Trutz sich erhalten‹, Zeitzeugeninterviews mit Anneliese Knoop-Graf, Franz J. Müller, Marie-Luise Jahn, Erich Schmorell u. a.

Christoph Probst-Gymnasium Gilching (Hrsg.): »... damit Deutschland weiterlebt«, Christoph Probst 1919–1943, Gilching 2000

Text- und Bildband über das wenig bekannte Mitglied der *Weißen Rose* Christoph Probst, mit vielen unbekannten Bilddokumenten und Aufsätzen über Christoph Probst und unbekannten Briefen von seiner Hand.

Drobisch, Klaus: Wir schweigen nicht – Die Geschwister Scholl und ihre Freunde, Berlin (Ost) 1972

Neben ›Weiße Rose contra Hakenkreuz‹ von Karl-Heinz Jahnke die ausführlichste Darstellung, die *Die Weiße Rose* in der DDR gefunden hat. Das erste Drittel des Buches enthält eine kurze Geschichte der Gruppe, zwei Drittel nimmt ein ausführlicher Dokumentenanhang ein. Viele der damals erstmals veröffentlichten Dokumente (Briefe und Tagebuchauszüge von Hans und Sophie Scholl und Willi Graf z. B.) sind mittlerweile vollständig ediert in eigenen Ausgaben vorhanden.

Fürst-Ramdohr, Lilo: Freundschaften in der Weißen Rose, München 1995

Autobiographischer Bericht der 1913 geborenen Tänzerin, Künstlerin und Bühnenbildnerin Lilo Fürst-Ramdohr, die mit Alexander Schmorell seit einem gemeinsamen Zeichenkurs im Jahr 1941 befreundet und durch ihn in die Aktionen der *Weißen Rose* eingeweiht war. Sie vermittelte den Kontakt mit Falk Harnack und half Alexander Schmorell bei seiner Flucht. Enthält einige Kohlezeichnungen Schmorells und Fürst-Ramdohrs.

Hirzel, Susanne: Vom Ja zum Nein – eine schwäbische Jugend 1933–1945, Tübingen 1998

Autobiographischer Bericht der 1921 geborenen Musikerin und Musikpädagogin. Sie war mit Sophie Scholl befreundet und erlebte sie z. B. im BDM und in der späteren Kindergärtnerinnenausbildung im Fröbel-Seminar aus der Nähe mit. Susanne Hirzel half später ihrem Bruder Hans, Flugblätter der *Weißen Rose* zu verbreiten, und wurde im zweiten Prozess gegen Mitglieder der *Weißen Rose* vom Volksgerichtshof zu sechs Monaten Gefängnis verurteilt. Vor jedem Kapitel eine Chronik der wichtigsten historischen Ereignisse, deren Verarbeitung dann im autobiographischen Bericht dargelegt wird.

Jens, Inge (Hrsg.): Hans und Sophie Scholl. Briefe und Aufzeichnungen, Frankfurt 1984

Bisher vollständigste Edition von Tagebuchaufzeichnungen und Briefen von Hans und Sophie Scholl. Durch die ausführlichen Anmerkungen der Herausgeberin sind die in den Briefen und Texten spärlich gehaltenen Verweise auf die Ereignisse in Familien- und Freundeskreis, auf den zeitgeschichtlichen Kontext und vor allem die Literatur, die beide beschäftigte, sehr gut nachvollziehbar.

Kißner, Michael / Schäfers, Bernhard: »Weitertragen« – Studien zur Weißen Rose. Festschrift für Anneliese Knoop-Graf zum 80. Geburtstag, Konstanz 2001

Enthält u. a. die Beiträge: Willi Graf, ›Von der Prägung eines widerständigen Katholiken‹ (1933–1939); »Bücher – frei von Blut und Schande« (eine Einführung von Inge und Walter Jens in die religiöse und belletristische Literatur, die für die Entwicklung des Kreises der Weißen Rose wichtig war); eine autobiographische Erinnerung des mit Willi Graf im zweiten Prozess gegen *die Weiße Rose* zu fünf Jahren Gefängnis verurteilten Franz J. Müller.

Knoop-Graf, Anneliese / Jens, Inge (Hrsg.): Willi Graf. Briefe und Aufzeichnungen, Frankfurt 1988

Enthält nach einem einleitenden Essay von Walter Jens über die Persönlichkeit von Willi Graf das Tagebuch der Jahre 1942 / 43 von Willi Graf und Korrespondenz von 1940 bis zu Grafs Abschiedsbriefen vor der Hinrichtung. Ein sehr ausführlicher und materialreicher Anmerkungsteil macht das in knappsten Andeutungen verfasste Tagebuch für den Außenstehenden als Chronik der Widerstandsaktionen der *Weißen Rose* lesbar und verstehbar und beleuchtet den neben der Widerstandtätigkeit laufenden Alltag.

Huber, Clara (Hrsg.): Kurt Huber zum Gedächtnis »... der Tod war nicht vergebens«, München 1986

Enthält u. a. zwei Aufsätze der Witwe Clara Huber, Briefe und Gedichte Hubers aus dem Gefängnis und seine dort verfassten philosophischen Notizen, Erinnerungen seiner Schüler und Kollegen an den Wissenschaftler Kurt Huber.

Kurt-Huber-Gymnasium (Hrsg.): Kurt Huber. Stationen seines Lebens in Dokumenten und Bildern, Gräfelfing o. J.

In dem Bild- und Textband wird neben der Bedeutung und Rolle Kurt Hubers für die *Weiße Rose* der Blick auf sein Werk und seine Leistungen als Wissenschaftler und Hochschullehrer geweitet.

Lill, Rudolf (Hrsg.): Hochverrat? Die Weiße Rose und ihr Umfeld, Konstanz 1999

Enthält u. a. Beiträge des im zweiten Prozess gegen Angehörige der *Weißen Rose* zu fünf Jahren Gefängnis verurteilten Hans Hirzel. Anneliese-Knoop-Graf schreibt über Willi Graf und die Ausweitung des Widerstandes; auch eine ausführliche Bibliographie der bis 1992 erschienenen Literatur ist enthalten.

Moll, Christiane: Die Weiße Rose, in: Steinbach, Peter / Tuchel, Johannes (Hrsg.): Widerstand gegen den Nationalsozialismus, Bonn 1994

Eine sehr verdichtete wissenschaftliche Darstellung der Geschichte der Gruppe, die nach dem Auftauchen wichtiger Quellenmaterialien aus ehemaligen Archiven der DDR, insbesondere der Verhörprotokolle und Ermittlungsakten, geschrieben wurde und diese konsequent auswertet und nachweist. Guter Ausgangspunkt für Spurensucher, die selbst historischen Quellen nachgehen wollen.

Petry, Christian: Studenten aufs Schafott. Die Weiße Rose und ihr Scheitern, München 1968

Die erste auf umfangreichen Recherchen eines Autors beruhende Darstellung der Geschichte der *Weißen Rose*, die nicht aus dem Kreis der Familienangehörigen und Überlebenden der *Weißen Rose* stammt und in ihrem ausführlichen Dokumentenanhang viele Materialien und Quellen erstmals zugänglich machte. Petry stieß wegen seiner schon im Titel kenntlich gemachten harschen Bewertung der *Weißen Rose* auf Ablehnung bei Inge Scholl. Das sehr materialreiche Buch geriet wegen dieser tatsächlich fragwürdigen wertenden Passagen zu Unrecht in Vergessenheit.

Schneider, Michael C. / Süß, Winfried: Keine Volksgenossen. Studentischer Widerstand der Weißen Rose, München 1993

Erste Darstellung der *Weißen Rose*, die die 1990 neu aufgetauchten Quellen aus den Archiven der ehemaligen DDR einbezogen hat.

Scholl, Inge: Die Weiße Rose. Erweiterte Neuausgabe, Frankfurt 1982

Der Urtext zur *Weißen Rose*. Durch Inge Scholls Buch, erstmals veröffentlicht 1952, wurde die Geschichte der *Weißen Rose* dem Vergessen entrissen und das Interesse der Öffentlichkeit geweckt. In späteren Auflagen des weltweit verbreiteten Buches hat Inge Scholl einen Anhang mit von ihr gesammelten Dokumenten und Augenzeugenberichten angefügt. Inge Scholls Text ist nach dem Auftauchen des neuen Quellenmaterials aus den Archiven der ehemaligen DDR nicht mehr überarbeitet worden.

Steffahn, Harald: Die Weiße Rose. Mit Selbstzeugnissen und Bilddokumenten, Reinbek 1992

Erzählerisch verdichtete Geschichte der *Weißen Rose* mit faksimilierten Dokumenten und Fotografien.

Verhoeven, Michael / Krebs, Mario: Die Weiße Rose. Der Widerstand Münchner Studenten gegen Hitler. Informationen zum Film, Frankfurt 1982

Entstand begleitend zu Michael Verhoevens Film ›Die Weiße Rose‹ aus dem Jahr 1982, für das Michael Verhoeven und Mario Krebs gemeinsam das Drehbuch schrieben. Enthält eine Geschichte der *Weißen Rose*, die auf Mario Krebs' Recherchen beruht und einen Beitrag von Michael Verhoeven über seine Annäherung an den Filmstoff.

Vielhaber, Klaus: Gewalt und Gewissen. Willi Graf und die »Weiße Rose«, Freiburg 1964

U. a. mit einem ersten biographischen Portrait von Willi Graf durch Anneliese Knoop-Graf, Materialien aus der Zeit der bündischen Jugend und einem Bericht des von Willi Graf für die *Weiße Rose* geworbenen Freundes Willi Bollinger, sowie Auszügen aus Briefen und Tagebüchern Grafs.

Vinke, Hermann: Das kurze Leben der Sophie Scholl, Ravensburg 1980
Das persönlichste Porträt-Buch über Sophie Scholl, für das der Autor neben bekannten Dokumenten vertiefende Interviews mit Inge Scholl und Fritz Hartnagel geführt hat. Das Buch enthält auch Skizzen und Zeichnungen von Sophie Scholl.

Bildrechte

Der Verlag dankt der Weiße Rose Stiftung e. V. für ihre Unterstützung.

Inge Scholl

Die weiße Rose

Band 11802

Unter dem Losungswort »Weiße Rose« riefen die Münchner Studenten Hans und Sophie Scholl zusammen mit einigen Freunden in einer Flugblatt-Serie zum aktiven Widerstand gegen die nationalsozialistische Gewaltherrschaft auf. Am 18. Februar 1942 fielen sie der Gestapo in die Hände, vier Tage später wurden sie zum Tode verurteilt und mit dem Fallbeil hingerichtet.

Inge Scholl erzählt die Lebensgeschichte ihrer Geschwister nach Erinnerungen und geretteten Dokumenten.

Fischer Taschenbuch Verlag

fi 11802 / 1

Hans Scholl und Sophie Scholl
Briefe und Aufzeichnungen
Band 5681

»Ich kann nicht Abseits stehen, weil es für mich Abseits kein Glück gibt, weil es ohne Wahrheit kein Glück gibt.«
Hans Scholl, 28.10.1941

»Wie könnte man da von einem Schicksal erwarten, daß es einer gerechten Sache den Sieg gebe, da sich kaum einer findet, der sich ungeteilt einer gerechten Sache opfert.«
Sophie Scholl, 22.6.1940

Fischer Taschenbuch Verlag

fi 25681 / 1

Willi Graf

Briefe und Aufzeichnungen

Herausgegeben von

Anneliese Knoop-Graf und Inge Jens

Band 12367

Diese Briefe und Aufzeichnungen stehen neben denen von Hans und Sophie Scholl als eines der großen Zeugnisse der Weißen Rose.

»Hätte es aber im deutschen Widerstand
nur sie gegeben, die Geschwister Scholl
und ihre Freunde, so hätten sie alleine genügt,
um etwas von der Ehre des Menschen zu retten,
welcher die deutsche Sprache spricht.«
Golo Mann

Fischer Taschenbuch Verlag

fi 12367 / 1